Die Republik Österreich stellt Ihnen Buch und E-Book für Ihre Ausbildung zur Verfügung. Ihre Professorinnen und Professoren helfen Ihnen, den Stoff zu erlernen und so eine gute Basis für Ihr späteres Berufsleben oder Ihr Studium zu legen. Übernehmen Sie aber auch selbst Verantwortung für Ihren Lernerfolg und nutzen Sie die vielfältigen Möglichkeiten, die Ihnen dieses Buch und das zugehörige E-Book zum Lernen, Üben, Sichern und Wissen bieten.

Buch-Nr. 180781

Autorinnen und Autoren:

MR Ing. Mag. Wolfgang Höglinger
BMBWF

Dir. Dr. Annemarie Berschl
Direktorin der HLW Braunau

Prof. Dr. Cornelia Cassan-Juen
BHAK/BHAS Innsbruck

Mag. Günter Kegelreiter
Richter des Oberlandesgerichts Wien

Dir. MMag. Dr. Wolfgang Nurscher
Direktor der Bundesschulen Kalvarienberg, Wien 17

Prof. Mag. Veronika Palm-Thaler
BHAK/BHAS I Salzburg

Dir. Dr. Herbert Panholzer
Direktor der Tourismusschulen Bad Leonfelden

Prof. Dr. Erika Starc
BHAK/BHAS Villach

Wien 2019

W0212420

Printed in the EU, ISBN 978-3-7068-5785-7

Das vorliegende Buch wurde auf chlorfrei gebleichtem Papier gedruckt.

Umschlaggestaltung: buero8, MANZ Verlag Schulbuch, Wien

MANZ

Herzlich willkommen! Das ist Ihr neues Schülerbuch von MANZ.

Als führender Verlag im berufsbildenden Schulwesen wissen wir, dass Sie Lernpakete benötigen, die Sie zielgerichtet zum Lernerfolg – zu Wissen und Kompetenz – führen. Wir wollen, dass Sie nach Abschluss Ihrer Ausbildung Ihre persönlichen Chancen am Arbeitsmarkt bestmöglich wahrnehmen können.
Wir arbeiten täglich an der Produktion zeitgemäßer Lernpakete und stehen dabei im ständigen Dialog mit erfahrenen Schulbuchautorinnen und -autoren sowie Wissenschaftlerinnen und Wissenschaftlern.

Dieses Schülerbuch steht Ihnen nicht nur gedruckt, sondern auch als E-Book zur Verfügung.

SbX Im Rahmen dieses E-Books gibt es vielfältige **Online-Ergänzungen** (SbX-Inhalte) sowie ein Lernmanagementsystem, den **MANZ Lernraum**.

Ihr Schülerbuch als E-Book mit SbX

Aktivieren Sie Ihr Schülerbuch als E-Book inklusive SbX-Inhalten und MANZ Lernraum:

www.wirlernenmitmanz.at

1. Registrieren bzw. anmelden.
2. Die Lasche „Meine Lernmedien" öffnen.
3. Startcode eingeben:

5912795U9CHt

Ihr Schülerbuch als E-Book mit SbX

Zusatzmaterial
Alle Download-Dateien (Angaben, Lehrbeispiele, Zusatzinfos) sind hier gesammelt.

Der MANZ Lernraum
ist Ihr Arbeits- und Kommunikationsbereich.

Suchfeld
Suchen Sie hier nach Schlagworten und wählen Sie dann aus den Vorschlägen.

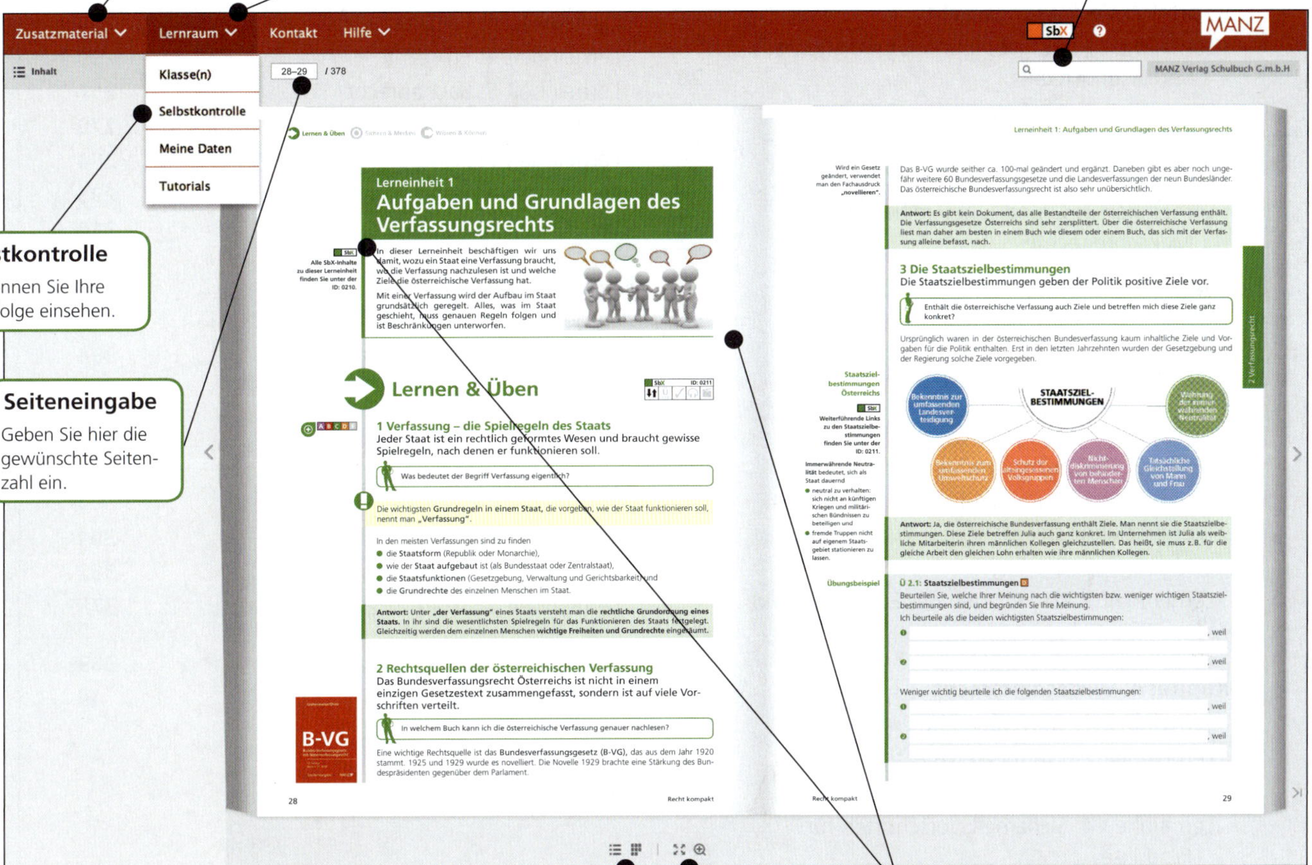

Selbstkontrolle
Hier können Sie Ihre Lernerfolge einsehen.

Seiteneingabe
Geben Sie hier die gewünschte Seitenzahl ein.

Ansicht
Sie können zwischen der Inhaltsansicht mittels Inhaltsverzeichnis und einer Miniaturansicht der Buchseiten wählen.

Zoomfunktion und Vollbildmodus
Die Lupe oder ein Doppelklick ermöglichen eine Detailansicht. Der Vollbildmodus öffnet sich in einem neuen Fenster.

SbX-Leiste und SbX-ID
Ein Klick auf die SbX-ID öffnet eine Übersicht der passenden SbX-Inhalte zum aktuellen Lernschritt.

Dem Verlag MANZ ist es ein grundlegendes Anliegen …

… Chancengleichheit wo immer möglich zu fördern. Frauen und Männer werden in den Texten und Beispielen dieses Buches gleichberechtigt behandelt. Um den Lesefluss nicht zu stören, wird aber – wo nötig – auf das Nebeneinander weiblicher und männlicher Formen verzichtet.

Inhaltsverzeichnis

Recht kompakt

7. Semester

8. Semester

Vorwort

Hallo!

Mein Name ist Katharina. Ich habe vor 2 Jahren meine Reifeprüfung abgelegt und arbeite seither in der Einkaufsabteilung eines großen Unternehmens. Ich muss Angebote von Lieferanten einholen, diese bewerten und Verträge abschließen. Auch wenn mir dabei Juristen zur Seite stehen, muss ich oft rasch entscheiden. Dann kann ich nicht bei meinen Kollegen nachfragen.

Manchmal überlege ich, das Unternehmen zu wechseln. Aber ein Jobwechsel ist mit Unsicherheiten verbunden, und einen guten Vertrag auszuhandeln, ist nicht einfach. Da muss man oft sehr genau auf das „Kleingedruckte" achten.

Mit meinem Freund Albrecht verstehe ich mich sehr gut. Demnächst wollen wir zusammenziehen und gemeinsam eine Wohnung kaufen. Irgendwann wollen wir auch heiraten und Kinder haben.

Hi!

Mein Name ist Marco. Ich werde heuer die Reifeprüfung ablegen und möchte, nachdem ich Berufserfahrung gesammelt habe, mein eigenes Unternehmen gründen. Ich habe von meiner Tante Geld geerbt, das ich dafür verwenden könnte.

Obwohl ich in der Schule viel über Betriebswirtschaft und Unternehmensgründung gehört habe, bin ich neugierig, wie die Amtswege in der Realität ausschauen.

Da ich Klassensprecher war und auch sonst immer versucht habe, anderen zu helfen, bin ich gefragt worden, ob ich mich politisch engagieren möchte. Ich kann mir nicht so genau vorstellen, was da alles auf mich zukommen würde. Aber probieren möchte ich es vielleicht trotzdem.

Im Buch werden Sie von Katharina und Marco begleitet.

Katharina und Marco werden gemeinsam mit Ihnen versuchen, Antworten auf folgende Fragen zu finden:

1. Was ist Recht und wie wendet man es an? In welchen Lebenssituationen ist man mit Rechtsvorschriften konfrontiert?
2. Wie funktioniert der Staat und wie ist er organisiert? Welche Aufgaben haben die Parteien und wie unterscheidet sich unsere Demokratie von anderen politischen Systemen?
3. Welche Rolle spielt die Verfassung für das Zusammenleben in unserem Staat? Wie wird Politik gemacht und wer hat welche Kompetenzen?
4. Österreich ist Mitglied der EU. Doch stimmt es, dass Brüssel fern ist und dass wir wenig Mitspracherecht haben?
5. Neben der EU gibt es noch viele andere internationale Organisationen. Welche Aufgaben und Ziele haben diese? Wie werden dort Entscheidungen gefällt?
6. Wenn Sachen gekauft oder gemietet werden, welche Rechte und Pflichten sind damit verbunden? Wer darf solche Geschäfte abschließen? Wie kommt ein Vertrag zustande?
7. Die Rechte und Pflichten von Arbeitnehmern und Arbeitgebern sind in eigenen Gesetzen geregelt. Was ist dort zu finden?
8. Was kann man tun, wenn sich Partner nicht an Abmachungen halten?
9. Welche Vorschriften gelten speziell für Unternehmen?
10. Was passiert, wenn ich gegen ein Gesetz verstoße? Muss ich bei jedem Verstoß ins Gefängnis?

Viel Erfolg wünschen Ihnen

MR Ing. Mag. Wolfgang Höglinger (Herausgeber) und das Team der Autorinnen und Autoren

Bildnachweis

Fotolia Deutschland: S. 28, 52 (Taube), 68, 129, 131, 183, 191, 202, 208, 211, 217, 222, 226, 238, 283 (Handy), 287, 301, 328, 351

iStock International Inc.: S. 4, 24, 34 (Queen, Parlament), 41, 66, 67, 75, 82, 85, 107 (Geld), 121, 126, 140, 164, 171, 172, 174, 192, 199, 200, 201, 214, 215, 221, 225, 230, 232, 243, 251, 285, 289, 360, 365 (Zigarette, Bier)

MANZ Verlag Schulbuch: S. 270, 341, 346, 370 (4 Bilder), 371, 372, 373. Der Verlag dankt Herrn Mag. Thomas Salfelner (Richter im BMI), Frau Mag. Iris Strebinger (Landesgericht für Zivilrechtssachen) sowie deren Kolleginnen und Kollegen für ihre freundliche Unterstützung bei der Anfertigung der Bilder.

MANZ'sche Verlags- und Universitätsbuchhandlung: S. 7, 28, 209, 232, 290, 294, 310, 345, 369

Shutterstock: S. 149, 283 (Katastrophe)

Wikipedia – Die freie Enzyklopädie: S. 10, 36, 52 (Kant), 53 (2 Bilder), 86, 97, 103, 107 (EZB), 113

S. 1: Sergii88/Shutterstock.com
S. 15: Lisa S./Shutterstock.com
S. 19: Antonio Guillem/Shutterstock.com; iStock (Schiff)
S. 21: Parlamentsdirektion/Mike Ranz
S. 31: Panptys/ Shutterstock.com
S. 32: Bayern-Nachrichten
S. 40: Parlamentsdirektion/Bildagentur Zolles KG/Mike Ranz
S. 43: Parlamentsdirektion/PHOTO SIMONIS (Bures, Kopf, Hofer): Fotolia (Parlament)
S. 44: Parlamentsdirektion/Bildagentur Zolles KG/Mike Ranz
S. 53: Wikipedia (beide Bilder)
S. 59: Gottfried Auer
S. 62: BKA/Andy Wenzel
S. 71: Presseservice des Innenministeriums
S. 77: VfGH/Achim Bieniek
S. 78: Volksanwaltschaft/Photo Simonis
S. 79: Presseservice Rechnungshof
S. 92: iStock (Flagge), Wikipedia (Coudenhove-Kalergi, Fall der Berliner Mauer), Michael-Reiner Ernst/Stiftung Berliner Mauer (Kalter Krieg)
S. 95: Presseservice des Innenministeriums
S. 104: European Union/Georges Boulougouris
S. 106: Wikipedia (EU-Parlament), Gerichtshof der Europäischen Union (Richter/innen)
S. 125: goodluz/Shutterstock.com; iStock
S. 129: pisaphotography/Shutterstock.com
S. 133: Tourismus Salzburg GmbH
S. 137: zhu difeng/Fotolia.com
S. 145: Marco2811/Fotolia.com
S. 156: Lumizil
S. 170: Zdenka Darula/Shutterstock.com (Frau), Rostislav_Sedlacek/Shutterstock.com (Mann)
S. 176: antto/Fotolia.com (Geldstapel); bignai/Fotolia.com (Verletzung)
S. 179: Presseservice Bundesheer
S. 180: diego cervo/Fotolia.com
S. 182: iStock, Brendan Delany/Shutterstock.com (Vater und Sohn)
S. 187: AMS/Petra Spiola
S. 193: alice_photo/Fotolia.com (Kamera), istock (Gespräch); ÖGB Bildarchiv (Streik)
S. 203: Alena Stalmashonak/Shutterstock.com (Kinder), iStock (Rollstuhl)
S. 212: Pentax K-3/Fotolia.com
S. 220: scusi/Fotolia.com (Vector Familie), Westend61/Fotolia.com (junge Familie)
S. 241: Veronika Palm-Thaler
S. 253: Cornelia Cassan-Juen
S. 256: Jürgen Fälchle/Fotolia.com
S. 258: Fotolyse/Fotolia.com
S. 259: yelp.at
S. 260: Julie Clopper/ Shutterstock.com
S. 269: Stasique/Shutterstock.com
S. 271: Krezodent/Shutterstock.com
S. 273: Lisa S./Shutterstock.com
S. 300: eccolo/Fotolia.com (AGB), Bundesministerium für soziale Sicherheit, Generationen und Konsumentenschutz: Sie haben Recht. Wien: 2003 (Cartoon)
S. 308: beermedia.de/Fotolia.com
S. 309: contrastwerkstatt/Fotolia.com
S. 313: iStock, Gina Sanders/Fotolia.com (ausmalen)
S. 324: Olaf Wandruschka/Fotolia.com
S. 335: ÖNB
S. 356: Disney (Panzerknacker), iStock (Auto)
S. 357: denisismagilov/Fotolia.com
S. 358: yingtustocker/Shutterstock.com
S. 359: Christian Fischer
S. 363: meoouh/Shutterstock.com
S. 365: Skunkeye/Shutterstock.com (Haschisch)

Wir haben uns bemüht, alle Inhaber/innen von Bildrechten ausfindig zu machen. Sollten dennoch Urheberrechte verletzt worden sein, bitten wir um Kontaktaufnahme mit uns.

1 RECHT UND STAAT – DIE GRUNDLAGEN

Worum geht's in diesem Kapitel?

In der Mietwohnung, die Katharina mit ihrem Partner Albrecht bewohnt, hat eben der Wecker geläutet. Der Mietvertrag verschafft den beiden ein Dach über dem Kopf (übrigens schon wieder vergessen, den Zins zu bezahlen, kann da was passieren?). Nun heißt es aber: Aufstehen! Katharina dreht das Radio auf, das sie aufgrund rechtmäßiger Anmeldung bei der GIS (muss man die GIS-Leute eigentlich hereinlassen?) benutzen darf. Die Tonqualität ist erbärmlich, aber das Gerät steht noch unter Garantie (kann man da einen Umtausch oder bloß eine kostenlose Reparatur verlangen?).

Nach Verlassen des Hauses unter Einhaltung der Straßenverkehrsordnung (gilt die auch für Fußgänger?) folgt der Erwerb einer Frühstückssemmel durch Abschluss eines Kaufvertrags mit dem Bäcker (ist das wirklich ein Vertrag, man hat doch nichts Schriftliches?). Danach mit dem Bus zur Arbeit (natürlich mit Fahrschein, denn man will ja keine Strafe riskieren – wäre man dann eigentlich vorbestraft?), um den Dienstvertrag zu erfüllen, wenngleich mit etwas Verspätung (hoffentlich kann man deshalb nicht gleich hinausgeworfen werden).

Es ist erst kurz nach halb neun in der Früh, und Katharina wird sich plötzlich bewusst, welchen Einfluss der Staat und die Rechtsordnung in nur wenigen Stunden eines ganz normalen Tages auf ihr Leben ausgeübt haben. Sie hat sich heute auch schon ein Dutzend rechtlicher Fragen gestellt. Wäre doch interessant, da ein wenig genauer Bescheid zu wissen!

Wenn Sie dieses Kapitel bearbeitet haben, können Sie

- darlegen, dass man in fast allen Lebensbereichen von Rechtsvorschriften umgeben ist,
- erklären, welche Arten von rechtlichen Vorschriften es gibt und wie man sich über sie informieren kann,
- rechtliche Bestimmungen analysieren, zueinander in Bezug setzen und sie auf einfache praktische Fälle anwenden,
- die Aussagen von Politikern kritisch beurteilen und eigene politische Ansichten begründen und
- die Akteure im staatlichen Leben hinsichtlich ihrer Wichtigkeit und Macht einschätzen.

In diesem Kapitel erwerben Sie Kompetenzen zu folgenden Bildungs- und Lehraufgaben:

„Die Schülerinnen und Schüler können die einzelnen Ebenen des Stufenbaues der Rechtsordnung nennen und die strukturellen Zusammenhänge erklären."

„Die Schülerinnen und Schüler können bei beruflichen und privaten Rechtsproblemen gezielt Rechtsauskünfte einholen."

A B C D E

In diesem Kapitel finden Sie Übungsaufgaben, zur Kompetenzüberprüfung auf den Handlungsebenen A Wiedergeben, B Verstehen, C Anwenden, D Analysieren & Interpretieren und E Entwickeln.

Dieses Kapitel umfasst folgende Lerneinheiten:

Lerneinheit 1

Die Rechtsordnung

SbX
Alle SbX-Inhalte zu dieser Lerneinheit finden Sie unter der ID: 0110.

Die Rechtsordnung – ein Gebäude, errichtet aus der ganz besonderen Sprache der Juristen – steht im Mittelpunkt dieser Lerneinheit. Rechtswissenschaft ist eine Art von Sprachwissenschaft! Hier erfahren Sie einiges über den juristischen Umgang mit Worten, Sätzen und Zusammenhängen, über Abgrenzungen und Rangordnungen des Rechts sowie über die mannigfaltigen beruflichen Möglichkeiten, die eine juristische Ausbildung eröffnet.

Lernen & Üben

SbX ID: 0111

A B C D E

1 Wichtige Begriffe rund um das Recht

Das Rüstzeug der Juristen

Katharina und ihr Lebensgefährte Albrecht haben gemeinsam maturiert, Albrecht hat nach dem Bundesheer ein Jusstudium begonnen. Katharina findet, dass er schon jetzt ein „typischer Jurist" ist: Genauigkeit – Katharina nennt es auch „Pedanterie" – und Selbstbewusstsein – mit Katharinas Worten: „Rechthaberei" – sind seine hervorstechenden Eigenschaften.

Albrecht ist übrigens sehr stolz darauf, dass er das Recht quasi im Namen trägt (Alb**recht**).

Irgendwie ist Albrecht schon ein komischer Mensch: Wörter wie **„Erfolg"** oder **„Qualifikation"** bedeuten für ihn nichts Gutes – er kennt diese Begriffe aus dem Strafrecht –, unter **„Freizügigkeit"** versteht er etwas ganz anderes als Katharina und prinzipiell nörgelt er gerne an ihrer Ausdrucksweise herum. Sagt sie „Inhaber einer Gaststätte", so bessert er auf „Besitzer" aus, redet sie von einem „Hausbesitzer", dann möchte er „Eigentümer" hören. Katharina hat bereits erkannt, dass die Sprache das wichtigste Instrument der Juristen ist und dass sie eine ganz besondere Sprache sprechen.

Erfolg: die schädlichen Folgen, die eine Straftat nach sich zieht

Qualifikation: ein Umstand, der eine Straftat noch schlimmer macht und zu strengerer Bestrafung führt

Freizügigkeit: das Recht der freien Wahl des Wohn- und Aufenthaltsortes

Juristische Ausdrücke klingen für den Laien oft unverständlich, ungewohnt und spitzfindig. Sie begegnen uns im täglichen Leben gar nicht so selten, werden aber oft unrichtig verwendet. Der sorgfältige und präzise Umgang mit der Sprache ist jedoch eine der entscheidenden Voraussetzungen, die man bei der Beschäftigung mit dem Recht mitbringen muss.

Das **Recht** ist eine Ordnung für das Zusammenleben, die sich aus verschiedenen Rechtsnormen ergibt.

Rechtsnormen sind Vorschriften für das Verhalten von Personen.

- Ihr Zweck ist es, das Zusammenleben zu organisieren und Konflikte zu lösen.
- Ihre Einhaltung kann durch staatlichen Zwang durchgesetzt werden.

Als **Rechtsordnung** bezeichnen wir die Gesamtheit der geltenden Rechtsnormen.

Die geschriebenen oder ungeschriebenen Grundlagen der Rechtsordnung nennt man **Rechtsquellen,** z. B.

- die Verfassung,
- Gesetze,
- Gerichtsurteile,
- Verträge,
- Gewohnheitsrecht.

Beispiele:
Sitte: im Büro passende Kleidung tragen
Moral: in einer Partnerschaft treu sein

Recht ist zum Unterschied von Sitte und Moral durch staatliche Zwangsmaßnahmen durchsetzbar.

Nicht mit staatlicher Gewalt durchsetzbar sind hingegen:

- die **Sitte:** übliches und gewohntes Verhalten in der Gemeinschaft
- die **Moral:** Gebote des eigenen Gewissens

Wenn man sich an die Grundsätze der Sitte und Moral nicht hält, wird man zwar vielleicht wenige Freunde, keine Beziehung oder keinen Job haben, aber man kann vom Staat nicht zur Beachtung dieser Regeln gezwungen werden.

Ein Subjekt, dem die Rechtsordnung Rechte zuerkennt und meistens auch Pflichten auferlegt, wird als **Person** oder **Rechtssubjekt** bezeichnet:

Rechtssubjekte

- **Natürliche Personen** sind alle Menschen. Sie haben von der Geburt bis zum Tod Rechte und Pflichten.
- **Juristische Personen** sind künstliche Konstruktionen, die von der Rechtsordnung wie Personen behandelt werden. Eine juristische Person hat zum Großteil dieselben rechtlichen Möglichkeiten wie ein Mensch. Sie kann also Vertragspartner sein, Vermögen haben und Klägerin oder Beklagte eines Zivil- oder Strafprozesses sein. Zu diesem Zweck benötigt sie **Organe,** also Menschen, die rechtliche Handlungen für sie vornehmen. Juristische Personen sind z. B. der Bund – also die Republik Österreich –, die Gemeinden, Vereine, Aktiengesellschaften und Gesellschaften m.b.H.

Beispiele für Organe: die Regierung der Republik Österreich oder eines Bundeslandes, der Vorstand eines Vereins oder einer AG, die Geschäftsführer einer GesmbH

Beispiel für eine Zwangsmaßnahme der Behörde: Einem betrunkenen Autolenker wird von der Polizei der Wagenschlüssel abgenommen.

Staatliche Organe, die Aufgaben der öffentlichen Verwaltung wahrnehmen, werden **Behörden** genannt. Sie sind berechtigt, Zwangsmaßnahmen zu setzen, Juristen sprechen von der „Ausübung behördlicher Befehls- und Zwangsgewalt". Das „Legalitätsprinzip" der österreichischen Bundesverfassung bestimmt, dass Behörden nur aufgrund der Gesetze tätig werden dürfen.

Personen, die von der Entscheidung eines Gerichtes oder einer Verwaltungsbehörde unmittelbar betroffen sind, bezeichnet man als **Parteien** (nicht zu verwechseln mit den politischen Parteien).

Wenn eine Partei mit einer Entscheidung nicht einverstanden ist, kann sie in den meisten Fällen ein **Rechtsmittel** ergreifen, also die Entscheidung anfechten.

Beispiel für einen Instanzenzug:
Oberster Gerichtshof
Rechtsmittel ↑ z. B. Revision
Oberlandesgericht
Rechtsmittel ↑ z. B. Berufung
Landesgericht

Für die Anwendung des Rechts sind meistens mehrere **Instanzen,** also mehrere Entscheidungsebenen, zuständig. Die Aufeinanderfolge der einzelnen Instanzen bezeichnet man als **Instanzenzug.** Wenn eine Partei gegen eine Entscheidung der ersten Instanz ein Rechtsmittel ergreift, so wird die Rechtssache im Regelfall von der nächsten Instanz geprüft und die Entscheidung bestätigt oder geändert.

Entscheidungen, die nicht (mehr) angefochten werden können – z. B. weil die Frist für die Ergreifung eines Rechtsmittels verstrichen ist oder weil es kein Rechtsmittel mehr gibt –, bezeichnet man als **rechtskräftig.**

Gerichte können unabhängig, ohne Rücksicht auf die Ansicht übergeordneter Instanzen, entscheiden. Die Gesetzestexte lassen ihnen teilweise große Ermessensspielräume. Dennoch vereinheitlicht sich die Rechtsprechung meistens automatisch: Ein Richter, der bewusst gegen die Meinung der nächsten Instanz entscheidet, muss nämlich mit hoher Wahrscheinlichkeit mit einem Rechtsmittel rechnen. Der Fall würde danach in der nächsten Instanz anders entschieden und die Arbeit des Richters wäre zunichte gemacht. Daher informieren sich Richter in strittigen Fragen meistens über bereits ergangene Entscheidungen in ähnlichen Fällen und beziehen diese in ihre Erwägungen ein. Auf diese Art entwickelt sich zu häufig auftretenden Rechtsproblemen eine ständige Rechtsprechung, die **Judikatur** genannt wird.

2 Arten des Rechts
Einteilung ist das halbe Leben!

Wir wollen uns hier mit den wichtigsten Abgrenzungen des Rechts begnügen.

Es gibt natürlich auch Fälle, die mehreren Rechtsbereichen zuzuordnen sind:

Die **Errichtung eines Amtsgebäudes** hat z. B. neben privatrechtlichen (Vertrag zwischen Staat und Bauunternehmen) auch öffentlich-rechtliche Komponenten (öffentliche Ausschreibung).

Einteilung nach den beteiligten Rechtssubjekten

ARTEN DES RECHTS

- VÖLKERRECHT
- INNERSTAATLICHES RECHT
  - ÖFFENTLICHES RECHT
  - PRIVATRECHT

Geregelt werden vor allem rechtliche Beziehungen zwischen …	… Staaten	… dem Staat und einzelnen Personen	… einzelnen Personen untereinander
Der Bereich umfasst außerdem …	… rechtliche Beziehungen überstaatlicher Organisationen	… Vorschriften über Struktur und Organisation des Staats	… gleichberechtigtes Auftreten des Staats mit Privaten im Wirtschaftsleben
wesentliche Merkmale	Souveränität der Staaten: Unabhängigkeit nach außen und Selbstbestimmung nach innen	Ausübung hoheitlicher Macht durch den Staat, d. h., er kann Zwang ausüben, um seine Aufgaben zu erfüllen.	wenn der Staat beteiligt ist – z. B. als Vertragspartner –, dann ohne hoheitliche Macht
Beispiele	● Staatsverträge ● internationales Flüchtlingsrecht ● Diplomatenrecht ● EU-Gemeinschaftsrecht	● Schulrecht ● Strafrecht ● Verkehrsrecht ● Wahlordnung	● Familienrecht ● Schadenersatzrecht ● Arbeitsrecht ● Vertragsrecht

Einteilung nach dem Zweck der Rechtsnormen

ARTEN DES RECHTS

- MATERIELLES RECHT
- FORMELLES RECHT

Gegenstand der Regelungen:	inhaltliche Vorschriften	Vorschriften, die den bürokratischen Ablauf betreffen
Zweck der Regelungen:	Festlegung der rechtlichen Konsequenzen eines bestimmten Verhaltens	Festlegung des Verfahrens (des Weges zur Durchsetzung von Rechtsansprüchen)
Gibt Antwort auf die Frage:	Welche rechtlichen Folgen ergeben sich aus bestimmten Situationen? Wer hat Recht?	Was muss alles getan werden, damit man zu seinem Recht kommt?
Beispiele für Gesetze, die diesen Bereich regeln:	● ABGB (Allgemeines Bürgerliches Gesetzbuch) ● StGB (Strafgesetzbuch) ● StVO (Straßenverkehrsordnung)	● ZPO (Zivilprozessordnung) ● StPO (Strafprozessordnung) ● AVG (Allgemeines Verwaltungsverfahrensgesetz)
Beispiele für Bestimmungen aus dem jeweiligen Bereich:	Wer einem anderen schuldhaft Schaden zufügt, muss diesen laut ABGB ersetzen. Das StGB sieht vor, dass Mord Freiheitsstrafen zwischen 10 Jahren und lebenslang nach sich zieht.	Alle Schriftsätze (z. B. Mitteilungen und Anträge an das Gericht im Zivilprozess) müssen bestimmte Angaben enthalten (z. B. Namen der Parteien, Adresse, Rechtsvertreter, Streitgegenstand). Ein Mordprozess erfordert laut StPO eine Anklage durch die Staatsanwaltschaft und ein Verfahren vor einem Geschworenengericht.

Beim **zwingenden Recht** gelten gewisse Vereinbarungen nicht, auch wenn sie getroffen wurden. Der Staat versucht dadurch, schwächere Vertragspartner davor zu schützen, auf Bedingungen einzugehen, die ihnen eigentlich aufgezwungen wurden.

Einteilung nach der Abänderbarkeit

ARTEN DES RECHTS

ZWINGENDES RECHT | NACHGIEBIGES RECHT

Merkmale	Vorschriften, die keine anders lautenden Regelungen zulassen	Vorschriften, die nach dem Willen der Beteiligten auch eine andere Regelung zulassen
Zweck	Festlegung der Grenzen für die Gestaltungsfreiheit der Parteien, um die Ordnung zu gewährleisten oder um schwächere Vertragspartner zu schützen	ergänzende Festlegung von Bedingungen, die von den Beteiligten außer Acht gelassen worden sind
Beispiele	Eine gültige Ehe kann nur vor einem Standesbeamten geschlossen werden, auch wenn beide Ehepartner darauf keinen Wert legen.	Wenn in einem Kaufvertrag nichts über die Lieferbedingungen vereinbart wurde, muss der Kunde die Ware abholen. Selbstverständlich kann aber auch Zustellung durch den Verkäufer vereinbart werden.
	Im Arbeitsrecht sind für einen Dienstnehmer 5 Wochen Mindesturlaub vorgesehen. Auch wenn er sich mit 3 Wochen zufriedengibt, ist eine solche Vereinbarung ungültig.	Im Erbrecht legt das Gesetz eine Erbfolge fest. Durch ein Testament kann der Erblasser aber auch ganz andere Regelungen treffen.

Beispiele für **zwingendes Recht** findet man häufig z. B. im Arbeitsrecht, im Wohnungsmietrecht und im Konsumentenschutzrecht.

Abgrenzung zwischen Zivil- und Strafrecht

Der Kernbereich des Privatrechts wird auch als **Zivilrecht** oder **Bürgerliches Recht** bezeichnet. Besonders wichtig ist es dabei, das **Zivilrecht** vom **Strafrecht** abzugrenzen.

Begeht eine Person eine strafbare Handlung, so hat diese in der Regel:

- **strafrechtliche Folgen** (der Staat hat das Recht, Kriminelle zu bestrafen).
- **zivilrechtliche Folgen** (das Opfer hat das Recht, vom Täter einen Ersatz des angerichteten Schadens zu fordern).

Zivilrechtliche Konsequenzen ergeben sich aber noch viel öfter in Fällen, in denen gar **keine strafbaren Handlungen** vorliegen, z. B.

- in familienrechtlichen Angelegenheiten (Unterhaltsverpflichtungen, Obsorge für Kinder, Ehescheidung etc.)
- in Erbrechtsangelegenheiten
- bei Streitigkeiten zwischen Nachbarn
- bei Säumigkeit von Schuldnern

	Zivilrecht	Strafrecht
Zu welchem Bereich gehört das Rechtsgebiet?	zum Privatrecht	zum öffentlichen Recht
Wer besitzt einen Anspruch?	eine Person	der Staat
Worauf richtet sich dieser Anspruch?	häufig (aber nicht immer) auf Zahlung eines Geldbetrages	auf Bestrafung eines Kriminellen (Geld- oder Freiheitsstrafe)
Welches Gericht ist zuständig?	Bezirks- oder Landesgericht (je nach Streitwert)	Bezirks- oder Landesgericht (je nach Strafdrohung)
Unter welchen Umständen kann ein Gerichtsverfahren vermieden werden?	auf jeden Fall durch Einigung (z. B. Vergleich oder Verzicht)	nur bei Geringfügigkeit (z. B. mangelnde Strafwürdigkeit). In mäßig schweren Fällen ist auch ein außergerichtlicher Tatausgleich möglich.
Welche Personen sind auf jeden Fall am Gerichtsverfahren beteiligt?	• Kläger • Beklagter • Berufsrichter	• Ankläger (Staatsanwalt oder Bezirksanwalt) • Angeklagter • Berufsrichter
Wodurch wird das Verfahren eingeleitet?	durch Klage	durch Anklage
Wer setzt diesen Schritt?	der Kläger	der Staatsanwalt

Der **Streitwert** ist der in Geld ausgedrückte Wert des Anspruchs, um den es in einem Zivilprozess geht.

Die **Strafdrohung** ist die für ein Delikt vorgesehene Höchststrafe (in Form von Geld- oder Haftstrafe).

Bezirksanwälte werden im bezirksgerichtlichen Strafverfahren (gegen Kleinkriminelle) tätig.

Die Anklage wird von der Staatsanwaltschaft beim zuständigen Gericht eingebracht, und zwar beim Schöffen- oder Geschworenengericht in Form einer **Anklageschrift**, beim Einzelrichter in Form eines **Strafantrags.**

Schöffen und **Geschworene** sind per Zufall ausgewählte Staatsbürger, die in den Verfahren gegen Schwerkriminelle (gemeinsam mit Berufsrichtern) als Richter eingesetzt werden (vgl. Strafprozessrecht).

Sachverständige sind Experten in Spezialgebieten, die für das Gericht Gutachten erstatten.

Privatbeteiligte sind durch eine Straftat Geschädigte, die bereits im Strafprozess versuchen, zu ihrem Schadenersatz zu kommen, um sich einen Zivilprozess zu ersparen.

Beweislast: das Risiko, den Prozess zu verlieren, wenn eine behauptete Tatsache nicht bewiesen werden kann

	Zivilrecht	Strafrecht
Gegen wen richtet sich das Verfahren?	gegen den Beklagten	gegen den Beschuldigten
Welche Personen treten unter Umständen außerdem bei Gericht auf?	● Rechtsanwälte ● Zeugen ● Dolmetscher ● Sachverständige ● Schriftführer	● Rechtsanwalt (als Strafverteidiger) ● Zeugen ● Schöffen ● Geschworene ● Dolmetscher ● Sachverständige ● Privatbeteiligte ● Schriftführer
Wer trägt die Beweislast?	in der Regel derjenige, der dem Gericht gegenüber etwas behauptet (also für gewöhnlich der Kläger)	der Staat – wenn dem Angeklagten die Tat nicht zweifelsfrei nachgewiesen werden kann, ist er freizusprechen („im Zweifel für den Angeklagten")
Wodurch wird das Verfahren beendet?	● Urteil ○ zugunsten des Klägers (der Klage wird stattgegeben) ○ zugunsten des Beklagten (die Klage wird abgewiesen) ○ Der Klage wird teilweise stattgegeben. ● Vergleich (Einigung zwischen den Parteien)	● Urteil zu Ungunsten des Angeklagten (Verurteilung) ● Urteil zugunsten des Angeklagten (Freispruch) ● Einstellung des Verfahrens (z. B. wenn der Tatverdacht entkräftet wurde oder die Schuld offensichtlich nicht bewiesen werden kann) ● Diversion (in geringfügigen Fällen: gemeinnützige Arbeit, Spenden, Geldbußen u. Ä. statt Strafe)
Welche Rechtsmittel kann man ergreifen?	● Berufung an die nächste Instanz	● Berufung an die nächste Instanz ● Nichtigkeitsbeschwerde an den Obersten Gerichtshof (nur bei Schöffen- und Geschworenenprozessen)
Wer trägt die Kosten des Verfahrens (Gerichts- und Anwaltskosten, Sachverständigengebühren etc.)?	der Verlierer (Kläger oder Beklagter)	der Angeklagte (i. d. R. nur teilweise)

Übungsbeispiel

Ü 1.1: Völkerrecht – öffentliches Recht – Privatrecht C

Ordnen Sie die dargestellten Vorgänge durch Ankreuzen dem Völkerrecht, dem öffentlichen Recht oder dem Privatrecht zu:

Vorgang	Völkerrecht	Öffentliches Recht	Privatrecht
Die Baubehörde erteilt eine Baubewilligung für ein Wohnhaus.			
Ein Dienstgeber kündigt eine seiner Angestellten.			
Die Republik Österreich beauftragt einen Bauunternehmer, eine Bundesstraße zu errichten.			
Österreich schließt mit einem anderen Land ein Auslieferungsabkommen ab.			
Ein Lieferant mahnt einen seiner Kunden wegen Zahlungsverzuges.			
Das Finanzamt erlässt einen Steuerbescheid.			
Jemand kauft in einem Eissalon „Pistazie-Vanille-Erdbeer" um € 2,–.			
Eine Bürgerin beschwert sich wegen einer ungerechtfertigten Verhaftung beim Verfassungsgerichtshof.			
Ein Staat tritt der EU bei.			
Eine Polizistin zeigt einen Falschparker an.			

3 Zugang zum Recht

Wissen, wo man nachschaut!

> Albrecht sagt immer: „Ein guter Jurist muss nicht alles wissen. Er muss nur wissen, wo man nachschauen kann."

Tatsächlich ist es selbst für höchstqualifizierte Juristinnen und Juristen absolut unmöglich, auch nur annähernd alle geltenden Vorschriften zu kennen. Immerhin kann man sich heutzutage in vielfältiger Weise und teilweise auch kostenlos über die geltende Rechtslage informieren.

Der sogenannte **Wille des Gesetzgebers** ist für die Auslegung von Bedeutung. Er ist allerdings nicht immer klar durchschaubar, zumal der Gesetzgeber ja aus einer sehr großen Anzahl von Personen besteht.

Loseblatt-Sammlungen ermöglichen den Austausch unaktueller Bestimmungen durch neue Blätter, die Seiten werden in einer Art Büro-Ordner abgelegt.

Man kann z. B. einer familienrechtlichen **Entscheidungssammlung** entnehmen, welche Eheverfehlungen von wichtigen Gerichten als Scheidungsgründe anerkannt worden sind.

Abgesehen vom käuflichen Erwerb juristischer Literatur besteht die Möglichkeit, **Fachbibliotheken** (z. B. an Universitäten) zu benutzen.

Juristische Literatur

Literatur	Beschreibung
Bundes- und Landesgesetzblätter	Die ursprünglichste Art, Rechtsvorschriften aufzufinden. In dieser Form werden Gesetze, Staatsverträge und Verordnungen durch das Bundeskanzleramt bzw. die Landesregierungen veröffentlicht. Die Kundmachung der Gesetzblätter im Internet ist Voraussetzung dafür, dass die Bestimmungen überhaupt gültig sind. Die Handhabung der Gesetzblätter ist eher unkomfortabel, da es weder ein Stichwortverzeichnis noch Hinweise zur Auslegung gibt.
Gesetzesmaterialien	In Protokollen von Parlamentsdebatten, Erläuterungen und Berichten kann man Einblick gewinnen, welche Gedanken bei der Entstehung eines Gesetzes eine Rolle gespielt haben. Zu welchem Zweck hat der Gesetzgeber eine Bestimmung geschaffen? Welche konkreten Fälle hatte er dabei im Auge?
Textausgaben	Wichtige Rechtsquellen werden von namhaften Juristen bearbeitet und von Verlagen – z. B. Manz, LexisNexis ARD Orac, Verlag Österreich – herausgegeben. Häufig werden dabei verschiedene Gesetze zu verwandten Themenbereichen in einem oder mehreren Bänden gesammelt (Kodex). Auch CD-ROM-Versionen sind erhältlich.
Kommentierte Ausgaben	Zusätzlich zum reinen Gesetzeswortlaut werden auch Erläuterungen zur Auslegung und Hinweise auf bereits ergangene Entscheidungen – z. B. von Höchstgerichten – mitgeliefert.
Entscheidungssammlungen	Zu einem speziellen Bereich der Rechtsordnung werden die wichtigsten Entscheidungen – gedruckt oder auf CD-ROM – in strukturierter Form veröffentlicht. Entscheidungssammlungen und kommentierte Gesetzesausgaben ermöglichen das Auffinden der wichtigsten **Judikatur** zu verschiedenen Rechtsfragen.
Lehrbücher	Sie sollen den Studierenden einen Überblick der einzelnen Gebiete der Rechtslehre verschaffen. In manchen Werken wird die gesamte Rechtsordnung zusammenfassend dargestellt – z. B. im vorliegenden Buch –, andere behandeln nur einzelne Rechtsgebiete – z. B. Lehrbuch des besonderen Verwaltungsrechts.
Fachzeitschriften	In regelmäßig erscheinenden juristischen Fachzeitschriften werden Lehrmeinungen und aktuelle Rechtsprobleme veröffentlicht.
Sonstige juristische Fachliteratur	Theorie und Praxis der Rechtslehre werden in einer großen Zahl systematischer Darstellungen und detaillierter Abhandlungen aufbereitet.

Rechtsinformationen im Internet

„gv.at" am Ende einer URL bedeutet, dass die Website von einer staatlichen Stelle der Republik Österreich stammt (gv = government).

- **Rechtsinformationssystem des Bundes – www.ris.bka.gv.at**

  Diese Website wird vom Bundeskanzleramt kostenlos zur Verfügung gestellt. Sie funktioniert wie eine Suchmaschine, man kann sowohl nach Begriffen als auch nach Paragrafen suchen. Die meisten Dokumente sind als kopierbare Textfiles zugänglich.

  Die Veröffentlichung im RIS gilt als ordnungsgemäße Kundmachung rechtlicher Bestimmungen.

Diese Gerichtshöfe haben auch eigene Websites:
www.vfgh.gv.at
www.vwgh.gv.at
www.ogh.gv.at

SbX **Drei Beispiele für die Recherche in der RIS-Datenbank finden Sie unter der ID: 0111.**

Sie finden im RIS auch die Judikatur des Verfassungs- und des Verwaltungsgerichtshofes sowie Entscheidungen in Zivil- und Strafsachen. Dazu brauchen Sie lediglich in der Menüleiste des RIS den Begriff „Judikatur" auszuwählen. Wenn Sie nun das Gericht Ihrer Wahl anklicken, können Sie wieder mit einer Eingabemaske nach Begriffen suchen.

Sie können die gefundenen Texte als Website, im PDF- oder im RTF-(Word-)Format öffnen, weiterbearbeiten und in Ihre eigenen Dokumente einfügen.

- **EUR-Lex – www.eur-lex.europa.eu**

  EUR-Lex bietet einen kostenlosen Zugang zu den Rechtsvorschriften der Europäischen Union.

- **Offizieller Amtshelfer für Österreich – www.help.gv.at**

  Auf dieser Website stellt das Bundeskanzleramt Auskünfte zu Amtswegen sowie zu Themen aus dem Wirtschaftsleben kostenlos zur Verfügung. Von A wie Abfall bis Z wie Zivildienst können Informationen eingeholt werden. Zahlreiche Formulare für Amtswege stehen zum Download oder zum Online-Ausfüllen bereit. Außerdem wird ein Begriffslexikon für rechtliche Begriffe und Redewendungen angeboten.

Daneben gibt es noch zahlreiche **private Websites** mit Rechtsinformationen: z. B. **www.internet4jurists.at/**

- **Website des österreichischen Parlaments – www.parlament.at**

  Hier werden Informationen über verfassungsrechtliche Grundlagen, Funktion, Aufbau, Arbeit und aktuelle Schwerpunkte des österreichischen Parlaments angeboten. Außerdem hat man auf dieser Website **Zugang zu den Gesetzesmaterialien.** Sämtliche Aktivitäten des Parlaments werden dokumentiert.

rdb.at/

Unter **rdb.at** findet man umfangreiche juristische Fachliteratur. Eine Volltextsuche ist ohne Login durchführbar. Man kann Inhalte abonnieren, Suchfilter verwenden und Suchagenten anlegen.

Kuriositäten aus der juristischen Praxis: **www.rechtsfreund.at/recht_kurios.htm**

Juristenwitze: www.juristenwitze.com

- **Link-Verzeichnis zum Recht – www.rechtsfreund.at**

  Diese Website beinhaltet eine große Anzahl von Links zu österreichischen Behörden, Ämtern und Institutionen.

- **Wikipedia – die freie Enzyklopädie**

  Dabei handelt es sich um das Projekt einer Enzyklopädie, die von freiwilligen Autoren verfasst wird. Hier findet man viele brauchbare Erklärungen juristischer Begriffe.

- **Bundeskanzleramt – www.bka.gv.at**
- **Bundesregierung** – Die einzelnen Ministerien findet man unter ihrer Kurzbezeichnung (z. B. www.bmi.gv.at für das Bundesministerium für Inneres).
- **Aktuelle Fotos der Regierungsmitglieder** – Diese kann man über die Website des Bundeskanzleramts aufrufen (auf auf www.bka.gv.at „Bundesregierung", dann „Die Bundesregierung", dann „Bundesministerinnen und Bundesminister" oder „Staatssekretärin und Staatssekretär" anklicken).
- **Rechtsinformationen des Justizministeriums – www.justiz.gv.at**
- **Informationen zu Wirtschafts-, Arbeits- und Berufsausbildungsrecht** – auf der Website der Wirtschaftskammer: www.wko.at
- **Informationen zu Arbeitsrecht, Konsumentenschutz, Ansprüche auf Beihilfen u. v. m.** – auf der Website der Arbeiterkammer: www.arbeiterkammer.at

Erteilung von Rechtsauskünften

Die **Bezirksgerichte** bieten kostenlose Rechtsauskünfte am Amtstag (meist Dienstagvormittag) an.

Kostenlose Rechtsauskünfte werden von verschiedensten Stellen angeboten, teilweise für alle Interessenten, teilweise nur für Mitglieder. Beispiele dafür sind:

- Bezirksgerichte und Landesgerichte
- Verwaltungsbehörden
- Österreichischer Gewerkschaftsbund
- Arbeiterkammern
- Wirtschaftskammern
- Mietervereinigung
- Verein für Konsumenteninformation
- ÖAMTC, ARBÖ
- Frauenberatungsstellen
- Rechtsanwaltskammern: kostenloses Orientierungsgespräch – „erste anwaltliche Auskunft"

4 Rechtsanwendung
Was tun mit den Paragrafen?

Einige meiner Klassenkollegen mussten im letzten Jahr eine Wiederholungsprüfung absolvieren. Sie erhielten einen Brief mit folgendem Text: „Gemäß § 23 Abs.1 Z 1 SchUG ist der Schüler berechtigt, eine Wiederholungsprüfung abzulegen ...".
Was bedeuten diese Abkürzungen?

Antwort: § 23 Abs.1 Z 1 SchUG liest man so:
Paragraf 23
Absatz 1
Ziffer 1
Schulunterrichtsgesetz

§ 560 Abs.1 Z 2 lit.d ZPO
Paragraf 560
Absatz 1
Ziffer 2
litera d
Zivilprozessordnung

Die meisten Gesetze tragen eine Kurzbezeichnung, wie z.B. ZPO für die Zivilprozessordnung.

Gesetzliche Bestimmungen sind normalerweise nach folgendem Schema gegliedert:

1. Ebene: **Paragraf** (§) oder **Artikel** (Art.)
   2. Ebene: **Absatz** (Abs.)
      3. Ebene: **Ziffer** (Z)
         4. Ebene: **litera** (lit.) – auf deutsch: **Buchstabe**

Nicht alle dieser Ebenen müssen in einer rechtlichen Bestimmung vertreten sein, es gibt auch Absätze ohne weitere Untergliederung und sogar Paragrafen mit nur einem Absatz.

Die Beherrschung des Umgangs mit Gesetzestexten ist eine wesentliche Voraussetzung für die **Anwendung** des Rechts.

Rechtsanwender sind Personen, die in einem konkreten Fall aufgrund der geltenden rechtlichen Bestimmungen eine Entscheidung zu treffen haben. Neben Richtern gehören dazu auch Staatsanwälte, Finanzbeamte, Schuldirektoren u. v. m.

Schema der Rechtsanwendung

Bei der **Auslegung** von Rechtsnormen ist auf
- den Wortsinn,
- den Zusammenhang,
- den Zweck der Regelung und
- den Willen des Gesetzgebers

Rücksicht zu nehmen.

SCHEMA DER RECHTSANWENDUNG

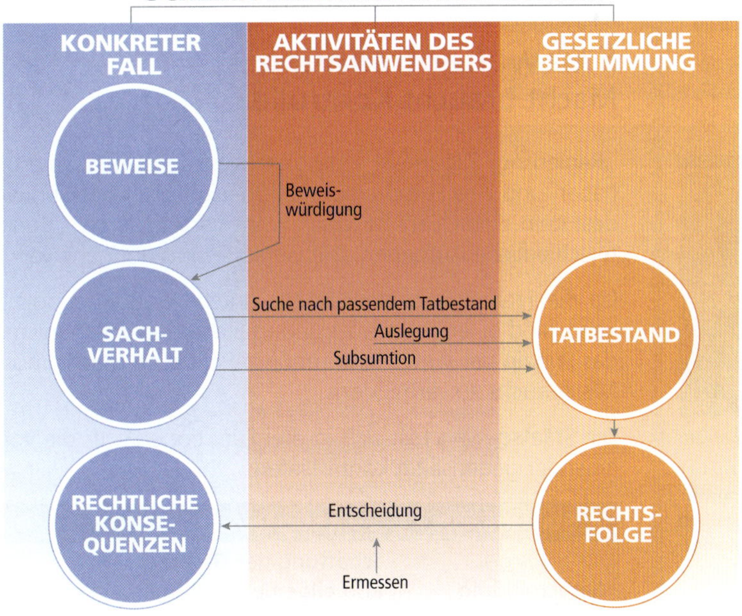

Unter einem **Sachverhalt** versteht man einen konkreten Fall, der sich real ereignet hat und dessen rechtliche Folgen zu bestimmen sind. Um die Geschehnisse genau zu ermitteln, muss der Rechtsanwender Beweise aufnehmen, sie gegeneinander abwägen und überlegen, welche Hinweise auf den Sachverhalt sie liefern **(Beweiswürdigung).**

Nun ist es erforderlich, im Gesetz einen passenden **Tatbestand** zu finden, also eine Gesetzesstelle, die in ihrer allgemeinen (abstrakten) Formulierung den konkreten Fall einschließt.

Was ist ein **„Gummiparagraf"?**
Scherzhafte Bezeichnung für eine sehr allgemein formulierte rechtliche Bestimmung. Jeder kann sie auslegen, wie er will, sie „zieht sich wie Gummi".

Hat der Rechtsanwender einen möglicherweise geeigneten Tatbestand gefunden, so hat er ihn zu **interpretieren,** also **auszulegen.** Dabei überlegt er, welche konkreten Fälle mit der allgemeinen Formulierung gemeint sein könnten.

Passt der Sachverhalt zum Tatbestand, so wird er unter diesen **subsumiert,** also ihm untergeordnet.

Rechtsvorschriften setzen sich normalerweise aus Tatbestand und **Rechtsfolge** zusammen. Verwirklicht ein konkreter Sachverhalt einen gesetzlichen Tatbestand, so wird bestimmt, dass die im Gesetz vorgesehene Rechtsfolge eintreten soll.

Wenn der Sachverhalt unter den Tatbestand subsumiert werden kann, ist dieser Grundlage für die **Entscheidung** des Rechtsanwenders: Im konkreten Fall haben die vorgesehenen **rechtlichen Konsequenzen** einzutreten. Manchmal lässt das Gesetz dem Rechtsanwender einen Spielraum für die Rechtsfolge, der Rechtsanwender kann dann nach seinem **Ermessen** entscheiden, z. B. im Strafrecht über die Höhe der Strafe zwischen der gesetzlichen Mindest- und Höchststrafe.

Beispiel

Strafrecht für die Rechtsanwendung

Sachverhalt: Maier versetzt Müller im Café „Zum Watschenmann" einen Fausthieb. Müller erleidet eine Gehirnerschütterung.

Beweiswürdigung: Der Täter ist nicht geständig, aber unglaubwürdig. Zwei vertrauenswürdige Zeugen bestätigen obigen Sachverhalt, er ist daher erwiesen.

Gefundener Tatbestand: § 83 Abs.1 StGB: „Wer einen anderen am Körper verletzt oder an der Gesundheit schädigt, ..."

Auslegung: Eine Gehirnerschütterung ist eine Gesundheitsschädigung.

Subsumtion: Der Sachverhalt verwirklicht den Tatbestand der Körperverletzung.

Rechtsfolge zu § 83 StGB: „... ist mit Freiheitsstrafe bis zu einem Jahr oder mit Geldstrafe bis zu 720 Tagessätzen zu bestrafen.

Entscheidung des Richters: 2 Monate Haft. Erschwerend waren Maiers Vorstrafen!

5 Gewaltentrennung
Macht braucht Kontrolle.

Aristoteles, 384–322 v. Chr.
Das Prinzip der Gewaltentrennung war bereits im antiken Griechenland bekannt.

„Regierung, Parlament – da gibt es keinen Unterschied. Lauter Politiker, die viel zu viel Macht haben und ihre Entscheidungen über unsere Köpfe hinweg treffen", meint Katharina. „Zumindest dein erster Satz ist falsch", antwortet Marco. „Regierung und Parlament haben völlig unterschiedliche Aufgaben. Die Gerichte sind übrigens von der Politik ganz losgelöst."

Da die Freiheit des Individuums durch Ausübung politischer Macht leicht gefährdet werden kann, sind in jeder Rechtsordnung Sicherheitsmechanismen eingebaut. Einer der wichtigsten ist das Prinzip der Gewaltentrennung: Politische Macht muss geteilt werden, um die Gefahr eines Missbrauchs zu vermindern.

Die Staatsgewalt teilt sich in drei Funktionen auf, die voneinander unabhängig sein sollen und einander gegenseitig kontrollieren:

Verwaltung und Gerichtsbarkeit werden auch als **Vollziehung** bezeichnet.

Staatsgewalt	wichtigste Aufgaben	Organe	Besonderheiten
Gesetzgebung	Schaffung der Gesetze, also allgemein gültiger Rechtsvorschriften	Parlament	Kontrollrechte gegenüber der Verwaltung
Verwaltung	Umsetzung der Gesetze in die Realität, Anwendung auf Einzelfälle	Regierung und nachgeordnete Behörden, Dienststellen, Ämter	Die Dienststellen müssen Weisungen – Anordnungen – von Vorgesetzten befolgen.
Gerichtsbarkeit Justiz	Anwendung der Rechtsnormen auf Einzelfälle	Unabhängige Gerichte, v. a. Zivil- und Strafgerichte	Unabhängigkeit bedeutet Weisungsfreiheit – keine Anordnungen von Vorgesetzten

Verteilung der Staatsaufgaben auf die drei Staatsgewalten (stark vereinfachte Darstellung)

Unter **Staatsbediensteten** versteht man **Beamte** und **Vertragsbedienstete: Beamte** sind pragmatisiert, also im Wesentlichen unkündbar. **Vertragsbedienstete** sind beim Staat ähnlich wie in einer privaten Firma angestellt. Da in den meisten Bereichen des Staatsdienstes keine Pragmatisierungen mehr durchgeführt werden, geht die Zahl der Beamten ständig zurück.

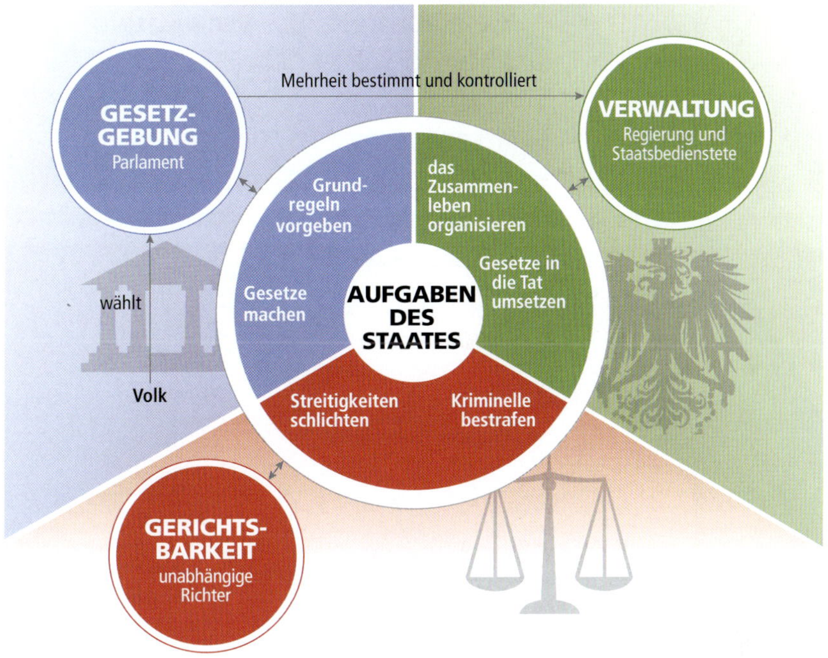

Die gegenseitige Unabhängigkeit der drei Staatsgewalten besteht in Österreich allerdings nur teilweise. Zwar ist die Unabhängigkeit der Justiz nicht zu bezweifeln, Gesetzgebung und Verwaltung sind hingegen eng miteinander verflochten. Die politischen Parteien beherrschen nämlich sowohl das Parlament als auch die Regierung und nehmen auf die Gesetzgebung ebenso Einfluss wie auf die Vollziehung.

Übungsbeispiel

Ü 1.2: Aufgabenverteilung B

Wie ist die Aufgabenverteilung zwischen Parlament und Regierung grundsätzlich geregelt?

6 Stufenbau der Rechtsordnung

Vorrangregeln für Rechtsvorschriften

Ich habe in der Zeitung gelesen, dass ein Gesetz vom Verfassungsgerichtshof aufgehoben wurde, weil es gegen die Verfassung verstößt. Einmal hat doch auch ein Landeshauptmann Anordnungen getroffen, die gegen Gesetze verstoßen haben. Was passiert, wenn Gesetze einander widersprechen?

Antwort: Alle drei Staatsgewalten haben die Aufgabe, Rechtsvorschriften verschiedenster Art zu schaffen. Diese stehen nicht immer in harmonischer Beziehung zueinander, es gibt daher eine „Vorrangregelung", um Widersprüche aufzulösen.

Der unterschiedliche Rang der Rechtsnormen wird im **Stufenbau der Rechtsordnung** zusammengefasst.

Eine rangniedrigere Norm ist in zweifacher Weise von den höherrangigen Norm abhängig:

- Sie kann nur zustande kommen, wenn dies in einer höherrangigen Norm vorgesehen ist.
- Sie darf nicht gegen die ranghöheren Normen verstoßen.

Stufenbau der Rechtsordnung

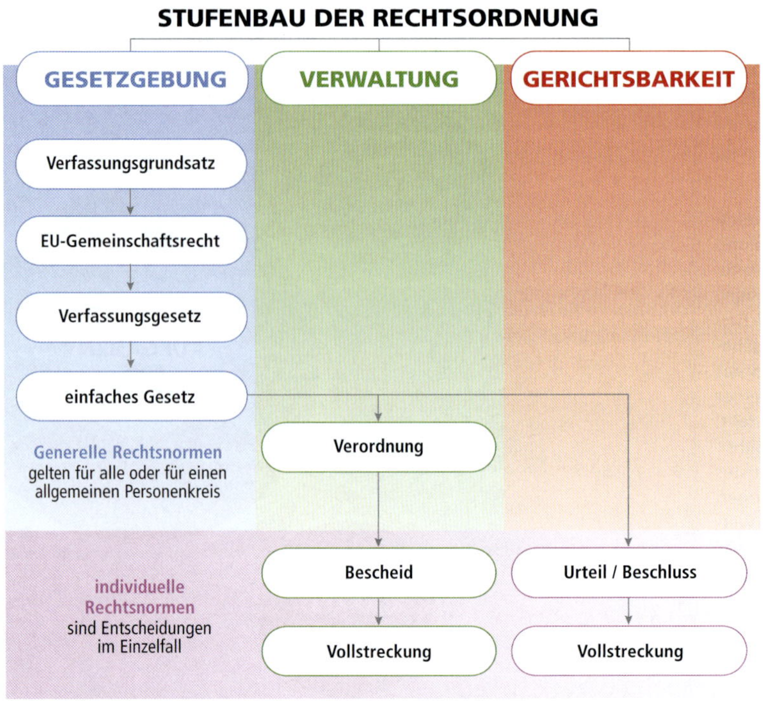

Normen	Besonderheiten	Beispiele
Verfassungsgrundsätze	Änderung nur durch ⅔-Mehrheit im nationalen Parlament und Volksabstimmung	Demokratie, Republik, Rechtsstaat
EU-Gemeinschaftsrecht	EU-Verordnungen gelten automatisch, EU-Richtlinien müssen durch den Gesetzgeber des jeweiligen Staates umgesetzt werden.	Führerscheinrichtlinie – zur Vereinheitlichung der Voraussetzungen für Führerscheinerwerb und -entziehung in der EU; Datenschutz-Grundverordnung – zur Vereinheitlichung der Regeln für die Verarbeitung personenbezogener Daten
Verfassungsgesetze	Zustandekommen oder Änderung durch ⅔-Mehrheit im nationalen Parlament	Wahlordnung, Aufgabenbereich der Staatsorgane, Neutralität, Bürger- und Menschenrechte
einfache Gesetze	Zustandekommen oder Änderung durch einfache Mehrheit (> 50 %) im nationalen Parlament	Allgemeines Bürgerliches Gesetzbuch, Strafgesetzbuch, Straßenverkehrsordnung, Bauordnungen
Verordnungen	dienen der Präzisierung von Gesetzen durch die Verwaltung	Lehrpläne, Flächenwidmungs- und Bebauungspläne, Festlegung von Fahrverboten oder Geschwindigkeitsbeschränkungen
Bescheide	Entscheidungen im Verwaltungsverfahren, z. B. Erteilung oder Versagung von Genehmigungen oder Feststellung von Rechten	Baubewilligung, Gewerbeberechtigung, Steuerbescheid, Verkehrsstrafe
Urteile	Entscheidungen am Ende eines Zivilprozesses (wer hat Recht?) oder eines Strafprozesses (schuldig oder unschuldig?)	Einer Klage wird stattgegeben oder sie wird abgewiesen. Ein Beschuldigter wird verurteilt oder freigesprochen.
Beschlüsse	gerichtliche Entscheidungen in nichtstreitigen Angelegenheiten oder zur Fortsetzung des Verfahrens	Scheidung im Einvernehmen, Beschluss auf Unzuständigkeit des Gerichts, Beschluss auf Zulassung von Beweismitteln
Vollstreckung	erzwungene Umsetzung von Entscheidungen, falls diesen nicht freiwillig nachgekommen wird	Vollstreckung von Gerichtsurteilen und Bescheiden, z. B. durch Pfändung des geschuldeten Geldbetrags

Ein **einfaches Gesetz** ist ein Gesetz, das nicht zur Verfassung gehört.

Wenn eine Rechtsnorm „…ordnung“ heißt, dann handelt es sich zumeist um ein Gesetz. Bitte nicht mit „Verordnung“ verwechseln!

Innerhalb der Verwaltung, also an die nachgeordneten Dienststellen gerichtet, gibt es außerdem:

- **Erlässe:** generelle Anordnungen von vorgesetzten an nachgeordnete Stellen
- **Weisungen:** individuelle Anordnungen für Einzelfälle an nachgeordnete Stellen

Eine **Kundmachung** erfolgt z. B. im Bundesgesetzblatt, aber auch auf andere Arten (z. B. Kundmachung eines Fahrverbots durch Verkehrstafeln).

Beachten Sie die **Unterschiede zwischen generellen und individuellen Rechtsnormen** hinsichtlich der Bekanntgabe:

- Generelle Rechtsnormen müssen **kundgemacht** – verlautbart, veröffentlicht – werden, damit sie **in Kraft treten** können, also zu gelten beginnen.
- Bescheide, Urteile und Beschlüsse werden per Post an die Parteien **zugestellt.** Die Übernahme muss in vielen Fällen durch eigenhändige Unterschrift bestätigt werden (sog. Rückscheinbrief oder RSa-Brief).

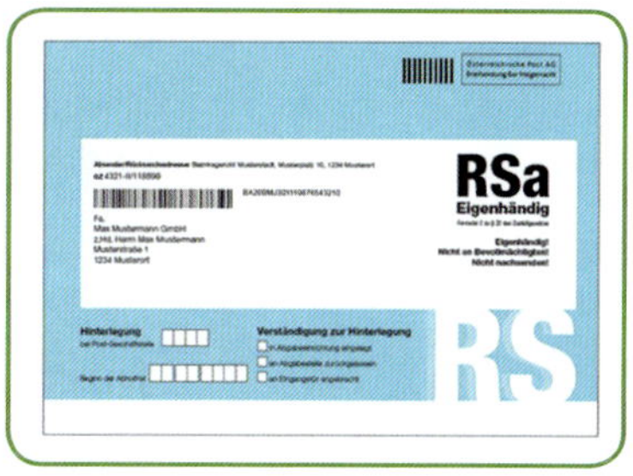

Wenn der Empfänger nicht angetroffen wird, dann wird das Schriftstück beim Postamt **hinterlegt,** davon wird er durch eine Hinterlegungsanzeige im Hausbrieffach informiert. Das Schriftstück gilt dann als zugestellt, es nützt also nichts, es sich nicht abzuholen!

Die Frist für ein Rechtsmittel beträgt häufig 14 Tage ab dem Zeitpunkt der Zustellung oder Hinterlegung.

Ab diesem Zeitpunkt beginnt die Frist für die Ergreifung eines **Rechtsmittels** zu laufen. Wird diese Frist nicht genutzt, so tritt die **Rechtskraft** ein. Sobald die Entscheidung rechtskräftig wird, ist sie grundsätzlich nicht mehr anfechtbar.

Übungsbeispiel

Ü 1.3: Stufenbau der Rechtsordnung C

Ordnen Sie jedem Vorgang die richtige Art von Rechtsnorm (z. B. Verfassungsgrundsatz, Verfassungsgesetz, Verordnung, Bescheid etc.) aus dem Stufenbau der Rechtsordnung zu.

Rechtsnorm	Art
Ein Betrüger erhält eine Freiheitsstrafe.	
Eine Geldforderung wird durch gerichtliche Pfändung eingetrieben.	
Österreich ist eine demokratische Republik.	
Die HLA für künstlerische Gestaltung erhält einen neuen Lehrplan.	
Der Bau eines Hauses wird von der Behörde bewilligt.	
Eine Autofahrerin erhält eine Polizeistrafe wegen Schnellfahrens.	
Die Bauordnung für Wien wird geändert.	
Eine Klage wird vom Gericht wegen Unzuständigkeit zurückgewiesen.	

7 Die juristischen Berufe

Jurist müsste man sein!

Albrecht hat Katharina einiges über sein Studium erzählt. Er beginnt gerade den zweiten Abschnitt, den ersten hat er – worauf er stolz ist – in der Mindestdauer von zwei Semestern geschafft. Da er auch weiterhin zügig zu studieren plant, überlegt er schon jetzt, welche Laufbahn für ihn danach infrage kommt.

Das Studium der Rechtswissenschaften

Im ersten Studienabschnitt hat Albrecht einiges über die Grundlagen der Rechtsordnung, die Geschichte sowie die europäischen und internationalen Grundlagen des Rechts erfahren. Die Teilprüfungen der ersten Diplomprüfung hat er problemlos bestanden.

Der zweite Studienabschnitt – Albrecht rechnet optimistisch mit der Mindeststudiendauer von drei Semestern – ist vor allem dem Privatrecht (Bürgerliches Recht, Zivilprozessrecht, Arbeitsrecht, Unternehmensrecht) und dem Strafrecht gewidmet.

Im dritten Studienabschnitt liegt der Schwerpunkt auf dem öffentlichen Recht (Verfassungsrecht, Verwaltungsrecht, Steuerrecht), dem Völkerrecht und den ökonomischen Kompetenzen.

Wenn Albrecht alle Diplomprüfungen abgelegt hat und außerdem noch eine Diplomarbeit schreibt, kann Katharina endlich „Herr Magister" zu ihm sagen.

Das wird Albrecht aber wohl nicht genügen. Er will es bis zum Doktorat schaffen. Dafür sind mindestens zwei weitere Studienjahre mit „strengen Prüfungen" (Rigorosen) und eine Dissertation (schriftliche Arbeit) erforderlich.

Voraussetzung für die meisten juristischen Berufe ist das Diplomstudium bis zum Magistertitel. Eine Ausbildung zum „Bachelor" der Rechtswissenschaften ist im Sinne einer Vereinheitlichung der Ausbildungsrichtlinien innerhalb der EU zwar vorgesehen, wird aber derzeit in Österreich nur vereinzelt angeboten.

Juristische Berufe

Nach Abschluss des Studiums absolvieren die meisten Juristinnen und Juristen die Gerichtspraxis, sie werden während dieser Zeit als **Rechtspraktikanten** bezeichnet. Die Ausbildung dauert mindestens sieben Monate, in denen u. a. am Bezirks- und Landesgericht, manchmal auch bei der Staatsanwaltschaft, Erfahrung gesammelt wird.

Juristen im richterlichen Vorbereitungsdienst nennt man **Richteramtsanwärter.**

Beruf	Berufsbild	Ausbildung
Richter	Als Richter ist man für die Durchführung zivil- oder strafrechtlicher Verfahren verantwortlich und fällt die Entscheidungen in diesen Prozessen. Aufstiegschancen bestehen durch Bewerbung an höhere Gerichte – z. B. Oberlandesgerichte –, die über Rechtsmittel zu entscheiden haben. Auch eine Karriere am Verfassungs- oder Verwaltungsgerichtshof ist möglich. Das Richteramt ist durch Unabsetzbarkeit, Unversetzbarkeit, Unabhängigkeit (man ist also nicht an Weisungen von Vorgesetzten gebunden) und freie Zeiteinteilung gekennzeichnet.	Nach dem Abschluss des Diplomstudiums folgt das Gerichtsjahr. Danach ist eine Prüfung abzulegen, um in den richterlichen Vorbereitungsdienst aufgenommen zu werden. Hier leistet man unterstützende Arbeit für Gerichte, Staatsanwaltschaften, Strafvollzugsanstalten, Rechtsanwälte und Notare, daneben besucht man Kurse und Seminare. Nach insgesamt mindestens vier Praxisjahren kann man die Richteramtsprüfung absolvieren und zur Richterin oder zum Richter ernannt werden.
Staatsanwälte	Die Hauptaufgabe besteht in der Vertretung des Staats in Strafprozessen: Durchführung von Ermittlungen gegen Verdächtige mithilfe der Polizei, Erhebung der Anklage, Vertretung der Anklage in den Verhandlungen, Ergreifung von Rechtsmitteln. Die Staatsanwaltschaften sind hierarchisch organisiert und Teil der Justizverwaltung, sie sind daher an Weisungen gebunden.	wie beim Richteramt
Bedienstete der Gerichte und Staatsanwaltschaften	Rechtspfleger: richterähnliche Aufgaben wie z. B. Führung des Firmen- und Grundbuches, gerichtliches Mahnverfahren Gerichtsvollzieher: Vollziehung gerichtlicher Entscheidungen, z. B. Pfändungen Bezirksanwälte: Vertretung der Staatsanwaltschaft beim Bezirksgericht	Für diese Berufe wird kein Studium und nur zum Teil die Reifeprüfung vorausgesetzt. Das fachliche Wissen wird in Ausbildungslehrgängen, Kursen und Praxiszeiten erworben und durch Prüfungen nachgewiesen. Auch Rechtspraktikanten können die Aufgabe eines Bezirksanwalts übernehmen.
Juristen in der öffentlichen Verwaltung	Juristen kommen in fast allen Bereichen der öffentlichen Verwaltung zum Einsatz, sowohl in den Ministerien als auch in nachgeordneten Dienststellen (z. B. Polizeibehörden, Landesschulräte). Neben der Rechtsanwendung zählen auch Führungsfunktionen (z. B. als Leiter einer Dienststelle) zu den möglichen Aufgabenbereichen.	Grunderfordernis ist das juristische Diplomstudium, darüber hinaus ist eine Dienstprüfung abzulegen.

Rechtsanwaltsanwärter nennt man auch Konzipienten.

Anwältinnen und Anwälte helfen ihren Klienten auch, bei Vereinbarungen nicht „über den Tisch gezogen" zu werden.

Beruf	Berufsbild	Ausbildung
Notare	Notare errichten, beglaubigen und verwahren Urkunden, belehren Vertragsparteien, protokollieren General- und Hauptversammlungen, wickeln Verlassenschaften ab, überwachen Preisausschreiben und verwahren Geldbeträge. Sie üben ein öffentliches Amt aus und sind zur Objektivität verpflichtet. Bei manchen Arten von Rechtsgeschäften ist die Mitwirkung eines Notars oder einer Notarin zwingend vorgeschrieben.	Voraussetzung für die Ernennung zum Notar durch das Justizministerium ist der Abschluss des juristischen Diplomstudiums, die Ablegung der Notariatsprüfung und eine insgesamt mindestens siebenjährige Praxis.
Rechtsanwälte	Rechtsanwälte beraten ihre Klienten in rechtlichen Angelegenheiten, entwerfen für sie Vertragstexte, vertreten sie bei außergerichtlichen Vereinbarungen und in Zivilprozessen, verteidigen sie in Strafprozessen und nehmen ihre Interessen in Verwaltungsangelegenheiten wahr. Neben der Führung einer eigenen Kanzlei kommt für Rechtsanwälte auch die Beteiligung an einer Gemeinschaftskanzlei oder die Anstellung in einer fremden Kanzlei infrage.	Voraussetzung für den Antritt zur Rechtsanwaltsprüfung sind ein abgeschlossenes Studium des österreichischen Rechts und eine Praxis von drei Jahren (davon mindestens sieben Monate bei Gericht oder einer Staatsanwaltschaft und mindestens zwei Jahre bei einem Rechtsanwalt). Nach absolvierter Rechtsanwaltsprüfung kann man selbständig eine Kanzlei führen.
Juristen in der Privatwirtschaft	Größere Unternehmen verfügen über eigene Rechtsabteilungen. Juristen werden aber auch in anderen Abteilungen eingesetzt, sei es für juristische Aufgaben (z. B. Vertragsentwürfe, Dienstverträge, Rechtsberatung), sei es für Führungsaufgaben.	Abgesehen vom Studium werden unterschiedliche Zusatzausbildungen, Praktika und Seminare verlangt, die Berufschancen hängen von Angebot und Nachfrage ab.
Juristen in allen Berufssparten	Rechtskenntnisse sind in sehr vielen Berufen von Bedeutung. Sie ebnen zahlreichen Menschen den Weg zu Karrieren in Führungspositionen, auch in Bereichen, die auf den ersten Blick nichts mit juristischer Arbeit zu tun haben. Darüber hinaus können rechtliche Kenntnisse entscheidende Startvorteile für die eigenverantwortliche Führung eines Unternehmens vermitteln.	juristische Kenntnisse in allen Ausprägungen

Sichern & Merken

SbX ID: 0112

Rechtsordnung

natürliche und juristische Personen

Die **Rechtsordnung** setzt sich aus **Rechtsnormen** zusammen, die in verschiedenen **Rechtsquellen** – z. B. in Gesetzen – zusammengefasst werden. Das Recht kann von den **Behörden** mit **Zwangsgewalt** durchgesetzt werden. **Rechtssubjekte** sind **natürliche Personen** (Menschen) und **juristische Personen** (Konstruktionen, denen von der Rechtsordnung teilweise dieselben Rechte wie den Menschen verliehen werden). Zu den juristischen Personen zählen z. B. der Bund, die Länder, die Gemeinden, Vereine, AG und GesmbH.

Rechtsmittel

Rechtskraft

Fast jede Entscheidung einer Verwaltungsbehörde oder eines Gerichts kann von den **Parteien** durch Ergreifen eines **Rechtsmittels** angefochten werden. Es entscheidet dann im Normalfall die übergeordnete **Instanz.** Wenn eine Entscheidung nicht mehr angefochten werden kann, spricht man von **Rechtskraft.** Obwohl Gerichte nicht an die Rechtsansichten übergeordneter

Judikatur

Stellen gebunden sind, werden die meisten Gesetzesstellen gleichartig ausgelegt, es kommt also zu einer einheitlichen **Judikatur.**

Einteilung und Abgrenzung des Rechts

Das Recht lässt sich auf verschiedene Arten **einteilen:**
- Völkerrecht und innerstaatliches Recht
- öffentliches Recht und Privatrecht
- materielles und formelles Recht
- zwingendes und nachgiebiges Recht

juristische Literatur

Die wichtigsten Formen der juristischen **Literatur** sind:
- Bundes- und Landesgesetzblätter
- Gesetzesmaterialien
- unkommentierte und kommentierte Textausgaben
- Entscheidungssammlungen
- Lehrbücher
- Fachzeitschriften und Fachbücher

Rechtsinformationen im Internet
www.ris.bka.gv.at

Neben Kauf oder Entlehnung juristischer Fachliteratur findet man über das Internet kostenlosen Zugang zu fast allen Rechtsquellen (z. B. über das Rechtsinformationssystem des Bundes). Außerdem bieten zahlreiche Institutionen Rechtsberatung an.

Gewaltentrennung

Die **Staatsgewalt** wird auf drei Funktionen aufgeteilt:
- Gesetzgebung, wahrgenommen durch das Parlament
- Verwaltung, wahrgenommen durch die Regierung und die nachgeordneten Behörden
- Gerichtsbarkeit, wahrgenommen durch unabhängige Gerichte

Stufenbau der Rechtsordnung

Innerhalb der Rechtsnormen besteht eine Rangordnung, der sogenannte **Stufenbau.** Vorrang haben die **generellen** (allgemeingültigen) Rechtsnormen:
- Verfassungsgrundsätze
- Verfassungsgesetze
- einfache Gesetze
- Verordnungen

Ihnen untergeordnet sind die **individuellen** Rechtsnormen (Entscheidungen in Einzelfällen):
- Bescheide
- Urteile und Beschlüsse
- Vollstreckung

juristische Ausbildung

Das Studium der Rechtswissenschaften dauert mindestens vier Jahre bis zum Magistertitel. „Klassische" **juristische Berufe** sind Richter, Staatsanwalt, Rechtsanwalt und Notar. Darüber hinaus werden in allen Berufssparten Juristen benötigt, sowohl für die Beschäftigung mit Rechtsvorschriften als auch für Führungsaufgaben.

SbX
ID: 0112

Im SbX finden Sie eine Bildschirmpräsentation mit den Grafiken dieser Lerneinheit.

Wissen & Können

SbX ID: 0113

A B C D E

SbX
W 1.1
mit automatischer Aufgabenkontrolle
ID: 0113

W 1.1: Die Rechtsordnung B

Kreuzen Sie zur jeweiligen Aussage an, ob sie richtig oder falsch ist. Falsche Aussagen stellen Sie bitte in der letzten Spalte richtig:

Aussage	Richtig	Falsch	Richtigstellung
Rechtsnormen können, ebenso wie Sitte und Moral, vom Staat zwangsweise durchgesetzt werden.			
Unter juristischen Personen versteht man Staatsanwälte, Richter, Notare und Rechtsanwälte.			
In Entscheidungssammlungen und kommentierten Gesetzesausgaben findet man die wichtigste Judikatur zu den verschiedenen Rechtsgebieten.			
Alle Behörden dürfen nach der österreichischen Bundesverfassung nur aufgrund der Gesetze tätig werden.			
Gegen eine gerichtliche Entscheidung kann man erst dann ein Rechtsmittel ergreifen, wenn sie rechtskräftig ist.			
Wenn eine der Parteien ein Rechtsmittel ergreift, prüft die nächste Distanz den Fall.			
Unter zwingendem Recht versteht man den hoheitlichen Zwang, den staatliche Behörden auf die Menschen ausüben dürfen.			
Gesetze werden in Österreich von der Regierung beschlossen.			

W 1.2: Tatbestand – Sachverhalt B

Erklären Sie den Unterschied zwischen Tatbestand und Sachverhalt.

W 1.3: RIS B

Klären Sie mithilfe der Judikaturbeispiele im Rechtsinformationssystem des Bundes (RIS) die Frage, ob bei einem Raubüberfall eine Spielzeugpistole als Waffe gilt.

W 1.4: Zwingendes Recht D

Zeigen Sie auf, in welchen Bereichen der Rechtsordnung die Schaffung von zwingendem Recht sinnvoll ist, und begründen Sie Ihre Aussagen.

W 1.5: Einordnung einer gesetzlichen Bestimmung D

Der erste Satz des § 15 Abs. 3 des österreichischen Mietrechtsgesetzes (MRG) lautet:

> „Der Mieter hat den Mietzins, sofern kein anderer Zahlungstermin vereinbart ist, am Fünften eines jeden Kalendermonats im Vorhinein zu entrichten."

Klären Sie dazu folgende Fragen:

- Geht es hier um öffentliches Recht oder Privatrecht?
- Ist das eine Bestimmung des materiellen oder des formellen Rechts?
- Ist diese Vorschrift dem zwingenden oder dem nachgiebigen Recht zuzuordnen?
- Um welche Art von Rechtsnorm im Stufenbau der Rechtsordnung handelt es sich bei dieser Vorschrift?

W 1.6: Rechtsanwendung D

Frau Berger will sich von ihrem Gatten scheiden lassen und hat daher eine gerichtliche Klage eingebracht. Nach ihrer glaubwürdigen Aussage, die von zwei Nachbarinnen bestätigt wird, hat er sie in der ehelichen Wohnung wiederholt grob beschimpft und einmal sogar geschlagen. Er bestreitet dies zwar, aber das Gericht glaubt ihm nicht und wendet § 49 des Ehegesetzes (EheG) an: Die Ehe wird aus Verschulden des Mannes geschieden.

Die ersten beiden Sätze des § 49 EheG lauten:

> Ein Ehegatte kann Scheidung begehren, wenn der andere durch eine schwere Eheverfehlung oder durch ehrloses oder unsittliches Verhalten die Ehe schuldhaft so tief zerrüttet hat, dass die Wiederherstellung einer ihrem Wesen entsprechenden Lebensgemeinschaft nicht erwartet werden kann. Eine schwere Eheverfehlung liegt insbesondere vor, wenn ein Ehegatte die Ehe gebrochen oder dem anderen körperliche Gewalt oder schweres seelisches Leid zugefügt hat.

Skizzieren Sie zu diesem Fall jeweils in ein oder zwei Sätzen:

- den Sachverhalt
- die Beweiswürdigung
- den angewendeten Tatbestand
- Gedanken zur Auslegung des § 49 EheG. Was könnte mit dem Wort „insbesondere" im zweiten Satz gemeint sein?
- die Rechtsfolge
- den Inhalt der gerichtlichen Entscheidung

Beantworten Sie außerdem die drei folgenden Fragen und begründen Sie Ihre Lösung:

- Geht es in diesem Fall primär um öffentliches Recht oder um Privatrecht?
- Ist der abgedruckte Gesetzestext dem formellen oder dem materiellen Recht zuzuordnen?
- Um welche Art von Rechtsnorm (siehe Stufenbau der Rechtsordnung) handelt es sich bei der Entscheidung des Gerichts?

SbX
W 1.7–W 1.11
mit automatischer Aufgabenkontrolle
ID: 0113

Weitere Kontrollfragen im SbX

W 1.7: Rechtsordnung B

Vervollständigen Sie die Übersicht der Definitionen.

W 1.8: Rechtsordnung – Begriffe B

Lösen Sie ein Kreuzworträtsel zu wichtigen Begriffen der Rechtsordnung.

W 1.9: Juristische Berufe

Vervollständigen Sie die Übersicht zu den möglichen juristischen Laufbahnen.

W 1.10: Rechtsordnung – Begriffe C

Vervollständigen Sie die Übersicht der Definitionen.

W 1.11: Abschlusstest B

Bearbeiten Sie einen zusammenfassenden Test zur Lerneinheit.

Ein kurzer Kompetenz-Check, bevor's weitergeht!

Kompetenz-Check

	☺	😐	☹
Ich kann rechtliche Vorschriften nach verschiedenen Kriterien einteilen und zuordnen.			
Ich kann rechtliche Bestimmungen zu Themen, mit denen ich zu arbeiten habe, auffinden.			
Ich kann aus einem gesetzlichen Tatbestand die Rechtsfolge eines einfachen Sachverhalts ableiten.			
Ich kann eine Rechtsvorschrift in den Stufenbau der Rechtsordnung eingliedern.			

Lerneinheit 2
Grundlagen des Staats

SbX
Alle SbX-Inhalte zu dieser Lerneinheit finden Sie unter der ID: 0120.

Marco und Katharina sitzen gemeinsam mit Françine, einer Austauschschülerin aus der Schweiz, in einem Lokal. Ihre Freundin erzählt, dass es demnächst wieder eine Volksabstimmung geben wird, in deren Rahmen das Schweizer Volk über eine Verschärfung der Einwanderungsgesetze entscheiden soll. „Das ist toll, dass ihr so mitbestimmen könnt. Bei uns entscheiden fast immer Politiker über solche Bereiche und wir haben keine Chance, direkt mitzureden", meint Marco.

Jeder Staat ist anders organisiert und die Verteilung der Aufgaben und Macht anders gestaltet.

Lernen & Üben

SbX ID: 0121

A B C D E

1 Die Elemente des Staats
Unter welchen Voraussetzungen kann man von einem Staat sprechen?

> Im letzten Sommer war ich in Montenegro auf Urlaub. Dieses Gebiet gilt nach dem Zerfall Jugoslawiens erst seit dem Jahr 2006 als eigener Staat. Während meiner Reise habe ich mich öfters gefragt, unter welchen Voraussetzungen man ein Land eigentlich als Staat bezeichnen kann.

Aus der Sicht des Völkerrechts liegt ein Staat dann vor, wenn drei Voraussetzungen, die sogenannten **Staatselemente,** gegeben sind: Ein **Staatsgebiet**, ein **Staatsvolk** und eine **souveräne Staatsgewalt.**

Elemente des Staats

Eine **Seemeile** entspricht 1852 Metern, die Breite der Küstengewässer kann also über 22 Kilometer betragen.

Staatsgebiet

Das Staatsgebiet ist jener Teil der Erdoberfläche, auf dem ein Staat seine Macht ausübt. In den meisten Fällen wird das Staatsgebiet durch völkerrechtliche Verträge bestimmt.

Zum **Staatsgebiet** gehören

- die **Fläche** innerhalb der Staatsgrenzen,
- der **Luftraum** oberhalb dieser Fläche, bis zu einer Höhe von ca. 100 Kilometern. Darüber beginnt der Weltraum, der nach dem Völkerrecht der gesamten Menschheit gehört.
- der **Raum unterhalb der Fläche des Staats,** so tief er erreichbar ist,
- **Flüsse, Häfen** und **Buchten,**
- die **Küstengewässer** des Staats, das ist ein Streifen bis zu einer Breite von 12 Seemeilen. Diesbezüglich bestehen allerdings manchmal unterschiedliche Auffassungen verschiedener Staaten über die Grenzen ihres Staatsgebietes. In einigen Fällen werden sogar 200 Seemeilen beansprucht.

Das Staatsvolk ist die Gesamtheit der Staatsangehörigen.

Staatsvolk

Das **Staatsvolk** umfasst alle Bürgerinnen und Bürger eines Staats, sowohl jene, die bereits von Geburt an die **Staatsbürgerschaft** besitzen, als auch jene, die diese erst später erworben haben. Mit der Staatsbürgerschaft sind besondere Rechte, aber auch spezielle Pflichten verbunden (siehe Kapitel Staatsbürgerschaft, S. 82 ff.).

Innerhalb der Grenzen des Völkerrechts kann jeder Staat die Voraussetzungen und Konsequenzen des Besitzes seiner Staatsbürgerschaft in nationalen Gesetzen festlegen.

Bei Personen, die nicht die Staatsbürgerschaft des Aufenthaltsstaates besitzen, unterscheidet man

- **Ausländer:** Sie besitzen die Staatsbürgerschaft eines anderen Landes.
- **Staatenlose:** Sie besitzen keine Staatsbürgerschaft.
- **Exterritoriale:** Sie unterliegen nicht der Hoheitsgewalt des Aufenthaltsstaates und können daher nicht behördlich verfolgt werden. Als Exterritoriale gelten z. B. ausländische Staatsoberhäupter, Mitarbeiter internationaler Organisationen und Diplomaten. Als **diplomatische Immunität** bezeichnet man den Schutz von Botschaftern und Gesandten sowie deren Mitarbeitern und Familien vor straf-, zivil- und verwaltungsrechtlicher Verfolgung im Gastland.

Wenn ein **Diplomat** ein schweres Verbrechen begeht, darf er im Gastland nicht vor Gericht gestellt, wohl aber aus dem Land ausgewiesen werden. Ein Gerichtsverfahren kann erst im Heimatland durchgeführt werden.

Souveräne Staatsgewalt

Die **Staatsgewalt** ist die Macht, die ein Staat zur Aufrechterhaltung seiner inneren Ordnung und zu seinem Schutz nach außen ausübt. Die Staatsgewalt wird zwischen drei Staatsfunktionen aufgeteilt (vgl. Lerneinheit 1):

- Gesetzgebung
- Verwaltung
- Gerichtsbarkeit

Unter **Souveränität** wird die Unabhängigkeit eines Staates von anderen Staaten und seine Selbstbestimmung in inneren Angelegenheiten verstanden. Die tatsächliche Wahrnehmung der Staatsgewalt innerhalb eines Gebietes bezeichnet man als **Gebietshoheit.**

Antwort: Man kann von einem Staat dann sprechen, wenn folgende Elemente gegeben sind: ein Staatsgebiet, ein Staatsvolk und eine souveräne Staatsgewalt.

Übungsbeispiel

Ü 1.4: Der Staat A

a) Erläutern Sie, welche Bedingungen erfüllt sein müssen, damit aus völkerrechtlicher Sicht ein Staat vorliegt.

b) Definieren Sie den Begriff Exterritorialität.

c) Erklären Sie den Begriff Gebietshoheit.

2 Politische Parteien

Ohne Parteien gäbe es keine Demokratie!

„Wenn ich im Fernsehen einen Politiker sehe, schalte ich sofort um", sagt eine von Katharinas Kolleginnen. „Die suchen doch alle nur ihren eigenen Vorteil und den ihrer Partei. Was brauchen wir überhaupt Parteien? Es sollten einfach die fähigsten Leute regieren – ohne Parteien." „Ich verstehe, wenn du dich oft ärgerst", antwortet Katharina, „aber ohne Parteien würde die Demokratie nicht funktionieren."

Weltanschauung

Eine **Partei** ist eine Vereinigung politisch ähnlich denkender Menschen. Diese versuchen, im Staat genug Macht zu gewinnen, um ihre Ideen und Ziele zu verwirklichen.

Früher wurden die politischen Parteien und ihre Ideen gerne in ein „Links-Rechts-Schema" eingeordnet. Die Bezeichnung als „links" oder „rechts" ergab sich ursprünglich aus der Sitzordnung im Parlament.

Heutzutage gibt es kaum noch Parteien, die exakt dieser Einteilung zuzuordnen sind.

Links-Rechts-Schema

Benachteiligte Gruppen sind z. B. Frauen, Ältere, Fremde, Behinderte, Homosexuelle.

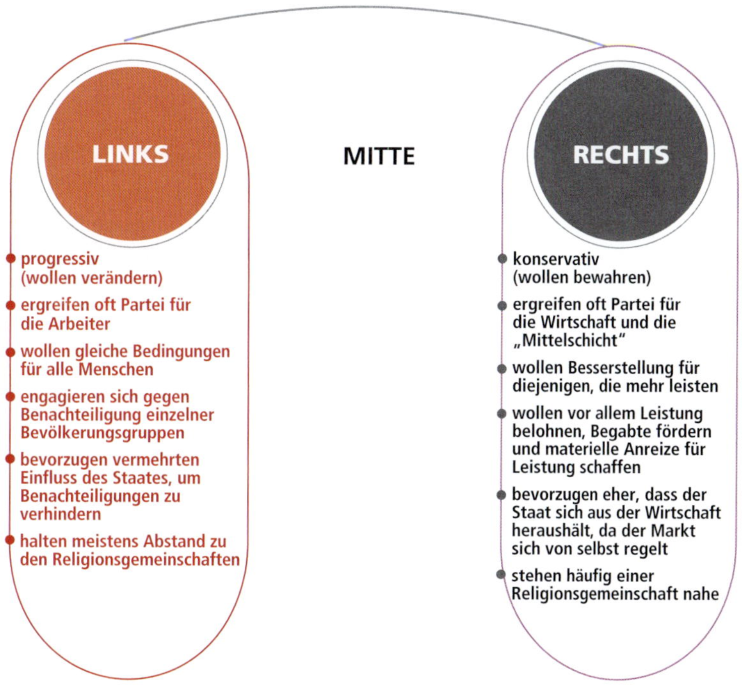

Populismus: Man vertritt als Politiker Ansichten, von denen man glaubt, dass sie der Meinung des Volkes (lat. „populus") entsprechen, nur um seine Wahlchancen zu erhöhen. Man macht leere Versprechungen, ohne Verantwortung für die Zukunft übernehmen zu wollen.

Die meisten Parteien vertreten nicht ausschließlich „linke" oder „rechte" Positionen, sondern vereinigen verschiedene Ideen. Davon ausgenommen sind links- oder rechts**radikale** Parteien. Noch einseitiger sind (links- oder rechts-)**extreme** Gruppierungen.

Da eine Partei aus vielen verschiedenen Personen besteht, haben diese natürlich nicht zwingend die gleichen Ansichten. Manche Weltanschauungen sind eher „links", manche eher „rechts" von der Parteilinie angesiedelt. Man spricht dann von einem linken und einem rechten **Flügel** der Partei.

Überhaupt streben die meisten Parteien in die **Mitte,** da man dort die besten Chancen hat, von einer Mehrheit gewählt zu werden. Einige Parteien fallen außerdem durch ausgeprägten **Populismus** auf.

Organisation

Unter **Parteibuchwirtschaft** versteht man die Tatsache, dass man in Österreich gelegentlich persönliche Vorteile (wie z. B. bessere Aufstiegschancen) aus einer Parteimitgliedschaft zieht.

Man kann auf unterschiedliche Art und Weise einer Partei angehören.

- **Einfaches Parteimitglied**
  Das kann jeder werden, wenn er einer Partei beitritt und Mitgliedsbeiträge bezahlt (ähnlich der Mitgliedschaft in einem Verein). Ein Mitbestimmungsrecht hat man insoweit, als man an der Wahl der Parteifunktionäre teilnehmen kann.
- **Parteifunktionär**
  Wenn man von der Versammlung der Parteimitglieder dazu gewählt wird, kann man eine Funktion in der Partei ausüben. Man ist dann dafür zuständig, bestimmte Führungsaufgaben innerhalb der Partei zu erledigen.

Der Mitgliedsausweis einer Partei wird in Österreich auch oft **„Parteibuch"** genannt.

- **Parteivorstand**
  Die höchsten Funktionäre einer Partei sind im **Parteivorstand.** Um diesen zu wählen, treffen sich Delegierte (von den Parteiorganisationen der verschiedenen Orte abgesandte Funktionäre) zum **Parteitag.** Die höchste Position im Parteivorstand ist die des Parteichefs (**Obmann** oder **Obfrau**).
- **Staatliche Funktionen**
  Dafür bieten die Parteien Kandidaten an (z.B. als Bundespräsident/in, Regierungsmitglied oder Parlamentsabgeordnete/r). Wer von ihnen letztlich wirklich eine solche Position im Staat erhält, hängt von Wahlen und Verhandlungsergebnissen ab. Meistens gelingt dies hohen Parteifunktionären. Eine Partei kann aber auch Personen vorschlagen, die keine Mitglieder sind (kommt selten vor). Jedenfalls sollte ein Parteifunktionär, der außerdem ein staatliches Amt innehat, die Interessen des Staats über die Parteiinteressen stellen.

Einfluss der Parteien auf staatliche Funktionen

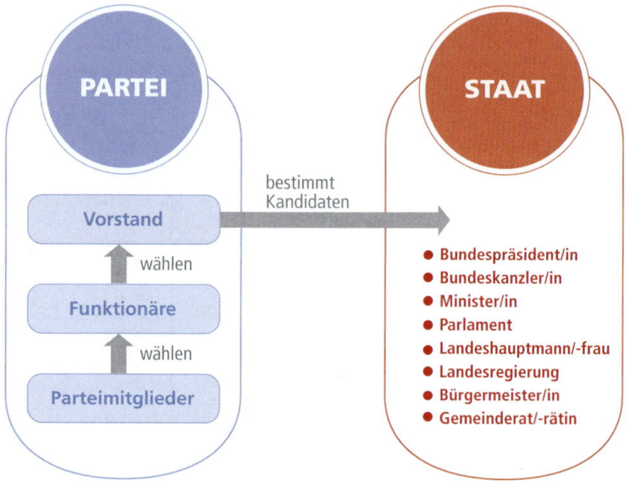

Parteien in Österreich

Die grundlegenden Werte, Ideen und Ziele einer Partei werden im Parteiprogramm niedergeschrieben. Dieses wird auf einem Parteitag beschlossen.

Derzeit sind im österreichischen Nationalrat folgende Parteien vertreten:

Kurzbezeichnung		Name	Website
ÖVP	Die neue Volkspartei	Österreichische Volkspartei	www.oevp.at
SPÖ	SPÖ	Sozialdemokratische Partei Österreichs	www.spoe.at
FPÖ	FPÖ DIE SOZIALE HEIMATPARTEI	Freiheitliche Partei Österreichs	www.fpoe.at
NEOS	neos	Das neue Österreich und liberales Forum	www.neos.eu
PILZ	JETZT	JETZT - Liste Pilz	https://partei.jetzt

SbX Füllen Sie die Lückentexte zum Thema „Parteien" aus ID: 0113

Übungsbeispiel

Ü 1.5: Positionen in Parteien B

Arbeiten Sie den Unterschied zwischen folgenden Positionen heraus:

- Mitglied einer Partei
- Funktionär/in einer Partei
- Parteiobmann/Parteiobfrau
- Abgeordnete/r einer Partei im Parlament

3 Sozialpartnerschaft

Arbeitgeber- und Arbeitnehmervertreter bemühen sich um einvernehmliche Lösungen.

Durch die **Sozialpartnerschaft** versucht man in Österreich, Konflikte zwischen der Wirtschaft und den Beschäftigten friedlich und partnerschaftlich zu lösen. Statt Arbeitskampf, Streiks und Streitereien zuzulassen, bemüht man sich, Probleme am Verhandlungstisch zu lösen. Gesetze werden in der Regel vom Parlament erst dann beschlossen, wenn zwischen Arbeitgeber- und Arbeitnehmerseite ein Kompromiss gefunden worden ist.

Träger der Sozialpartnerschaft

TRÄGER DER SOZIALPARTNERSCHAFT

Kammern haben die Aufgabe, die Interessen ihrer Mitglieder zu vertreten und zu fördern. So vertreten z. B.

- die **Wirtschaftskammer** die Interessen der selbständigen Unternehmer,
- die **Bundesarbeitskammer** die Interessen der Arbeiter und Angestellten,
- die **Landwirtschaftskammern** die Interessen der Bauern,
- die **Ärztekammer** die Interessen der Ärzte usw.

Mitglied in einer Kammer wird man automatisch, wenn man die entsprechende Tätigkeit rechtmäßig aufnimmt. Man muss dann auch eine Kammerumlage bezahlen.

Hingegen beruht die Mitgliedschaft bei der **Gewerkschaft** auf Freiwilligkeit. Gewerkschaftsmitglied wird man also nur dann, wenn man beitritt und den Mitgliedsbeitrag leistet.

4 Medien

Informieren, aber nicht manipulieren!

Medien besitzen vor allem deshalb politischen Einfluss, weil sie die öffentliche Meinung leicht beeinflussen können.

In Österreich ist die **freie Meinungsäußerung** durch die Verfassung garantiert. Daher darf der Staat die Medien **nicht** der **Zensur** unterwerfen. Eine Einschränkung der freien Meinungsäußerung ist nur in Ausnahmefällen – z. B. wenn ansonsten die nationale Sicherheit bedroht wäre – zulässig.

Zensur: Der Staat kontrolliert die Inhalte, bevor sie veröffentlicht werden. Was dabei nicht genehmigt wird, darf auch nicht veröffentlicht werden. Ein solches System verstößt gegen die Verfassung!

Durch das **Mediengesetz** wird man vor falscher Berichterstattung und vor unzulässigen Eingriffen in die Privatsphäre geschützt.

Der rechtliche Rahmen des **ORF** wird in einem eigenen Gesetz geregelt. Darin ist vorgesehen, dass er seine Aufgabe objektiv, unparteilich und unabhängig wahrzunehmen hat. Der ORF hat das Recht, von den Hörern und Sehern Gebühren einzunehmen. Private Konkurrenz hat der ORF erst in den letzten Jahrzehnten erhalten, da diese davor gesetzlich nicht zugelassen war. Auch die **Privatsender** unterliegen gesetzlichen Vorschriften, die aber nicht so streng sind wie jene für den ORF.

Die **APA** (Austria Presse Agentur) bietet den Medien gegen Bezahlung Texte und Bilder an.

Unter **Printmedien** versteht man Tageszeitungen sowie Wochen- und Monatsmagazine. Bei den Tageszeitungen ist die **Kronen-Zeitung** in Österreich mit einem Marktanteil von ca. 27 Prozent der unangefochtene Spitzenreiter bei der Auflagenstärke. Das bedeutet, dass ungefähr 40 Prozent der österreichischen Zeitungsleser/innen zur Kronen-Zeitung greifen.

Onlinemedien bieten über das Internet Meldungen, Berichte und Unterhaltung an. Häufig werden diese Inhalte als Nebenprodukt von Zeitungen angeboten.

5 Macht und Einfluss im Staat

Wer regiert Österreich wirklich?

Einer von Marcos Mitschülern sagt: „Ich will später einmal in die Politik gehen. Dann habe ich Macht und Einfluss." Marco will sich gerade diesen Mitschüler lieber nicht als Mächtigen vorstellen. Er hält ihn nämlich für einen Dummkopf. Aber eines würde ihn schon interessieren: Wer hat eigentlich politischen Einfluss in Österreich, und wie kommt man zu diesem?

Unter **Macht** verstehen wir die Fähigkeit, auf das Verhalten und Denken anderer Einfluss zu nehmen.

„Freunderlwirtschaft" liegt vor, wenn jemand seine Stellung und seine Macht ausnützt, um seine Freunde und Verwandten zu begünstigen. Manchmal ist das nicht weit entfernt von **Korruption** (Missbrauch einer öffentlichen Position zur Erlangung persönlicher Vorteile, Bestechung, Geschenkannahme).

Macht und politischer Einfluss können sich aus verschiedenen Gründen ergeben, z. B.

- aus der **Verfassung** oder anderen **Gesetzen** (jedes staatliche Amt ist mit mehr oder weniger Macht verbunden),
- aus der **wirtschaftlichen Stärke** von Unternehmen (wer Arbeitsplätze anbietet, verfügt meist über Macht),
- aus der **gegenseitigen Unterstützung** von Gruppen und Vereinigungen, die gemeinsame Interessen verfolgen,
- aus **persönlicher Überzeugungskraft**.

Die nachfolgende Struktur fasst die wichtigsten rechtlich vorgesehenen Machtstrukturen zusammen.

Wer hat Einfluss im Staat?

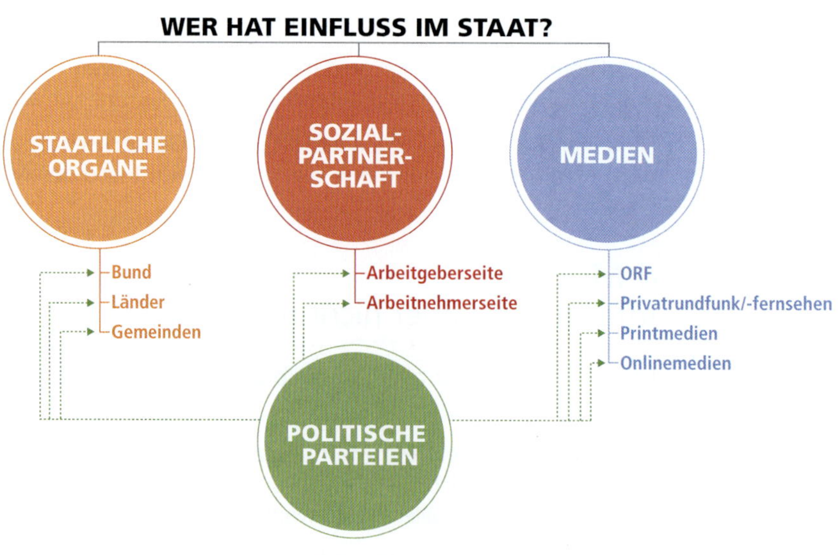

Jedes **staatliche Amt** ist mit mehr oder weniger politischem Einfluss verbunden, z. B.:

- im **Bund** (Funktionen für die Republik Österreich): Bundespräsident, Bundesregierung (Bundeskanzler, Vizekanzler und Bundesminister), Mitglieder des Nationalrats, hochrangige Beamte u. v. m.
- im **Land** (Funktionen des jeweiligen Bundeslandes): Landeshauptmann, Mitglieder der Landesregierung (Landesräte), Mitglieder des Landtags u. v. m.
- in der **Gemeinde:** Bürgermeister, Mitglieder des Gemeinderates u. v. m.

Wie die Grafik auf der vorigen Seite zeigt (gepunktete Pfeile), üben die **Parteien** großen Einfluss auch auf die restlichen Machtfaktoren im Staat aus, z. B.:

- Sie bestimmen die Kandidaten für **Wahlen** und öffentliche **Ämter.**
- Sie sind maßgeblich in der **Sozialpartnerschaft** vertreten.
- Sie bestimmen über die Führungsebene des **ORF** mit.

Sichern & Merken

SbX ID: 0122

Parteien

Parteien sind Vereinigungen politisch ähnlich denkender Menschen, die versuchen, im Staat ihre Ideen und Ziele zu verwirklichen. Die Mitglieder der Partei wählen verschiedene Funktionäre, diese wiederum den Vorstand. Der Vorstand vertritt die Partei nach außen.

Parteien wählen Kandidaten für politische Ämter im Staat aus. In Wahlen und/oder Verhandlungen mit anderen Parteien wird dann geklärt, welche dieser Kandidaten tatsächlich in politische Ämter berufen werden. Funktionen in der Partei sind nicht gleichbedeutend mit Funktionen im Staat (sie werden aber häufig durch dieselben Personen ausgeübt).

Machtstrukturen im Staat

Über (gesetzlich vorgesehenen) **politischen Einfluss im Staat** verfügen z. B.

- Träger staatlicher Ämter
- politische Parteien
- Sozialpartner (Vertreter der Arbeitgeber und Arbeitnehmer)
- Medien (Rundfunk, Zeitungen und Zeitschriften, Internet-Medien)

SbX ID: 0122

Im SbX finden Sie eine Bildschirmpräsentation mit den Grafiken dieser Lerneinheit.

Wissen & Können

A B C D E

W 1.12: Populismus in der Praxis E

Analysieren Sie anhand aktueller Beispiele populistische Aussagen österreichischer oder internationaler Politikerinnen und Politiker.

W 1.13: Sozialpartnerschaft D

Die österreichische Sozialpartnerschaft hat sich in der Vergangenheit vielfach bewährt, sie wird aber von manchen auch kritisch betrachtet.

- Beschreiben Sie die Idee der Sozialpartnerschaft.
- Arbeiten Sie heraus, was ihren Erfolg ausmacht.
- Argumentieren Sie, welchen Kritikpunkten die Sozialpartnerschaft ausgesetzt sein könnte.

W 1.14: Interessenvertretungen B

Dokumentieren Sie eine Gemeinsamkeit und einen Unterschied zwischen der Bundesarbeitskammer und der Gewerkschaft.

W 1.15: Macht im Staat B

Zeigen Sie die Umstände auf, die einer Person oder einer Gruppe im Staat Macht verschaffen können.

W 1.16: Tageszeitungen in Österreich D

Erforschen Sie durch Recherche im Internet, welche die fünf auflagenstärksten Tageszeitungen in Österreich sind.

Ein kurzer Kompetenz-Check, bevor's weitergeht!

Kompetenz-Check

	☺	😐	☹
Ich kann erklären, welche Elemente ein Staat aufweisen muss, um als solcher anerkannt zu werden.			
Ich kann die weltanschaulichen Grundlagen verschiedener politischer Ideen erkennen.			
Ich kann das politische Spektrum zwischen „links“ und „rechts“ beschreiben.			
Ich kann populistische Aussagen von Politikern identifizieren.			
Ich kann erkennen, welche Personen und Institutionen in unserer Gesellschaft Macht und Einfluss ausüben.			

2 VERFASSUNGSRECHT

Worum geht's in diesem Kapitel?

Marco hat sich schon immer für Politik interessiert. Er hat sich zur Klassensprecherwahl aufstellen lassen, weil ihm die Vertretung seiner Klasse wichtig ist, und er wurde mit großer Mehrheit gewählt. Auch darüber hinaus würde es ihn reizen, sich politisch zu engagieren. Dazu hat er sich schon öfter gefragt: Ab wann kann man sich z.B. für den Nationalrat aufstellen lassen – und wie geht das? Welche Rolle spielt die Verfassung in Österreich und wer entscheidet, was da drinnen steht?

Katharina kommt in dem Unternehmen, für das sie arbeitet, auch mit Vorschriften und Gesetzen in Berührung. Sie hat sich schon öfter gedacht: Wie entstehen diese Gesetze und wer entscheidet darüber? Was ist ein Gesetz eigentlich genau? Und gibt es z.B. eine gesetzliche Bestimmung, die aussagt, dass ich als weibliche Mitarbeiterin im Unternehmen meinen männlichen Kollegen gleichzustellen bin?

Alle diese Fragen sind im Verfassungsrecht geregelt.

Wenn Sie dieses Kapitel bearbeitet haben,

- können Sie die Bedeutung der Verfassung für den Staat erklären,
- können Sie die Grundprinzipien der Bundesverfassung beschreiben.

In diesem Kapitel erwerben Sie Kompetenzen zu folgender Bildungs- und Lehraufgabe:

„Die Schülerinnen und Schüler können die Grundprinzipien der Bundesverfassung nennen und ihre Inhalte interpretieren, die Gesetzgebung des Bundes und der Länder erklären sowie die gegenwärtige Regierungsform in Österreich beschreiben."

A B C D E

In diesem Kapitel finden Sie Übungsaufgaben, Fallbeispiele und Wiederholungsfragen zur Kompetenzüberprüfung auf den Handlungsebenen A Wiedergeben, B Verstehen, C Anwenden und D Analysieren & Interpretieren.

Dieses Kapitel umfasst folgende Lerneinheiten:

Lerneinheit 1

Aufgaben und Grundlagen des Verfassungsrechts

SbX
Alle SbX-Inhalte zu dieser Lerneinheit finden Sie unter der ID: 0210.

In dieser Lerneinheit beschäftigen wir uns damit, wozu ein Staat eine Verfassung braucht, wo die Verfassung nachzulesen ist und welche Ziele die österreichische Verfassung hat.

Mit einer Verfassung wird der Aufbau im Staat grundsätzlich geregelt. Alles, was im Staat geschieht, muss genauen Regeln folgen und ist Beschränkungen unterworfen.

Lernen & Üben

SbX ID: 0211

A B C D E

1 Verfassung – die Spielregeln des Staats

Jeder Staat ist ein rechtlich geformtes Wesen und braucht gewisse Spielregeln, nach denen er funktionieren soll.

Was bedeutet der Begriff Verfassung eigentlich?

Die wichtigsten **Grundregeln in einem Staat,** die vorgeben, wie der Staat funktionieren soll, nennt man **„Verfassung".**

In den meisten Verfassungen sind zu finden

- die **Staatsform** (Republik oder Monarchie),
- wie der **Staat aufgebaut** ist (als Bundesstaat oder Zentralstaat),
- die **Staatsfunktionen** (Gesetzgebung, Verwaltung und Gerichtsbarkeit) und
- die **Grundrechte** des einzelnen Menschen im Staat.

Antwort: Unter **„der Verfassung"** eines Staats versteht man die **rechtliche Grundordnung eines Staats.** In ihr sind die wesentlichsten Spielregeln für das Funktionieren des Staats festgelegt. Gleichzeitig werden dem einzelnen Menschen **wichtige Freiheiten und Grundrechte** eingeräumt.

2 Rechtsquellen der österreichischen Verfassung

Das Bundesverfassungsrecht Österreichs ist nicht in einem einzigen Gesetzestext zusammengefasst, sondern ist auf viele Vorschriften verteilt.

In welchem Buch kann ich die österreichische Verfassung genauer nachlesen?

Eine wichtige Rechtsquelle ist das **Bundesverfassungsgesetz (B-VG),** das aus dem Jahr 1920 stammt. 1925 und 1929 wurde es novelliert. Die Novelle 1929 brachte eine Stärkung des Bundespräsidenten gegenüber dem Parlament.

Wird ein Gesetz geändert, verwendet man den Fachausdruck **„novellieren“**.

Das B-VG wurde seither ca. 100-mal geändert und ergänzt. Daneben gibt es aber noch ungefähr weitere 60 Bundesverfassungsgesetze und die Landesverfassungen der neun Bundesländer. Das österreichische Bundesverfassungsrecht ist also sehr unübersichtlich.

Antwort: Es gibt kein Dokument, das alle Bestandteile der österreichischen Verfassung enthält. Die Verfassungsgesetze Österreichs sind sehr zersplittert. Über die österreichische Verfassung liest man daher am besten in einem Buch wie diesem oder einem Buch, das sich mit der Verfassung alleine befasst, nach.

3 Die Staatszielbestimmungen

Die Staatszielbestimmungen geben der Politik positive Ziele vor.

Enthält die österreichische Verfassung auch Ziele und betreffen mich diese Ziele ganz konkret?

Ursprünglich waren in der österreichischen Bundesverfassung kaum inhaltliche Ziele und Vorgaben für die Politik enthalten. Erst in den letzten Jahrzehnten wurden der Gesetzgebung und der Regierung solche Ziele vorgegeben.

Staatszielbestimmungen Österreichs

SbX **Weiterführende Links zu den Staatszielbestimmungen finden Sie unter der ID: 0211.**

Immerwährende Neutralität bedeutet, sich als Staat dauernd

- neutral zu verhalten: sich nicht an künftigen Kriegen und militärischen Bündnissen zu beteiligen und
- fremde Truppen nicht auf eigenem Staatsgebiet stationieren zu lassen.

Antwort: Ja, die österreichische Bundesverfassung enthält Ziele. Man nennt sie die Staatszielbestimmungen. Diese Ziele betreffen Julia auch ganz konkret. Im Unternehmen ist Julia als weibliche Mitarbeiterin ihren männlichen Kollegen gleichzustellen. Das heißt, sie muss z.B. für die gleiche Arbeit den gleichen Lohn erhalten wie ihre männlichen Kollegen.

Übungsbeispiel

Ü 2.1: Staatszielbestimmungen D

Beurteilen Sie, welche Ihrer Meinung nach die wichtigsten bzw. weniger wichtigen Staatszielbestimmungen sind, und begründen Sie Ihre Meinung.

Ich beurteile als die beiden wichtigsten Staatszielbestimmungen:

❶ ______________________________, weil ______________________________

❷ ______________________________, weil ______________________________

Weniger wichtig beurteile ich die folgenden Staatszielbestimmungen:

❶ ______________________________, weil ______________________________

❷ ______________________________, weil ______________________________

Sichern & Merken

SbX ID: 0212

Verfassung

Die **Verfassung** ist die **rechtliche Grundordnung** eines Staats. In ihr sind die **wichtigsten Spielregeln für das Funktionieren des Staats** festgelegt. Gleichzeitig werden dem einzelnen Menschen wichtige **Freiheiten und Grundrechte** eingeräumt.

Bundesverfassungsgesetz (B-VG)

Das **B-VG** ist eine der wichtigsten Rechtsquellen des Bundesverfassungsrechts. Es stammt aus dem Jahr 1920 und wurde wiederholt novelliert.

Staatszielbestimmungen

Zu den **Staatszielbestimmungen** zählen:

- die Wahrung der immerwährenden Neutralität
- die tatsächliche Gleichstellung von Mann und Frau
- das Bekenntnis zur umfassenden Landesverteidigung
- die Nichtdiskriminierung von behinderten Menschen
- das Bekenntnis zum umfassenden Umweltschutz
- der Schutz der alteingesessenen Volksgruppen

SbX ID: 0212

Im SbX finden Sie eine Bildschirmpräsentation mit den Grafiken dieser Lerneinheit.

Wissen & Können

SbX ID: 0213

A B C D E

W 2.1: Begriff „Verfassung" B

Erklären Sie den Begriff „Verfassung".

W 2.2: Gesetzliche Regelung B

Erläutern Sie die gesetzliche Grundlage der österreichischen Verfassung.

W 2.3: Ursprüngliche Fassung des B-VG B

Die ursprüngliche Verfassung des B-VG stammt aus dem Jahr:

☐ 1918 ☐ 1920 ☐ 1945 ☐ 1979

SbX W 2.4 mit automatischer Aufgabenkontrolle ID: 0213

Weitere Aufgabe im SbX

W 2.4: Verfassungsrecht C

Vervollständigen Sie die Übersicht zu den Grundprinzipien der Verfassung.

Ein kurzer Kompetenz-Check, bevor's weitergeht!

Kompetenz-Check

	☺	😐	☹
Ich kann den Begriff „Verfassung" erklären.			
Ich kann die Staatszielbestimmungen unterscheiden.			

Lerneinheit 2

Die Grundprinzipien der Verfassung

SbX
Alle SbX-Inhalte zu dieser Lerneinheit finden Sie unter der ID: 0220.

Alle Verfassungen bauen auf Ideen auf, nach denen die Ordnung im Staat organisiert sein soll. Diese Ideen nennt man die Grundprinzipien der Verfassung. Sie werden auch „die Baugesetze der Verfassung" genannt.

Lernen & Üben

SbX ID: 0221

A B C D E

1 Die Grundprinzipien
Leitende Ideen für die Ordnung im Staat

Was sind die „Grundprinzipien" und welche Stellung haben sie in der Rechtsordnung?

Hierarchie heißt Rangordnung, Über- und Unterordnung.

Wie Sie schon im Kapitel „Recht und Staat" gelesen haben, gibt es innerhalb der Rechtsordnung eine Hierarchie – den Stufenbau der Rechtsordnung. Das bedeutet, dass es „höherrangige" und „niedrigerrangige" Normen gibt.

In diesem Über- und Unterordnungssystem der Rechtsordnung hat das **Verfassungsrecht den obersten, wichtigsten Rang.** Die Verfassung ist die **Grundlage der Rechtsordnung.** In der Verfassung finden alle anderen Normen ihre Grundlage.

Innerhalb des Verfassungsrechts wiederum nehmen die **Grundprinzipien** der Verfassung den **höchsten Rang** ein. Sie stellen – bildlich gesehen – das **„Fundament" der Verfassung** dar. Sie sind die **leitenden Grundsätze** der Verfassung und stellen die grundlegenden Prinzipien unseres Zusammenlebens dar.

Es gibt Fachleute in der Lehre, die auch noch das Bestehen eines **„antinationalsozialistischen Grundprinzips"** annehmen und begründen.

Über die **Anzahl der Grundprinzipien** herrscht keine Einigkeit. Bei den Prinzipien

- demokratisches Prinzip,
- republikanisches Prinzip,
- bundesstaatliches Prinzip und
- rechtsstaatliches Prinzip

sind sich alle Expertinnen und Experten einig. Dieses Buch betrachtet auch das liberale und das gewaltenteilende Prinzip als Grundprinzipien, denn das System der österreichischen Verfassung weist deutliche Ausprägungen eines demokratischen, liberalen Rechtsstaats auf.

Grundprinzipien der Verfassung

Die Grundprinzipien sind noch schwerer abzuändern als das andere Verfassungsrecht, nämlich nur mit einer Volksabstimmung, bei der die Ja-Stimmen überwiegen.

Antwort: Die Grundprinzipien sind die Baugesetze oder die leitenden Grundsätze der Verfassung.

Antwort: Das Verfassungsrecht hat innerhalb der Rechtsordnung den obersten, wichtigsten Rang. Die Grundprinzipien wiederum haben innerhalb des Verfassungsrechts den allerhöchsten Rang.

2 Demokratisches Prinzip

Die Rechtsunterworfenen sollen selbst Recht erzeugen, indem sie ihre gesetzgebenden Organe wählen.

Wortlaut des demokratischen Prinzips:

Art. 1 B-VG lautet: **„Österreich ist eine demokratische Republik. Ihr Recht geht vom Volk aus."**

Was heißt Demokratie eigentlich? Und worin besteht der Unterschied zu einer Diktatur?

Antwort: Das Wort **„Demokratie"** (griechisch) bedeutet wörtlich übersetzt **„Volksherrschaft"**. Das dem Recht unterworfene Volk soll selbst das Recht erzeugen.

Webtipps: **www.democracyranking.org** **www.demokratiewerkstatt.at** **www.demokratiewebstatt.at**

In der Demokratie haben die Staatsbürgerinnen und Staatsbürger daher das Recht, an der staatlichen Willensbildung und Machtausübung teilzunehmen. Einerseits können sie das durch die Teilnahme an Wahlen, andererseits z. B. durch Volksabstimmungen.

Machen Sie von Ihrem Wahlrecht Gebrauch!

Beispiele

Demokratien sind

- alle EU-Staaten,
- USA,
- Australien,
- Neuseeland,
- Mexiko.

Antwort: Das Gegenstück zur Demokratie ist die **Diktatur.** In dieser ist das Volk nicht an der staatlichen Willensbildung beteiligt.

Ethnische Gruppe bedeutet, dass die Personen einer sprachlich und kulturell einheitlichen Volksgruppe angehören.

In einer Diktatur gibt es entweder keine Wahlen oder „Pseudo-Wahlen", d. h., es gibt keine echte Wahlfreiheit, z. B. weil nur eine Partei zur Wahl steht. Charakteristisch für Diktaturen ist auch, dass Grund- und Menschenrechte systematisch unterdrückt und verletzt werden (z. B. Meinungsfreiheit, Pressefreiheit, Religionsfreiheit). Oftmals werden eine oder mehrere ethnische Gruppen verfolgt und/oder vernichtet.

Beispiele

Diktaturen heutzutage

Nordkorea, Weißrussland, Simbabwe

Diktaturen in der Geschichte

Österreich und Deutschland während des Dritten Reichs, der Irak unter Saddam Hussein

Nach der Art, wie demokratische Entscheidungen getroffen werden, unterscheidet man die direkte und die indirekte Demokratie.

SbX **Weiterführende Links zum demokratischen Prinzip finden Sie unter der ID: 0221.**

direkte Demokratie	indirekte Demokratie
Das Volk trifft unmittelbar die Entscheidung in einer Frage, z. B. Volksabstimmung über den EU-Beitritt Österreichs.	Das Volk wählt seine Vertreter (z. B. Nationalratsabgeordnete) und diese entscheiden dann in weiteren Angelegenheiten der Gesetzgebung.

Die österreichische Verfassung betont stärker die indirekte Demokratie. Die direkte Demokratie ist in Österreich relativ schwach verwirklicht. Die drei wichtigsten Mittel direkter Demokratie in Österreich sind das **Volksbegehren**, die **Volksabstimmung** und die **Volksbefragung.**

Volksbegehren

Wie kommt es zu einem Volksbegehren?

Der erste Schritt ist, dass eine Gruppe von Personen möchte, dass ein **Gesetz beschlossen** wird, z. B. dass in Österreich keine gentechnisch veränderten Lebensmittel verkauft werden dürfen und auch auf den Feldern keine gentechnisch veränderten Lebensmittel angebaut werden dürfen. Diese Personen sammeln dann **Unterstützungserklärungen** für ihr Anliegen. Mindestens 1 Promille der stimmberechtigten Bürgerinnen und Bürger müssen mit ihrer Unterschrift diesen Antrag unterstützen, dann kann der **Antrag auf Einleitung** eines Volksbegehrens dem Innenministerium geschickt werden.

Die genaue **Zahl der Unterstützungserklärungen** richtet sich nach dem Ergebnis der letzten Volkszählung. 1 Promille sind derzeit ca. 8000 Unterstützungserklärungen, die abgegeben werden müssen.

Der Bundesminister für Inneres entscheidet über den Antrag. Wird er genehmigt, dann liegt das Volksbegehren in den Gemeinden zur Unterschrift auf. **Stimmberechtigt** sind alle Österreicherinnen und Österreicher, die das 16. Lebensjahr vollendet haben und in Österreich ihren Hauptwohnsitz haben.

Das **Gentechnikvolksbegehren** wurde 1997 von mehr als 1,2 Millionen Menschen unterschrieben. Alle Volksbegehren in Österreich und ihre Ergebnisse finden Sie unter **www.bmi.gv.at.**

Wenn mehr als 100 000 Stimmberechtigte das Volksbegehren unterschrieben haben, wird das Volksbegehren dem Nationalrat zur **Beratung** übermittelt.

Der Nationalrat berät über das Volksbegehren, das ein **Gesetzesantrag** ist. Er ist aber **nicht verpflichtet,** daraus auch ein Gesetz zu machen.

Zahlreiche Volksbegehren der Zweiten Republik wurden nicht oder nur teilweise umgesetzt.

Antwort: Es müssen **Unterstützungserklärungen** stimmberechtigter Bürgerinnen und Bürger gesammelt werden. Wenn das Volksbegehren genehmigt wird, liegt es zur Unterschrift in den Gemeinden auf. Der Nationalrat muss ab einer Anzahl von 100 000 Unterschriften über den Gesetzesantrag beraten.

Volksabstimmung und Volksbefragung

Was unterscheidet die Volksabstimmung von der Volksbefragung?

Stimmberechtigt bei einer **Volksabstimmung** ist, wer am Abstimmungstag das Wahlrecht zum Nationalrat besitzt.

Stimmberechtigt bei einer **Volksbefragung** ist, wer am Tag der Befragung das Wahlrecht zum Nationalrat besitzt und in einer österreichischen Gemeinde den Hauptwohnsitz hat.

	Volksabstimmung	Volksbefragung
Gegenstand	Es wird gefragt, ob ● ein **Gesetzesbeschluss** des Nationalrats Gesetzeskraft erhalten soll (z. B. ob Österreich der EU beitreten soll) oder ● der/die **Bundespräsident/in abgesetzt** werden soll.	Es wird die **Haltung der österreichischen Bevölkerung** zu ● einer wichtigen oder ● für Gesamtösterreich bedeutsamen Angelegenheit **ermittelt.**
Ergebnis	Das Ergebnis einer Volksabstimmung ist **bindend.**	Das Ergebnis einer Volksbefragung ist **nicht bindend.**

Antwort: Sowohl im **Gegenstand** als auch von der **Bindung des Ergebnisses** gibt es hier Unterschiede.

Übungsbeispiel

Ü 2.2: Volksbegehren C

Sie möchten ein Volksbegehren starten. Planen Sie, wie Sie vorgehen müssen, damit es zu einem diesbezüglichem Gesetzesantrag kommt.

3 Republikanisches Prinzip

„Republik" ist die gewählte Staatsform Österreichs. Sie ist das Gegenstück zur Staatsform der „Monarchie".

In Großbritannien wurde vor kurzer Zeit gewählt. Und dann gibt es doch auch die Queen. Ist Großbritannien jetzt eine Republik oder eine Monarchie?

Republik = eine Staatsform, bei der die Regierenden für eine bestimmte Zeit vom Volk gewählt werden und diesem verantwortlich sind

Die **Unterschiede zwischen Republik und Monarchie** beziehen sich auf die **Stellung des Staatsoberhauptes.**

	Republik	Monarchie
Art der Bestellung	Das Staatsoberhaupt wird in der gemäß der Verfassung vorgeschriebenen Art und Weise vom Volk **gewählt** (z. B. Österreich, USA).	Die Bestellung erfolgt entweder ● durch eine **Erbfolgeordnung** innerhalb einer Familiendynastie (z. B. Großbritannien) ● **oder durch Wahl** (z. B. Vatikanstaat).
Dauer der Bestellung	Diese ist **zeitlich** (bis zur nächsten Wahl) **befristet.**	Hier erfolgt die Bestellung auf **Lebenszeit.**

Antwort: In Großbritannien gibt es eine Monarchin, die Queen, die in der politischen Realität relativ wenig Macht hat. Es gibt in Großbritannien aber auch ein vom Volk gewähltes Parlament und eine vom Volk gewählte Regierung. Großbritannien hat also eine **parlamentarische Monarchie.**

4 Bundesstaatliches Prinzip

Bundesstaat ist das Gegenstück zu Einheitsstaat (auch Zentralstaat genannt).

Wortlaut des bundesstaatlichen Prinzips (Art. 2 B-VG):

(1) Österreich ist ein Bundesstaat.

(2) Der Bundesstaat wird gebildet aus den selbständigen Ländern: Burgenland, Kärnten, Niederösterreich, Oberösterreich, Salzburg, Steiermark, Tirol, Vorarlberg, Wien.

Unterschiede zwischen Bundesstaat und Einheitsstaat

Bundesstaat	Einheitsstaat (Zentralstaat)
Hier gibt es **mehrere Ebenen** (in Österreich die Bundesländer und den Bund), auf die die Staatsfunktionen verteilt werden. **Beispiele:** Österreich, USA.	Hier gibt es nur **eine** staatliche **Ebene,** die alles zentral regelt und verwaltet. **Beispiel:** Frankreich.

Die meisten wichtigen Aufgaben fallen in das Zuständigkeitsgebiet des Bundes.

Die Aufgaben des österreichischen Staats in Gesetzgebung und Vollziehung sind **zwischen dem Bund und den Ländern aufgeteilt.**

Sachgebiete, für die der **Bund** in **Gesetzgebung und Vollziehung** alleine zuständig ist, sind z. B.:

Beispiele für Bundesgesetze: ABGB, Strafgesetzbuch

- Zivilrecht
- Strafrecht
- Bundesverfassungsrecht
- Bundesfinanzen

Die einzelnen **Bundesländer** haben aber z. B. das Recht, sich eigene **Landesverfassungen** zu geben und **Landesgesetze** innerhalb ihres Aufgabenbereiches zu erlassen. Dabei dürfen sie nicht gegen Bundesverfassungsrecht verstoßen.

Sachgebiete, für die die **Bundesländer in Gesetzgebung und Vollziehung** alleine zuständig sind, sind z. B.:

Beispiele für Landesgesetze: Salzburger Wohnbauförderungsgesetz, Oberösterreichisches Jugendschutzgesetz

- Jugendschutz
- Bauwesen
- Kinos und Theater

Darüber hinaus wirken die Bundesländer an der **Verwaltung des Bundes** mit. Ein großer Teil der Verwaltungsaufgaben des Bundes wird in Österreich durch Organe der Bundesländer erfüllt.

Die Länder haben über den Bundesrat auch ein **Einspruchsrecht** bei Bundesgesetzen.

5 Rechtsstaatliches Prinzip

Das Gegenstück zu einem Rechtsstaat ist ein Polizeistaat.

Albrecht hat vor kurzem vom „Rechtsstaat Österreich" gesprochen. Was ist mit „Rechtsstaat" genau gemeint?

Der/Die Einzelne soll sich von der gültigen Rechtsordnung Kenntnis verschaffen können und sein/ihr Recht auch durchsetzen können. Dass die Einhaltung dieser Rechtsordnung auch wirksam durchgesetzt werden kann, nennt man **„Rechtsstaat im formellen Sinn".**

Solche **Wertvorstellungen** sind z. B. Gerechtigkeit und Menschlichkeit.

Die Rechtsordnung soll Wertvorstellungen entsprechen, wie sie in den Grund- und Menschenrechten vorkommen. Dies nennt man **„Rechtsstaat im materiellen Sinn".**

Unterschiede zwischen einem Rechtsstaat und einem Polizeistaat

	Rechtsstaat	Polizeistaat
Rechtsordnung	Es gibt eine **allgemein verlautbarte** Rechtsordnung.	Es gibt entweder **gar keine allgemein verlautbarte** Rechtsordnung oder
Durchsetzbarkeit	Die Einhaltung der Rechtsordnung kann **wirksam durchgesetzt** werden, z. B. durch Gerichte.	Die Rechtsordnung kann **nicht wirksam durchgesetzt** werden, z. B. weil Gesetze willkürlich angewendet werden.
Kontrolle	Die Rechtmäßigkeit von Tätigkeiten der Behörden unterliegt einer **Kontrolle.**	Es gibt **keine Kontrollinstanz,** die den Menschen schützt.

Anders als beim demokratischen, bundesstaatlichen und republikanischen Prinzip findet man keine ausdrückliche Regelung, die besagt, dass Österreich ein Rechtsstaat ist. Das rechtsstaatliche Prinzip ist aber durch viele gesetzliche Regelungen indirekt verankert und ausgestattet.

Antwort: Ein Rechtsstaat ist ein Staat, der eine **allgemein kundgemachte Rechtsordnung** hat, die im Wesentlichen gerecht und wirksam ist.

Das rechtsstaatliche Prinzip ist vor allem über das **Legalitätsprinzip,** die unabhängige Gerichtsbarkeit, die Rechtsschutz- und Kontrolleinrichtungen und über die Grundrechte näher ausgeführt.

Wortlaut des Legalitätsprinzips (Art. 18 B-VG):
„Die gesamte staatliche Verwaltung darf nur auf Grund der Gesetze ausgeübt werden."

Das Legalitätsprinzip ist ein **zentraler Grundsatz** in einem Rechtsstaat. Es bindet die Verwaltung und die Gerichte in ihrem Handeln an die Gesetze. Beide dürfen nur

- dann handeln, wenn sie ein Gesetz dazu ermächtigt, und
- so weit handeln, wie das Gesetz es ihnen vorgibt.

Aus dem Legalitätsprinzip wird auch abgeleitet, dass der Gesetzgeber Gesetze **präzise formulieren** soll, damit

- für den/die Einzelne/n aufgrund der Gesetze schon vorhersehbar ist, wie das staatliche Handeln aussehen wird,
- die zuständigen Rechtsschutz- und Kontrollinstanzen (z. B. der VwGH) die Übereinstimmung des Handelns mit dem Gesetz überprüfen können.

Damit das rechtsstaatliche Prinzip in einem Staat gewährleistet ist, braucht es **Einrichtungen zur Kontrolle der Rechtmäßigkeit staatlichen Handelns.** Das sind in Österreich

- die unabhängigen Gerichte,
- die neun Landesverwaltungsgerichte,
- der Verwaltungsgerichtshof,
- der Verfassungsgerichtshof,
- der Rechnungshof und
- die Volksanwaltschaft.

In jedem Bundesland wurde ein **Landesverwaltungsgericht** errichtet. An dieses kann sich jede Person wenden, die sich durch einen Rechtsakt einer erstinstanzlichen Verwaltungsbehörde (z. B. Bescheid einer Behörde) beschwert fühlt.

Einen weiteren wesentlichen Grundpfeiler zur Verankerung des rechtsstaatlichen Prinzips stellen die **Grund- und Freiheitsrechte** dar. Das sind verfassungsgesetzliche gewährleistete Rechte, die dem einzelnen Menschen einen Handlungsfreiraum gegenüber dem Staat garantieren. Diese Grundrechte stellen dadurch auch eine **Schranke** für das **Handeln des Staats** dar.

6 Liberales Prinzip

Jede/r Einzelne soll auch Freiheiten genießen dürfen.

Das liberale Prinzip gewährt den Menschen im Staat Freiheiten, indem es ihnen eine gewisse „staatsfreie Sphäre" garantiert. Es zeigt seine Auswirkungen vor allem deutlich in den **Grund- und Freiheitsrechten,** z. B.

- das Recht auf Leben,
- der Gleichheitsgrundsatz,
- das Recht auf freie Meinungsäußerung,
- das Recht auf Religionsfreiheit.

Die Grund- und Freiheitsrechte werden in Lerneinheit 4 (S. 52 ff.) ausführlicher behandelt.

Als „Vater der Gewaltentrennungslehre" gilt der französische Philosoph und Staatstheoretiker **Montesquieu** (1689–1755). Angesichts des Absolutismus in Frankreich im 18. Jahrhundert wollte er den **Missbrauch staatlicher Macht verhindern.**

7 Gewaltentrennendes Prinzip

Macht kann missbraucht werden.

Die Erfahrung zeigt, dass dort, wo Macht ist, die Gefahr des Machtmissbrauchs nicht weit entfernt ist. Diese Gefahr des Machtmissbrauchs wird umso größer, je mehr Macht an einer Stelle angehäuft ist. Deshalb muss die **Macht im Staat** auf **mehrere Organe aufgeteilt** werden.

Das ist der Gedanke der **Gewaltentrennungslehre.** Die Gewalten im Staat sollen von **verschiedenen Personen** ausgeübt werden.

Folgende Gewalten werden unterschieden:

- Die **gesetzgebende Gewalt** (= Legislative) beschließt die Gesetze.
- Die **Gerichtsbarkeit** (= Judikative) spricht Recht, d. h., sie urteilt über Rechtsverletzungen.
- Die **Verwaltung** vollzieht die Gesetze.

Diese drei Staatsgewalten sollen sich dann **gegenseitig kontrollieren**.

Staatsgewalten

Justiz = Rechtsprechung, Gerichtsbarkeit

Durch die **Aufteilung der Gewalt** soll

- die **Freiheit des einzelnen Menschen** garantiert sein und
- der/die Einzelne vor **willkürlicher Machtausübung** des Staats **geschützt** werden.

In Österreich ist der **Grundsatz der Gewaltentrennung für die Gerichtsbarkeit und die Verwaltung** ausdrücklich geregelt. Art. 94 B-VG lautet: „Die Justiz ist von der Verwaltung in allen Instanzen getrennt."

Aus diesem Grundsatz der Trennung von Justiz und Verwaltung ergibt sich, dass

- ein staatliches Organ nicht gleichzeitig ein unabhängiges Gericht und eine weisungsgebundene Verwaltungsbehörde sein kann und
- es keine Weisungen und Instanzenzüge zwischen Gerichten und Verwaltungsbehörden geben darf.

Die Gewaltentrennung kommt auch in zahlreichen **Unvereinbarkeitsbestimmungen** zum Ausdruck.

Beispiel

Ein Beispiel für **Unvereinbarkeit:** Der Bundespräsident bzw. die Bundespräsidentin darf nicht einem Organ der Gesetzgebung (Nationalrat, Landtag, Bundesrat) angehören.

Die österreichische Verfassung enthält aber nicht nur gewaltentrennende Elemente, sie sieht auch gewaltenverbindende Elemente vor. So soll durch trennende und verbindende Elemente eine ausgewogene Balance bei der Ausübung staatlicher Macht erreicht werden.

Beispiel

Ein Beispiel für **Gewaltenverbindung:** Ein Bundesgesetz wird nicht nur von den gesetzgebenden Organen, Nationalrat und Bundesrat, erlassen. Es wirken auch Verwaltungsorgane mit, z. B. die Bundesregierung, wenn sie den Gesetzesantrag über eine Regierungsvorlage gestartet hat.

Übungsbeispiel

Ü 2.3: Grundprinzipien der Verfassung C

Ergänzen Sie die Tabelle, indem Sie das richtige Grundprinzip der Verfassung benennen. (Mehrfachnennungen sind möglich.)

Sachverhalt	Grundprinzipien der Verfassung
In Österreich ist die Justiz von der Verwaltung in allen Instanzen getrennt.	
Der/Die Bundespräsident/in wird in Österreich vom Volk direkt gewählt.	
Der Bundesstaat Österreich besteht aus 9 Bundesländern.	
Jedes Verwaltungsorgan in Österreich muss sich an die Gesetze halten.	

Sichern & Merken

SbX ID: 0222

Grundprinzipien der Verfassung

Die **Grundprinzipien der Verfassung** werden auch die **„Baugesetze der Verfassung"** genannt. Es handelt sich dabei um

- das demokratische Prinzip,
- das republikanische Prinzip,
- das bundesstaatliche Prinzip,
- das rechtsstaatliche Prinzip,
- das liberale Prinzip,
- das gewaltenteilende Prinzip.

direkte Demokratie

In einer **direkten Demokratie** entscheidet das Volk **unmittelbar.** Die drei wichtigsten Mittel direkter Demokratie in Österreich sind das **Volksbegehren,** die **Volksabstimmung** und die **Volksbefragung.**

indirekte Demokratie

In einer **indirekten Demokratie** wählt das Volk seine **Volksvertreter** und **diese entscheiden** dann in den weiteren Angelegenheiten der Gesetzgebung.

SbX ID: 0222

Im SbX finden Sie eine Bildschirmpräsentation mit den Grafiken dieser Lerneinheit.

Wissen & Können

SbX ID: 0223

A B C D E

W 2.5: Begriffserklärung A

Erklären Sie den Begriff „Grundprinzipien der Verfassung".

W 2.6: Demokratie – Diktatur B

Charakterisieren Sie Demokratie und Diktatur und nennen Sie je zwei Beispiele für Länder mit diesen Regierungsformen.

W 2.7: Republik – Monarchie B

Vergleichen Sie Republik und Monarchie und geben Sie zwei Beispiele für Länder mit diesen Staatsformen.

W 2.8: Direkte Demokratie – indirekte Demokratie B

Erklären Sie die Unterschiede zwischen direkter und indirekter Demokratie. Geben Sie für jedes der beiden Systeme Staaten an, in denen es angewandt wird.

W 2.9: Mittel der direkten Demokratie B

Erläutern Sie die drei wichtigsten Mittel direkter Demokratie in Österreich.

W 2.10: Volksabstimmung – Volksbefragung C

Unterscheiden Sie die Volksabstimmung und die Volksbefragung.

Volksabstimmung	Volksbefragung

W 2.11: Direkte Demokratie – Zielsetzung und Verbindlichkeit

Ergänzen Sie die nachstehende Tabelle.

	Volksbegehren	Volksabstimmung	Volksbefragung
Ziel			
Verbindliche Umsetzung des Ergebnisses – ja oder nein? Kreuzen Sie an und begründen Sie.	☐ ja ☐ nein	☐ ja ☐ nein	☐ ja ☐ nein

W 2.12: Gewaltentrennung B

Erläutern Sie die Bedeutung der Gewaltentrennung.

SbX
W 2.13
mit automatischer Aufgabenkontrolle
ID: 0223

Weitere Aufgabe im SbX

W 2.13: Demokratisches Prinzip C

Vervollständigen Sie die Übersicht zum demokratischen Prinzip.

Ein kurzer Kompetenz-Check, bevor's weitergeht!

Kompetenz-Check

	☺	😐	☹
Ich kann die Stellung der Grundprinzipien in der Rechtsordnung einordnen.			
Ich kann die Verfassungsprinzipien erläutern.			
Ich kann Demokratie und Diktatur unterscheiden.			
Ich kann planen, ein Volksbegehren zu starten.			
Ich kann Volksbefragung und Volksabstimmung unterscheiden.			
Ich kann die Merkmale von Rechtsstaat und Polizeistaat unterscheiden.			

2 Verfassungsrecht

SbX

Alle SbX-Inhalte zu dieser Lerneinheit finden Sie unter der ID: 0230.

Lerneinheit 3
Gesetzgebung

Viele Gesetze regeln täglich unser Leben. Wer ist an der Gesetzesentstehung beteiligt? Und wie werden die Personen gewählt, die die Gesetze machen?

Die Gesetze werden in den Parlamenten von Bund und Ländern beschlossen. Mit der Gesetzgebung schafft das Parlament die Grundlagen für das Handeln des Staats und legt auch die Regeln für die Einzelpersonen im Staat fest.

Lernen & Üben

SbX ID: 0231

1 Grundlagen
Die Gesetze sind wichtige tragende Elemente in einem Rechtsstaat und in einer Demokratie.

Was ist ein Gesetz eigentlich genau und wer „macht" die Gesetze?

Gesetze sind die **Grundlage des staatlichen Handelns** und **regeln die Rechte und Pflichten** des **einzelnen Menschen.** Gesetze sind Vorschriften, die alle Menschen einhalten müssen, damit es ein friedliches Zusammenleben gibt.

Antwort: Ein Gesetz ist eine **„generelle Norm".** Unter „genereller Norm" versteht man eine **Anordnung,** die sich an **alle Personen oder an eine bestimmte Gruppe** von Personen richtet, indem sie die Rechte und Pflichten dieser Personen festlegt.

Alle Gesetze Österreichs finden Sie unter **www.ris.bka.gv.at.**

Linktipp: www.demokratiewebstatt.at

Diese generelle Norm muss von den dazu verfassungsmäßig berufenen **Organen** auf die in der Verfassung vorgeschriebenen **Art und Weise** erlassen worden sein.

Bundesgesetze werden von **Nationalrat** und **Bundesrat** gemeinsam beschlossen, Landesgesetze vom **Landtag.** Aber auch andere Organe, wie z.B. Bundespräsident/in und Bundeskanzler/in, sind an der Entstehung von Bundesgesetzen beteiligt, bei Landesgesetzen ist es der/die Landeshauptmann/frau.

In dieser Lerneinheit werden wir uns noch genauer mit der Gesetzesentstehung beschäftigen, zuerst aber befassen wir uns mit dem Nationalrat.

2 Der Nationalrat
Der Nationalrat ist ein direkt vom Volk gewähltes Organ.

Warum sagen immer alle, dass es wichtig ist, dass man wählen geht? Und an welchen Wahlen kann ich teilnehmen?

Indem man zur Wahl geht und seine Stimme abgibt, entscheidet man – wenn auch nur zu einem kleinen Teil –, wie die gewählte Volksvertretung zusammengesetzt sein soll.

Antwort: Ja, es ist wichtig, sein Wahlrecht auszuüben, denn das Wahlrecht ist wohl das wichtigste politische Grundrecht.

Das Wahlrecht ist ein Recht der österreichischen Staatsbürger. Ausnahmen dazu gibt es z. B. für EU-Bürger: EU-Ausländer mit Wohnsitz in Österreich haben ein aktives und passives Wahlrecht bei Gemeinderatswahlen.

Auch im EU-Ausland lebende Österreicher dürfen dort an Gemeinderatswahlen teilnehmen.

Österreicherinnen und Österreicher können an folgenden Wahlen teilnehmen:

- Gemeinderatswahlen,
- Landtagswahlen,
- Nationalratswahl,
- Wahl zum Europäischen Parlament und
- Wahl zum Bundespräsidenten/zur Bundespräsidentin.

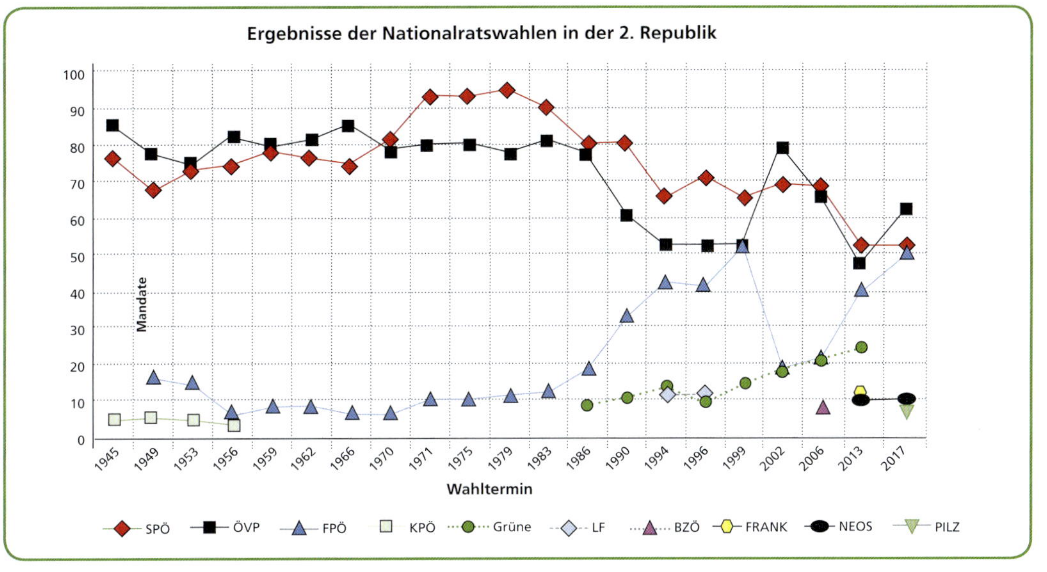

Aktuelle Nationalratswahlergebnisse können Sie auf der Website des Innenministeriums nachlesen: **www.bmi.gv.at/wahlen.**

Die Rechtsgrundlage für die Durchführung von Nationalratswahlen ist die Nationalrats-Wahlordnung.

Der Nationalrat wird direkt vom Bundesvolk gewählt. Diese Wahl ist aufgrund des **gleichen, unmittelbaren, persönlichen, freien** und **geheimen Wahlrechts** durchzuführen. Es gelten die Grundsätze des **Verhältniswahlrechts.**

Amtlicher Stimmzettel
für die
Nationalratswahl am ....
Regionalwahlkreis ....

Liste Nr.	1	2	3		
Parteibezeichnung					
Kurzbezeichnung					
für die gewählte Partei im Kreis ein x einsetzen.	○	○	○		
VORZUGSSTIMME - LANDESWAHLKREIS Für die Vergabe einer Vorzugsstimme an einen Bewerber der Landesparteiliste der gewählten Partei die Bezeichnung des Bewerbers in die entsprechende Spalte einsetzen.					
VORZUGSSTIMME - REGIONALWAHLKREIS Für die Vergabe einer Vorzugsstimme an einen Bewerber der Regionalparteiliste der gewählten Partei im Kreis links vom Namensfeld ein x einsetzen.	1 ○ 2 ○ 3 ○ 4 ○ 5 ○ 6 ○ 7 ○ 8 ○ 9 ○ 10 ○ 11 ○ 12 ○	1 ○ 2 ○ 3 ○ 4 ○ 5 ○ 6 ○ 7 ○ 8 ○ 9 ○ 10 ○ 11 ○ 12 ○	1 ○ 2 ○ 3 ○ 4 ○ 5 ○ 6 ○ 7 ○ 8 ○ 9 ○ 10 ○ 11 ○ 12 ○	Familien- und Vornamen sowie Geburtsjahr der Bewerber der Regionalparteiliste in der Reihenfolge des Wahlvorschlages	usw.

SbX **Weiterführende Links zum Thema Nationalratswahlen finden Sie unter der ID: 0231.**

2 Verfassungsrecht

In den **USA** wird der Präsident durch vom Volk gewählte **„Wahlmänner"** gewählt.

Das Gegenteil des Verhältniswahlrechts ist das **Mehrheitswahlrecht** (z. B. in GB und USA). Hier fallen alle in einem Wahlkreis zu vergebende Mandate an jene Partei, die in diesem Wahlkreis die Stimmenmehrheit erzielt hat.

Wahlrechtsgrundsätze	Erklärung
gleiches Wahlrecht	Die Stimme jedes Wählers/jeder Wählerin zählt gleich viel. Es gibt keine höherwertigen Stimmrechte. Jede Stimme hat den **gleichen Zählwert.**
unmittelbares Wahlrecht	Die Abgeordneten werden von den Wahlberechtigten direkt gewählt. Die Listenwahl wird mit der Unmittelbarkeit als vereinbar angesehen, weil der/die Wähler/in den Wahlvorschlag mit der Reihung der Kandidaten/Kandidatinnen kennt und auch eine Vorzugsstimme vergeben kann.
persönliches Wahlrecht	Wahlberechtigte müssen ihre Stimme persönlich vor der Wahlkommission abgeben.
freies Wahlrecht	Die Entscheidungsfreiheit der wählenden Person soll garantiert sein. Die Entscheidung darf nicht durch Zwang oder Druck beeinträchtigt werden. Die Wahl muss frei und ungebunden erfolgen dürfen.
geheimes Wahlrecht	Die von dem/der Wähler/in getroffene Entscheidung darf nicht für andere erkennbar sein – auch nicht für die Wahlbehörde. Die Wahlentscheidung muss geheim bleiben. Deshalb sind bei der Nationalratswahl Wahlzelle, Wahlurne und Wahlkuvert vorgeschrieben.
Verhältniswahlrecht	Die Zahl der Mandate einer Partei soll möglichst dem Prozentsatz entsprechen, den diese Partei bei der Wahl erreicht hat.

Ab wann darf man wählen?

Einzige Ausnahme: Zum Bundespräsidenten/Zur Bundespräsidentin darf man erst ab Vollendung des 35. Lebensjahres kandidieren.

Aktives Wahlrecht ist das Recht, zu wählen.	Haben alle österreichischen Staatsbürger/innen, die ● am Wahltag das **16. Lebensjahr** vollendet haben, ● nicht vom Wahlrecht ausgeschlossen sind und ● in die Wählerevidenz eingetragen sind.
Passives Wahlrecht ist das Recht, gewählt zu werden (zu kandidieren).	Wählbar sind die zum Nationalrat Wahlberechtigten, die ● am Stichtag die österreichische Staatsbürgerschaft besitzen, ● am Wahltag das **18. Lebensjahr** vollendet haben und ● nicht wegen einer mit Vorsatz begangenen strafbaren Handlung zu mehr als einer einjährigen Freiheitsstrafe rechtskräftig verurteilt wurden.

Die **Gesetzgebungsperiode** des Nationalrats beträgt **fünf Jahre.** Nationalratswahlen finden daher alle 5 Jahre statt.

Eine Gesetzgebungsperiode kann aber auch verkürzt werden, oft stecken wahltaktische Überlegungen dahinter.

Antwort: Alle österreichischen Staatsbürgerinnen und Staatsbürger, die am Tag der Wahl das 16. Lebensjahr vollendet haben und nicht vom Wahlrecht ausgeschlossen sind, dürfen wählen.

SbX

Ein Quiz zum Thema finden Sie unter der ID: 0231.

Dass jemand vom Wahlrecht oder der Wählbarkeit ausgeschlossen ist, kann nur die Folge einer gerichtlichen Verurteilung sein.

Die Organe des Nationalrats

Der **Nationalrat** besteht aus **183 Abgeordneten.**

Mehr zum Thema Nationalrat sowie alle Nationalratsabgeordneten finden Sie unter **www.parlament.gv.at.**

Der Nationalrat fasst seine Beschlüsse grundsätzlich unter Beteiligung aller Abgeordneten. Deshalb bezeichnet man ihn als **Kollegialorgan.** Der Nationalrat hat aber auch Teilorgane, nämlich die **Präsidenten,** die **Präsidialkonferenz** und die **Ausschüsse.**

Die Nationalratsabgeordneten wählen aus ihrer Mitte **einen Präsidenten/eine Präsidentin** sowie eine/n zweite/n und dritte/n Präsidenten/Präsidentin. Aufgabe des Präsidenten/der Präsidentin ist die Leitung des Nationalrats, also z. B.

- die Sitzungen einzuberufen und zu leiten,
- die Tagesordnung festzulegen und
- „Sitzungspolizei" zu sein (zum Beispiel Ordnungsrufe erteilen).

Ist der/die Präsident/in verhindert, vertritt ihn/sie der/die zweite, danach der/die dritte Präsident/in.

Viele nützliche und interessante Informationen für junge Leute über Parlament und Politiker/innen finden Sie auf: **demokratiewebstatt.at** und **www.reininsparlament.at.**

Die Präsidentin und die Präsidenten des Nationalrats:

Erste Präsident: Wolfgang Sobotka, ÖVP

Zweite Präsidentin: Doris Bures, SPÖ

Dritte Präsidentin: Anneliese Kitzmüller, FPÖ

SbX

Weiterführende Links zu den Organen des Nationalrats finden Sie unter der ID: 0231.

Die Aufgaben des Nationalrats

Auch die Bundesregierung, der/die Bundespräsident/in und Bundeskanzler/in wirken an der Entstehung der Gesetze mit – Näheres dazu später.

Untersuchungsausschüsse haben die Aufgabe, Sachverhalte aufzuklären und dem Nationalrat darüber zu berichten.

Der Nationalrat hat neben seiner Hauptaufgabe, **Gesetze für Österreich zu machen,** auch wichtige **Kontrollfunktionen.** Er prüft durch schriftliche oder dringliche Anfragen die Arbeit der Regierung. Der Nationalrat kann auch Untersuchungsausschüsse einsetzen. Zur Kontrolle der Finanzgebarung des Bundes steht ihm der **Rechnungshof** zur Verfügung. Über die **Volksanwaltschaft** kann er Missstände in der Verwaltung kontrollieren lassen.

Der Nationalrat kann der gesamten Regierung oder auch nur einzelnen Regierungsmitgliedern das **Vertrauen entziehen.** Dann kommt es zu einer Amtsenthebung.

Der Nationalrat wirkt darüber hinaus beim Abschluss von **Staatsverträgen** und beim **Budget** mit.

3 Der Bundesrat

In vielen Staaten gibt es zwei parlamentarische Organe, auch Kammern genannt, den Nationalrat und den Bundesrat.

Unter **Parlament** versteht man in Österreich einerseits die gewählte Volksvertretung mit gesetzgebender oder beratender Funktion und andererseits das Parlamentsgebäude.

Das zweite parlamentarische Organ ist in Österreich der **Bundesrat.** Seine Aufgabe ist es, die **Interessen der Bundesländer** bei der Bundesgesetzgebung zu vertreten, deshalb wird er auch als „Länderkammer" bezeichnet.

Der **Bundesrat** wird nicht – wie der Nationalrat – direkt gewählt, sondern seine Mandatare werden von den Landtagen gewählt. Wie viele Abgeordnete ein Bundesland entsenden darf, hängt davon ab, wie viele Bürger/innen in diesem Land ihren Wohnsitz haben.

Von den 28 EU-Staaten haben 13 Staaten ein Zweikammersystem. Alle vier föderalistischen Staaten, nämlich Österreich, Belgien, Deutschland und Spanien, haben zwei Kammern, wobei die zweite Kammer eine Länderkammer ist.

Mitglieder des Bundesrats
Das größte Bundesland hat Anspruch auf Entsendung von 12 Mandataren/Mandatarinnen, das kleinste Bundesland auf mindestens 3.

Derzeit besteht der Bundesrat aus 61 Abgeordneten. Den Vorsitz im Bundesrat wechseln die Bundesländer im Halbjahresrhythmus.

SbX

Einen weiterführenden Link zum Bundesrat finden Sie unter der ID: 0231.

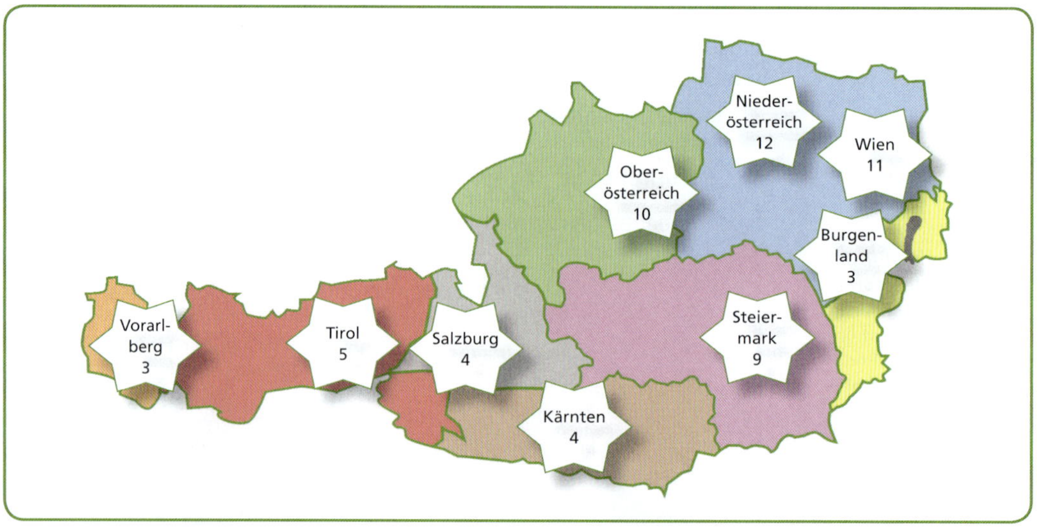

Aufgaben des Bundesrats

Einspruch = Veto

aufschiebend = suspensiv
→ suspensives Veto des Bundesrats

- Er übt gemeinsam mit dem Nationalrat die **Bundesgesetzgebung** aus.
- Er kann gegen Gesetzesbeschlüsse des Nationalrats **Einspruch** erheben. Dieses Veto ist allerdings meist aufschiebend, man sagt auch suspensiv dazu, weil der Nationalrat mittels Beharrungsbeschluss den Einspruch überwinden kann.

  In einigen Fällen hat der Bundesrat aber ein absolutes Vetorecht, d. h., dass ohne seine ausdrückliche Zustimmung kein Gesetz bzw. Staatsvertrag beschlossen werden kann:
  - Verfassungsgesetze oder Bestimmungen, durch die die Kompetenzen der Länder eingeschränkt werden
  - gesetzliche Bestimmungen, die die Rechte des Bundesrats selbst betreffen
  - Staatsverträge, die die Angelegenheiten des selbständigen Wirkungsbereiches der Länder regeln
  - Staatsverträge, durch die die vertraglichen Grundlagen der Europäischen Union geändert werden
- Der Bundesrat (bzw. ein Drittel seiner Mitglieder) hat das Recht, **Gesetzesanträge** an den Nationalrat zu stellen.
- Die Mitglieder des Bundesrats haben auch die Möglichkeit, **dringliche Anfragen** an die Regierung zu stellen.
- Weiters hat der Bundesrat ein **Resolutionsrecht,** mit dem er politische Wünsche an die Regierung herantragen kann.
- Der Bundesrat hat auch ein **Informationsrecht,** es können Auskunftspersonen zur Information angehört werden.
- Durch das **Zitationsrecht** kann der Bundesrat die Anwesenheit von Regierungsmitgliedern in Sitzungen verlangen.
- Ein Drittel der Mitglieder des Bundesrats kann **Gesetze** vor dem Verfassungsgerichtshof **anfechten.**
- In EU-Angelegenheiten hat der Bundesrat ebenfalls ein **Informationsrecht** und ein **Stellungnahmerecht.** Hier hat er auch durch die sogenannte Subsidiaritätsprüfung Mitentscheidungsrechte bei Gesetzesvorlagen und Richtlinien.

4 Die Bundesversammlung

Wenn Nationalrat und Bundesrat zu einer gemeinsamen Sitzung zusammentreten, dann bilden sie die Bundesversammlung.

Sitzung der Bundesversammlung

Bedeutende Aufgaben der **Bundesversammlung** sind
- die Angelobung des Bundespräsidenten/der Bundespräsidentin,
- Beschlussfassung über die Durchführung einer Volksabstimmung zur Absetzung des Bundespräsidenten/der Bundespräsidentin,
- die Beschlussfassung über eine Kriegserklärung.

5 Der Weg der Bundesgesetzgebung

Soll ein Gesetz Rechtskraft erlangen, muss es auf die verfassungsmäßig vorgeschriebene Art und Weise zustande kommen.

Der Weg der Bundesgesetzgebung

Sehr häufig wird der Vorschlag ohne eine erste Lesung gleich an den zuständigen Ausschuss übermittelt.

SbX

Weiterführende Links zum Weg der Bundesgesetzgebung finden Sie unter der ID: 0231.

BUNDESGESETZBLATT
FÜR DIE REPUBLIK ÖSTERREICH

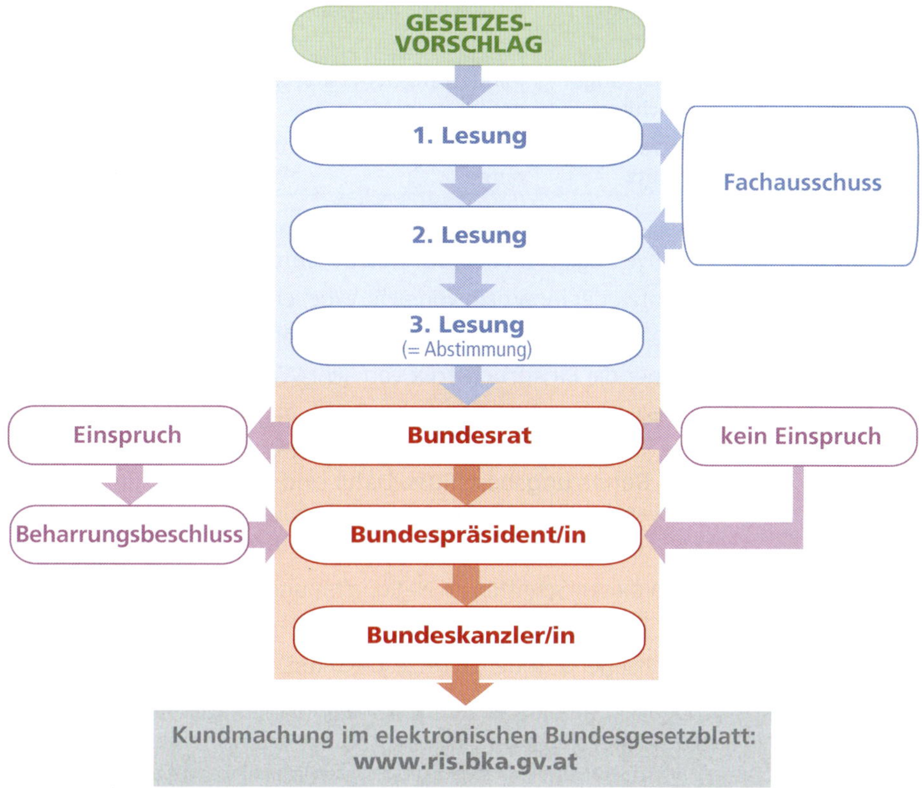

Der **erste Schritt** zu einem Bundesgesetz ist ein **Gesetzesvorschlag.**

Dieser kann eingebracht werden

- von mindestens fünf Nationalratsabgeordneten,
- von einem Ausschuss des Nationalrats,
- von der Bundesregierung (dann nennt man den Antrag Regierungsvorlage),
- durch ein Volksbegehren, wenn mindestens 100 000 Stimmberechtigte oder je ⅙ der Stimmberechtigten dreier Bundesländer den Gesetzesantrag mit ihrer Unterschrift unterstützen,
- vom Bundesrat.

In der Regel stammen die **meisten Gesetzesanträge von der Bundesregierung.**

Der Gesetzesantrag wird danach in **drei Lesungen** behandelt.

- In der **ersten Lesung** werden die allgemeinen Grundsätze der Vorlage besprochen. Danach erfolgt eine Zuweisung an den zuständigen Fachausschuss des Nationalrats. Dieser berät den Gesetzesantrag vor. Der **Fachausschuss** berichtet dem Plenum des Nationalrats schriftlich über seine Beratungen.
- Dann folgt die **zweite Lesung** im Plenum des Nationalrats. Sie besteht aus einer **Generaldebatte** und einer **Spezialdebatte.** Die Generaldebatte ist eine allgemeine Beratung über den Inhalt des Gesetzesvorschlages. Die Spezialdebatte ist eine Beratung über einzelne Teile des Vorschlages.
- In der **dritten Lesung** wird über den Gesetzesvorschlag **abgestimmt.**

In der Praxis werden **Regierungsvorlagen** von Interessenvertretungen, den anderen Ministerien und betroffenen Institutionen begutachtet.

Das **Plenum** ist die Vollversammlung der Abgeordneten.

Folgende Erfordernisse müssen erfüllt werden, damit der Antrag angenommen wird:

Abstimmungserfordernisse für Gesetzesantrag		
	Anwesenheit von	**Zustimmung von**
einfaches Gesetz	mindestens einem Drittel der Abgeordneten	mehr als der Hälfte der anwesenden Abgeordneten
Beharrungsbeschluss	mindestens der Hälfte der Abgeordneten	mehr als der Hälfte der anwesenden Abgeordneten
Verfassungsgesetz	mindestens der Hälfte der Abgeordneten	mindestens zwei Drittel der Anwesenden

- Nach erfolgter Abstimmung liegt nun ein Gesetzesbeschluss des Nationalrats vor. Dieser ist unverzüglich an den **Bundesrat weiterzuleiten.** Der Bundesrat hat folgende Möglichkeiten:
- entweder innerhalb von acht Wochen einen **begründeten Einspruch** zu erheben,
- zu beschließen, **keinen Einspruch** einzulegen,
- oder die **Einspruchsfrist** von acht Wochen einfach **verstreichen** zu **lassen.**

Der Bundesrat kann den Gesetzesbeschluss nicht abändern. Hat der Bundesrat Einspruch erhoben, so hat der Nationalrat die Möglichkeit, auf dem Gesetzesbeschluss zu beharren. Das nennt man **Beharrungsbeschluss.** Dafür sind erhöhte Abstimmungserfordernisse (siehe Tabelle oben) notwendig. Wird ein Beharrungsbeschluss gefasst, so wird der Einspruch des Bundesrats außer Kraft gesetzt und der Gesetzgebungsprozess fortgeführt.

Nach diesen Schritten im Nationalrat und Bundesrat hat der/die **Bundespräsident/in** mit seiner/ihrer Unterschrift zu **beurkunden,** dass das Gesetz verfassungsgemäß zustande gekommen ist.

Gegenzeichnen bedeutet, dass der/die Bundeskanzler/in ebenfalls den Gesetzesbeschluss unterschreibt.

Anschließend ist der Gesetzesbeschluss von dem/der **Bundeskanzler/in „gegenzuzeichnen".**

Danach hat der/die Bundeskanzler/in den Gesetzesbeschluss im **Bundesgesetzblatt kundzumachen.** Das **Bundesgesetzblatt** erscheint seit 2004 in **elektronischer Form,** im Rechtsinformationssystem des Bundes: **www.ris.bka.gv.at.**

6 Die Landtage

Die Landtage können innerhalb ihres Aufgabengebietes eigene Landesgesetze beschließen.

Der Landtag hat **drei wesentliche Aufgaben** zu erfüllen:

kreieren = schaffen, gestalten, ernennen

- **die Kreationsfunktion**
  Der Landtag wählt mit einfacher Mehrheit den Landeshauptmann/die Landeshauptfrau und die übrigen Mitglieder der Landesregierung.

legislativ = gesetzgebend

- **die Legislativfunktion**
  Der Landtag beschließt die Landesgesetze, die ihm von der Bundesverfassung an Kompetenzen eingeräumt werden.
- **die Kontrollfunktion**
  Der Landtag kontrolliert die Landesregierung und die Landesverwaltung. Er hat auch das Recht, durch ein Misstrauensvotum Mitglieder der Landesregierung abzuberufen.

Die näheren Bestimmungen zur Landtagswahl darf jedes Bundesland in einer eigenen Landtagswahlordnung festlegen.

Die Abgeordneten zum Landtag werden nach den **gleichen Grundsätzen** gewählt, die für die **Nationalratswahl** gelten. Wahlberechtigt zur Landtagswahl sind die **Landesbürgerinnen und Landesbürger,** die im betreffenden Bundesland ihren Wohnsitz haben.

Legislaturperiode = Gesetzgebungsperiode

Die Legislaturperiode beträgt in allen Bundesländern 5 Jahre, nur in Oberösterreich dauert sie 6 Jahre.

Die Landtage beschließen die **Landesgesetze.** Der Weg zu einem Landesgesetz ist ähnlich wie der Weg zu einem Bundesgesetz und verläuft wie folgt:

Der **erste Schritt** ist immer ein **Gesetzesantrag.** Er kann eingebracht werden von

- der Landesregierung,
- Mitgliedern des Landtags oder
- durch ein Volksbegehren.

Der Antrag wird vom Plenum des Landtages dem zuständigen Ausschuss zur Beratung zugewiesen. Dieser fasst einen Beschlussantrag, der dann in der Vollversammlung zur endgültigen Beratung und Beschlussfassung gelangt. Nach einer Generaldebatte und einer Spezialdebatte erfolgt die Beschlussfassung (= Abstimmung).

Vor der Kundmachung muss der Gesetzesbeschluss dem Bundeskanzleramt übermittelt werden. Die Bundesregierung hat ein Einspruchsrecht. Sollten Bundesinteressen gefährdet sein, kann sie innerhalb von acht Wochen ein begründetes Veto einlegen. Dagegen ist ein Beharrungsbeschluss des Landtages möglich. Es bedarf dazu der Anwesenheit der Hälfte der Mitglieder des Landtages und einer einfachen Stimmenmehrheit.

Der Weg der Landesgesetzgebung

Die **Bundesregierung** kann nur bei Gesetzesbeschlüssen, die Abgaben betreffen, Einspruch erheben.

Auch Landesgesetze sind im Internet unter **www.ris.bka.gv.at** zu finden.

Der/Die Landtagspräsident/in beurkundet den Gesetzesbeschluss, die Gegenzeichnung erfolgt hier durch den/die Landeshauptmann/-frau. Diese/r verlautbart das Gesetz im **Landesgesetzblatt.**

SbX
Weiterführende Links zu den Landtagen finden Sie unter der ID: 0231.

7 Die Rechtsstellung der Abgeordneten

Abgeordnete des Nationalrats, des Bundesrats und der Landtage haben eine eigene Rechtsstellung.

Folgende Regelungen gelten diesbezüglich für Abgeordnete:

Grundsatz	Erläuterung
Freies Mandat	Dieser Grundsatz bedeutet, dass Abgeordnete bei Ausübung ihres Mandates an keinen Auftrag gebunden sind. Sie sollen ihre Tätigkeit nicht nur als Vertreter einer Partei ausüben, sondern im Interesse des **ganzen Volkes.** Abgeordnete sollen daher ihre **Entscheidungen frei nach ihrem Gewissen** treffen können. In der politischen Praxis binden die Parteien ihre Mandatare an die Parteiinteressen. Die stärkste Bindung hier ist der Klubzwang.

Klubzwang bedeutet, dass die Parteien eine Parteilinie zu einer Frage vorgeben. Die Abgeordneten sollen dann so abstimmen, wie es ihnen die Parteilinie vorgibt – und sollen sich nicht frei entscheiden dürfen.

2 Verfassungsrecht

Disziplin = auf Ordnung bedachtes Verhalten

Disziplinarmittel = ein Mittel, um die Person wieder zur Ordnung zurückzuführen

Nicht geschützt ist ein/e Abgeordnete/r vor einer Zivilrechtsklage, man kann Abgeordnete z. B. wegen übler Nachrede klagen.

Die **Immunität** ist ein Vorrecht der Abgeordneten der gesetzgebenden Körperschaften (Nationalrat, Bundesrat, Landtage). Mitglieder einer Bundes- oder Landesregierung sind nicht immun.

Grundsatz	Erläuterung
Immunität	Die Immunität schützt Abgeordnete vor behördlicher Verfolgung. Es gibt zwei Arten der Immunität: ● **Berufliche Immunität:** Diese betrifft alle parlamentarischen Handlungen des/der Abgeordneten, z. B. wie er/sie abstimmt und welche Aussagen er/sie im Parlament trifft. Ein/e Abgeordnete/r kann ○ wegen seines/ihres Abstimmungsverhaltens niemals, ○ wegen seiner/ihrer Äußerungen nur vom Parlament selbst zur Verantwortung gezogen werden. Als Disziplinarmittel für Abgeordnete gibt es z. B. den „Ruf zur Ordnung", wenn er/sie beleidigende Worte verwendet, oder es kann der betreffenden Person auch das Wort entzogen werden. ● **Außerberufliche Immunität:** Diese schützt Abgeordnete vor behördlicher Verfolgung auch außerhalb ihrer eigentlichen parlamentarischen Tätigkeit, z. B. bei einer Wahlveranstaltung. Sie schützt sie aber auch im Privatbereich. Hier gilt folgender **Grundsatz:** Ein/e Abgeordnete/r kann nur behördlich verfolgt werden, wenn eine Zustimmung des Parlaments vorliegt. Ohne diese Bewilligung darf ein/e Mandatar/in nur dann verfolgt werden, wenn die strafbare Handlung ganz klar ersichtlich in **keinem Zusammenhang** zu seinem/ihrem politischen Wirkungsbereich steht.
Unvereinbarkeit	Sinn der Unvereinbarkeitsregelungen ist es, Rollen- und Interessenkonflikte sowie Machtanhäufungen zu verhindern. **Beispiele** für Unvereinbarkeitsbestimmungen: Abgeordnete (zum Nationalrat, Bundesrat oder Landtag) dürfen nicht gleichzeitig eines der folgenden Ämter ausüben: ● Bundespräsident/in ● Mitglied eines der drei Höchstgerichte ● Präsident/in des Rechnungshofes ● Volksanwalt/-anwältin

Die **drei Höchstgerichte** sind: der Oberste Gerichtshof (OGH), der Verfassungsgerichtshof (VfGH) und der Verwaltungsgerichtshof (VwGH).

Sichern & Merken

SbX ID: 0232

Gesetz

Ein **Gesetz** ist eine **generelle Norm:** Es richtet sich als Anweisung an alle Menschen oder an eine bestimmte Gruppe von Menschen und regelt ihre Rechte und Pflichten. Es muss von den dazu verfassungsmäßig berufenen Organen in der vorgeschriebenen Art und Weise erlassen worden sein.

Wahlrechtsgrundsätze

Die **Wahlrechtsgrundsätze** gelten sowohl für die Nationalrats- als auch für die Landtagswahlen. Diese Wahlen sind nach folgenden Grundsätzen durchzuführen:

- gleiches Wahlrecht
- unmittelbares Wahlrecht
- persönliches Wahlrecht
- freies Wahlrecht
- geheimes Wahlrecht
- Verhältniswahlrecht

aktives Wahlrecht

Das **aktive Wahlrecht** ist das Recht, zu wählen. Alle österreichischen Staatsbürgerinnen und Staatsbürger, die am Wahltag das 16. Lebensjahr vollendet haben und nicht vom Wahlrecht ausgeschlossen sind, haben das aktive Wahlrecht.

passives Wahlrecht

Das **passive Wahlrecht** ist das Recht, gewählt zu werden. Wählbar ist man, wenn man das aktive Wahlrecht zum Nationalrat besitzt und am Wahltag das 18. Lebensjahr vollendet hat.

Aufgaben des Nationalrats

Aufgaben des Nationalrats:
- Bundesgesetze erlassen
- Kontrollfunktion ausüben (z. B. durch Entzug des Vertrauens in die Regierung)
- Mitwirkung bei Staatsverträgen und Budget

Aufgaben des Bundesrats

Aufgaben des Bundesrats:
- übt gemeinsam mit dem Nationalrat die Bundesgesetzgebung aus
- hat ein Einspruchsrecht gegen Gesetzesbeschlüsse des Nationalrats
- kann Gesetzesanträge stellen
- kann dringliche Anfragen an die Regierung stellen

Bundesversammlung

Die **Bundesversammlung** wird durch Nationalrat und Bundesrat gemeinsam gebildet.

Landtage

Die **Landtage** beschließen die Landesgesetze.

SbX ID: 0232

Im SbX finden Sie eine Bildschirmpräsentation mit den Grafiken dieser Lerneinheit.

Wissen & Können

SbX ID: 0233

A B C D E

W 2.14: Begriff „Gesetz" B
Erklären Sie den Begriff „Gesetz".

W 2.15: Wahlen A
Nennen Sie alle Wahlen, an denen österreichische Staatsbürger und Staatsbürgerinnen teilnehmen können.

W 2.16: Wahlrechtsgrundsätze B
Erklären Sie die einzelnen Wahlrechtsgrundsätze, nach denen in Österreich gewählt wird.

W 2.17: Wahlberechtigung A
Bezeichnen Sie die Voraussetzungen, die erfüllt sein müssen, damit eine Person wählen darf.

W 2.18: Nationalrat B
Kreuzen Sie die richtige Antwort an: Der österreichische Nationalrat besteht aus

☐ 64 Abgeordneten. ☐ 101 Abgeordneten.
☐ 183 Abgeordneten. ☐ 367 Abgeordneten.

W 2.19: Aufgaben des Nationalrats bzw. Bundesrats A
Nennen Sie mindestens drei Aufgaben des Nationalrats bzw des Bundesrats.

Nationalrat	Bundesrat
Hauptaufgabe:	**Hauptaufgabe:**

W 2.20: Gesetzesanträge A
Nennen Sie das Organ, das die meisten Gesetzesanträge einbringt.

W 2.21: Nationalrat B

Unterscheiden Sie die Abstimmungserfordernisse im Nationalrat.

W 2.22: Bundesgesetze, Landesgesetze B

Unterscheiden Sie die Verlautbarungsorte von Bundes- und Landesgesetzen.

W 2.23: Beharrungsbeschluss B

Erklären Sie, was man unter einem „Beharrungsbeschluss" versteht.

W 2.24: Passives Wahlrecht B

Erläutern Sie die Voraussetzungen, damit Marco für ein politisches Amt (ausgenommen für das Amt des Bundespräsidenten) kandidieren kann.

W 2.25: Wahlberechtigt? C

Ein Mitschüler von Marco ist 17 und lebt seit 12 Jahren in Österreich. Er hat die bosnische Staatsbürgerschaft. Darf er wählen?

SbX
W 2.26
mit automatischer Aufgabenkontrolle
ID: 0233

W 2.26: Wahlen D

Sind die folgenden Aussagen richtig oder falsch? Kreuzen Sie an und stellen Sie falsche Aussagen richtig.

Aussage	Richtig	Falsch	Richtigstellung
Der Bundesrat hat große politische Macht, denn er kann Einspruch gegen Bundesgesetze erheben und sie damit verhindern.			
Marco kann ab dem vollendeten 18. Lebensjahr als Bürgermeister oder Landtagsabgeordneter kandidieren.			
Auch bei der Wahl des österreichischen Bundespräsidenten/der österreichischen Bundespräsidentin darf Marco ab diesem Alter kandidieren.			
Der Nationalrat wirkt nicht nur an der Bundesgesetzgebung mit, er hat auch wichtige Kontrollfunktionen.			
Landtage beschließen die Landesgesetze, wählen die Landesregierung und kontrollieren die Landesverwaltung.			
Ein/e Abgeordnete/r darf auf einer privaten Party ungestraft eine andere Person beleidigen, denn er/sie ist ja „immun".			

W 2.27: Entstehung eines Bundesgesetzes

Füllen Sie die leeren Kästchen der Ablaufgrafik „Entstehung eines Bundesgesetzes" richtig aus.

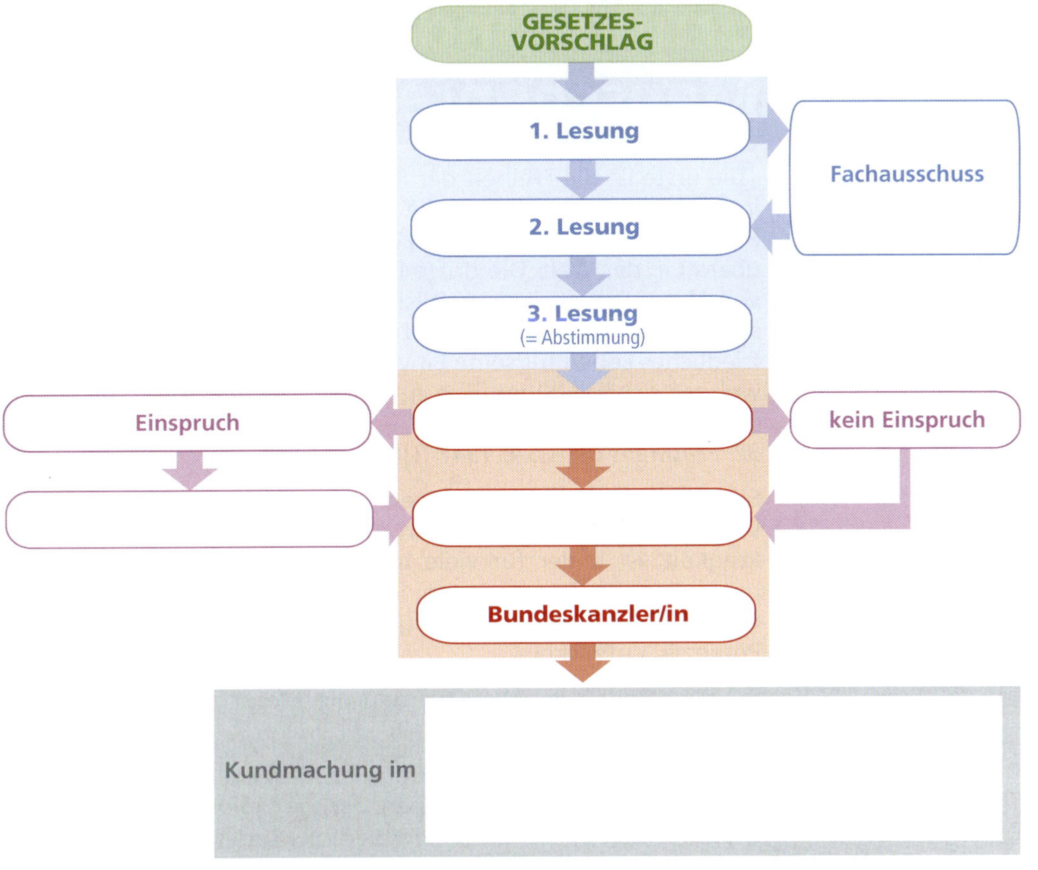

SbX
W. 2.28–W 2.29
mit automatischer
Aufgabenkontrolle
ID: 0233

Weitere Aufgaben im SbX

W 2.28: Gesetzgebung C

Vervollständigen Sie die Übersicht zum Thema „Gesetzgebung".

W 2.29: Übersicht Verfassungsrecht C

Bearbeiten Sie den Test zum Thema „Verfassungsrecht".

Ein kurzer Kompetenz-Check, bevor's weitergeht!

Kompetenz-Check

	☺	😐	☹
Ich kann erklären, was ein Gesetz ist.			
Ich kann die Aufgaben des Bundesrats und des Nationalrats erklären.			
Ich kann erklären, wie ein Gesetz entsteht.			
Ich kann erklären, wie Abgeordnete geschützt sind.			
Ich kann die Wahlrechtsgrundsätze erklären.			

Lerneinheit 4

Grund- und Freiheitsrechte – Menschenrechte

SbX
Alle SbX-Inhalte zu dieser Lerneinheit finden Sie unter der ID: 0240.

„Die erste ist die Freiheit der Rede – überall in der Welt. Die zweite ist die Freiheit jeder Person, Gott in ihrer Weise zu würdigen – überall in der Welt. Die dritte ist die Freiheit von Not – was in ihre weltliche Bedeutung übersetzt bedeutet, dass jede Nation ein gesundes und friedliches Leben für seine Einwohnerinnen und Einwohner sichert – überall in der Welt. Die vierte ist die Freiheit von Furcht. […]" *Franklin D. Roosevelt, 32. Präsident der USA, 1941 (Übersetzung)*

Eine Welt, in der alle Menschen in Freiheit, Sicherheit und Würde leben können, frei von Armut, Angst und Hoffnungslosigkeit, ist leider für viele immer noch ein Traum. Aber nur unter den Voraussetzungen, dass Rechte eingehalten werden und dass man frei ist von Angst und Not, kann jede einzelne Person ihr individuelles Potenzial entwickeln.

In vielen Teilen der Welt werden die Menschenrechte Tag für Tag verletzt – auch in Europa und in Österreich.

Fortschritte in der Durchsetzung der Menschenrechte sind von vielen Faktoren abhängig, einer davon ist das Wissen darüber. Denn es ist klar, dass Menschenrechte und Grundfreiheiten nur dann eingehalten werden können, wenn sie bekannt sind.

Lernen & Üben

1 Geschichte und Philosophie der Menschenrechte

Die Idee der Menschenwürde ist so alt wie die Geschichte der Menschheit selbst.

Das Konzept der **jedem Menschen innewohnenden Würde** besteht in allen Kulturen. Die **„goldene Regel"**, die aussagt, **dass man andere nur so behandeln solle, wie man selbst behandelt werden möchte,** gibt es in allen bedeutenden Religionen.

Immanuel Kant (1724–1804), deutscher Philosoph, Hauptwerk „Kritik der reinen Vernunft"

Die Idee der „Menschenrechte" ist aber auch ein **Ergebnis philosophischen Denkens** der Neuzeit, das auf Rationalismus, Aufklärung, Liberalismus, Demokratie und Sozialismus aufbaut. So findet sich z. B. in der Philosophie von Immanuel Kant eine Begründung dafür, dass ein Wesen, das mit Würde ausgestattet ist, Rechte hat, mit denen Pflichten der anderen Menschen korrespondieren. Kant begründet die Würde des Menschen mit dessen Vernunft.

Schritt für Schritt wurden diese moralischen Rechte in **niedergeschriebene Normen** übergeführt.

Im 18. Jahrhundert entwickelten sich dann die frühen Ideen des **Naturrechts:** Jeder Mensch habe von Natur aus angeborene und unveräußerliche Rechte **(= Menschenrechte).** Ihre Existenz sei aus sich selbst heraus erklärbar, aus einer höheren, göttlichen Ordnung oder der Vernunft. Diese Rechte wurden **in nationale Verfassungen** aufgenommen und stellten damit einen **Vertrag zwischen dem Staat und seinen Bürgerinnen und Bürgern** dar. Dieser Gesellschaftsvertrag sollte die fundamentalen Rechte des Menschen auch dann bewahren, wenn diese sich seiner Herrschaft unterwarfen.

Allgemeine Erklärung der Menschenrechte

Eleanor Roosevelt (1884–1962) war als Vorsitzende der UN-Menschenrechtskommission maßgeblich an der Formulierung der Allgemeinen Erklärung der Menschenrechte beteiligt.

Erst in der 2. Hälfte des 19. Jahrhunderts entstand ein umfassendes internationales System zur Förderung und zum Schutz der Menschenrechte. Die **„Allgemeine Erklärung der Menschenrechte"** (AEMR) der Vereinten Nationen war die Antwort auf die schwerwiegendsten Verletzungen der Menschenwürde im Zweiten Weltkrieg. Der nationalsozialistische Willkürstaat, sein Missbrauch politischer Gewalt, seine massive und systematische Missachtung der Menschenrechte und insbesondere die Erfahrungen des Holocaust waren Gründe, den Menschen in den Mittelpunkt dieser Erklärung zu stellen. Die Einleitung der AEMR bezieht sich deshalb auf die „Freiheit von Furcht und Not".

Nach dem Schrecken des Zweiten Weltkriegs wurde 1948 mit der Unterzeichnung von damals 48 Staaten der Allgemeinen Erklärung der Menschenrechte **ein bedeutender Schritt** im Kampf für die Menschenrechte erzielt. Der große Fortschritt war das **universelle Konzept der Menschenrechte für alle,** das damals von 48 Staaten akzeptiert wurde. Mit der AEMR wurden **Standards auf globaler Ebene gesetzt.** Sie wurde als Resolution der **Generalversammlung der Vereinten Nationen** verabschiedet.

Die AEMR ist nicht rechtlich verbindlich, aber sie hat über die Jahre eine **hohe moralische Wichtigkeit** bekommen. Juristisch wird sie heute als eine **Art Gewohnheitsrecht** betrachtet, als **Praxis, die allgemein anerkannt und angewandt wird** und deshalb rechtlich bindend ist. Ihre Bestimmungen wurden in zahlreiche Verfassungen aufgenommen und damit einklagbar gemacht.

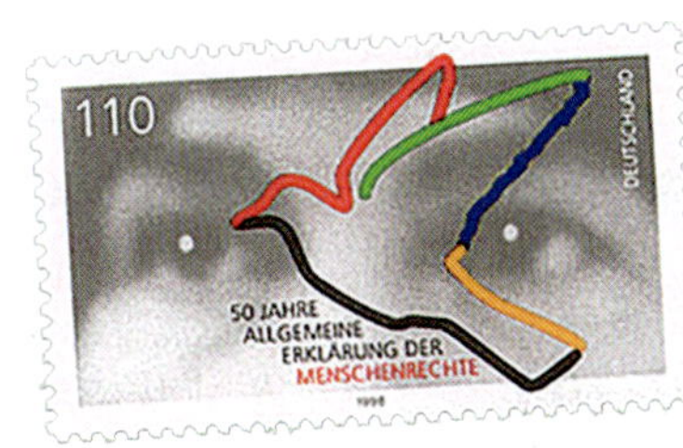

Weitere Abkommen

In Europa kommt der **Europäischen Menschenrechtskonvention (EMRK)** eine sehr wichtige Funktion zu. In Österreich steht die EMRK im Verfassungsrang. Die in der EMRK festgeschriebenen Artikel können am **Europäischen Gerichtshof für Menschenrechte** des Europarats in Straßburg eingeklagt werden.

Weitere regional verbindliche Abkommen sind z.B. die **Amerikanische Menschenrechtskonvention (AMRK)** und die **Afrikanische Menschenrechts-Charta.**

Einige wichtige Schritte in der Entwicklung der Menschenrechte	
Zeitangabe	**Konferenzen, Dokumente und Rechtstexte**
vor über 3000 Jahren	Viele religiöse Texte betonen die Wichtigkeit von Gleichheit, Würde und der Verantwortlichkeit, anderen zu helfen: Verhaltensnormen werden festgelegt (z.B. Kodex Hammurabi, die 10 Gebote von Mose u.v.a.). Im Judentum entsteht die Thora.
vor ca. 2000 Jahren	Neues Testament des Christentums
vor ca. 1400 Jahren	Islamisches Gesetz des Koran: z.B. Schutz des Fremden
1215	Magna Charta wird unterzeichnet: In ihr wird anerkannt, dass kein Herrscher und keine Herrscherin über dem Gesetz steht. (England)
1628	Petition of Rights (Großbritannien)
1679	Habeas Corpus Akte (England): Recht Verhafteter auf unverzügliche Haftprüfung
1689	Bill of Rights (Großbritannien)
1776	Amerikanische Unabhängigkeitserklärung und Virginia Bill of Rights
1867	Staatsgrundgesetz über die allgemeinen Rechte der Staatsbürgerinnen und Staatsbürger in Österreich
1919	Vertrag von Versailles: betont das Recht auf Selbstbestimmung und die Rechte der Minderheiten

Einige wichtige Schritte in der Entwicklung der Menschenrechte	
Zeitangabe	**Konferenzen, Dokumente und Rechtstexte**
1924	Genfer Erklärung über die Rechte des Kindes
1926	Genfer Konferenz: „Übereinkommen über die Abschaffung der Sklaverei"
1945	Charta der Vereinten Nationen
1948	Allgemeine Erklärung der Menschenrechte der Vereinten Nationen; Konvention über Verhütung und Bestrafung des Völkermordes der Vereinten Nationen
1950	Europäische Menschenrechtskonvention
1979	Konvention der Vereinten Nationen zur Beseitigung jeder Form der Diskriminierung der Frau
1984	Anti-Folter-Konvention der Vereinten Nationen
1989	Konvention der Vereinten Nationen über die Rechte des Kindes

Das Konzept der Menschenrechte wird heute weltweit geteilt. Es bildete eine Basis für die Internationale Staatengemeinschaft, internationale Organisationen, soziale Bewegungen und NGOs. Menschenrechte sind **ein wichtiges Instrument für einen sozialen Wandel** und wesentlich mit dem **Konzept der Demokratie** verbunden.

2 Das Konzept und die Idee der Menschenrechte

Menschenrechte sind universell und unveräußerlich.

„Alle Menschen sind frei und gleich an Würde und Rechten geboren. Sie sollen einander im Geiste der Brüderlichkeit begegnen."
Art. 1 Allgemeine Erklärung der Menschenrechte

Heute gilt das Konzept der Menschenrechte als **universell** und **unveräußerlich.** Das bedeutet, dass sie **überall auf der Welt gelten** und der menschlichen Person nicht einmal mit ihrer Zustimmung entzogen werden können.

Die universellen Menschenrechte sind **internationale Mindeststandards** zur **Regelung staatlichen Handelns.** Diese Mindestrechte basieren auf dem Prinzip, dass die Menschenrechte nicht allein zur inneren Angelegenheit eines Staats zählen, sondern in der **Verantwortung der internationalen Staatengemeinschaft** liegen. In ihnen sind die Kriterien formuliert, an denen sich das **Handeln eines jeden Staats messen lassen muss.**

Verschiedene **Dimensionen oder Kategorien von Menschenrechten** werden unterschieden:

- **bürgerliche und politische Rechte** (liberale Grundrechte): Zu ihnen gehören die „klassischen Freiheitsrechte" wie z. B.
  - die Meinungsfreiheit,
  - das Recht auf persönliche Freiheit,
  - die Glaubens- und Gewissenfreiheit und
  - die Vereins- und Versammlungsfreiheit.

  Diese Kategorie von Rechten soll der einzelnen Person einen **Freiraum vor Eingriffen durch den Staat** gewähren.
- **wirtschaftliche, soziale und kulturelle Rechte:**
  - gleicher Lohn für gleiche Arbeit,
  - das Recht auf Arbeit,
  - das Recht, Gewerkschaften zu gründen,
  - das Recht auf Nahrung und Wohnung,
  - das Recht auf Bildung,
  - das Recht auf medizinische Betreuung,
  - das Recht auf Altersvorsorge und
  - das Recht auf soziale Sicherheit.

In Bezug auf das Recht auf Bildung hat jede Person das Recht darauf, es muss aber nur die Grundschulbildung gratis sein.

Diese Rechte wurden aus der Erkenntnis heraus geschaffen, dass es nicht genügt, dass der Staat Eingriffe unterlässt, er muss vielmehr gestaltend tätig werden, um gewisse Grundbedürfnisse der unter seinem Schutz stehenden Menschen zu decken. Diese Rechte sind **Leistungsansprüche** der einzelnen Person **gegenüber dem Staat.** Hier muss der Staat von sich aus aktiv werden und z.B. eine Versorgung in Bezug auf Gesundheit und Bildung garantieren bzw. gewisse Mindeststandards erfüllen. Die **Leistungsfähigkeit eines Staats** ist dabei zu berücksichtigen.

Diese Rechte **können schrittweise realisiert werden,** da sie dem Staat Leistungspflichten auferlegen. In Österreich sind diese Rechte nicht in der Verfassung verankert, sie sind zum Teil in der einfachen Gesetzgebung umgesetzt. Für die Einzelperson sind sie schwer durchzusetzen.

Beide oben angeführten **Kategorien** werden als **gleichwertig** anerkannt. Die Menschenrechte wurden auch als **unteilbar** und als einander **bedingend anerkannt,** da der volle Genuss der sozialen, kulturellen und wirtschaftlichen Rechte ohne die Gewährung der politisch-bürgerlichen Rechte nicht möglich ist.

Keine Dimension von Menschenrechten stellt eine Vorbedingung für eine andere Kategorie dar.

- In der Mitte der 1980-er Jahre kam die Kategorie der **Solidaritätsrechte** dazu:
  - das Recht auf Frieden,
  - das Recht auf Entwicklung und
  - das Recht auf eine saubere Umwelt.

Sie geben den Rahmen dafür, dass man die anderen Rechte genießen kann.

- Weiters unterscheidet man zwischen Menschenrechten und Bürgerrechten:

Menschenrechte	Bürgerrechte
Diese stehen allen Menschen zu (auch Staatenlosen und Fremden).	**Diese werden nur Personen mit der entsprechenden Staatsbürgerschaft und in einigen Fällen auch EU-Bürgerinnen und -Bürgern eingeräumt.**
• Recht auf Leben • Verbot der Folter • Recht auf Freiheit und Sicherheit • Recht auf freie Meinungsäußerung • Recht auf Gedanken-, Gewissens- und Religionsfreiheit • Recht auf Ehe und Familie • Verbot der Sklaverei	• aktives Wahlrecht • passives Wahlrecht • gleicher Zugang zu den öffentlichen Ämtern des entsprechenden Staats • Gleichheit vor dem Gesetz

Staaten haben die **Pflicht,** die **Menschenrechte** zu **achten,** zu **schützen** und zu **erfüllen.**

Die **Schutzpflicht** verlangt vom Staat, dass er Gewalt und andere Menschenrechtsverletzungen auf seinem Staatsgebiet verhindern muss.

Alle Staaten müssen entsprechend dem **Prinzip der Nichtdiskriminierung** innerhalb ihres Staatsgebiets alle Menschenrechte achten und sie für alle Personen gewährleisten. Es darf keine Diskriminierung wegen der „Rasse" oder der ethnischen Herkunft, wegen des Geschlechts, der Sprache, Hautfarbe, Religion, politischer oder anderer Einstellung, nationaler oder sozialer Herkunft, des Vermögens, der Geburt oder eines sonstigen Status erfolgen.

Einschränkungen von Menschenrechten

Die Notstandsbestimmungen haben im Kampf gegen den Terrorismus an Bedeutung gewonnen.

Wenn ein **öffentlicher Notstand** einen Staat bedroht, dann kann ein Staat seine menschenrechtlichen Verpflichtungen einschränken. Dieser Ausnahmezustand muss aber offiziell verhängt werden und die Maßnahmen müssen streng in dem der Situation entsprechenden Rahmen bleiben. Auf gar keinen Fall eingeschränkt werden dürfen sogenannte **„notstandsfeste Rechte",** das sind z.B. das Recht auf Leben, das Verbot der Folter und der Sklaverei, das Recht auf Gewissens-, Gedanken- und Religionsfreiheit und das Rückwirkungsverbot von Strafrechtsnormen.

Außerdem ist das Recht einer Person darauf, ihre Meinung frei zu äußern z.B. durch das Recht einer anderen Person, nicht diskriminiert zu werden, eingeschränkt. Einer wegen einer Straftat rechtskräftig verurteilten Person darf das Recht auf Freiheit eingeschränkt werden, wenn sie ins Gefängnis muss, um dort ihre Strafe zu verbüßen.

3 Wie werden Menschenrechte durchgesetzt?
Es gibt Menschenrechte – jedoch werden diese verletzt.

In erster Linie sind die Staaten für die Einhaltung der Menschenrechte verantwortlich: Sie dürfen die Rechte nicht verletzen – z. B. Menschen nicht diskriminieren, keine Menschen foltern, um ein Geständnis aus ihnen herauszupressen, sie dürfen Personen nicht willkürlich festnehmen. Weiters müssen sie auch dafür sorgen, dass Menschen ihre Meinung frei äußern dürfen und Bildung genießen können.

Nationale Umsetzung

Wenn ein **Staat ein Menschenrechtsabkommen unterzeichnet** hat, muss er es in seinen nationalen **Gesetzen umsetzen und sich um die Umsetzung der Rechte bemühen.**

Viele Staaten haben in ihrem Land eine nationale Menschenrechtskommission eingesetzt.

Die Europäische Menschenrechtskonvention (EMRK) ist in **Österreich** im **Verfassungsrang** und stellt daher **unmittelbar anwendbares Recht** dar. Für die Einhaltung der Menschenrechte in Österreich ist in erster Linie der **Verfassungsgerichtshof** in Wien zuständig. Weitere mit der Überwachung ebenfalls befasste Organe sind der Oberste Gerichtshof und der Verwaltungsgerichtshof, beide mit Sitz in Wien.

Eine Person, die sich in einem verfassungsgesetzlich gewährleisteten Recht verletzt fühlt, kann unter bestimmten **Voraussetzungen nach der Erschöpfung des Instanzenzugs direkt beim Verfassungsgerichtshof Beschwerde** einbringen.

Internationaler Menschenrechtsschutz

Leider zeigt die Erfahrung, dass viele Staaten trotzdem die Menschenrechte verletzen. Daher gibt es auch auf der internationalen Ebene **Überwachungsinstrumente.**

Der **UNO-Menschenrechtsrat** überwacht die Menschenrechtssituation in jedem einzelnen Land. Die UNO hat auch zahlreiche Organe geschaffen, die die Umsetzung der einzelnen Menschenrechtskonventionen (z. B. Antirassismuskonvention) kontrollieren.

Alle Staaten, die eine Konvention unterzeichnet haben, müssen in regelmäßigen Abständen einen **Bericht** über ihre Aktivitäten zum Menschenrechtsschutz vorlegen. Diese Berichte werden von Expertenkommissionen geprüft, die in der Folge Empfehlungen zu einer besseren Umsetzung geben. Diese Berichte werden von NGOs wie z. B. von Amnesty International als „Schattenberichte" bezeichnet, da viele Staaten versuchen, ihre Aktivitäten besser darzustellen, als sie wirklich sind.

Europäischer Gerichtshof für Menschenrechte in Straßburg

Ein Gerichtsverfahren ist nur im Fall der Verletzung der Europäischen und der Amerikanischen Menschenrechtskonvention möglich. In Europa ist es der **Europäische Gerichtshof für Menschenrechte** (EGMR) in Straßburg, der über die Einhaltung der EMRK wacht. Staaten sowie auch Bürgerinnen und Bürger der EU können dort Klagen einbringen, wenn der innerstaatliche Instanzenzug erschöpft ist. Die Entscheidungen des EGMR sind endgültig und bindend für die Vertragsstaaten.

Seit dem Jahr 2003 gibt es den **von der UNO eingerichteten Internationalen Strafgerichtshof** (ICC) in Den Haag. Seine Aufgabe ist die Behandlung der schlimmsten Verbrechen, welche die internationale Gemeinschaft als Ganze angehen, z. B. Völkermord, Verbrechen gegen die Menschlichkeit, Kriegsverbrechen. Hier können Einzelpersonen und insbesondere auch Staats- und Regierungschefs, Mitglieder einer Regierung und des Parlaments vor Gericht gestellt und als Täter bestraft werden.

Internationaler Strafgerichtshof (ICC) in Den Haag

Sichern & Merken

SbX ID: 0242

Allgemeine Erklärung der Menschenrechte (AEMR)

Die **Allgemeine Erklärung der Menschenrechte (AEMR)** wurde 1948 als Antwort auf die massiven Menschenrechtsverletzungen des Zweiten Weltkrieges von der UNO als Resolution verabschiedet. Mit ihr wurden Standards auf globaler Ebene geschaffen

Europäische Menschenrechtskonvention (EMRK)

Die **Europäische Menschenrechtskonvention (EMRK)** steht in Österreich im Verfassungsrang. Verletzungen der EMRK können nach Erschöpfung des Instanzenzugs beim Verfassungsgerichtshof in weiterer Folge auch beim Europäischen Gerichtshof für Menschenrechte als Beschwerde eingebracht werden.

Dimensionen und Kategorien der Menschenrechte:

- bürgerliche und politische Rechte (auch liberale Rechte genannt)
- wirtschaftliche, soziale und kulturelle Rechte
- Solidaritätsrechte
- Menschenrechte und Bürgerrechte

SbX ID: 0242

Im SbX finden Sie eine Bildschirmpräsentation mit den Grafiken dieser Lerneinheit.

Wissen & Können

A B C D E

W 2.30: Die Dimensionen der Menschenrechte A

Nennen Sie die unterschiedlichen Dimensionen von Menschenrechten und geben Sie für jede Dimension zwei Beispiele.

W 2.31: Erfolge im Kampf um Menschenrechte D

a) Recherchieren Sie im Internet aktuelle Erfolge von Amnesty International.

b) Untersuchen Sie bei einem dieser Erfolge die konkreten Menschenrechtsverletzungen.

W 2.32: Verantwortung übernehmen C

Diskutieren Sie die Aussage: „Das Schlimmste ist die Gleichgültigkeit!"

W 2.33: Sich engagieren D

Jede einzelne Person hat unterschiedliche Möglichkeiten, sich konkret für eine bessere Gesellschaft stark zu machen.

a) Kreuzen Sie an, welche der folgenden Sachverhalte Sie stört oder empört.

b) Fügen Sie noch andere Ihnen bekannte Menschenrechtsverletzungen hinzu.

c) Überlegen Sie Schritte, die Sie konkret dagegen unternehmen könnten.

Sachverhalt	Das stört mich oder empört mich:	Schritte, die ich konkret dagegen unternehmen könnte:
der Gegensatz von sehr reichen und sehr armen Menschen in einer Welt, die zusammengewachsen ist		

Sachverhalt	Das stört mich oder empört mich:	Schritte, die ich konkret dagegen unternehmen könnte:
soziale Ungleichheit im Wirtschaftsleben		
Diktat von Geld und Profit		
dass auch heute noch hunderttausende Menschen an Hunger sterben		
dass in Österreich Frauen für dieselbe Arbeitsleistung um ein Viertel weniger Lohn und Gehalt bekommen als ihre männliche Kollegen		

Ein kurzer Kompetenz-Check, bevor's weitergeht!

Kompetenz-Check

	☺	😐	☹
Ich kann die Entwicklung der Menschenrechte in ihren wichtigsten Schritten darstellen.			
Ich kann die verschiedenen Dimensionen von Menschenrechten erklären und jeweils zwei Beispiele nennen.			
Ich kann das Konzept der Universalität der Menschenrechte erklären.			
Ich kann zwischen Menschen- und Bürgerrechten unterscheiden.			
Ich kann Möglichkeiten der Durchsetzung von Menschenrechten darstellen.			

Lerneinheit 5

Verwaltung

SbX
Alle SbX-Inhalte zu dieser Lerneinheit finden Sie unter der ID: 0250.

Die Erzeugung von Regeln für das Zusammenleben von Menschen ist eine wichtige Voraussetzung für ein geordnetes Staatswesen. Daneben tritt aber als ebenso wesentlicher Teil die Durchführung, also der Vollzug, dieser Regeln.

Der weitaus größte Teil wird von der Verwaltung eines Staats übernommen. Als Verwaltung wird jener Teil der Staatstätigkeit bezeichnet, der durch weisungsgebundene Organe besorgt wird. Wie wichtig eine funktionierende Verwaltung ist, zeigt sich auch daran, dass eine funktionierende Verwaltung ein Kriterium für einen Beitritt zur Europäischen Union ist.

Österreich ist den Weg der eher dezentralen Verwaltung gegangen.

Lernen & Üben

SbX ID: 0251

A B C D E

1 Verwaltung in Österreich

Verwaltungsaufgaben sind auf die Gebietskörperschaften verteilt.

Die Aufgaben der öffentlichen Verwaltung werden von verschiedenen Gebietskörperschaften wahrgenommen.

Verteilung der Verwaltungsaufgaben

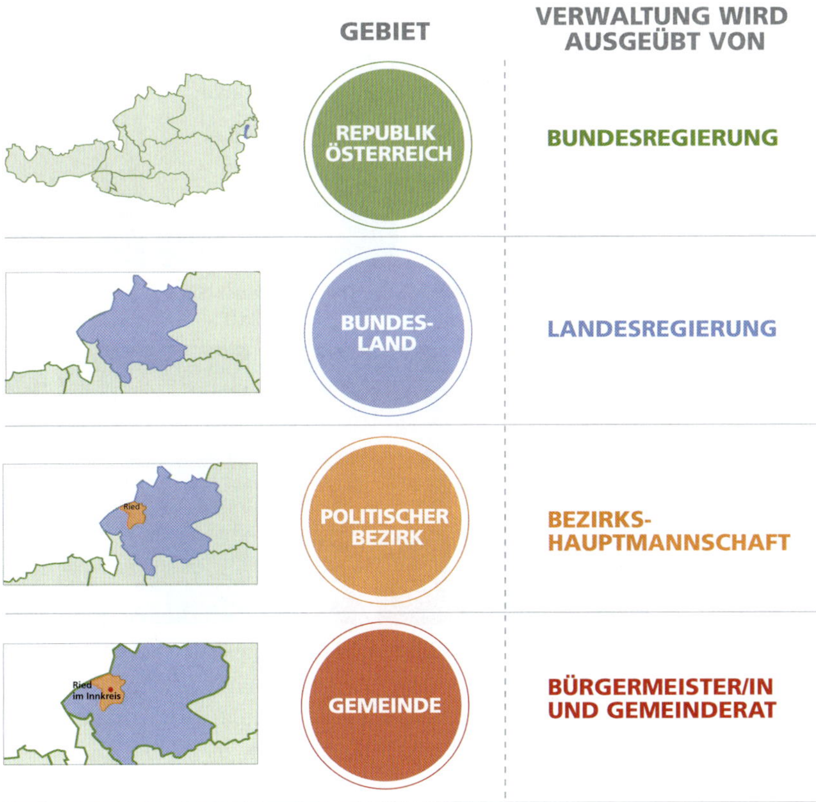

2 Bundesverwaltung

Aufgabe der Bundesverwaltung ist es, Bundesgesetze zu vollziehen.

Im Fernsehen sehe ich sehr oft streitende Politiker. Warum trifft nicht einfach der Bundespräsident/die Bundespräsidentin die wesentlichen Entscheidungen?

Kollegialorgane bestehen aus mehreren Personen, deren gemeinsame Willensbildung zu einer Entscheidung führt.

Mit den **obersten Verwaltungsgeschäften des Bundes** sind, soweit sie nicht dem **Bundespräsidenten** übertragen wurden, die **Bundesregierung** als Kollegialorgan, der **Bundeskanzler**, der **Vizekanzler** und die **übrigen Bundesminister** betraut.

Unterscheidung der Bundesverwaltung

Zu unterscheiden ist zwischen der **Hoheitsverwaltung** und der **Privatwirtschaftsverwaltung**.

BUNDESVERWALTUNG

Der Bundespräsident

Art. 1 der österreichischen Bundesverfassung lautet: „Österreich ist eine demokratische Republik. Ihr Recht geht vom Volk aus."

Linktipp: **www.hofburg.at**

Da Österreich eine Republik ist, stellt der Bundespräsident bzw. die Bundespräsidentin das Staatsoberhaupt Österreichs dar. Neben zahlreichen repräsentativen Aufgaben stehen dem Staatsoberhaupt wichtige Kompetenzen zu. Ins tägliche politische Geschehen mischt sich der Bundespräsident jedoch nur ausnahmsweise ein.

Die Bundespräsidenten seit 1945

Dr. Karl Renner (SPÖ) (1945–1950)

Dr. Theodor Körner (SPÖ) (1951–1957)

Dr. Adolf Schärf (SPÖ) (1957–1965)

Dr. h.c. Franz Jonas (SPÖ) (1965–1974)

Dr. Rudolf Kirchschläger (SPÖ) (1974–1986)

Dr. Kurt Waldheim (ÖVP) (1986–1992)

Dr. Thomas Klestil (ÖVP) (1992–2004)

Dr. Heinz Fischer (SPÖ) (2004–2016)

Dr. Alexander Van der Bellen (parteifrei), seit 2017

Die **maximale Amtsdauer** des Bundespräsidenten beträgt **12 Jahre.** Nach mindestens einer Periode Pause könnte er wiedergewählt werden.

Die Wahl des Bundespräsidenten

Der Bundespräsident wird unmittelbar vom Volk für eine **Amtszeit von 6 Jahren** gewählt. Eine Wiederwahl für die darauffolgende Amtsperiode ist nur einmal möglich. Gewählt ist, wer mehr als 50 % (absolute Mehrheit) der Stimmen erhält. Erreicht kein Kandidat diese Anzahl, erfolgt eine Stichwahl jener zwei Kandidaten bzw. Kandidatinnen, die im 1. Wahlgang die meisten Stimmen erhalten haben.

Aus dem **Amtseid des Bundespräsidenten:** „Ich gelobe, dass ich die Verfassung und alle Gesetze der Republik getreulich beobachten und meine Pflicht nach bestem Wissen und Gewissen erfüllen werde."

Bei Verurteilung wegen einer mit Vorsatz begangenen Straftat zu einer mehr als einjährigen Freiheitsstrafe muss der Bundespräsident zurücktreten.

Bundespräsidentenwahl	
aktives Wahlrecht	jede/r zum Nationalrat Wahlberechtigte
passives Wahlrecht	jede/r, die/der zum Wahltag das 35. Lebensjahr vollendet hat und das aktive Wahlrecht besitzt
Angelobung	erfolgt durch die Bundesversammlung
Amtsende	• Zeitablauf (6 Jahre) • Tod • Erkenntnis des Verfassungsgerichtshofs • Volksabstimmung • Verurteilung wegen bestimmter gerichtlich strafbarer Handlungen
politische Verantwortung	gegenüber dem Volk: Absetzung durch Volksabstimmung
rechtliche Verantwortung	gegenüber der Bundesversammlung: Anklage beim Verfassungsgerichtshof möglich
Immunität	Eine behördliche Verfolgung des Bundespräsidenten ist nur mit Zustimmung der Bundesversammlung möglich.

Vertretung: Ist der Bundespräsident an der Ausübung seines Amts verhindert und dauert diese Verhinderung bis zu 20 Tage, so vertritt ihn der Bundeskanzler, bei längerer Verhinderung geht die Funktion auf die 3 Präsidenten des Nationalrats als Kollegialorgan über.

2 Verfassungsrecht

Aufgaben des Budenspräsidenten

Der Bundespräsident benötigt für die meisten Aufgaben einen Vorschlag der Bundesregierung oder eines von ihr ermächtigten Bundesministers.

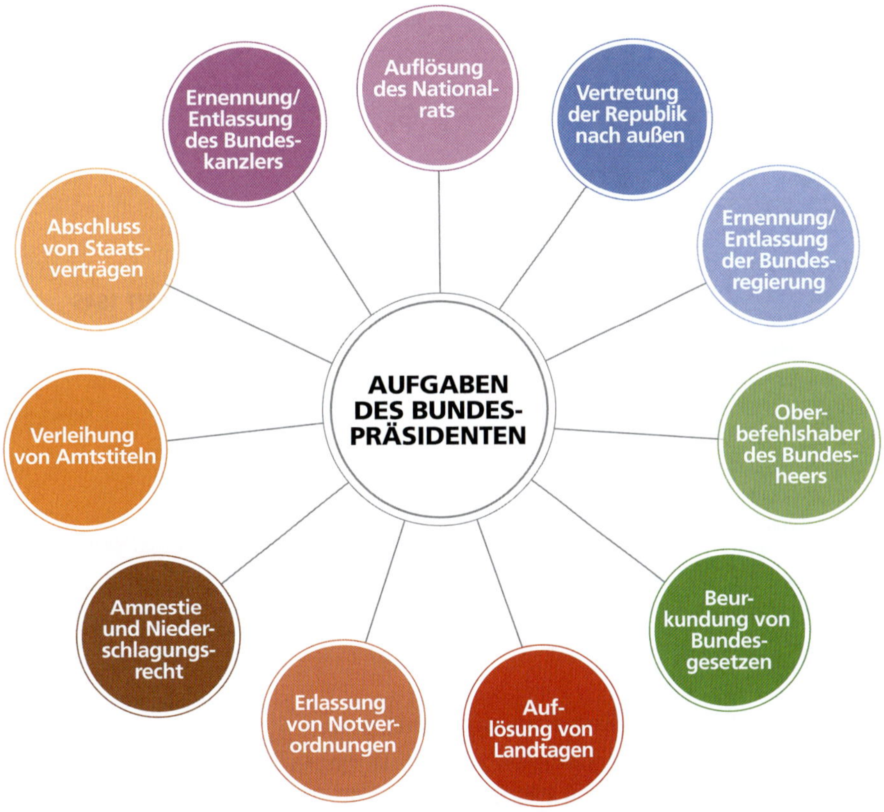

Übungsbeispiel

Ü 2.4: Aufgaben des Bundespräsidenten C

Oftmals ist zu hören, der Bundespräsident in Österreich habe nur repräsentative Aufgaben. Nehmen Sie zu dieser Aussage Stellung und begründen Sie diese.

Die Bundesregierung

Die **Bundesregierung** besteht neben dem Bundespräsidenten und den einzelnen Bundesministern als oberstes Verwaltungsorgan des Bundes. Sie wird gebildet aus

- dem **Bundeskanzler,**
- dem **Vizekanzler** und
- den **Bundesministern.**

Der **Bundeskanzler** ist der Vorsitzende der Bundesregierung, er ist den übrigen Bundesministern aber grundsätzlich gleichgestellt.

Vom Volk werden nur die **Abgeordneten** zum Nationalrat gewählt, nicht die Mitglieder der Bundesregierung.

Die Mitglieder der Bundesregierung werden auf Vorschlag des Bundeskanzlers durch den Bundespräsidenten ernannt. Bei der Ernennung des Bundeskanzlers ist der Bundespräsident frei, es entspricht jedoch der politischen Praxis, den Kandidaten der stimmenstärksten Partei mit der Regierungsbildung zu beauftragen. Nach politischer Einigung auf eine Ministerliste werden die Kandidaten dem Bundespräsidenten vom Bundeskanzler vorgeschlagen. Die Bundesregierung wird üblicherweise nach jeder Nationalratswahl neu gebildet, sie kann aber jederzeit während einer Legislaturperiode umgebildet werden.

Regierungsformen

Regierungsformen

REGIERUNGSFORMEN

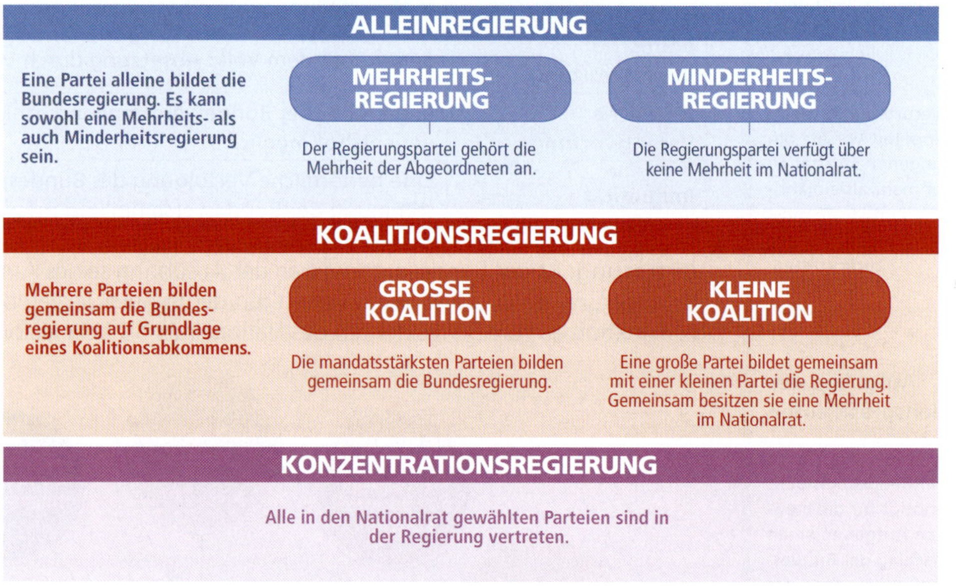

Österreichs Bundeskanzler seit 1945
Karl Renner (1945)
Leopold Figl (1945–1953)
Julius Raab (1953–1961)
Alfons Gorbach (1961–1964)
Josef Klaus (1964–1970)
Bruno Kreisky (1970–1983)
Fred Sinowatz (1983–1986)
Franz Vranitzky (1986–1997)
Viktor Klima (1997–2000)
Wolfgang Schüssel (2000–2007)
Alfred Gusenbauer (2007–2008)
Werner Faymann (2008–2016)
Christian Kern (2016–2017)
Sebastian Kurz (2017–2019)
Brigitte Bierlein (seit 2019)

ÖSTERREICHS REGIERUNGEN SEIT 1945

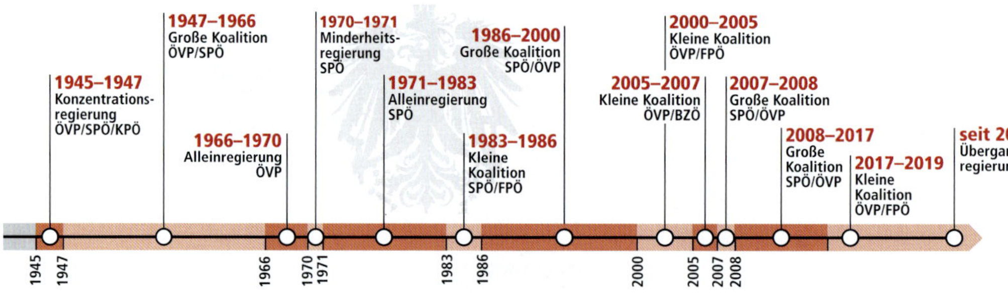

Übungsbeispiel

Ü 2.5: Regierungsformen D

Die verschiedenen Formen der Regierungen bieten jeweils Vor- und Nachteile. Überlegen Sie, was für und was gegen die jeweiligen Regierungskonstellationen sprechen könnte.

Ressort = Zuständigkeitsbereich

Die **Bundesregierung** ist Teil der Vollziehung und kann daher keine Gesetze erlassen!

Aufgaben der Bundesregierung

Die Aufgaben der Bundesregierung werden von den einzelnen **Mitgliedern der Bundesregierung** entsprechend der Ressortverteilung wahrgenommen. Einige Bereiche sind jedoch der Bundesregierung als Kollegialorgan vorbehalten. Die Beschlüsse der Bundesregierung werden in der Regel einstimmig gefasst.

Jeder **Bundesminister** hat ein eigenes Ressort zugewiesen, das er weisungsfrei führt. Er bildet dort das oberste Organ der Bundesverwaltung. Den Bundesministern steht als Behörde das jeweilige Bundesministerium als Unterstützung zur Verfügung.

Zur Unterstützung der Geschäftsführung und zur parlamentarischen Vertretung können den Bundesministern **Staatssekretäre** beigegeben werden. Sie sind an die Weisungen des Bundesministers gebunden und nicht Mitglieder der Bundesregierung.

Gliederung eines Ministeriums

Die **Gliederung eines Ministeriums** sieht wie folgt aus:

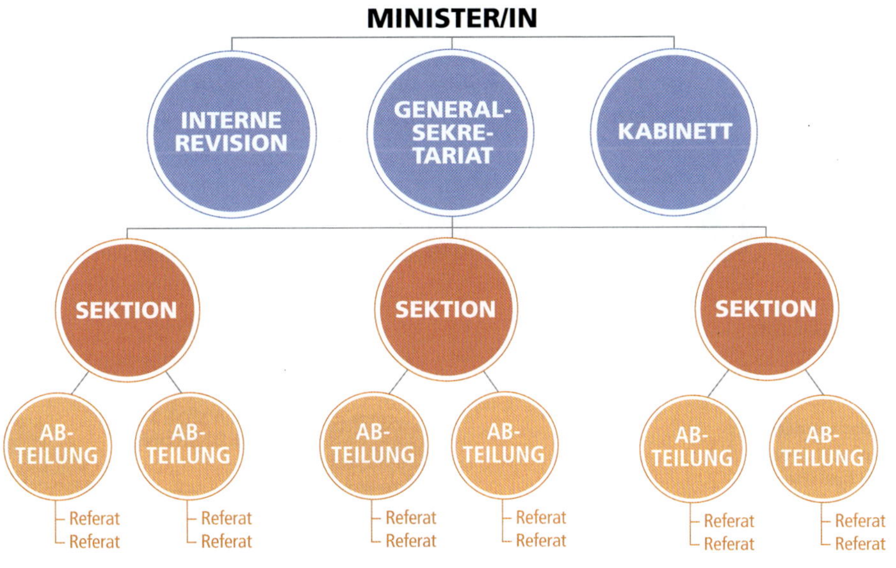

Das **Büro (Kabinett)** ist eine Stabsstelle, die den Minister unterstützt und seine Entscheidungen vorbereitet.

Durch ein **Misstrauensvotum** kann der Nationalrat einzelne Bundesminister oder die gesamte Bundesregierung durch den Bundespräsidenten des Amtes entheben lassen.

SbX

Eine detaillierte Auflistung der Ministerien finden Sie unter der ID: 0251.

Die Zahl der Ministerien sowie ihr Zuständigkeitsbereich sind durch einfaches Bundesgesetz geregelt und bei jeder Neubildung einer Regierung nach einer Nationalratswahl ein wesentlicher Verhandlungsbereich. Aufgrund des Bundesministeriengesetzes gibt es derzeit **14 Ministerien.**

Politisch und rechtlich verantwortlich ist die Bundesregierung dem Nationalrat.

Antwort: Zum Wesen einer Demokratie gehören unterschiedliche Positionen der Parteien zu politischen Themen. Der Bundespräsident greift in das tägliche politische Geschehen nicht ein, er hätte auch keine rechtliche Kompetenz dazu.

Organisation der Bundesverwaltung

Der Vollzug der Bundesverwaltung kann auf zwei verschiedene Arten erfolgen:

Bundesverwaltung	
unmittelbar	**mittelbar**
Der Bund hat hier eigene Behörden geschaffen. Diese Angelegenheiten sind in der Verfassung genau aufgezählt.	Alle anderen Angelegenheiten werden durch den Landeshauptmann und die ihm unterstellten Landesbehörden (Bezirksverwaltungsbehörden) vollzogen. Der Landeshauptmann ist in den Angelegenheiten der mittelbaren Bundesverwaltung an die Weisungen der zuständigen Bundesminister gebunden.
Beispiel: Bundesministerium für Finanzen ↓ Finanzämter	**Beispiel:** Bundesministerium für Digitalisierung und Wirtschaftsstandort ↓ Landeshauptmann ↓ Bezirksverwaltungsbehörde

3 Landesverwaltung

Die Landesverwaltung vollzieht neben Landesgesetzen auch für den Bund Gesetze.

Ich benötige einen neuen Reisepass. Der alte ist abgelaufen und ich habe auch davon gehört, dass nur spezielle Passbilder verwendet werden dürfen und ein Fingerabdruck genommen wird. Wo muss ich einen neuen Pass beantragen, wer stellt ihn aus?

Entsprechend dem bundesstaatlichen Prinzip bestehen neben den gesetzgebenden Organen in den Bundesländern auch eigene Landesverwaltungen. Diese Aufgaben werden in den Bundesländern von den Landesregierungen und Bezirksverwaltungsbehörden wahrgenommen.

Landesregierung

Die **Landesregierung** ist oberstes Organ der Landesverwaltung.

Landesregierung

Das **Amt der Landesregierung** ist eine in jedem Bundesland bestehende Landesbehörde, die unter der Leitung der Landesregierung oder ihrer Mitglieder die Geschäfte führt.

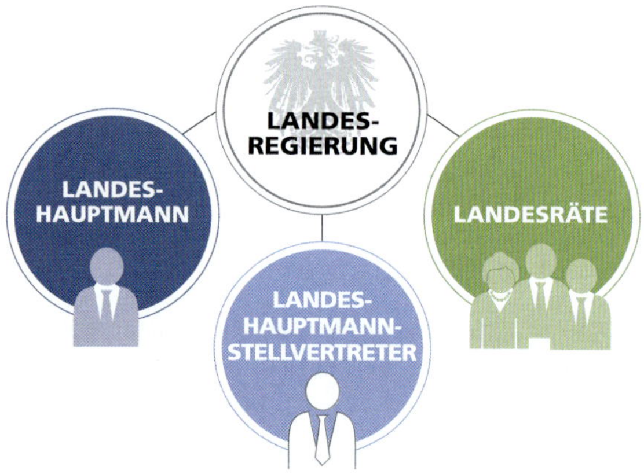

Die Landesregierung wird vom **Landtag** gewählt. Die Zusammensetzung der Landesregierung erfolgt mit Ausnahme von Vorarlberg, Tirol, Salzburg, Steiermark, Burgenland und Kärnten proportional nach der Mandatsverteilung im Landtag (Konzentrationsregierung). Der Landeshauptmann wird vom Bundespräsidenten, die übrigen Mitglieder der Landesregierung werden vom Landeshauptmann angelobt.

Die Mitglieder der Landesregierung sind mit der selbständigen Führung von Ressorts betraut. In Vorarlberg sind dies nur Mitglieder der Mehrheitsfraktion, in Wien sind zwar Vertreter der Opposition als Mitglieder des Stadtsenats (sind hier zugleich Landesräte) vorgesehen, haben aber keinen eigenen Aufgabenbereich.

Landeshauptmann

Mittelbare Bundesverwaltung: Der Bund hat zur Erledigung seiner Aufgaben keine eigenen Organe eingerichtet, sondern überträgt diese Aufgaben an bestimmte Organe der Länder (Bezirksverwaltungsbehörden, Landeshauptmann). Diese sind an die Weisungen der zuständigen Bundesminister gebunden.

Der **Landeshauptmann** hat **vielfältige Aufgaben,** er

- vertritt das Bundesland,
- führt den Vorsitz in der Landesregierung und
- ist Träger der mittelbaren Bundesverwaltung.

Bezirksverwaltungsbehörden

Beispiel Oberösterreich
Jedes Bundesland ist in **politische Bezirke** eingeteilt. Diese sind der Zuständigkeitsbereich der Bezirksverwaltungsbehörden.

Bezirksverwaltungsbehörden

BEZIRKSVERWALTUNGSBEHÖRDEN

Landesregierung
bestellt
↓
Bezirkshauptmann
leitet
↓
Bezirks-hauptmannschaft

Die **Bezirksverwaltungsbehörden** unterstehen in Vollziehung der Landesverwaltung der Landesregierung, in Durchführung der mittelbaren Bundesverwaltung dem Landeshauptmann.

Wichtige **Aufgabenbereiche** der Bezirksverwaltungsbehörden sind u. a.:

- Ausstellung von Reisepässen, Personalausweisen, Führerscheinen
- Amtsvormundschaft, Jugendschutz
- Aufgaben des Gesundheitswesens (Amtsarzt)
- Veterinärpolizei (Amtstierarzt)
- Ausstellung der Gewerbeberechtigung
- Genehmigung von Betriebsanlagen
- Forstaufsicht

Antwort: Neue Reisepässe können entweder bei der Wohnsitzgemeinde oder bei den Bezirksverwaltungsbehörden beantragt werden. Das neue Foto soll der Fälschungssicherheit dienen und muss strengen Kriterien entsprechen (www.passbildkriterien.at). Zusätzlich werden bei Personen ab dem 12. Lebensjahr mithilfe von elektronischen Fingerabdruckscannern die Fingerabdrücke erfasst. Der Scanner macht dabei Bilder von zwei Fingern (in der Regel von den Zeigefingern), die dann auf einem Chip im Pass gespeichert werden. Ausgestellt wird der Reisepass von der Bezirksverwaltungsbehörde.

4 Selbstverwaltung
Dezentrale Verwaltung durch eigene Rechtsträger

Ich ärgere mich über den mangelhaften Zustand der Zufahrtsstraße zu meiner Wohnung. Durch das Überfahren eines Schlagloches ging der Stoßdämpfer an meinem Auto kaputt. Wer ist dafür verantwortlich?

Grundgedanke der Selbstverwaltung ist, dass die unmittelbar Betroffenen einen maßgeblichen Einfluss auf die Wahrnehmung sie unmittelbar berührender öffentlicher Aufgaben haben sollen. **Selbstverwaltung** findet in Österreich statt in Form von

- **kommunaler Selbstverwaltung** (Gemeinden),
- **beruflicher Selbstverwaltung** (Kammern),
- **sozialer Selbstverwaltung** (Sozialversicherungsträger),
- **kultureller Selbstverwaltung** (Universitäten).

Gemeindeverwaltung

Der Begriff **Ortsgemeinde** deutet darauf hin, dass Gemeinden als Gebietskörperschaft einen territorialen Zuständigkeitsbereich haben.

Alle Gemeinden in Österreich sind grundsätzlich Ortsgemeinden, wobei Unterschiede in der Größe oder Finanzkraft für die rechtliche Stellung keine Bedeutung haben. Auch Bezeichnungen wie Marktgemeinde oder Stadtgemeinde sind rechtlich bedeutungslos.

Organe der Gemeinde

- Gemeinderat:
  Er wird von den Gemeindebürgern nach den allgemeinen Wahlrechtsgrundsätzen gewählt, wobei auch in der Gemeinde lebende EU-Bürger das aktive und passive Wahlrecht besitzen. Der Gemeinderat ist beschließendes und überwachendes Organ. Er kann keine Gesetze, sondern Verordnungen beschließen.

In Städten führt der Gemeindevorstand die Bezeichnung **Stadtrat,** in Städten mit eigenem Statut **Stadtsenat.**

- Gemeindevorstand:
  Er ist ein kollegiales Organ und wird vom Gemeinderat gewählt. Die im Gemeinderat vertretenen Parteien haben entsprechend ihrer Stärke Anspruch auf Vertretung. Er bildet eine Art Gemeinderegierung und kann nach dem Ressortprinzip eingerichtet werden.

Das **Gemeindeamt,** in Städten mit eigenem Statut der **Magistrat,** steht den Gemeindeorganen als Hilfsapparat zur Verfügung.

- Bürgermeister:
  Er wird je nach Landesverfassung entweder vom Gemeinderat oder von den Gemeindebürgern direkt gewählt. Bei Direktwahl gilt das Mehrheitswahlrecht. Der Bürgermeister vertritt die Gemeinde nach außen und ist das leitende Vollzugsorgan der Gemeinde.

Aufgabenbereiche der Gemeinde

Den Gemeinden ist nach der Verfassung ein eigener und ein übertragener Wirkungsbereich zugewiesen.

Beispiel: Für die Schneeräumung auf Gemeindestraßen ist die Gemeinde zuständig. Sie haftet für Unfälle aufgrund mangelnder Streuung.

- eigener Wirkungsbereich
  Dieser umfasst alle Angelegenheiten, die im ausschließlichen oder überwiegenden Interesse der Gemeindebevölkerung liegen und von den Gemeindeorganen besorgt werden können.

Eigener Wirkungsbereich

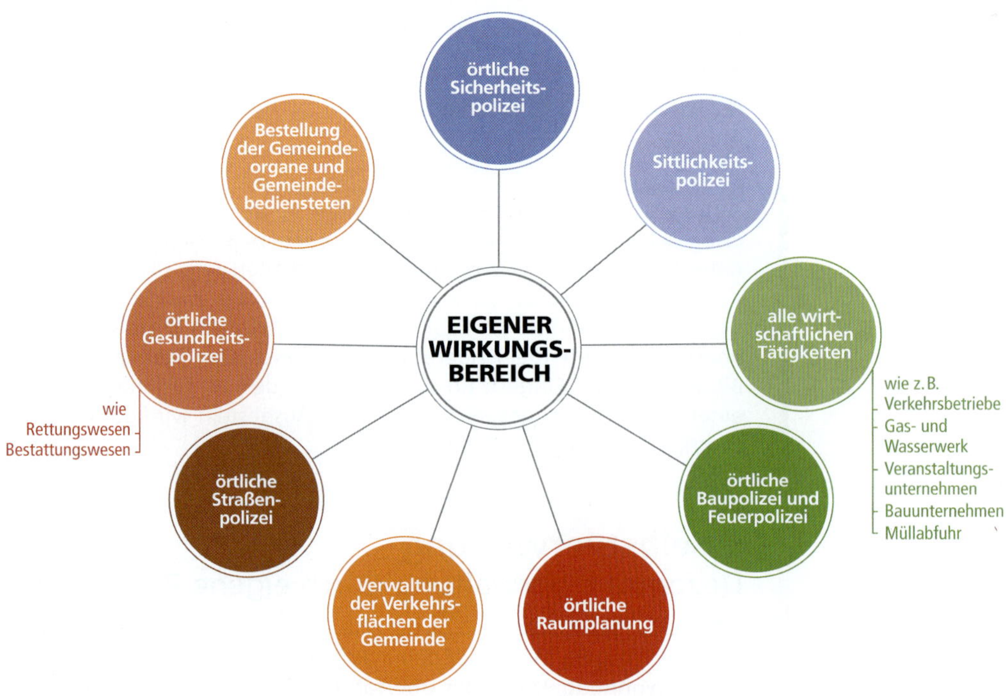

Beispiel: Die Durchführung von Nationalratswahlen obliegt den Gemeinden, ebenso die Führung des Meldewesens.

- übertragener Wirkungsbereich

  Die Gemeindeorgane haben nach Auftrag und Weisung des Bundes bzw. der Länder Verwaltungsaufgaben wahrzunehmen. Zuständig ist der Bürgermeister, der hier den Weisungen der übertragenden Behörde unterliegt.

Finanzen der Gemeinden

Die Einnahmen einer Gemeinde ergeben sich im Wesentlichen aus:

- gemeindeeigenen Steuern (Gemeindesteuern sind z. B. Grundsteuer, Kommunalsteuer, Hundeabgabe, Vergnügungssteuer.)
- Anteilen an den gemeinschaftlichen Bundessteuern (Gemeinschaftliche Bundessteuern sind z. B. Einkommensteuer, Umsatzsteuer, Körperschaftsteuer.)
- Bedarfszuweisungen durch die Länder

Antwort: Für den Zustand der Zufahrtsstraße als Gemeindestraße ist die Gemeinde verantwortlich. Bei grobem Verschulden kann sie daher schadenersatzpflichtig werden.

5 Verwaltungsverfahren

Ein geordnetes Vorgehen der Behörden soll Willkür verhindern.

Ich überlege, irgendwann ein Haus zu bauen. Ein eigenes Heim wäre mein großes Ziel. Ich habe gehört, dass man dafür eine Reihe von Genehmigungen braucht. Wie kommt man zu diesen, welche Unterlagen müsste ich vorlegen?

Die Verwaltungsbehörden haben im Rahmen ihres Aufgabenbereiches nach bestimmten Regeln vorzugehen. Diese Spielregeln finden sich im **Verwaltungsverfahrensrecht.**

Allgemeines Verwaltungsverfahren

Zuständigkeit

Rechtsquelle: Allgemeines Verwaltungsverfahrensgesetz 1991 BGBl. 1991/51

Die **Zuständigkeit einer Behörde** ist gesetzlich geregelt (feste Zuständigkeitsverteilung). Eine Übertragung der Zuständigkeit **(Delegation)** ist nur möglich, wenn sie in einem Gesetz vorgesehen ist.

Beispiel: Bei Betriebsanlagengenehmigungen ist gemäß der Gewerbeordnung die Bezirksverwaltungsbehörde die Behörde 1. Instanz. Örtlich ist jene Behörde zuständig, in deren Zuständigkeitsbereich der Betrieb seinen Sitz hat.

Die Verwaltungsbehörden haben die Zuständigkeit von Amts wegen wahrzunehmen, durch Parteienvereinbarungen kann die Zuständigkeit einer Behörde weder begründet noch geändert werden.

Welche Behörde konkret zuständig ist **(sachliche Zuständigkeit),** richtet sich nach dem materiellen Recht. Auch die Frage, welche Behörde einer Verwaltungsebene zuständig ist **(örtliche Zuständigkeit),** ist grundsätzlich in den materiellen Vorschriften enthalten. Wenn keine Regelung besteht, bestimmt sich die Zuständigkeit entweder nach der Lage des Grundstückes, dem Ort des Betriebes oder dem Wohnsitz des Beteiligten.

Parteien

Parteien sind **Personen,** die aufgrund eines Rechtsanspruches oder eines rechtlichen Interesses **an einem Verwaltungsverfahren beteiligt sind.**

Beispiel: Derjenige, der einen Antrag auf Genehmigung einer Betriebsanlage einbringt, ist **Partei.**

Nur **Parteien** haben in einem Verwaltungsverfahren **bestimmte Rechte:**

- Akteneinsicht
- Parteiengehör
- Ablehnung eines nicht amtlichen Sachverständigen
- Verkündung oder Zustellung eines Bescheides
- Erhebung von Rechtsmitteln

Vergleichen Sie dazu Personenrecht, Kapitel 6, Lerneinheit 2.

Um **Partei** in einem Verfahren sein zu können, müssen **folgende Voraussetzungen** vorliegen:

Rechtsfähigkeit	Handlungsfähigkeit
Eine Person ist Träger von Rechten und Pflichten.	Eine Person kann durch eigenes Handeln Rechte und Pflichten erwerben.
begründet die Parteifähigkeit, d.h. die Fähigkeit, Träger von prozessualen Rechten und Pflichten zu sein	begründet die Prozessfähigkeit, d.h. die Fähigkeit, durch eigene Handlungen prozessuale Rechte und Pflichten zu begründen

Verwaltungsverfahren

Ablauf eines Verwaltungsverfahren

VERWALTUNGSVERFAHREN

Offizialmaxime: Im Einleitungs- und Ermittlungsverfahren herrscht amtswegiger Prozessbetrieb.

Einleitungsverfahren

Die Einleitung erfolgt entweder durch

- Antrag einer Partei (z.B. Ansuchen um eine Gewerbeberechtigung oder Baubewilligung)
- von Amts wegen (z.B. nichtgenehmigte Bauführung)

Ermittlungsverfahren

Zweck des Ermittlungsverfahrens ist es, den für die Erledigung einer Verwaltungssache maßgeblichen Sachverhalt festzustellen. Dabei soll auch den Parteien Gelegenheit zur Geltendmachung ihrer Rechte gegeben werden.

Grundsatz der materiellen Wahrheit; Grundsatz der freien Beweiswürdigung

Soweit die Verwaltungsvorschriften nichts anderes vorsehen, kann eine mündliche Verhandlung durchgeführt werden.

Grundsatz der Unbeschränktheit der Beweismittel

Das **Beweisverfahren** ist jener Teil des Ermittlungsverfahrens, der der Feststellung des maßgebenden Sachverhalts dient. Die Behörde hat zu bestimmen, was zu beweisen ist, und für die Beschaffung der Beweise zu sorgen. Die Behörde hat unter Berücksichtigung aller Beweise nach freier Überzeugung zu beurteilen, welcher Sachverhalt als erwiesen angenommen werden kann.

Als Beweismittel kommt alles in Betracht, was zur Feststellung des Sachverhalts geeignet ist. Beweise können auch von anderen Behörden aufgenommen werden.

Wesentliche Beweismittel sind:

- Urkunden (Erklärungen in Schriftform)
- Zeugen (Eine Weigerung zur Aussage ist aus bestimmten Gründen möglich.)
- Sachverständigenbeweis (erhebt Tatsachen und zieht aufgrund besonderer Fachkenntnis Schlussfolgerungen = Gutachten)
- Augenschein (sinnliche Wahrnehmungen von Organen zu Beweiszwecken)
- Beteiligtenvernehmung (Aussagen der Parteien)

Zeugen sind verpflichtet, eine wahrheitsgemäße und vollständige Aussage zu machen. Eine Verweigerung der Aussage ist möglich, wenn dadurch ein Vermögensnachteil oder eine strafgerichtliche Verfolgung für den Zeugen oder seine Verwandten zu erwarten wäre. Bei unentschuldigtem Fernbleiben trotz Ladung entsteht eine Kostenersatzpflicht.

Falsche Zeugenaussagen sind gemäß § 289 StGB gerichtlich strafbar.

Erledigungsverfahren

Regelmäßig wird ein Verwaltungsverfahren durch die **Erlassung eines Bescheides** beendet. Eine andere Möglichkeit der Beendigung wäre die Einstellung z. B. durch Zurückziehung des Antrags durch eine Partei.

Je nach Inhalt werden Bescheide folgendermaßen eingeteilt:

Ein **Bescheid** muss bestimmte Bestandteile aufweisen.

SbX
Ein Muster eines Bescheides finden Sie unter der ID: 0251.

Bestandteile von Bescheiden	
Adressat	
Bezeichnung „Bescheid"	
Spruch	Gibt den Inhalt wieder. Nur der Spruch erlangt rechtliche Geltung und nur die im Spruch angeführte Rechtsfolge ist vollstreckbar.
Begründung	Bescheide sind zu begründen, außer dem Standpunkt der Partei wurde vollinhaltlich Rechnung getragen.
Bezeichnung	Bezeichnung der erlassenden Behörde
Rechtsmittelbelehrung	Gibt an, ob, bei welcher Behörde und innerhalb welcher Frist ein Rechtsmittel ergriffen werden kann.

DIGITALES ÖSTERREICH

Unter dem Begriff „E-Government" bietet die österreichische Verwaltung eine Vielzahl von Diensten und Serviceleistungen im Internet an. Dadurch haben die Bürger die Möglichkeit, weitgehend unabhängig von Ort und Zeit Anträge elektronisch zu stellen oder mit der Verwaltung elektronisch zu kommunizieren. **www.digitales.oesterreich.gv.at**

Rechtswirkungen eines Bescheids

- **Unanfechtbarkeit:** Bedeutet, dass Bescheide grundsätzlich nicht mehr bekämpft werden können **(formelle Rechtskraft).**
- **Unwiderrufbarkeit:** Bescheide können von der Behörde nicht mehr aufgehoben, geändert oder für nichtig erklärt werden **(materielle Rechtskraft).**
- **Unwiederholbarkeit:** Die mit dem Bescheid erledigte Sache kann nicht neuerlich entschieden werden.
- **Verbindlichkeit:** Das, was im Bescheid ausgesprochen wurde, ist sowohl für die Partei als auch die Behörde verbindlich.
- **Vollstreckbarkeit:** Leistungsbescheide sind mittels Exekution durchsetzbar.

Rechtskraft setzt voraus:

- Verzicht auf Rechtsmittel oder
- Zurückziehung eines Rechtsmittels oder
- Erlassung eines letztinstanzlichen Bescheides oder
- ungenutzter Ablauf der Rechtsmittelfrist

Rechtsschutz

Jede Partei, die glaubt, dass ein Bescheid nicht rechtmäßig ist, kann gegen diesen das Rechtsmittel der Beschwerde einlegen.

Beispiel: Ein Bescheid wird am Dienstag, 5.8., zugestellt. Die Beschwerdefrist beträgt 4 Wochen. Wenn am Donnerstag, 4.9., Beschwerde erhoben wird, wird diese als verspätet zurückgewiesen.

Instanzenzug

Nur Parteien haben das Recht, ein Rechtsmittel zu erheben.

Instanzenzug

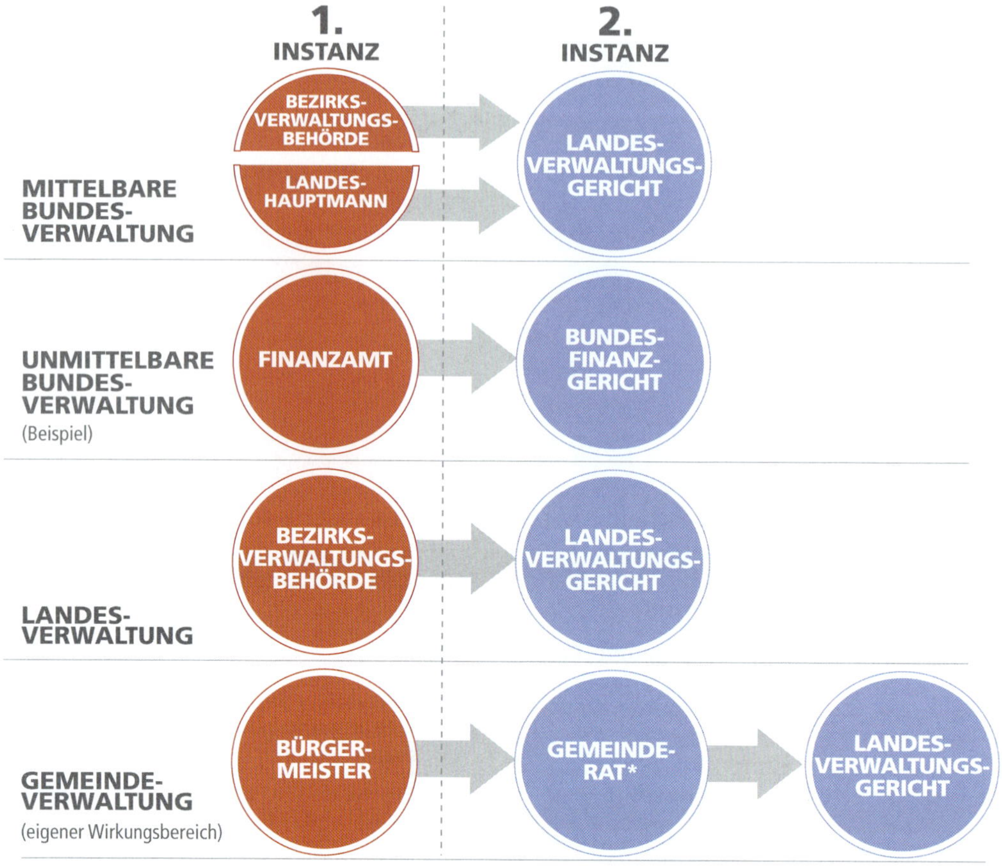

Bezirksverwaltungsbehörden sind der Bezirkshauptmann sowie der Bürgermeister in Städten mit eigenem Statut.

* Länder können beschließen, dass sofort nach der 1. Instanz eine Beschwerde an das Landesverwaltungsgericht erhoben werden kann (Beispiel: Tirol).

Beschwerde

Eine Beschwerde ist das ordentliche Rechtsmittel gegen Bescheide. Eine Beschwerde ist schriftlich einzubringen und hat zu enthalten:

- **Bezeichnung** des Bescheides
- **Begründung:** z. B. Rechtswidrigkeit, unrichtige Beweiswürdigung. Es besteht kein Neuerungsverbot, es können daher auch neue Beweise und Tatsachen vorgebracht werden.
- **Begehren:** Antrag, den Bescheid aufzuheben oder abzuändern

Die **Beschwerdefrist** beträgt üblicherweise 4 Wochen. Eine Beschwerde hat bei rechtzeitiger Einbringung aufschiebende Wirkung, diese kann jedoch von der Behörde ausgeschlossen werden.

Beschwerdevorentscheidung

Die Behörde, die den Bescheid erlassen hat, kann binnen 2 Monaten die Beschwerde durch Beschwerdevorentscheidung erledigen. Jede Partei kann aber binnen 2 Wochen nach Zustellung der Berufungsvorentscheidung den Antrag stellen, dass die Beschwerde dem Verwaltungsgericht vorgelegt werden muss.

Antwort: Zur Errichtung eines Hauses benötigt Marco eine Baugenehmigung von der Gemeinde, in der das Grundstück liegt. Es wird ein Verwaltungsverfahren durchgeführt. Welche Unterlagen er benötigt (Baupläne etc.), bestimmt die jeweilige Bauordnung der Länder.

Verwaltungsstrafverfahren

Rechtsquelle: Verwaltungsstrafgesetz VStG 1991, BGBl. 1991/52

In vielen Verwaltungsgesetzen sind Verwaltungsstraftatbestände enthalten, bei deren Übertretung die Behörden mit Verwaltungsstrafen vorzugehen haben.

Beispiele:
Verstöße gegen
- Straßenverkehrsordnung
- Meldegesetz
- Naturschutz
- Jugendschutz

1. Strafen

An Strafen sind vorgesehen:

- **Geldstrafen** (mindestens € 7,–, die Obergrenzen ergeben sich aus den jeweiligen Verwaltungsstrafgesetzen)
- **Freiheitsstrafen** dürfen nur aus spezialpräventiven Zwecken verhängt werden und zwischen 12 Stunden und 2 Wochen dauern. Bei besonderen Gründen dürfen längere Strafen verhängt werden, die absolute Obergrenze beträgt 6 Wochen.

Spezialprävention: Strafzweck ist, den Täter von der Begehung weiterer strafbarer Handlungen abzuhalten.

Verjährung: Die Verfolgung einer Person ist unzulässig, wenn gegen sie binnen 6 Monaten ab Begehung der Tat keine Verfolgungshandlung (Vorladung, Strafverfügung etc.) vorgenommen worden ist. Nach 3 Jahren ist eine Bestrafung jedenfalls unzulässig.

2. Zuständigkeit

Den Bezirksverwaltungsbehörden oder den Bundespolizeidirektionen im Rahmen ihres Wirkungsbereiches steht die Untersuchung und Bestrafung der Verwaltungsübertretungen zu. Örtlich zuständig ist jene Behörde, in deren Amtssprengel die Verwaltungsübertretung begangen wurde.

3. Ordentliches Verfahren

Es gelten die allgemeinen Vorschriften des Verwaltungsverfahrens.

Sieht die Behörde nicht schon aufgrund der Anzeige oder der darüber durchgeführten Erhebungen von der Verfolgung ab, hat sie dem Beschuldigten Gelegenheit zur Rechtfertigung (schriftlich oder mündlich) zu geben. Dabei ist die zur Last gelegte Tat deutlich zu bezeichnen.

Die Behörde hat von der Fortführung eines Strafverfahrens abzusehen, wenn die dem Beschuldigten zur Last gelegte Tat nicht erwiesen werden kann.

Ich habe einen Strafzettel wegen Falschparkens an der Windschutzscheibe meines Autos gefunden. Leider habe ich ihn verlegt und jetzt erst nach 4 Wochen wiedergefunden. Wie soll ich mich verhalten?

4. Erledigung eines Strafverfahrens

SbX Ein Muster eines Straferkenntnisses finden Sie unter der ID: 0251.

Straferkenntnis

Das Straferkenntnis stellt die durch Bescheid erfolgte Beendigung des Strafverfahrens dar. Darin enthalten sind die als erwiesen angenommene Tat, die verhängte Strafe und die angewendete Gesetzesbestimmung.

Abgekürzte Verfahren

Um die Vielzahl an Verwaltungsstrafverfahren zu beschleunigen, wurden abgekürzte Verfahren eingeführt.

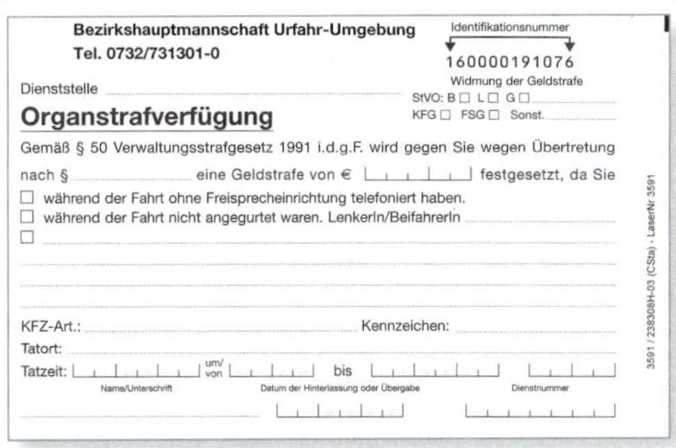

Bezirkshauptmannschaft Urfahr-Umgebung
Tel. 0732/731301-0

Identifikationsnummer 160000191076
Widmung der Geldstrafe
StVO: B ☐ L ☐ G ☐
KFG ☐ FSG ☐ Sonst.

Dienststelle

Organstrafverfügung

Gemäß § 50 Verwaltungsstrafgesetz 1991 i.d.g.F. wird gegen Sie wegen Übertretung nach § ______ eine Geldstrafe von € ______ festgesetzt, da Sie

☐ während der Fahrt ohne Freisprecheinrichtung telefoniert haben.
☐ während der Fahrt nicht angegurtet waren. LenkerIn/BeifahrerIn
☐

KFZ-Art.: Kennzeichen:
Tatort:
Tatzeit: um/von bis

Name/Unterschrift — Datum der Hinterlassung oder Übergabe — Dienstnummer

3591 / 238308H-03 (CSta) - LaserNr 3591

- **Organstrafverfügung** („Strafzettel")

  Polizisten sind ermächtigt, wegen Verwaltungsübertretungen mit Organstrafmandaten Geldstrafen einzuheben, wenn der Täter auf frischer Tat ertappt wird. Die Höhe der Geldstrafe ist mit € 90,– begrenzt, es sei denn, die Verwaltungsgesetze sehen anderes vor.

  Wird die Strafe binnen 2 Wochen nicht bezahlt, ist die Organstrafverfügung gegenstandslos und ein ordentliches Verwaltungsstrafverfahren wird eingeleitet.

Organe sind verpflichtet, auf Verlangen die Ermächtigung zur Einhebung der Strafe vorzuweisen.

Der Vorteil einer Organstrafverfügung liegt darin, dass die betref-

Beispiel: Bei Geschwindigkeitsübertretungen mit dem Pkw kann man annehmen, dass der Zulassungsbesitzer des Pkw den Täter kennt. Es wird daher dem Zulassungsbesitzer die Strafe vorgeschrieben.

Die Strafe darf in dem Strafbescheid jedoch nicht höher sein als in der Strafverfügung (Verschlechterungsverbot).

- **Anonymverfügung**

  Bei gewissen Verwaltungsübertretungen ist von der Ausforschung des unbekannten Täters abzusehen und die Strafe jener Person vorzuschreiben, von der die Behörde mit Grund annehmen kann, dass sie den Täter kennt oder leicht feststellen kann. Wird die Strafe bezahlt, so wird auch hier kein weiteres Verfahren durchgeführt und es erfolgt keine Registrierung. Der Höchstbetrag der Strafe beträgt € 365,–.

  Bei Verweigerung der Zahlung binnen 4 Wochen ist ein Verwaltungsstrafverfahren einzuleiten. Es ist demnach kein Rechtsmittel zulässig und auch nicht erforderlich.

- **Strafverfügung**

  Erfolgt eine Anzeige bei einer Verwaltungsbehörde, so kann diese ohne Ermittlungsverfahren und ohne Anhörung eine Geldstrafe bis € 600,– festsetzen. Gegen eine Strafverfügung kann binnen 2 Wochen Einspruch erhoben werden. Dadurch wird ein ordentliches Verfahren eingeleitet.

SbX
Ein Muster einer Strafverfügung finden Sie unter der ID: 0251.

Rechtsschutz

Beschwerde

Im Verwaltungsstrafverfahren steht den Parteien das Recht der Beschwerde an das Landesverwaltungsgericht zu. Landesverwaltungsgerichte bestehen in jedem Bundesland. Aufgrund einer vom Beschuldigten eingebrachten Beschwerde darf bei Abweisung der Beschwerde keine höhere Strafe verhängt werden.

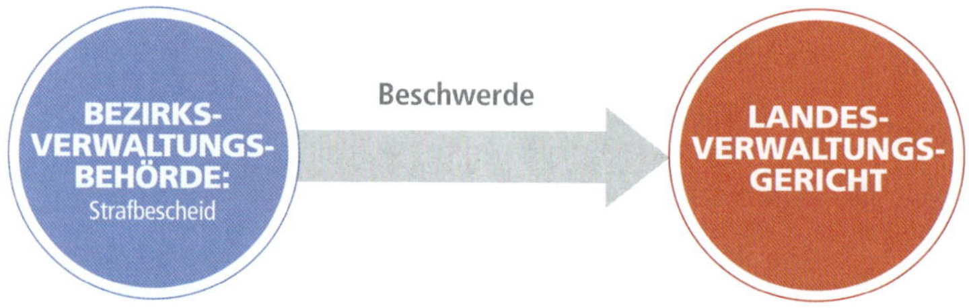

Antwort: Katharina hat die Frist zur Bezahlung des Organstrafmandats ungenutzt verstreichen lassen. Dadurch wird seitens der ausstellenden Behörde eine Anzeige erstattet und ein ordentliches Verwaltungsstrafverfahren eingeleitet.

Sichern & Merken

SbX ID: 0252

Hoheitsverwaltung, Privatwirtschaftsverwaltung

Sind Organe der Verwaltung mit Befehls- und Zwangsgewalt ausgestattet, spricht man von **Hoheitsverwaltung.** Sind diese Organe wie Privatpersonen tätig, nennt man dies **Privatwirtschaftsverwaltung.**

Organe der Bundesverwaltung

Oberste Organe der Bundesverwaltung sind der **Bundespräsident** und die **Bundesregierung.**

Bundespräsident

Der **Bundespräsident** ist das Staatsoberhaupt in Österreich. Die Wahl erfolgt unmittelbar durch das Volk, die Amtszeit beträgt 6 Jahre, eine einmalige Wiederwahl ist möglich. Die Kompetenzen sind sehr vielfältig und gehen über Repräsentativfunktionen hinaus.

Bundesregierung

Die **Bundesregierung** wird aus dem Bundeskanzler, dem Vizekanzler und den Bundesministern gebildet. Die Ernennung erfolgt durch den Bundespräsidenten.

Landesregierung

Die **Landesregierung** ist das oberste Organ der Landesverwaltung und wird gebildet aus dem Landeshauptmann, den Stellvertretern und den Landesräten.

Bezirksverwaltungsbehörden

Bezirksverwaltungsbehörden sind Magistrate (in Statutarstädten), sonst Bezirkshauptmannschaften.

Organe der Gemeindeverwaltung

Die **Gemeinden** werden verwaltet von

- Gemeinderat
- Gemeindevorstand
- Bürgermeister

Parteien

Unter **Parteien** versteht man Personen, die aufgrund eines Rechtsanspruches oder eines rechtlichen Interesses an einer Verwaltungssache beteiligt sind.

Bescheid

Verwaltungsverfahren werden in der Regel durch **Bescheide** beendet. Diese Bescheide haben Rechtswirkungen zur Folge.

Verwaltungsstrafverfahren

Bei Verletzung von Verwaltungsgesetzen sind von den Behörden **Verwaltungsstrafen** in einem eigenen Verfahren festzusetzen.

SbX ID: 0252

Im SbX finden Sie eine Bildschirmpräsentation mit den Grafiken dieser Lerneinheit.

Wissen & Können

SbX ID: 0253

A B C D E

SbX
W 2.34
mit automatischer Aufgabenkontrolle
ID: 0253

W 2.34: Verwaltungsebenen B

Geben Sie an, ob folgende Aussagen richtig oder falsch sind. Ist die Aussage falsch, korrigieren Sie diese.

	R/F	Korrektur
Der Bundespräsident wird vom Volk gewählt.		
Der Bundespräsident ist niemandem gegenüber verantwortlich.		
Die Bundesregierung besteht aus Bundeskanzler, Vizekanzler und Bundesministern.		
Die Landesregierung wird von den Landesbürgern gewählt.		
Bezirksverwaltungsbehörden sind nur die Bezirkshauptmannschaften.		
Organe der Gemeinde sind der Gemeinderat, Bürgermeister und das Gemeindeamt.		
Die Gemeinde hat nur Aufgaben des eigenen Wirkungsbereichs auszuführen.		

W 2.35: Zuständigkeiten B

Entscheiden Sie, welche Behörde zuständig ist.

Vorgang	Behörde
Baugenehmigung	
amtsärztliche Untersuchung	
Betrieb eines öffentlichen Freibades	
Anordnung von Aufräumarbeiten in Wäldern nach Sturmkatastrophen	
Durchführung von Bundespräsidentenwahlen	

W 2.36: Verwaltungsverfahren C

Nach erfolgreich bestandener Matura an einer höheren Schule und einem zweijährigen Auslandsaufenthalt möchte Gerald seinen Traum von der Selbständigkeit verwirklichen und eine Bar eröffnen.

a) An welche Behörde muss er sich wenden?

b) Haben die Nachbarn der Bar irgendwelche Möglichkeiten, Einwendungen geltend zu machen?

c) Die Führung der Bar wird nur sehr eingeschränkt erlaubt. Welche rechtlichen Möglichkeiten stehen Gerald offen?

W 2.37: Parteien A

Erklären Sie die besonderen Rechte, die Parteien in einem Verwaltungsverfahren haben.

W 2.38: Einleitung eines Verwaltungsverfahrens A

Die Einleitung eines Verwaltungsverfahrens erfolgt entweder durch

__________ oder __________.

W 2.39: Beweismittel A

Nennen Sie die klassischen Beweismittel in einem Verfahren.

W 2.40: Rechtschutz B

Welche Teile muss eine Beschwerde enthalten?

W 2.41: Ende eines Verwaltungsverfahrens A

Wodurch wird ein Verwaltungsstrafverfahren beendet?

W 2.42: Abgekürzte Verfahren A

Welche abgekürzten Verfahren gibt es bei Verwaltungsübertretungen?

W 2.43: Anonymverfügung C

Die 18-jährige Probeführerscheinbesitzerin Anna fährt mit dem Auto ihres Vaters zu schnell und wird vom Radar geblitzt. Einige Wochen später erhält ihr Vater eine Anonymverfügung mit der entsprechenden Geldstrafe.

a) Kann der Vater, da er ja nicht gefahren ist, die Anonymverfügung einfach missachten?
b) Muss er ein Rechtsmittel einlegen?
c) Skizzieren Sie den weiteren Ablauf des Verfahrens unter Ausnützung aller rechtlichen Möglichkeiten.

W 2.44: Rechtsmittelverfahren A

An wen ist eine Beschwerde gegen ein Straferkenntnis der Bezirksverwaltungsbehörde zu richten?

SbX
W 2.45
mit automatischer Aufgabenkontrolle
ID: 0253

W 2.45: Bescheide B

Entscheiden Sie, ob folgende Aussagen richtig oder falsch sind.

	R/F	Korrektur
Ein Bescheid ist eine Entscheidung eines Gerichtes.		
Bescheide müssen nicht beachtet werden.		
Bescheide können jederzeit abgeändert werden.		
Bescheide sind vollstreckbar.		
Gegen einen Bescheid ist grundsätzlich ein Rechtsmittel zulässig.		

SbX
W 2.46
mit automatischer Aufgabenkontrolle
ID: 0253

Weitere Aufgabe im SbX

W 2.46: Lösen Sie ein Kreuzworträtsel zum Thema Verwaltung. B

Ein kurzer Kompetenz-Check, bevor's weitergeht!

Kompetenz-Check

	☺	😐	☹
Ich kann die verschiedenen Verwaltungsebenen unterscheiden.			
Ich kann Aufgabenbereiche den Verwaltungsbehörden nach Zuständigkeiten zuordnen.			
Ich kann ein Schreiben einer Behörde als Bescheid erkennen.			
Ich kann eine Beschwerde gegen einen Bescheid formulieren.			
Ich kenne die verschiedenen Arten von Verwaltungsstrafverfahren.			
Ich kann den Instanzenzug benennen.			

Lerneinheit 6

Gerichtsbarkeit

Die Gerichtsbarkeit ist neben der Verwaltung Teil der Vollziehung. Sie unterscheidet sich aber wesentlich von der Verwaltung. Im Sinne der Gewaltenteilung müssen die Verwaltung und die Gerichtsbarkeit voneinander getrennt sein.

In dieser Einheit lernen Sie die wesentlichen Grundsätze der Gerichtsbarkeit in Österreich kennen.

Grundsätze der Gerichtsbarkeit

Die Grundsätze sollen das Vertrauen in die Gerichtsbarkeit angesichts der Tragweite der Entscheidungen stärken.

Die Gerichtsbarkeit ist neben der Verwaltung für die Vollziehung der Gesetze zuständig.

Besondere Merkmale der Gerichtsbarkeit sind:

1. **Richterliche Unabhängigkeit**: Richter sind bei der Ausübung ihres Amtes nur an die Verfassung und Gesetze gebunden. Garantiert wird diese Unabhängigkeit der Rechtssprechung durch die drei richterlichen Garantien:

Richterliche Unabhängigkeit

Staatsanwälte unterstehen den Weisungen des Bundesministers bzw. der Bundesministerin für Justiz. Es wird daher oftmals die Schaffung einer unabhängigen Anklagebehörde gefordert.

2. **Anklageprinzip:** In Strafverfahren ist die Funktion des Richters von der des Anklägers (Staatsanwalt) getrennt. Erst wenn eine Anklage erhoben wird, kann auch ein Strafprozess durchgeführt werden.
3. Die Gerichtsbarkeit ist **von der Verwaltung** in allen Instanzen **getrennt.**
4. Die Gerichtsbarkeit ist **Bundessache,** d. h., es gibt keine eigenen Gerichte der Länder.
5. Es besteht eine **Mitwirkung des Volkes** an der Rechtsprechung: Speziell im Strafprozess erfolgt die Urteilsfindung durch **Schöffen** und **Geschworene.**

Die Bezeichnung Landesgericht ist daher irreführend.

(Nähere Inhalte zur Zivil- und Strafgerichtsbarkeit siehe Kapitel 8 und 9.)

Lerneinheit 7

Kontrolle

SbX
Alle SbX-Inhalte zu dieser Lerneinheit finden Sie unter der ID: 0270.

Die Trennung in die drei Staatsgewalten soll einen Machtmissbrauch verhindern. Dazu gehört auch eine gegenseitige Kontrolle, um das Vertrauen der Bürger in einen Staat zu festigen. Speziell dort, wo der Kontakt des Bürgers mit den Staatsorganen am größten ist, ist Kontrolle am wichtigsten.

Lernen & Üben

A B C D E

1 Politische Kontrolle

Auch oberste Verwaltungsorgane unterliegen einer Kontrolle.

Ich habe in den Medien von der Möglichkeit eines Untersuchungsausschusses gehört. Welchen Zweck verfolgen Untersuchungsausschüsse und was können sie bewirken?

Die Organe der Gesetzgebung (Nationalrat, Bundesrat oder Landtage) können die Vorgangsweise der Regierung (der Minister, Landesräte) überwachen oder Wünsche äußern. Die politische Kontrolle bezieht sich in erster Linie auf die obersten Verwaltungsorgane. Da die wesentlichen Kontrollrechte Mehrheitsrechte sind, wird die Effizienz der politischen Kontrolle manchmal angezweifelt.

Das **Fragerecht** kann in einer „Fragestunde" am Beginn einer Sitzung ausgeübt werden. Eine **dringliche Anfrage** ist vom jeweiligen Regierungsmitglied noch in derselben Sitzung zu beantworten.

Entschließungen (= als Beschluss gefasste Meinungsäußerungen) sind für die Regierung rechtlich nicht verbindlich.

Kontrollrechte des Nationalrats

Mittel der politischen Kontrolle

KONTROLLRECHTE DES NATIONALRATS

Antwort: Ein Untersuchungsausschuss führt zu einem Bericht an den Nationalrat. Bei Vergehen eines Ministers kann ein Misstrauensantrag mit nachfolgendem Amtsverlust die Folge sein. Allerdings ist dieses Instrument ein Mehrheitsrecht. Die politischen Konsequenzen werden meist parteiintern geregelt.

Übungsbeispiel

Ü 2.6: Misstrauensantrag C

Eine Oppositionspartei stellt gegen einen Minister einen Misstrauensantrag. Welche rechtlichen und politischen Folgen könnte das für den Minister nach sich ziehen?

2 Rechtliche Kontrolle

Jedes Verwaltungshandeln unterliegt letztendlich der richterlichen Kontrolle.

Mein nicht bezahlter Strafzettel führte zu einem Strafbescheid. Kann ich jetzt noch etwas unternehmen?

Rechtsakte der Verwaltung begleiten den Bürger bzw. die Bürgerin das gesamte Leben. Es entspricht daher dem Gebot der Rechtsstaatlichkeit, dass die Entscheidungen der weisungsgebundenen Verwaltungsbehörden durch unabhängige Einrichtungen überprüft werden können.

1. Landesverwaltungsgerichte (LVWG)/Bundesverwaltungsgerichte (BVWG)

Im Verfahren vor dem LVWG besteht keine Anwaltspflicht.

Kosten: € 30,– Eingabegebühr, 20 % der Strafe, wenn Beschwerde nicht erfolgreich ist

Unmittelbare Befehls- und Zwangsgewalt liegt vor, wenn ein Verwaltungsorgan einseitig einen Befehl erteilt oder Zwang ausübt.

Beispiele: Entfernen eines Pkw; Festnahme eines Randalierers, Abnahme eines Führerscheines

a) Die **Landesverwaltungsgerichte** bestehen in jedem Bundesland zur Sicherung der Gesetzmäßigkeit der Verwaltung. Die LVWG entscheiden über Beschwerden
- gegen den Bescheid einer Verwaltungsbehörde,
- gegen die Ausübung unmittelbarer Befehls- und Zwangsgewalt,
- wegen Verletzung der Entscheidungspflicht einer Behörde.

b) Das **Bundesverwaltungsgericht** ist zuständig für die Überprüfung aller Entscheidungen von Bundesbehörden. (Ausnahme Finanzämter: Hier entscheidet das Bundesfinanzgericht.) Es hat seinen Sitz in Wien, daneben bestehen Außenstellen in Linz, Graz und Innsbruck.

Das BVWG entscheidet als Beschwerdeinstanz
- gegen Bescheide einer Verwaltungsbehörde,
- gegen die Ausübung unmittelbarer verwaltungsbehördlicher Befehls- und Zwangsgewalt,
- wegen Verletzung der Entscheidungspflicht.

Fachbereiche, die in die Zuständigkeit des BVWG fallen, sind z. B. Asylangelegenheiten, Schubhaft, Visaverfahren, Schulrecht, Datenschutz, Ausländerbeschäftigung, Behinderteneinstellung …

www.vwgh.gv.at

Eine Beschwerde an den VwGH muss von einem Anwalt unterschrieben sein. Als Gebühr sind € 240,– zu bezahlen.

2. Verwaltungsgerichtshof (VwGH)

Der **VwGH entscheidet** über
- Revisionen gegen Entscheidungen der Landes- und Bundesverwaltungsgerichte wegen Rechtswidrigkeit von Bescheiden von Verwaltungsbehörden,
- Säumnisbeschwerden, wenn Verwaltungsgerichte nicht innerhalb von 6 Monaten über eine Verwaltungssache entschieden haben.

Gegen Entscheidungen des VwGH ist kein Rechtsmittel mehr zulässig.

Antwort: Katharina kann eine **Beschwerde beim Landesverwaltungsgericht** erheben, wenn sie der Meinung ist, dass der Strafbescheid zu Unrecht erlassen wurde. Sollte auch diese negativ behandelt werden, bleibt noch eine VwGH-Beschwerde.

3. Verfassungsgerichtshof (VfGH)

Der VfGH wird oft als „Hüter der Verfassung" bezeichnet.

Der Verfassungsgerichtshof nimmt als Höchstgericht eine besondere Stellung ein. Durch die Prüfung der Gesetze auf ihre Verfassungsmäßigkeit wird indirekt auch die parlamentarische Arbeit überprüft.

Der VfGH entscheidet jährlich 4000 bis 5000 Fälle.

Die **wesentlichsten Aufgaben des VfGH** sind:
- Prüfung der Verfassungsmäßigkeit der Gesetze
- Prüfung von Verordnungen auf ihre Gesetzmäßigkeit
- Entscheidungen über die Rechtswidrigkeit von Staatsverträgen

- Entscheidungen über die Anfechtung von Wahlen
- Entscheidungen über Kompetenzkonflikte zwischen Bund und Ländern, Verwaltung und Gerichtsbarkeit
- Entscheidungen über die Anklage von obersten Bundes- und Landesorganen
- Entscheidungen über Beschwerden gegen letztinstanzliche Bescheide von Verwaltungsbehörden wegen Verletzung von verfassungsrechtlich gewährleisteten Rechten (Grundrechten)

Eine Beschwerde muss innerhalb von 6 Wochen durch einen Rechtsanwalt eingebracht werden. Als Gebühr sind € 240,– zu bezahlen.

Instanzenzug

Instanzenzug

Übungsbeispiel

Ü 2.7: Verwaltungsstrafverfahren C

Herr Gruber verschuldete einen Verkehrsunfall. In einem Verwaltungsstrafverfahren wurde er zu einer Geldstrafe verurteilt und es wurde ihm der Führerschein entzogen. Im Strafbescheid wurde Trunkenheit am Steuer angeführt und als Beweis eine leere Weinflasche genannt, welche im Auto von Herrn Gruber gefunden wurde.

Welche rechtlichen Schritte würden Sie Herrn Gruber raten, wenn er, wie er behauptet, keinen Tropfen Alkohol getrunken hatte?

3 Volksanwaltschaft

Die Volksanwaltschaft kontrolliert das Vorgehen der öffentlichen Amtsträger.

Meine Eltern sind total verärgert, weil im Gastgarten des benachbarten Kaffeehauses immer wieder Veranstaltungen, wie Live-Konzerte oder DJ-Abende, durchgeführt werden. Die Polizei bzw. die Gemeinde unternimmt nichts dagegen. Erst kürzlich habe ich im Fernsehen von der Volksanwaltschaft gehört. Können sich meine Eltern an sie wenden?

www.volksanwaltschaft.gv.at

Gerichtsurteile kann die Volksanwaltschaft nicht prüfen.

In Tirol und Vorarlberg gibt es eigene Landesvolksanwälte. Sie kontrollieren die Landesverwaltung.

Seit 1977 **prüft** die **Volksanwaltschaft** die **tägliche Arbeit der Verwaltungsbehörden** auf Bundes-, Landes- und Gemeindeebene. Sie kontrolliert, ob behördliche Entscheidungen den Gesetzen entsprechen, und geht Beschwerden von Bürgerinnen und Bürgern nach.

Sie hat auch alle Einrichtungen, in denen Menschen angehalten werden, wie z.B. Gefängnisse, Pflegeheime, psychiatrische Einrichtungen, zu kontrollieren, ob dort Personen Misshandlungen oder erniedrigenden Behandlungen ausgesetzt werden. Außerdem sind alle für Menschen mit Behinderung bestimmten Einrichtungen und Programme zu besuchen und zu überprüfen.

Jeder kann sich an die Volksanwaltschaft wenden, unabhängig von Alter oder Staatsbürgerschaft. Eine Beschwerde bei der Volksanwaltschaft ist völlig kostenlos und kann persönlich, per E-Mail, Fax oder telefonisch erfolgen. Rund 20000 Menschen wenden sich jährlich an die Volksanwaltschaft.

Mag. Bernhard Achitz, Werner Amon und Dr. Walter Rosenkranz sind die bis 2025 gewählten Mitglieder der Volksanwaltschaft.

Die Volksanwaltschaft besteht aus **drei Mitgliedern,** die vom Nationalrat gewählt werden. Die drei mandatsstärksten Parteien können je eine Person nominieren. Die Mitglieder der Volksanwaltschaft werden für sechs Jahre bestellt, sie sind unabhängig und unabsetzbar. Die Volksanwaltschaft hat ihren Sitz in Wien, es gibt regelmäßig Sprechtage in allen Bundesländern.

In der Öffentlichkeit ist die Volksanwaltschaft auch durch die ORF-Sendung „Bürgeranwalt" bekannt.

Ist eine Beschwerde berechtigt, empfiehlt die Volksanwaltschaft der betroffenen Behörde, wie sie korrekt zu handeln hat. Die Behörde hat acht Wochen Zeit, diese Empfehlung umzusetzen oder zu argumentieren, warum sie der Auffassung der Volksanwaltschaft nicht folgt.

Wenn die Mitglieder der Volksanwaltschaft einen Missstand in der Verwaltung vermuten, können sie auch ohne eine konkrete Beschwerde, d. h. von Amts wegen, tätig werden und eine Prüfung veranlassen.

Die Volksanwaltschaft informiert in regelmäßigen Berichten den Nationalrat und die Landtage über ihre Tätigkeit.

Antwort: Die Volksanwaltschaft konnte Marcos Eltern helfen. Da erforderliche Bewilligungen fehlten, dürfen keine derartigen Veranstaltungen mehr durchgeführt werden.

4 Finanzielle Kontrolle

Öffentliche Mittel kommen von den Bürgerinnen und Bürgern und müssen daher sparsam und wirtschaftlich verwaltet werden.

Immer wenn ich meinen Lohnzettel sehe, ärgere ich mich über die hohen Steuerabzüge. Wenn alle in Österreich so viel Steuern zahlen, wo kommt denn das Geld hin und wer prüft die Vergabe der Gelder?

Die Verwaltung verfügt über sehr große Teile des Staatshaushalts. Die Kontrolle der Verwendung der Gelder obliegt dem **Rechnungshof** als **unabhängigem Organ des Nationalrats** oder der Landtage.

Rechnungshof

www.rechnungshof.gv.at

Der Rechnungshof **prüft** die **Finanzgebarung der Verwaltung**

- des Bundes,
- der Länder und
- der Gemeinden (wenn über 10000 Einwohner),
- sonstiger Körperschaften öffentlichen Rechts sowie
- von Gesellschaften, an denen der Bund, ein Land oder eine Gemeinde mit über 10000 Einwohnern mit über 50 % beteiligt ist.

Die Länder haben eigene **Landesrechnungshöfe** zur Prüfung der Landesverwaltung eingerichtet. Diese bilden unabhängige Prüforgane der Landtage.

Der Rechnungshof ist als unabhängiges Organ des Nationalrats, bei Kontrollen in den Ländern oder der Gemeinden als Organ der Landtage eingerichtet.

Die Prüfung bezieht sich auf die ziffernmäßige Richtigkeit, die Rechtmäßigkeit und auf die Sparsamkeit, Wirtschaftlichkeit und Zweckmäßigkeit.

Ziel der Rechnungshofprüfung ist der bestmögliche Einsatz der öffentlichen Mittel, d. h. eine Verringerung der Kosten bzw. eine Erhöhung des Nutzens beim Einsatz öffentlicher Mittel.

Der Rechnungshof erstellt über die Ergebnisse seiner Prüfungen einen Bericht, zu dem die geprüften Einrichtungen Stellungnahmen abgeben können. Darüber hinaus erstellt der Rechnungshof jährlich einen Prüfbericht an den Nationalrat.

Antwort: Die Steuerabzüge sind in den Steuergesetzen geregelt. Die Steuereinnahmen werden zwischen Bund, Ländern und Gemeinden aufgeteilt. Wofür aber konkret das Geld ausgegeben wird und ob dabei vor allem die ziffernmäßige Richtigkeit sowie Grundsätze der Sparsamkeit eingehalten wurden, fällt in die Prüfungszuständigkeit des Rechnungshofes.

Übungsbeispiel

Ü 2.8: Rechnungshof D

Versuchen Sie zu begründen, warum Kontrollen durch den Rechnungshof sich in der Praxis als sehr effizient herausstellen.

Sichern & Merken

SbX ID: 0272

politische Kontrollrechte

Politische Kontrolle besteht durch das

- Fragerecht,
- Resolutionsrecht,
- Enqueterecht,
- Misstrauensvotum.

Landesverwaltungsgerichte

Landesverwaltungsgerichte (LVWG) dienen der rechtlichen Kontrolle der Verwaltungsbehörden in den Bundesländern.

Verwaltungsgerichtshof

Der **Verwaltungsgerichtshof** ist dazu da, in letzter Instanz die Entscheidungen der Verwaltungsbehörden und der Landesverwaltungsgerichte und Bundesverwaltungsgerichte zu überprüfen.

Verfassungsgerichtshof

Der **Verfassungsgerichtshof** wurde eingerichtet, um die Einhaltung der Verfassung auf allen Ebenen des Staats zu garantieren. Dazu zählen vor allem die Prüfung der

- Verfassungsmäßigkeit der Gesetze,
- Grundrechtsverletzungen durch Bescheide,
- Gesetzmäßigkeit von Verordnungen.

Volksanwaltschaft

Volksanwältinnen und **Volksanwälte** prüfen, ob es Missstände in der Verwaltung gegeben hat. Missstände betreffen die Rechtswidrigkeit und Zweckwidrigkeit des Verwaltungshandelns.

Rechnungshof

Die finanzielle Kontrolle der Verwaltung erfolgt durch den **Rechnungshof.**

Die Prüfung bezieht sich auf die

- ziffernmäßige Richtigkeit,
- Rechtmäßigkeit,
- Sparsamkeit,
- Wirtschaftlichkeit,
- Zweckmäßigkeit.

SbX ID: 0272

Im SbX finden Sie eine Bildschirmpräsentation mit den Grafiken dieser Lerneinheit.

Wissen & Können

SbX ID: 0273

A B C D E

SbX

W 2.47, W 2.48 mit automatischer Aufgabenkontrolle ID: 0273

W 2.47: Kontrolle der Verwaltung C

Kreuzen Sie jeweils an, ob die Aussage richtig oder falsch ist. Falsche Aussagen stellen Sie bitte richtig.

Aussage	Richtig	Falsch	Korrektur
Das Recht, einen Untersuchungsausschuss einzusetzen, ist ein Minderheitenrecht.			
Ein Misstrauensvotum hat keine Konsequenzen für das Regierungsmitglied.			
Die politische Kontrolle steht dem Bundespräsidenten zu.			
Landesverwaltungsgerichte gibt es in jedem Bundesland.			

W 2.48: Zuständigkeiten B

Ordnen Sie die folgenden Aufgaben dem jeweiligen Gerichtshof zu.

Prüfungsaufgabe	VwGH	VfGH
Verfassungsmäßigkeit der Gesetze		
Rechtswidrigkeit von Entscheidungen des Landesverwaltungsgerichts		
Wahlanfechtungen		
Grundrechtsverletzung durch einen Bescheid		

W 2.49: Volksanwalt A

Was ist von einer Missstandskontrolle durch die Volksanwaltschaft erfasst?

W 2.50: Rechnungshof B

Welches Ziel verfolgt eine Prüfung einer Verwaltungsbehörde durch den Rechnungshof?

SbX

W 2.51 mit automatischer Aufgabenkontrolle ID: 0273

Weitere Aufgabe im SbX

W 2.51: Kontrolle B

Vervollständigen Sie die Übersicht zu den wichtigsten Kontrollinstitutionen.

Ein kurzer Kompetenz-Check, bevor's weitergeht!

Kompetenz-Check

	☺	😐	☹
Ich kann die Instrumente der politischen Kontrolle benennen.			
Ich kann die Zuständigkeiten der rechtlichen Kontrolle unterscheiden.			
Ich kann die Kompetenzen von Volksanwaltschaft und Rechnungshof beschreiben.			

2 Verfassungsrecht

Lerneinheit 8

Ausgewählte Bereiche des Verwaltungsrechts

SbX
Alle SbX-Inhalte zu dieser Lerneinheit finden Sie unter der ID: 0280.

Das österreichische Verwaltungsrecht besteht aus einer überaus großen Zahl von Vorschriften des Bundes sowie der einzelnen Bundesländer.

In dieser Lerneinheit werden die Grundzüge dreier besonders interessanter Bereiche vorgestellt.

Lernen & Üben

SbX ID: 0281

A B C D E

1 Staatsbürgerschaftsrecht

Wie wird man Österreicherin bzw. Österreicher? Welche Rechte und Pflichten hat man dadurch?

Seit meinem Urlaub in den USA träume ich davon, irgendwann einmal nach Amerika auszuwandern. Dann möchte ich die Staatsbürgerschaft der Vereinigten Staaten annehmen und amerikanisch-österreichischer Doppelstaatsbürger werden. Ist das rechtlich eigentlich überhaupt möglich?

Grundsätze des Staatsbürgerschaftsrechts

Eheliche Kinder mit einem österreichischen Elternteil sowie uneheliche Kinder einer österreichischen Mutter erhalten automatisch die österreichische Staatsbürgerschaft.

Dem österreichischen Staatsbürgerschaftsrecht liegt das **Abstammungsprinzip** zugrunde. Eheliche Kinder mit mindestens einem österreichischen Elternteil, uneheliche Kinder einer österreichischen Mutter sowie uneheliche Kinder eines österreichischen Vaters, dessen Vaterschaft rechtzeitig (innerhalb von 8 Wochen) anerkannt oder gerichtlich festgestellt wurde, erhalten mit der Geburt automatisch die österreichische Staatsbürgerschaft, egal wo sie geboren sind. Fremde können die österreichische Staatsbürgerschaft beantragen, sie wird ihnen dann verliehen, wenn die Voraussetzungen dafür gegeben sind.

Wenn ein eheliches Kind einen österreichischen und einen ausländischen Elternteil besitzt, erhält es jedenfalls die österreichische Staatsbürgerschaft. Ob es auch die Staatsbürgerschaft des anderen Landes erhält, hängt von dessen Rechtsordnung ab. Es kommt in solchen Fällen häufig zu einer Doppelstaatsbürgerschaft.

Antwort: Wenn ein Österreicher eine fremde Staatsbürgerschaft annimmt, so muss er auf die österreichische verzichten. In besonderen Ausnahmefällen kann ihm jedoch die Beibehaltung der österreichischen Staatsbürgerschaft bewilligt werden. Diese Möglichkeit beschränkt sich allerdings normalerweise auf prominente Wissenschaftler, Künstler oder Sportler.

Marco wird also sehr berühmt werden müssen, wenn er einmal eine österreichisch-amerikanische Doppelstaatsbürgerschaft besitzen will.

Erwerb der Staatsbürgerschaft

Erwerb der österreichischen Staatsbürgerschaft

Wenn man **Doppelstaatsbürger** ist, weil man einen österreichischen und einen ausländischen Elternteil hat, kann man die österreichische Staatsbürgerschaft auch über die Volljährigkeit hinaus behalten. Die Doppelstaatsbürgerschaft bleibt allerdings nur dann bestehen, wenn nicht der andere Staat verlangt, dass man sich für eine der beiden Staatsbürgerschaften entscheidet.

- Erwerb durch Geburt
- Verleihung der Staatsbürgerschaft

  Eine **Einbürgerung** erfolgt nicht automatisch, sondern sie muss **beantragt werden.** Der Erfolg dieses Antrags ist von der Erfüllung einer Reihe **allgemeiner Voraussetzungen** abhängig. Beispiele dafür sind:
  - Unbescholtenheit
  - gesicherter Lebensunterhalt
  - Deutschkenntnisse
  - Kenntnisse über die Geschichte Österreichs und des jeweiligen Bundeslandes
  - keine Schädigung der Interessen Österreichs durch die Einbürgerung
  - Aufgabe der bisherigen Staatsangehörigkeit

SbX **Ein Muster eines Antrags auf Verleihung der österreichischen Staatsbürgerschaft finden Sie unter der ID: 0281.**

Näheres zum österreichischen Staatsbürgerschaftsrecht finden Sie auf **www.help.gv.at.**

Verleihung nach Ermessen	Verleihung mit Rechtsanspruch
Wenn die allgemeinen Voraussetzungen der Einbürgerung erfüllt sind, kann an einen Fremden, der sich **mindestens zehn Jahre lang rechtmäßig in Österreich aufgehalten** hat, die Staatsbürgerschaft verliehen werden. Er hat jedoch kein Recht auf eine Einbürgerung, sondern es wird darüber von Fall zu Fall entschieden. Maßgeblich sind dabei das allgemeine Wohl und das Ausmaß der Integration des Fremden.	In verschiedenen Fällen besteht – sofern die allgemeinen Voraussetzungen gegeben sind – sogar ein Rechtsanspruch auf Einbürgerung; der Antrag auf Verleihung der Staatsbürgerschaft darf also unter diesen Voraussetzungen nicht abgewiesen werden. **Beispiele** dafür sind: • Mindestens 30-jähriger Hauptwohnsitz in Österreich ohne Unterbrechung • Mindestens sechsjähriger rechtmäßiger Aufenthalt in Österreich ohne Unterbrechung und eine der folgenden Voraussetzungen: ○ in Österreich geboren ○ mindestens fünfjährige Ehe mit Österreicher/in mit gemeinsamem Haushalt ○ Asylberechtigung oder EWR-Staatsangehörigkeit ○ außerordentliche Leistungen auf wissenschaftlichem, künstlerischem oder sportlichem Gebiet bereits erbracht oder zu erwarten ○ nachweisbar nachhaltige persönliche Integration (z. B. gute Deutschkenntnisse, ehrenamtliche Tätigkeiten, Ausübung eines Sozialberufes)

Verlust der Staatsbürgerschaft

Zu einem **Verlust der österreichischen Staatsbürgerschaft** kommt es aus folgenden Gründen:

- Erwerb einer **fremden Staatsbürgerschaft,** sofern nicht vorher die Beibehaltung der österreichischen Staatsbürgerschaft bewilligt worden ist
- freiwilliger Eintritt in den Militärdienst eines fremden Staats
- Entziehung der Staatsbürgerschaft, z. B. wenn man trotz Verleihung der österreichischen Staatsbürgerschaft eine fremde Staatsbürgerschaft nicht zurückgelegt hat
- Verzicht auf die Staatsbürgerschaft. Dies ist allerdings nur unter bestimmten Voraussetzungen möglich. Auf jeden Fall ist dafür der Besitz einer anderen Staatsbürgerschaft erforderlich.

SbX

Recherchieren Sie auf www.help.gv.at zum Staatsbürgerschaftsrecht und beantworten Sie die unter ID: 0281 gestellten Fragen (mit automatischer Aufgabenkontrolle).

Mit der Staatsbürgerschaft verbundene Rechte

Folgende Rechte stehen nur **Staatsbürgern,** nicht aber Fremden zu:

- Gleichheit vor dem Gesetz
- Teilnahme an Wahlen und Volksabstimmungen
- Freizügigkeit – also das Recht auf freie Wahl des Wohn- und Aufenthaltsortes in Österreich
- Zugänglichkeit zu öffentlichen Ämtern
- Schutz durch die österreichischen Vertretungsbehörden im Ausland
- Schutz vor Auslieferung an fremde Staaten

Mit der Staatsbürgerschaft verbundene Pflichten

Die Staatsbürgerschaft beinhaltet auch verschiedene **spezielle Pflichten.** Als **Beispiele** sind zu nennen:

- Treue gegenüber der Republik Österreich
- Beteiligung an Strafprozessen als Schöffe oder Geschworener
- Wehrpflicht für männliche Österreicher

Übungsbeispiele

Ü 2.9: Erwerb der österreichischen Staatsbürgerschaft A

Beschreiben Sie, auf welche Arten man die österreichische Staatsbürgerschaft erwerben kann.

Ü 2.10: Verleihung der österreichischen Staatsbürgerschaft B

Nennen Sie den Unterschied zwischen einer Verleihung der Staatsbürgerschaft nach Ermessen und jener mit Rechtsanspruch.

2 Straßenverkehrsrecht

Die Gesetze der Straße

Ein Arbeitskollege von mir hat sich in alkoholisiertem Zustand hinter das Steuer gesetzt und ist dabei in eine Verkehrskontrolle geraten. Jetzt ist der Führerschein weg! Nun wollte er von mir wissen, ob er wegen dieser Geschichte womöglich vorbestraft ist.

Die Bestimmungen des Straßenverkehrsrechts sind sehr umfangreich. Hier finden Sie einige der wichtigsten Regelungen dieses Rechtsgebietes.

Der Führerschein

Das Lenken eines Kraftfahrzeuges auf öffentlichen Straßen ist nur mit einer **Lenkerberechtigung,** dem Führerschein, zulässig. Welche Fahrzeuge mit der jeweiligen Lenkerberechtigung gesteuert werden dürfen, hängt von der Klasse ab, für die sie ausgestellt wurde, z. B.:

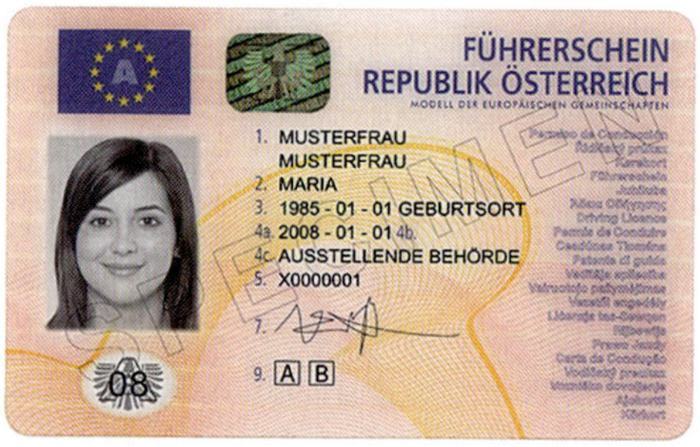

- Klasse A: Motorräder
- Klasse B: Pkw
- Klasse C: Lkw
- Klasse D: Autobusse

Der Führerschein kann frühestens mit 17 Jahren erworben werden, die Ausbildung dafür kann man bereits mit 15½ Jahren beginnen.

Voraussetzungen für die Ausstellung eines Führerscheins durch die Behörde sind:

- Mindestalter
- Verkehrszuverlässigkeit
- gesundheitliche Eignung
- fachliche Eignung
- Nachweis über eine Schulung in Erster Hilfe

SbX
Beantworten Sie die unter ID: 0281 gestellten Fragen (mit automatischer Aufgabenkontrolle) zum Führerschein.

Details finden Sie unter **http://www.bmvit.gv.at/bmvit/verkehr/strasse/fuehrerschein/vormerksystem/.**

Unabhängig vom Vormerksystem gibt es selbstverständlich für jede Übertretung eine Strafe!

Bei besonders schweren Verstößen kann der Führerschein natürlich auch ohne Vormerkung sofort entzogen werden.

Für Anfänger ist eine **Probezeit von zwei Jahren** vorgesehen. Innerhalb dieser Zeitspanne gelten folgende Bestimmungen:

- bei schweren Verstößen Verlängerung der Probezeit und Verpflichtung zur Nachschulung
- eine Alkoholgrenze von 0,1 Promille

Das Vormerksystem für Hochrisikolenker

Für 13 schwere Delikte ist eine **Vormerkung in einem speziellen „Verkehrssünderregister"** vorgesehen. **Beispiele** für solche Übertretungen sind:

- Lenken eines Kraftfahrzeuges mit 0,5 Promille Alkohol oder mehr im Blut
- Gefährdung von Fußgängern auf dem Schutzweg bzw. beim Einbiegen
- Nichtbeachtung des Sicherheitsabstandes
- Überfahren einer Stopptafel oder des Rotlichts mit Behinderung anderer Verkehrsteilnehmer

Begeht der Lenker innerhalb von zwei Jahren eine weitere dieser strafbaren Handlungen, so muss er eine bestimmte, im Gesetz vorgesehene Maßnahme absolvieren. Maßnahmen sind z. B. Nachschulungen, Perfektionsfahrten, Seminare.

Bei einem dritten Verstoß innerhalb der Zweijahresfrist wird ihm der Führerschein für mindestens drei Monate abgenommen.

Der Vertrauensgrundsatz

Auf z. B. offensichtlich Betrunkene darf man den Vertrauensgrundsatz nicht anwenden!

Jeder Straßenbenützer darf darauf vertrauen, dass **andere Personen** die für die Benützung der Straße **maßgeblichen Rechtsvorschriften befolgen.**

Kinder sind vom Vertrauensgrundsatz ausgenommen.

Dies gilt allerdings nicht, wenn man annehmen muss, dass man mit Kindern, Seh- oder Körperbehinderten zu tun hat. Darüber hinaus sind auch Personen, aus deren Verhalten hervorgeht, dass sie nicht fähig sind, mit den Gefahren des Straßenverkehrs umzugehen, vom Vertrauensgrundsatz ausgenommen.

Auch wenn „nur" Sachschaden entstanden ist, muss unverzüglich die nächste Polizeidienststelle verständigt werden, außer die Unfallbeteiligten haben einander Namen und Anschrift nachgewiesen.

Korrektes Verhalten bei Verkehrsunfällen

Alle Personen, die an einem Verkehrsunfall beteiligt sind, müssen **sofort anhalten, Sicherungsmaßnahmen treffen** und an der **Feststellung des Sachverhaltes mitwirken.** Falls Personen verletzt worden sind, ist Hilfe zu leisten. Ist man dazu nicht fähig, muss man unverzüglich für fremde Hilfe sorgen. Außerdem ist sofort die nächste Polizeidienststelle zu verständigen. Auch Zeugen haben Hilfe zu leisten, sofern ihnen dies zumutbar ist.

Zum Personenschaden siehe gerichtliches Strafrecht, z. B. fahrlässige Körperverletzung.

Antwort: Die wichtigsten Bestimmungen für die Teilnehmer am Straßenverkehr finden sich im Kraftfahrgesetz, in der Straßenverkehrsordnung und im Führerscheingesetz. Wer gegen die darin enthaltenen Vorschriften verstößt, erhält eine Verwaltungsstrafe, jedoch keine gerichtliche Strafe. Er ist daher nicht vorbestraft, solange er keinen Personenschaden verschuldet.

Übungsbeispiele

Ü 2.11: Erwerb des Führerscheins A

Mit welchem Alter kann frühestens der Führerschein für das Lenken von Personenkraftwagen erworben werden?

Ü 2.12: Probeführerschein A

Nennen Sie die Promillegrenze, die für den Besitzer eines Probeführerscheines gilt.

Ü 2.13: Führerscheinabnahme A

Nach wie vielen Vormerkungen wird einem der Führerschein abgenommen?

2 Verfassungsrecht

3 Asylrecht

Voraussetzung für das Recht eines Fremden, als Flüchtling anerkannt zu werden

Vertreibung und Flucht aus dem eigenen Heimatland ist in demokratischen Ländern mit hohen sozialen Standards kaum vorstellbar. Unter welchen Bedingungen wird Menschen Asyl gewährt?

In allen Medien wird über Flüchtlinge aus den verschiedensten Ländern berichtet. Wer darf in Österreich bleiben und wer wird abgeschoben?

Jedem Staat steht es grundsätzlich frei, zu bestimmen, wer sich auf seinem Staatsgebiet aufhalten darf. Dieses nationale Recht wird durch internationale Verträge beschränkt bzw. ergänzt.

Ablauf eines Asylverfahrens

Als **Flüchtling** gemäß der **Genfer Flüchtlingskonvention** gilt jede Person, die aus der begründeten Furcht vor Verfolgung wegen

- ihrer **Rasse,**
- ihrer **Religion,**
- ihrer **Nationalität,**
- ihrer **Zugehörigkeit** zu einer **bestimmten sozialen Gruppe** oder
- ihrer **Überzeugung**

sich außerhalb des Landes befindet, dessen Staatsangehörigkeit sie besitzt, und den Schutz dieses Landes nicht in Anspruch nehmen kann oder wegen dieser Befürchtungen nicht in Anspruch nehmen will.

Migranten droht in ihrem Herkunftsland keine Verfolgung und sie verlassen ihr Land, um ihre persönlichen Lebensbedingungen zu verbessern. Sie können jederzeit zurückkehren. Österreich kann frei entscheiden, ob und wie viele Migranten aufgenommen werden.

Flüchtlinge müssen eine **Verfolgung** aus einem der fünf genannten Gründe glaubhaft machen. Wer konkret in Österreich als Flüchtling anerkannt wird und damit Asyl bekommt, ist im **Asylgesetz 2005** geregelt.

Die Genfer Flüchtlingskonvention von 1951 wurde bisher von ca. 150 Staaten unterzeichnet.

Jeder Flüchtling hat einen Antrag auf Asyl in Österreich zu stellen. **Asylsuchende** oder **Asylwerberinnen bzw. Asylwerber** sind Menschen, die sich noch im Asylverfahren befinden und auf eine Entscheidung warten. Wenn im Asylverfahren festgestellt wird, dass im Herkunftsland tatsächlich Verfolgung droht, werden Asylsuchende als Flüchtlinge anerkannt und damit zu **Asylberechtigten.** Asylberechtigte erhalten „Asyl auf Zeit", d. h. vorerst ein befristetes Aufenthaltsrecht auf drei Jahre. Liegen danach die Voraussetzungen für die Einleitung eines Aberkennungsverfahrens nicht vor, kommt es von Gesetzes wegen zu einem unbefristeten Aufenthaltsrecht.

Asylberechtigte und subsidiär Schutzberechtigte sind verpflichtet, sich unverzüglich nach Zuerkennung dieses Status bei dem für das jeweilige Bundesland zuständigen Integrationszentrum des Österreichischen Integrationsfonds zu melden, um Integrationsmaßnahmen festzulegen.

Kommt es jedoch im Herkunftsstaat der Asylberechtigten/des Asylberechtigten zu einer wesentlichen, dauerhaften Veränderung der spezifischen, insbesondere politischen Verhältnisse oder liegt ein sonstiger Aberkennungsgrund vor (z. B. rechtskräftige Verurteilung wegen eines schweren Verbrechens), so ist umgehend ein Aberkennungsverfahren einzuleiten und der Status der Asylberechtigten/des Asylberechtigten mit Bescheid abzuerkennen.

Asylberechtigte haben jedenfalls unbeschränkten Zugang zum österreichischen Arbeitsmarkt.

Unbegleitete minderjährige Asylsuchende sind Kinder und Jugendliche, die ohne Eltern oder andere Angehörige nach Österreich flüchten und hier einen Asylantrag stellen. Sie durchlaufen das gleiche Asylverfahren wie Erwachsene. Es gibt aber spezielle Gefahren und Formen der Verfolgung, die vor allem Kinder betreffen.

Auch Kinder und Jugendliche können subsidiären Schutz bekommen.

Dazu zählen

- Zwangsrekrutierung zum Kindersoldaten,
- Zwangsverheiratung,
- Sippenhaft,
- Kinderhandel oder
- sexuelle Ausbeutung.

Ergänzend zum Flüchtlingsstatus gibt es einen **subsidiären Schutz,** der zum Teil mit eingeschränkten Rechten verbunden ist. So wird dieser Schutz für ein Jahr gewährt und kann dann für jeweils 2 Jahre verlängert werden. Subsidiärer Schutz geht auf das Non-Refoulement-Prinzip zurück, wonach Personen nicht zwangsweise in ein Land überstellt werden dürfen, wo ein reales Risiko für ihr Leben, ihre körperliche Integrität oder ihre Freiheit besteht, auch wenn diese Gefahr nicht unter die Verfolgung im Sinne der Genfer Flüchtlingskonvention fällt. Das bedeutet, dass sie zwar nicht individuell verfolgt werden, eine Heimkehr aufgrund von Bürgerkrieg oder der schlechten Sicherheitslage aber viel zu gefährlich wäre.

Als **sichere Drittstaaten** gelten folgende Staaten: EU-Staaten, Australien, Island, Kanada, Liechtenstein, Neuseeland, Norwegen, Schweiz, Bosnien und Herzegowina, Kosovo, Mongolei, Mazedonien, Montenegro, Serbien, Albanien, Ghana, Marokko, Algerien, Tunesien, Georgien, Armenien, Ukraine und Benin.

Asylanträge sind als unzulässig zurückzuweisen, wenn der Flüchtling aus einem **sicheren Drittstaat** nach Österreich eingereist ist.

Zuständig für das Verfahren ist das **Bundesamt für Fremdenwesen und Asyl.** Gegen Bescheide des Bundesamts ist eine Beschwerde an das Bundesverwaltungsgericht zulässig.

Asylsuchende bekommen in Österreich die sogenannte **Grundversorgung.** Die Grundversorgung umfasst die Unterbringung in geeigneten Unterkünften, die Versorgung mit angemessener Verpflegung, ein monatliches Taschengeld (nur in organisierten Quartieren), Krankenversicherung, Bekleidung und soziale Betreuung. Die Zuständigkeit für die Grundversorgung ist zwischen Bund und den Ländern geteilt. Im Zulassungsverfahren ist der Bund verantwortlich, für Asylsuchende, die zum Verfahren zugelassen wurden, sind die Länder zuständig. Dadurch können sich unterschiedliche Beträge bei der Grundversorgung ergeben.

Ablauf eines Asylverfahrens

GRAFIK Wegstreckendiagramm zum Asylverfahren

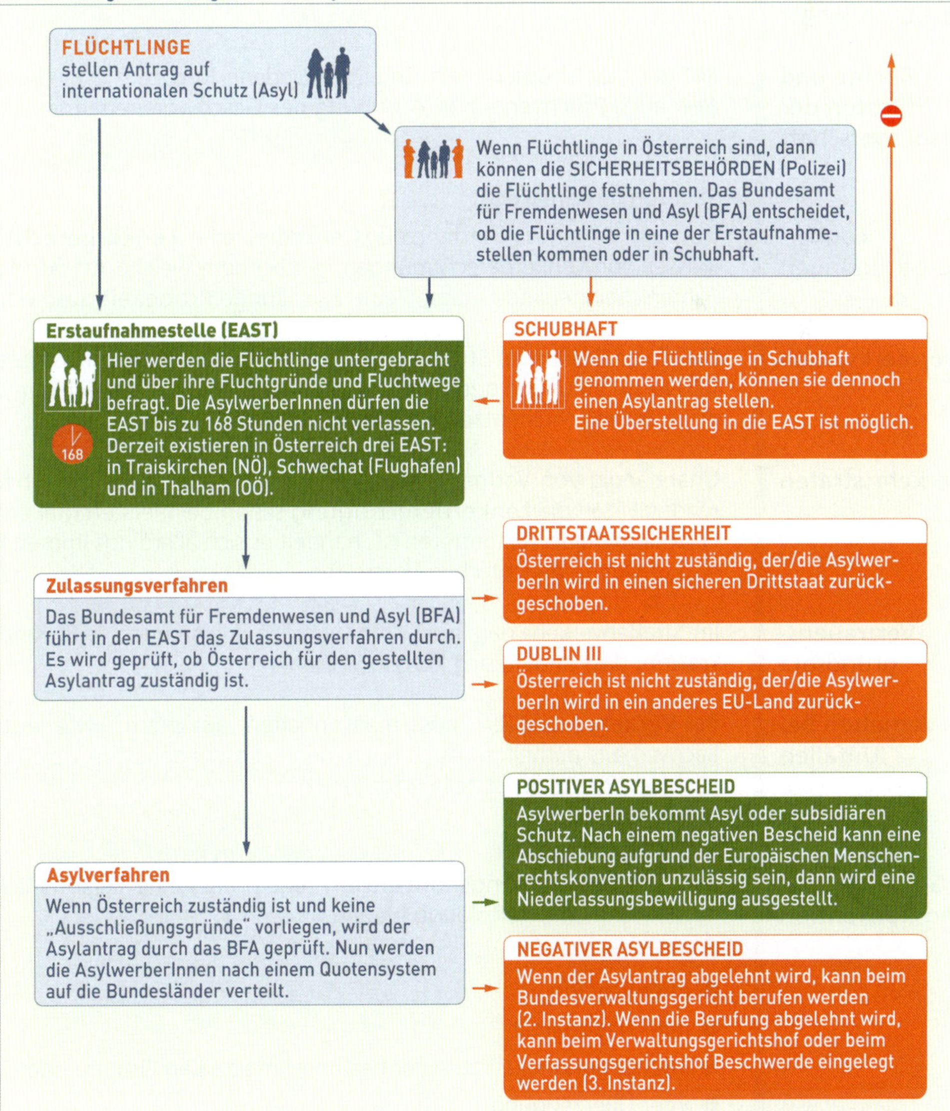

Quelle: Asylkoordination Österreich

Antwort: Ob jemand als Flüchtling bleiben darf oder subsidiären Schutz bekommt, wird in einem Verfahren vor dem Bundesamt für Fremdenwesen und Asyl geprüft. Bis zur Erledigung des Verfahrens ist diese Person ein Asylsuchender bzw. eine Asylsuchende und wird von Österreich durch die Grundversorgung unterstützt.

Sichern & Merken

SbX ID: 0282

Staatsbürgerschaftsrecht

Erwerb der österreichischen Staatsbürgerschaft

Österreichischer Staatsbürger wird man

- durch Geburt: mit mindestens einem österreichischen Elternteil (Bei unehelichen Kindern gibt es Ausnahmen.)
- durch Verleihung: mit oder ohne Rechtsanspruch, wobei bestimmte Grundvoraussetzungen erfüllt sein müssen.

Verlust der österreichischen Staatsbürgerschaft

Ein **Verlust** der österreichischen Staatsbürgerschaft ist im Normalfall nur dann möglich, wenn man die Staatsbürgerschaft eines anderen Landes besitzt.

Rechte und Pflichten der Staatsbürgerschaft

Mit der Staatsbürgerschaft sind verschiedene **Rechte** – z. B. die Gleichheit vor dem Gesetz –, aber auch **Pflichten** – z. B. Ausübung des Geschworenenamtes – verbunden.

Straßenverkehrsrecht

Lenkerberechtigungen

Das Lenken eines Kraftfahrzeugs erfordert eine **Lenkerberechtigung.** Es gibt verschiedene Klassen von Lenkerberechtigungen, je nachdem welche Art von Fahrzeug gelenkt werden soll. Führerscheinneulinge müssen eine zweijährige **Probezeit** absolvieren.

Vormerksystem

Für einige Delikte im Straßenverkehr sind **Vormerkungen** vorgesehen, die im Wiederholungsfall Nachschulungen oder ähnliche Maßnahmen, bei hartnäckigen Verkehrssündern später sogar einen Führerscheinentzug nach sich ziehen.

Verkehrsstrafen

Unabhängig von Vormerkungen können für einzelne Delikte **Strafen** verhängt und in gravierenden Fällen die **Lenkerberechtigung** schon beim ersten Mal entzogen werden. Solange kein Personenschaden eingetreten ist, handelt es sich allerdings immer nur um **Verwaltungsstrafen,** also um keine gerichtlichen Vorstrafen.

Vertrauensgrundsatz

Im Straßenverkehr darf man – von einigen Ausnahmen (z. B. Kinder) abgesehen – darauf **vertrauen,** dass andere sich korrekt verhalten.

Verhalten bei Unfällen

Bei **Verkehrsunfällen** muss man anhalten, absichern, Hilfe leisten und bei der Klärung des Sachverhalts mithelfen. Auch bei reinen Sachschäden ist in vielen Fällen eine Verständigung der nächsten Polizeidienststelle erforderlich.

Asylrecht

Genfer Flüchtlingskonvention

Die **Genfer Flüchtlingskonvention** regelt, dass eine Person als Flüchtling anerkannt werden muss, wenn eine Verfolgung wegen

- ihrer Rasse,
- ihrer Religion,
- ihrer Nationalität,
- ihrer Zugehörigkeit zu einer bestimmten sozialen Gruppe oder
- ihrer Überzeugung

begründet zu befürchten ist.

subsidiärer Schutz

Wenn Personen zwar nicht persönlich verfolgt werden, aber aus einem Land stammen, wo ein reales Risiko für ihr Leben, ihre körperliche Integrität oder ihre Freiheit besteht (auch wenn diese Gefahr nicht unter die Verfolgung im Sinne der Genfer Flüchtlingskonvention fällt), sind sie **subsidiär schutzberechtigt.**

unbegleitete Kinder und Jugendliche

Unbegleitete minderjährige Asylsuchende sind Kinder und Jugendliche, die ohne Eltern oder andere Angehörige nach Österreich flüchten und hier einen Asylantrag stellen.

Bundesamt für Fremdenwesen und Asyl

Das **Bundesamt für Fremdenwesen und Asyl** ist zuständig für die Prüfung, ob Österreich für ein Asylverfahren zuständig ist und wenn ja, ob jemand Asyl oder subsidiären Schutz bekommt.

SbX
ID: 0282

Im SbX finden Sie eine Bildschirmpräsentation mit den Grafiken dieser Lerneinheit.

Wissen & Können

SbX ID: 0283

A B C D E

W 2.52: Rechte und Pflichten A

Nennen Sie Rechte und Pflichten, die mit der österreichischen Staatsbürgerschaft verbunden sind.

W 2.53: Verkehrsunfall A

Welche Pflichten hat man, wenn man an einem Verkehrsunfall beteiligt ist?

SbX
W 2.54
mit automatischer Aufgabenkontrolle
ID: 0283

W 2.54: Erwerb der österreichischen Staatsbürgerschaft C

Erwerben die beschriebenen Personen jeweils mit der Geburt die österreichische Staatsbürgerschaft? Bitte ankreuzen und begründen:

Person	Erwerb der österreichischen Staatsbürgerschaft durch Geburt?		
	ja	nein	Begründung
der eheliche Sohn eines Österreichers und einer Italienerin			
die uneheliche Tochter einer Österreicherin und eines Ägypters			
der uneheliche Sohn eines Österreichers und einer Amerikanerin			
die uneheliche Tochter eines Australiers und einer japanisch-österreichischen Doppelstaatsbürgerin			

W 2.55: Neue Österreicherin? – Fallbeispiel D

Eine Thailänderin lebt seit über sechs Jahren in Österreich. Vor genau fünf Jahren hat sie einen österreichischen Staatsbürger geheiratet. Beantworten Sie dazu die folgenden Fragen:

- Ist diese Frau durch die Eheschließung automatisch österreichische Staatsbürgerin geworden?
- Besitzt sie einen Rechtsanspruch auf Einbürgerung?
- Welche Voraussetzungen muss sie auf jeden Fall erfüllen, um die österreichische Staatsbürgerschaft erwerben zu können?
- Glauben Sie, dass sie österreichische Staatsbürgerin werden und trotzdem die thailändische Staatsbürgerschaft behalten kann?
- Falls sie die österreichische Staatsbürgerschaft nicht erwerben will: Sind dann die Kinder aus dieser Ehe österreichische Staatsbürger?

W 2.56: Verhalten bei einem Unfall C

Ein Autofahrer hat beim Einparken die Stoßstange eines fremden Wagens beschädigt. Er hinterlässt hinter dem Scheibenwischer des betroffenen Fahrzeugs einen Zettel mit seinem Namen und seiner Telefonnummer. Der Schaden wird später von seiner Haftpflichtversicherung ordnungsgemäß ersetzt.

- Entscheiden Sie, ob sich der Autofahrer rechtlich korrekt verhalten hat.
- Analysieren Sie die Strafbarkeit dieses Verhaltens.

W 2.57: Fluchtgründe C

Entscheiden Sie, welche Fluchtgründe der Genfer Flüchtlingskonvention entsprechen.

Fluchtgrund gemäß der Genfer Flüchtlingskonvention?	Richtig	Falsch
Verfolgung wegen der Religion		
wirtschaftliche Gründe		
politische Verfolgung		
Verwandte leben im Zielland		

W 2.58: Rechte von Flüchtlingen A

Nennen Sie die Rechte von anerkannten Flüchtlingen.

W 2.59: Asylverfahren B

Skizzieren Sie den Ablauf eines Asylverfahrens.

SbX
W 2.60
mit automatischer Aufgabenkontrolle
ID: 0283

Weitere Aufgabe im SbX

W 2.60: Besonderes Verwaltungsrecht B

Lösen Sie ein Kreuzworträtsel zu den Themen der Lerneinheit.

Ein kurzer Kompetenz-Check, bevor's weitergeht!

Kompetenz-Check

	☺	😐	☹
Ich kann beschreiben, was die Voraussetzungen für den Erwerb der österreichischen Staatsbürgerschaft sind.			
Ich kann die mit der österreichischen Staatsbürgerschaft verbundenen Rechte und Pflichten nennen.			
Ich kann die Fluchtgründe nach der Genfer Flüchtlingskonvention nennen.			
Ich kann zwischen Asylrecht und subsidiärem Schutz unterscheiden.			
Ich kann den Ablauf eines Asylverfahrens darstellen.			

3 DIE EUROPÄISCHE UNION

Worum geht's in diesem Kapitel?

Die EU ist eine wirtschaftliche und politische Partnerschaft zwischen 28 europäischen Staaten mit mehr als einer halben Milliarde Einwohnern. Der Grundstein wurde 1951 durch Belgien, Deutschland, Frankreich, Italien, Luxemburg und die Niederlande gelegt, die durch eine engere Zusammenarbeit den Frieden in Europa sichern wollten.

In gemeinsam ausgehandelten Verträgen haben die Mitgliedstaaten einen Teil ihrer innerstaatlichen Befugnisse an durch sie geschaffene EU-Institutionen übertragen, die Entscheidungen auf europäischer Ebene treffen. Dabei ist die EU aber kein fertiges Gebilde, sondern ein System, das sich permanent weiterentwickelt.

Wenn Sie dieses Kapitel bearbeitet haben,

- können Sie einen Überblick über die Grundstrukturen der EU geben,
- können Sie die Grundlagen des EU-Rechts und der Rechtsdurchsetzung erklären,
- können Sie die Weiterentwicklung der EU darstellen.

In diesem Kapitel erwerben Sie die Kompetenzen zu folgenden Bildungs- und Lehraufgaben:

„Die Schülerinnen und Schüler können beschreiben, wie die EU entstanden ist, und zur europäischen Idee und zur Weiterentwicklung der Europäischen Union Stellung nehmen."

„Die Schülerinnen und Schüler können die Zusammensetzung, Aufgaben und Zusammenarbeit der Organe der Europäischen Union darstellen."

„Die Schülerinnen und Schüler können die Gemeinschaftsnormen beschreiben und erklären, wie innerhalb der Union Recht durchgesetzt wird."

A B C D E

In diesem Kapitel finden Sie Übungsaufgaben, Fallbeispiele und Wiederholungsfragen zur Kompetenzüberprüfung auf den Handlungsebenen A Wiedergeben, B Verstehen und C Anwenden.

Dieses Kapitel umfasst folgende Lerneinheiten:

Lerneinheit 1

Grundstrukturen und Weiterentwicklung der EU

SbX
Alle SbX-Inhalte zu dieser Lerneinheit finden Sie unter der ID: 0310.

Die EU ist eine wirtschaftliche und politische Zusammenarbeit, die die Mitgliedstaaten im Laufe der Zeit vertraglich weiterentwickelt haben, wobei immer mehr Kompetenzen von der nationalen auf die europäische Ebene übertragen wurden.

Neben einer vertraglichen Weiterentwicklung hat sich auch die Anzahl der Mitgliedstaaten von ursprünglich 6 auf 28 erhöht. Es wollen noch weitere Länder beitreten, wobei hierfür bestimmte Kriterien erfüllt werden müssen.

Lernen & Üben

A B C D E

1 Die Europaidee

Erhalt des Friedens und engere Zusammenarbeit der europäischen Staaten

Richard Graf Coudenhove-Kalergi (1894–1972)

„Die ganze europäische Frage gipfelt im Entweder-Oder: Krieg oder Frieden! Anarchie oder Organisation! Wettrüsten oder Abrüsten! Konkurrenz oder Kooperation! Zusammenbruch oder Zusammenschluss!" (Richard Graf Coudenhove-Kalergi)

Bereits nach dem **Schock des Ersten Weltkriegs** gab es Bestrebungen, den Frieden in Europa durch internationale Kooperation im **Völkerbund** dauerhaft zu sichern. Eine wichtige Privatinitiative war die von Graf Coudenhove-Kalergi 1923 gegründete **Paneuropabewegung.** Sie strebte die Errichtung eines europäischen Bundesstaats nach Muster der Vereinigten Staaten von Amerika an.

Die Anfänge der Europäischen Union gehen auf die **bitteren Erfahrungen des Zweiten Weltkriegs** zurück. Kurz nach dem Krieg wurde Europa in Ost und West geteilt: Es folgten 40 Jahre Kalter Krieg und dies führte dazu, dass es zwei getrennte Entwicklungen in Europa gab. Der erste Schritt der engeren Zusammenarbeit der westeuropäischen Staaten war die **Gründung des Europarats.** Sechs Staaten wollten aber weiter gehen und setzten mit der **Gründung der Montanunion** den ersten Grundstein für die heutige EU.

Die EU hat sich im Laufe der Zeit verändert: Von einer Gemeinschaft für Kohle und Stahl zur Europäischen Union, von sechs Gründungsstaaten zu 28 Mitgliedstaaten spannt sich der Bogen der Europäischen Integration.

Kalter Krieg: Systemkonflikt zwischen den Westmächten und dem Ostblock

Fall der Berliner Mauer 1989

Die Vollendung der gesamteuropäischen Einigung brachte die Aufnahme von Reformstaaten in die Europäische Union. Die friedliche Revolution in Mittel- und Osteuropa, die mit dem Fall der Berliner Mauer 1989 ihren Ausgang genommen hatte, ermöglichte es ehemaligen kommunistischen Staaten, der Gemeinschaft beizutreten.

2 Entwicklungsstufen der Europäischen Union

Vertiefung und Erweiterung

Die Zusammenarbeit der EU wurde durch die Aufnahme neuer Mitgliedstaaten erweitert und durch den Abschluss neuer Verträge vertieft.

Kandidatenländer mit laufenden Verhandlungen: Montenegro, Serbien, Türkei

Kandidatenländer ohne laufende Verhandlungen: Albanien, Mazedonien

Potenzielle Kandidaten: Bosnien und Herzegowina, Kosovo

EWG: Europäische Wirtschaftsgemeinschaft

EAG: Europäische Atomgemeinschaft

EGKS: Europäische Gemeinschaft für Kohle und Stahl

2009	Vertrag v. Lissabon
2003	Vertrag v. Nizza
1999	Vertrag v. Amsterdam
1995	Schengener Abkommen
1993	Vertrag v. Maastricht **EU**
1987	Einheitliche Europäische Akte
1958	Römische Verträge **EWG, EAG**
1952	Pariser Vertrag **EGKS**

Vertiefung

Belgien Deutschland, Frankreich, Italien, Luxemburg Niederlande	6+ Dänemark, Großbritannien* Irland	9+ Griechenland	10+ Spanien, Portugal	12+ Ex-DDR	12+ Finnland, Österreich, Schweden	15+ Estland, Lettland, Litauen, Polen, Tschechien, Slowakei, Ungarn, Slowenien, Malta, Zypern	25+ Bulgarien, Rumänien	27+ Kroatien	Kandidatenländer
1952/1958	1973	1981	1986	1990	1995	2004	2007	2013	

Erweiterung

*Mit Großbritannien stellte im März 2017 erstmals ein EU-Mitgliedstaat den Antrag auf Austritt aus der EU. Gemäß Art. 50 EUV gibt es eine zweijährige Verhandlungsperiode, die verlängert werden kann. Bei Nicht-Zustandekommen eines Austrittsabkommens ist ein Austritt ohne Abkommen (harter Brexit) vorgesehen.

Gemeinsame Symbole der EU

Die **Fahne** der EU zeigt zwölf Sterne (Sie sehen die Fahne auf der gegenüberliegenden Seite) – zwölf deshalb, weil die Zahl als besonders harmonisch empfunden wird. Die Zahl hat nichts mit der Zahl der Mitgliedstaaten zu tun

Die **Hymne** der EU ist ein Teil der 9. Symphonie von Ludwig van Beethoven („Ode an die Freude"). Sie wird ohne Text gespielt, weil es in Europa viele verschiedene Sprachen gibt.

Der **Wahlspruch** der EU ist „In Vielfalt geeint". Er soll betonen, dass die Länder in der EU verschieden sind, aber zusammenarbeiten.

Website der EU: **www.europa.eu.int**

Der **Europatag** am 9. Mai feiert die Gründung der Europäischen Union. In vielen Ländern wird der Tag öffentlich begangen. Er fällt auf dasselbe Datum wie die Feierlichkeiten zum Ende des Zweiten Weltkriegs und die Befreiung vom Nationalsozialismus.

Vertragliche Entwicklung

Jede Tätigkeit der EU beruht auf **Verträgen,** die **von allen EU-Mitgliedstaaten** angenommen wurden.

Gründungsverträge – die Anfänge der Zusammenarbeit

Belgien, die Bundesrepublik Deutschland, Frankreich, Italien, Luxemburg und die Niederlande errichteten die EGKS, die EWG und die EURATOM.

* Die Jahreszahlen beziehen sich jeweils auf das Inkrafttreten des Vertrags.

Europäische Gemeinschaft für Kohle und Stahl (EGKS) 1952 *	Europäische Wirtschaftsgemeinschaft (EWG) 1958 *	Europäische Atomgemeinschaft (EURATOM) 1958 *
Pariser Vertrag	**Römische Verträge**	**Römische Verträge**
Ziel: gemeinsame Verwaltung der Kohle- und Stahlindustrie, um sie nicht mehr zu Kriegszwecken gegeneinander einzusetzen	Ziel: Schaffung des Gemeinsamen Markts und die Annäherung der nationalen Wirtschaftspolitiken	Ziel: friedliche Nutzung der Kernenergie und die gemeinsame Forschung

1967 wurden durch den Fusionsvertrag die drei Gemeinschaften zur **Europäischen Gemeinschaft.** Der EGKS-Vertrag lief 2002 aus.

Vertiefung der Zusammenarbeit durch die Einheitliche Europäische Akte (EEA) 1987

Einheitliche Europäische Akte (EEA) 1987 *	
Ziel	**Wichtige Neuerungen**
• Reform der Institutionen und Verwirklichung des Binnenmarkts bis 1993	• die Ausdehnung der qualifizierten Mehrheit im Rat • die Einführung des Zusammenarbeits- und Zustimmungsverfahrens für das EU-Parlament

Die 4 Freiheiten im Binnenmarkt

Die Gründung der Europäischen Union durch den Vertrag von Maastricht 1993

Vertrag von Maastricht 1993 *	
Ziele	**Wichtige Neuerungen**
• Vorbereitung auf die Europäische Währungsunion • Einführung von Elementen einer politischen Union, wie die Unionsbürgerschaft oder die Gemeinsame Außen- und Sicherheitspolitik	• die Gründung der Europäischen Union mit den drei Säulen: ○ Europäische Gemeinschaft ○ Gemeinsame Außen- und Sicherheitspolitik ○ Zusammenarbeit im Bereich Justiz und Inneres • die Einführung des Mitentscheidungsverfahrens im EU-Parlament • die Verwirklichung des Binnenmarkts

Das **Drei-Säulen-Modell** wurde durch den Vertrag von Lissabon aufgehoben, das Mitentscheidungsverfahren in das ordentliche Gesetzgebungsverfahren übergeführt.

Schengener Abkommen

In Schengen (Luxemburg) wurden 1985 und 1990 Abkommen unterzeichnet, die den freien Personenverkehr und den Abbau von Grenzkontrollen im europäischen Binnenmarkt zum Ziel haben. Im Vertrag von Amsterdam wurde der völkerrechtliche Vertrag in das EU-Recht übernommen.

Das **Schengener Abkommen** trat 1995 in Kraft.

Im Dezember 2007 fand an der Grenzübertrittsstelle Hegyeshalom (Ungarn) ein Festakt der Europäischen Union zur Schengen-Erweiterung statt.

Mitglieder:

- 22 EU-Staaten, Großbritannien und Irland nur eingeschränkt (nicht dabei: Bulgarien, Rumänien, Zypern und Kroatien)
- 4 Nicht-EU-Mitglieder: Norwegen, Island, Schweiz, Liechtenstein

Wichtigste Regelungen:

- **Abschaffung von Personenkontrollen** an den Binnengrenzen
- Gemeinsame Regeln für die **Kontrollen an den Außengrenzen,** zuständig sind weiterhin die jeweiligen Grenzstaaten.
- gemeinsame **Visa- und Aufenthaltspolitik**
- verstärkte **Zusammenarbeit von Polizei und Justiz** durch Schaffung eines gemeinsamen Informationssystems für Fahndungsdaten bzw. vereinfachte Rechtshilfe in Strafsachen
- In Ausnahmesituationen können Grenzkontrollen vorübergehend wieder eingeführt werden (z. B. bei großen Sportveranstaltungen oder internationalen Gipfeltreffen).
- Liegen außergewöhnliche Umstände vor und sind die EU-Außengrenzen nicht ausreichend geschützt, so kann ein Schengen-Land für bis zu 6 Monate (mit dreimaliger Verlängerungsmöglichkeit um jeweils weitere 6 Monate) Grenzkontrollen einführen, wenn es die innere Sicherheit in Gefahr sieht.

EURODAC regelt den Zugang zur Fingerabdruck-Datenbank.

Das **Dublin-III-Abkommen** koordiniert die nationale Zuständigkeit für Asylverfahren.

Weiterentwicklung des Vertrags von Maastricht durch den Vertrag von Amsterdam 1999

Vertrag von Amsterdam 1999 *	
Ziele	**Wichtige Neuerungen**
• die Vertiefung der Zusammenarbeit • die Vorbereitung der Erweiterung	• die Vergemeinschaftung der Einwanderungs- und Asylpolitik • die Erweiterung der Befugnisse des EU-Parlaments • die Schaffung des „Mr. GASP“

Mit dem Hohen Vertreter für die GASP sollte eine Art „europäischer Verteidigungsminister“ geschaffen werden.

Abänderung zur Vorbereitung der Erweiterung durch den Vertrag von Nizza 2003

Staats- und Regierungschefs unterzeichnen den Vertrag von Nizza.

Vertrag von Nizza 2003 *	
Ziel	**Wichtige Neuerungen**
• Anpassung einzelner Organe in Hinblick auf die große Osterweiterung	• die geänderte Zusammensetzung der Kommission • die neue Stimmengewichtung im Rat

Vollendung der Europäischen Union durch den Vertrag von Lissabon 2009

Vertrag von Lissabon 2009 *	
Ziel	**Wichtige Neuerungen**
• Erschaffung einer bürgernäheren, transparenteren und effizienteren EU	• Die Union tritt an die Stelle der Gemeinschaft und wird so zur Rechtspersönlichkeit. • Das Amt des ständigen Präsidenten des Rats der EU wird neu eingeführt, der Hohe Vertreter für die GASP erhält neue Befugnisse. • Im Rat der EU wird bei Mehrheitsentscheidungen mit der „doppelten Mehrheit“ abgestimmt. • Im EU-Parlament wird das ordentliche Gesetzgebungsverfahren zum Regelfall. • Das Mitspracherecht der nationalen Parlamente im europäischen Gesetzgebungsverfahren wird verbessert. • Die Möglichkeit einer Bürgerinitiative für die Gesetzgebung wird eingeführt. • Die Charta der Grundrechte wird mit den EU-Verträgen gleichgestellt. • Jeder Mitgliedstaat hat das Recht, aus der Europäischen Union auch wieder auszutreten.

3 Die Europäische Union

Neue Struktur der Europäischen Union

Die neue Struktur der Europäischen Union

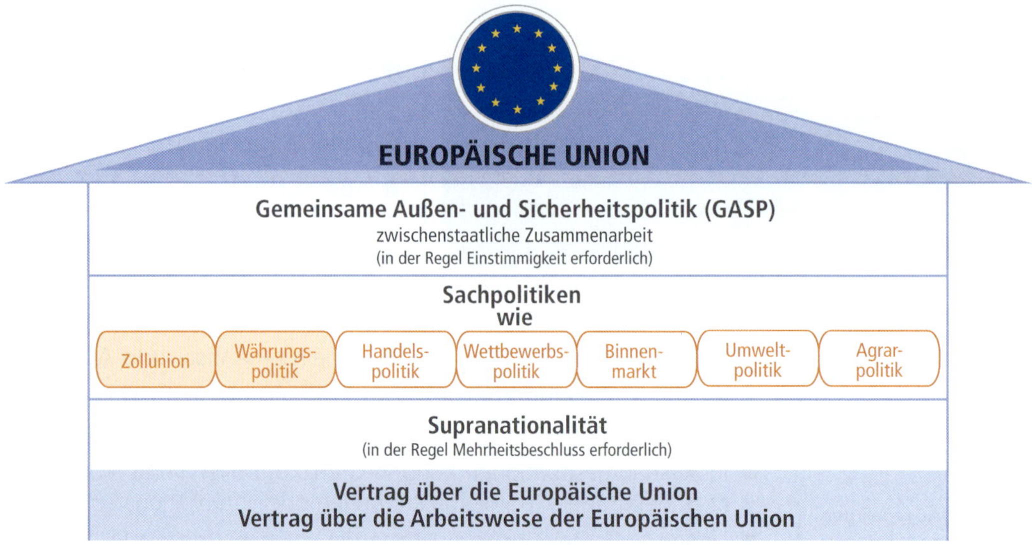

Ausschließliche Zuständigkeit: Nur die Union kann gesetzgeberisch tätig werden und verbindliche Rechtsakte erlassen.
Geteilte Zuständigkeit: Die Mitgliedstaaten können ihre Kompetenzen ausüben, solange die EU nicht tätig wird.

Supranationalität bedeutet, dass die Staaten nationale Souveränität abgeben und auf europäischer Ebene gemeinsam ausüben.

Dabei gilt das **Subsidiaritätsprinzip:** Die EU darf nur tätig werden, wenn die Ziele der in Betracht gezogenen Maßnahmen auf Unionsebene besser erreicht werden können als auf nationaler Ebene. Nationale Parlamente können dies überprüfen.

Auswirkungen der Verträge auf EU-Bürgerinnen und -Bürger

Das juristische Gebilde der EU wirkt sich auf viele Bereiche des Alltags der Menschen aus. Betroffen sind Bereiche wie Grundrechte, politische Rechte, Arbeit und Bildung oder Reisen und Einkaufen.

Politische Rechte als Unionsbürger	Grundrechte der Unionsbürger
● aktives und passives Wahlrecht bei den Wahlen zum Europäischen Parlament und bei den Kommunalwahlen ● Freizügigkeit und Aufenthaltsfreiheit ● Mitwirkung an einer Europäischen Bürgerinitiative ● Anrufung des EU-Ombudsmanns ● Petitionen an das EU-Parlament ● Verwendung von 24 Amtssprachen ● diplomatischer und konsularischer Schutz	**Grundwerte der EU:** ● das Recht auf Freiheit, Demokratie, Gleichheit, Rechtsstaatlichkeit und Wahrung der Menschenrechte **Europäische Charta der Grundrechte:** ● soziale Grundrechte ● Gleichheitsrechte ● Solidaritätsrechte
Arbeit und Bildung	**Reisen und Einkaufen in der EU**
● Arbeitsmöglichkeit in der EU ● Ausbildung und Studium im EU-Ausland ● gegenseitige Anerkennung von Ausbildungsabschlüssen ● das Recht auf Sozialversicherung und Zugang zur Pension ● Förderung von Austauschmaßnahmen im Bildungswesen (Erasmus+)	● Reisen ohne Grenzkontrollen ● europaweit gültiger EU-Führerschein ● keine Roaminggebühren ● Europäische Krankenversicherungskarte ● gemeinsame Währung ● Mindestregelungen für den Verbraucherschutz auf EU-Ebene ● EU-weit einheitliche Mindestansprüche beim Einkaufen

Große Probleme ergeben sich durch nationalistisches Agieren der Mitgliedstaaten wie z. B. im Bereich der Aufnahme von Flüchtlingen.

Weiterentwicklung der EU

„Europa wird nicht von heute auf morgen und nicht aus einem Guss entstehen. Vielmehr werden greifbare Erfolge eine zunächst faktische Solidarität erzeugen." (Robert Schuman, 9. Mai 1950)

Robert Schuman (1886–1963), einer der Gründerväter der EU

Die Europäische Union muss sich immer größeren Herausforderungen stellen, die ein solidarisches Handeln erschweren. Bei einer zunehmenden Anzahl von Regelungen könnten die Mitgliedstaaten entscheiden, ob sie sich an einem Politikbereich beteiligen oder nicht. Zahlreiche Sonderregelungen könnten zulasten der Solidarität gehen.

Übungsbeispiel

Ü 3.1: Übersicht über die Verträge der EU A

Nennen Sie die Verträge, in denen die folgenden Inhalte vereinbart wurden, sowie das Jahr ihres Inkrafttretens.

Inhalt	Verträge	Jahr des Inkrafttretens
Gründung der Europäischen Gemeinschaft für Kohle und Stahl		
Gründung der Europäischen Wirtschafts- und Atomgemeinschaft		
Festlegung der schrittweisen Vollendung des Binnenmarkts		
Gründung der Europäischen Union		
Weiterentwicklung des Vertrags von Maastricht		
Anpassung einzelner Organe in Hinblick auf die große Osterweiterung		
grundlegende Reform der Europäischen Union und ihrer bestehenden Verträge		
Abschaffung von Personenkontrollen an den Binnengrenzen		

3 EU-Erweiterung

Die Erweiterung ist die Aufnahme von einem oder mehreren Staaten in die EU.

Der Wunsch nach mehr Sicherheit und Frieden, Freiheit und Mobilität, die Hoffnung auf größeren wirtschaftlichen Wohlstand und mehr Macht in einem vereinten Europa sind einige Gründe für die Erweiterung.

Beitrittskriterien

Jeder europäische Staat, der die Grundsätze der Europäischen Gemeinschaft achtet, kann einen Antrag auf Beitritt stellen. Nach einer Stellungnahme der Kommission entscheidet der Rat der EU über die Aufnahme von Beitrittsverhandlungen.

Kopenhagener Kriterien: 1993 wurden in Hinblick auf die EU-Osterweiterung Kriterien für den Beitritt festgelegt, die jeder Beitrittswerber spätestens bis zum Ende der Verhandlungen erfüllen muss.

- **politische Kriterien:** institutionelle Stabilität als Garantie für eine demokratische und rechtsstaatliche Ordnung, die Wahrung der Menschenrechte sowie die Achtung und der Schutz von Minderheiten
- **wirtschaftliche Kriterien:** eine funktionsfähige Marktwirtschaft sowie die Fähigkeit, dem Wettbewerbsdruck und den Marktkräften innerhalb der Union standzuhalten
- **Acquis-Kriterium:** die Übernahme des Rechtsbestands der EU und dessen Umsetzung in einem funktionierenden Justiz- und Verwaltungssystem

Das **Europäische Parlament** muss mit absoluter Mehrheit und der **Rat der EU** einstimmig der Aufnahme zustimmen.

Die Parlamente aller Mitgliedstaaten müssen den Beitrittsvertrag ratifizieren.

Erweiterungsschritte	Jahr	Länder
Gründung der EWG	**1957**	Belgien, Bundesrepublik Deutschland, Frankreich, Italien, Luxemburg, Niederlande
Nord-Erweiterung	**1973**	Dänemark, Irland, Großbritannien
1. Süd-Erweiterung	**1981**	Griechenland
2. Süd-Erweiterung	**1986**	Portugal und Spanien
deutsche Wiedervereinigung	**1990**	DDR
Nord- und Ost-Erweiterung	**1995**	Finnland, Österreich, Schweden
1. Ost-Erweiterung	**2004**	Estland, Lettland, Litauen, Polen, Tschechien, Slowakei, Ungarn, Slowenien, Malta, Zypern
2. Ost-Erweiterung	**2007**	Bulgarien und Rumänien
3. Ost-Erweiterung	**2013**	Kroatien

1972 und 1994 stimmte Norwegen negativ über den EU-Beitritt ab.

Austritt aus der EU

Im **Vertrag von Lissabon** ist erstmals die Austrittsmöglichkeit aus der EU verankert worden. Ein Ausschluss ist nicht vorgesehen, jedoch gibt es die Möglichkeit der Aussetzung bestimmter Rechte, wie z. B. des Stimmrechts im Rat.

Am 23.6.2016 stimmten in einem Referendum 51,9 % der Briten dafür, dass ihr Land die EU verlässt. Dem folgte am 29.3.2017 der formelle Antrag Großbritanniens auf Austritt aus der EU und die damit verbundenen zweijährigen Verhandlungen über den „Brexit".

Beitrittskandidaten

Island zog 2015 formell seinen Antrag auf Beitritt zur Europäischen Union zurück.

Mit der **Türkei** (seit 2005), **Montenegro** (seit 2012) und **Serbien** (seit 2014) sind die Beitrittsverhandlungen bereits im Gange, noch ohne laufende Verhandlungen sind **Mazedonien** und **Albanien.**

Potenzielle Beitrittskandidaten: Mit **Bosnien und Herzegowina** und **Kosovo** werden zunächst in Hinblick auf effizientere Beitrittsverhandlungen Stabilisierungs- und Assoziierungsabkommen geschlossen.

Sichern & Merken

SbX ID: 0313

Europaidee

Durch **engere Zusammenarbeit** wollen die europäischen Staaten den **Frieden sichern.**

Gründungsverträge

1. **EGKS (1951)** für die Zusammenarbeit auf dem Gebiet von Kohle und Stahl
2. **EWG (1957)** für die wirtschaftliche Zusammenarbeit
3. **EAG (1957)** für die friedliche Nutzung der Kernenergie und gemeinsame Forschung

Änderungsverträge

1. **Einheitliche Europäische Akte (1986)** zur Vorbereitung des Binnenmarkts
2. **Vertrag von Maastricht (1992)** zur Vorbereitung auf die Europäische Währungsunion und Einführung von Elementen einer politischen Union
3. **Vertrag von Amsterdam (1997)** zur Vertiefung der Zusammenarbeit und Vorbereitung der Erweiterung der EU
4. **Vertrag von Nizza (2001)** als Reform der Organe in Hinblick auf die große Osterweiterung der EU
5. **Vertrag von Lissabon (2007)** zur Erschaffung einer bürgernäheren, transparenteren und effizienteren EU

Schengener Abkommen

Das **Schengener Abkommen** beinhaltet den Wegfall der Personenkontrollen und die Zusammenarbeit der Polizei- und Justizbehörden im Schengen-Raum.

Gründungsländer der EU

Belgien, Bundesrepublik Deutschland, Frankreich, Italien, Luxemburg und Niederlande

EU-Erweiterung

1973: Großbritannien, Irland, Dänemark; 1981: Griechenland; 1986: Portugal, Spanien; 1995: Finnland, Österreich, Schweden; 2004: Estland, Lettland, Litauen, Polen, Tschechien, Slowakei, Ungarn, Slowenien, Malta, Zypern; 2007: Bulgarien, Rumänien; 2013: Kroatien

Kopenhagener Kriterien

Die **Kopenhagener Kriterien** beinhalten die Voraussetzungen für die Aufnahme in die EU:
- **politische Kriterien:** institutionelle Stabilität auf Basis der Demokratie
- **wirtschaftliche Kriterien:** funktionierende Marktwirtschaft
- **Acquis-Kriterium:** Übernahme des EU-Rechtsbestands

SbX ID: 0313

Im SbX finden Sie eine Bildschirmpräsentation mit den Grafiken dieser Lerneinheit.

Wissen & Können

A B C D E

W 3.1: Chronologie des Vertragswerks der EU A

Geben Sie einen chronologischen Überblick über die Verträge der EU und deren Ziele.

Verträge		Ziele der Verträge
	2009	
	2003	
	1999	
	1995	
	1993	
	1987	
	1958	

3 Die Europäische Union

W 3.2: Erweiterungsschritte der EU A

Geben Sie einen Überblick über die Erweiterungsschritte der EU.

Erweiterungsschritte	Länder	Jahr
Gründung der EWG		
Nord-Erweiterung		
1. Süd-Erweiterung		
2. Süd-Erweiterung		
deutsche Wiedervereinigung		
Nord- und Ost-Erweiterung		
1. Ost-Erweiterung		
2. Ost-Erweiterung		
3. Ost-Erweiterung		

W 3.3: Beitrittskandidaten der EU A

a) Nennen Sie die Länder mit Kandidatenstatus.

b) Welche Voraussetzungen müssen sie erfüllen, um EU-Mitglied zu werden?

W 3.4: Vertrag von Lissabon B

Welche Änderungen wurden im Vertrag von Lissabon vorgenommen? Ordnen Sie zu, welche Inhalte richtig und welche falsch sind.

Inhalte	Richtig	Falsch
Der Präsident des Europäischen Rats wurde als neues Amt eingeführt.		
Rechtliche Gleichstellung der Charta der Grundrechte mit EU-Verträgen		
Abschaffung des Subsidiaritätsprinzips		
Austrittsmöglichkeit aus der EU		
Verringerung der Abgeordnetenzahl im EU-Parlament		
Einführung der „doppelten Mehrheit" bei Abstimmungen im Ministerrat		

W 3.5: EU-Beitrittskriterien B

Mit der Türkei wird seit 2005 über den Beitritt zur EU verhandelt.

a) Welche Kriterien muss die Türkei erfüllen, welche nicht? Kreuzen Sie an!

Kriterien	Richtig	Falsch
unabhängige Gerichtsbarkeit		
Religionsfreiheit		
Mitgliedschaft bei der NATO		
Anpassung der geltenden nationalen Gesetze an das geltende EU-Recht		
Abschaffung der Todesstrafe		
Mindesteinkommen		
freier Kapitalverkehr		

b) Wer muss in weiterer Folge der Aufnahme der Türkei zustimmen?

W 3.6: Weiterentwicklung der EU C

Es gibt verschiedene Modelle der Weiterentwicklung der EU.

- **Das Europa der verschiedenen Geschwindigkeiten:** Die Ziele der EU werden zeitlich verschoben erreicht.
- **„Europa à la carte“:** Gemeinsame Ziele werden von den Mitgliedstaaten ausgesucht.
- **Das Europa der verschiedenen Kreise:** Nicht-EU-Staaten arbeiten in einigen Bereichen mit der EU eng zusammen.

Beurteilen Sie, in welchen Bereichen bereits solche Entwicklungen beobachtet werden können.

W 3.7: EU im Alltag C

Beschreiben Sie die Auswirkungen des Unionsrechts auf folgende Bereiche des Alltags von Unionsbürgerinnen und Unionsbürgern und beurteilen Sie die Vor- und Nachteile gemeinschaftlicher Regelungen.

- politische Rechte
- Arbeit und Bildung
- Reisen und Einkaufen

Ein kurzer Kompetenz-Check, bevor's weitergeht!

Kompetenz-Check

	☺	😐	☹
Ich kann die Entstehung der Europäischen Union beschreiben und zur europäischen Idee Stellung beziehen.			
Ich kann einen Überblick über die vertragliche Weiterentwicklung der EU geben und dazu Stellung beziehen.			
Ich kann einen Überblick über die Erweiterungsschritte der EU geben und dazu Stellung beziehen.			

Lerneinheit 2

Die Organe in der EU

SbX
Alle SbX-Inhalte zu dieser Lerneinheit finden Sie unter der ID: 0320.

Die EU hat eine eigene Rechtspersönlichkeit. Sie benötigt für die Durchführung ihrer Aufgaben Organe für die Gesetzgebung, Verwaltung und Gerichtsbarkeit – wie in nationalen Staaten.

Lernen & Üben

SbX ID: 0321

1 Überblick über die Organe

Die Befugnisse leiten sich von den bestehenden Verträgen ab.

Die Mitgliedstaaten der Europäischen Union haben einen Teil ihrer Hoheitsrechte auf die europäische Ebene übertragen. Diese Rechte werden von den Institutionen der EU wahrgenommen.

Organe in der EU
(Zusammensetzung mit Großbritannien – Stand: Juli 2019)

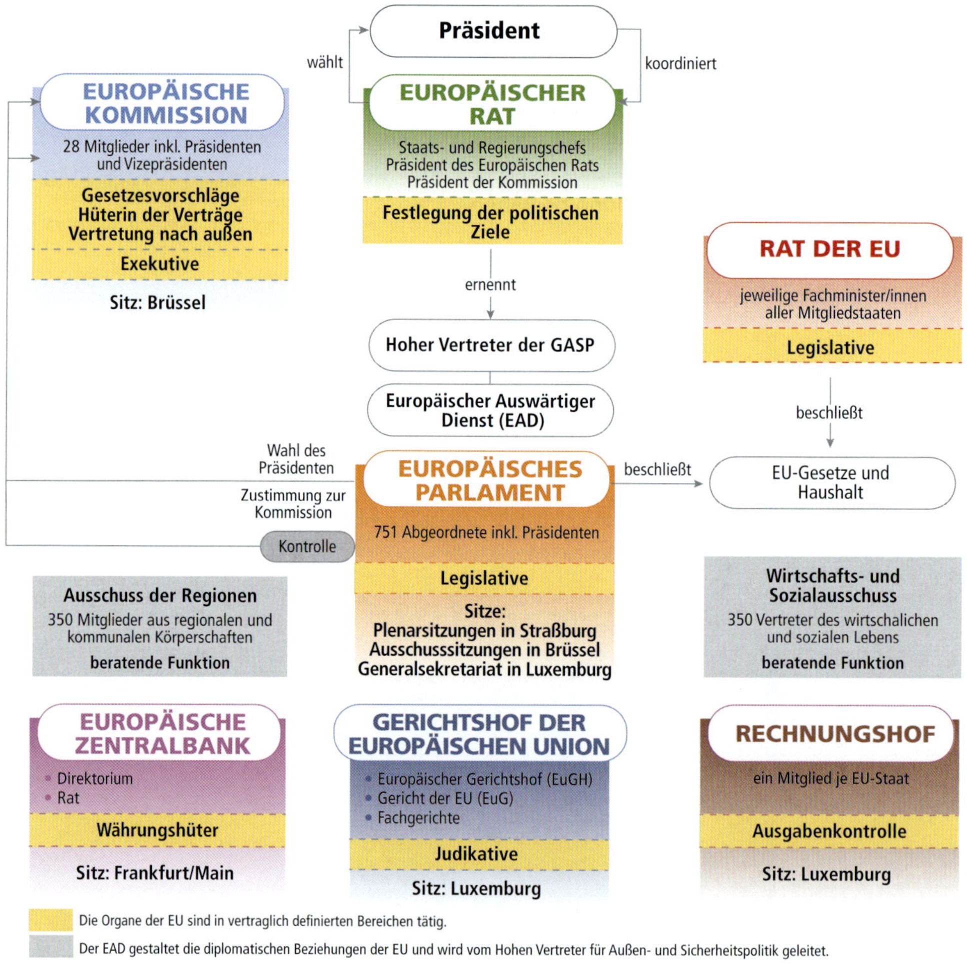

Die Arbeit der Organe erfolgt in 24 Amtssprachen.

Die **Organe** bilden ein **institutionelles Gefüge** mit unterschiedlichen Interessen:

1. Das Europäische Parlament und der Europäische Gerichtshof vertreten das Interesse der Bürger.
2. Der Europäische Rat und der Rat der EU vertreten das Interesse der Regierungen.
3. Die Europäische Kommission und die EZB vertreten das Gemeinschaftsinteresse.

SbX
Unter der ID: 0321 finden Sie eine kommentierte Linkliste zur Europäischen Union.

2 Europäischer Rat

Mit dem Inkrafttreten des Vertrags von Lissabon wurde der Europäische Rat ein Organ.

Der Europäische Rat als politisch wichtigste Instanz der EU hat den Integrationsprozess beschleunigt.

Nur die Staats- und Regierungschefs haben ein Stimmrecht.

Zusammensetzung

- alle Staats- und Regierungschefs der EU-Mitgliedstaaten
- Kommissionspräsident
- Präsident des Europäischen Rats
- Hoher Vertreter für Außen- und Sicherheitspolitik bei außenpolitischen Fragen

Aufgaben

- wichtige Impulse für die Entwicklung der EU
- Festlegung von Leitlinien und Zielen der EU-Politik
- Ernennungsverfahren für hochrangige EU-Funktionen wie die Wahl des Präsidenten des Europäischen Rats oder die Ernennung des Hohen Vertreters für die Außen- und Sicherheitspolitik

Der Präsident/Die Präsidentin des Europäischen Rats wird für zweieinhalb Jahre gewählt, die Amtszeit kann einmal verlängert werden.

Sitz

Die „EU-Gipfeltreffen" finden in Brüssel statt.

3 Rat der Europäischen Union (Ministerrat)

Tagung von Vertretern der Mitgliedstaaten auf Ministerebene

Zusammensetzung

- **Fachministerinnen/-minister** der **nationalen Regierungen,** wobei es je nach Politikfeld zehn **unterschiedliche Fachministerräte** gibt. Ein Beispiel ist der Rat für Allgemeine Angelegenheiten mit den Außenministerinnen/-ministern.
- Die Organisation des Rats wird von den **ständigen Vertretern** der Mitgliedstaaten bzw. vom Generalsekretariat geleitet.

Österreich hatte den Ratsvorsitz 2006 sowie 2018.

Der Vorsitz im EU-Ministerrat wechselt halbjährlich.

Aufgaben

Die zentralen Aufgaben vom Rat der Europäischen Union

Abstimmungsverfahren

Für die Beschlussfassung ist in den meisten Fällen die **doppelte Mehrheit** erforderlich. Es müssen **55 % der Mitgliedstaaten** zustimmen. Diese Mehrheit muss mindestens **65 % der Unionsbevölkerung** vertreten. Um eine Entscheidung zu blockieren, müssen wenigstens vier Länder dagegenstimmen, die zusammen mehr als 35 % der EU-Bevölkerung repräsentieren.

Achtung: Verwechslungsgefahr!

- Der **Europäische Rat** mit den Staats- und Regierungschefs der Mitgliedstaaten ist das politische Leitungsorgan der EU.
- Der **Rat der EU** mit den jeweils zuständigen Fachministerinnen und -ministern der Mitgliedstaaten ist gemeinsam mit dem EU-Parlament Gesetzgebungsorgan der EU.
- Der 1949 gegründete **Europarat** mit Sitz in Straßburg gilt als führende europäische Institution für Menschenrechte. Ihm gehören 47 Staaten an.

4 Die Europäische Kommission

Die Kommission nimmt als „Regierung" der EU eine sehr bedeutende Stellung ein.

Die Kommission ist das Verwaltungsorgan der EU. Sie ist von den nationalen Regierungen unabhängig und vertritt und wahrt die Interessen der gesamten EU.

Zusammensetzung

- Je ein Kommissar/eine Kommissarin werden von den jeweiligen Regierungen für unterschiedliche Sachbereiche vorgeschlagen und nach Zustimmung durch das Europäische Parlament vom Rat für fünf Jahre ernannt.
- Für die Leitung wird ein/e **Kommissionspräsident/-präsidentin** bestimmt. Diese/r wird vom Rat vorgeschlagen und vom EU-Parlament gewählt.

Aufgaben

Die zentralen Aufgaben der EU-Kommission

5 Das Europäische Parlament

Die Abgeordneten zum Europäischen Parlament vertreten die Unionsbürgerinnen und -bürger.

Zusammensetzung

- Die **Abgeordneten** werden in allen EU-Mitgliedstaaten alle fünf Jahre neu gewählt.
- Der **Präsident** wird für die Dauer von zweieinhalb Jahren von den Abgeordneten gewählt, eine Wiederwahl ist möglich.
- Die **Anzahl der Abgeordneten** richtet sich grundsätzlich nach der **Bevölkerungszahl.** Die Mitgliedstaaten entsenden je nach ihrer Größe mindestens sechs und maximal 96 Abgeordnete, wobei kleine und mittlere Staaten proportional stärker vertreten sind als die größeren.
- Die Mitglieder des EU-Parlaments bilden acht **länderübergreifende politische Fraktionen,** wie zum Beispiel die Fraktion der Europäischen Volkspartei oder die Sozialdemokratische Fraktion. Zur Bildung einer Fraktion sind mindestens 25 Abgeordnete erforderlich, die mindestens ein Viertel aller Mitgliedstaaten repräsentieren müssen.

Staaten	Anzahl der Mandate	Anzahl der Mandate nach dem Brexit	Einwohnerzahl in Mio. * (Stand 2018)
Belgien	21	21 (=)	11,4
Bulgarien	17	17 (=)	7,1
Dänemark	13	14 (+1)	5,8
Deutschland	96	96 (=)	82,9
Estland	6	7 (+1)	1,3
Finnland	13	14 (+1)	5,5
Frankreich	74	79 (+5)	67,2
Griechenland	21	21 (=)	10,7
Irland	11	13 (+2)	4,8
Italien	73	76 (+3)	60,5
Kroatien	11	12 (+1)	4,1
Lettland	8	8 (=)	1,9
Litauen	11	11 (=)	2,8
Luxemburg	6	6 (=)	0,6
Malta	6	6 (=)	0,5
Niederlande	26	29 (+3)	17,2
Österreich	18	19 (+1)	8,8
Polen	51	52 (+1)	38,0
Portugal	21	21 (=)	10,3
Rumänien	32	33 (+1)	19,5
Schweden	20	21 (+1)	10,1
Slowakei	13	14 (+1)	5,4
Slowenien	8	8 (=)	2,1
Spanien	54	59 (+5)	46,7
Tschechien	21	21 (=)	10,6
Ungarn	21	21 (=)	9,8
Vereinigtes Königreich	73	0 (–73)	66,2
Zypern	6	6 (=)	0,9
EU-27	**751**	**705**	**512,7**

Nach dem Brexit werden 27 der 73 Sitze des Vereinigten Königreichs auf andere Mitgliedstaaten umverteilt, während die restlichen 46 Sitze für künftige EU-Erweiterungen in Reserve gehalten werden.

* Europa in Zahlen, Letzte Aktualisierung: 02.01.2019

Jeder EU-Staat hat nationale Wahlordnungen: Das aktive Wahlalter beträgt überall außer in Österreich und Malta 18 Jahre, das passive Wahlalter beginnt zwischen 18 und 25 Jahren. In 13 EU-Staaten gibt es keine Sperrklausel.

Österreichische Europawahlordnung

- **Aktiv wahlberechtigt** sind alle Österreicher und Österreicherinnen, Auslandsösterreicher und Auslandsösterreicherinnen sowie nicht österreichische Unionsbürger und -bürgerinnen mit Wohnsitz in Österreich, die am Wahltag das 16. Lebensjahr vollendet haben.
- **Passiv wahlberechtigt** sind alle Österreicher und Österreicherinnen und nicht österreichische Unionsbürger und -bürgerinnen mit Wohnsitz in Österreich, die am Wahltag das 18. Lebensjahr vollendet haben.
- Die Wahlen finden **alle fünf Jahre** nach dem **Verhältniswahlrecht** statt. Für den Einzug in das EU-Parlament braucht eine Partei mindestens 4 % der gültigen Stimmen (Sperrklausel).
- Für eine Vorreihung der Kandidaten müssen 5 % der Wählerinnen bzw. Wähler einer Partei einer Kandidatin bzw. einem Kandidaten ihre Vorzugsstimme gegeben haben.

Aufgaben

- **Gesetzgebungsrechte:** Mitgesetzgeber mit dem Rat
- **Haushaltsbefugnisse:**
  - berät den EU-Haushalt und verabschiedet ihn
  - darf über alle EU-Ausgaben mitbestimmen
- **demokratische Kontrollrechte:** z. B. die Möglichkeit, durch einen Misstrauensantrag mit Zweidrittelmehrheit die Kommission zum Rücktritt zu zwingen

Das Europäische Parlament in Straßburg: Hier tagen die Abgeordneten eine Woche pro Monat. (Plenarsitzungen in Straßburg, Ausschusssitzungen in Brüssel)

- **Wahlfunktion:** Bestätigung des Kommissionspräsidenten und der gesamten Kommission

6 Der Gerichtshof der Europäischen Union

Der Gerichtshof der Europäischen Union ist für die einheitliche Anwendung und Auslegung des Unionsrechts zuständig.

Das Organ **Gerichtshof der Europäischen Union** besteht aus drei Gerichten.

- **Gerichtshof (EuGH):** je ein Richter/eine Richterin pro Mitgliedstaat, 11 Generalanwältinnen/-anwälte
- **Gericht (EuG):** zwei Richter/Richterinnen pro Mitgliedstaat (mit 1.9.2019)
- **Gericht für den öffentlichen Dienst (EuGöD):** 7 Richterinnen und Richter

Als österreichischer Vertreter ist Andreas Kumin Richter am EuGH.

Die Richterinnen und Richter werden von den Regierungen der Mitgliedstaaten im gegenseitigen Einvernehmen für 6 Jahre ernannt.

Sitz

Der Gerichtshof der Europäischen Union befindet sich in Luxemburg.

Die zentralen Aufgaben des EuGH

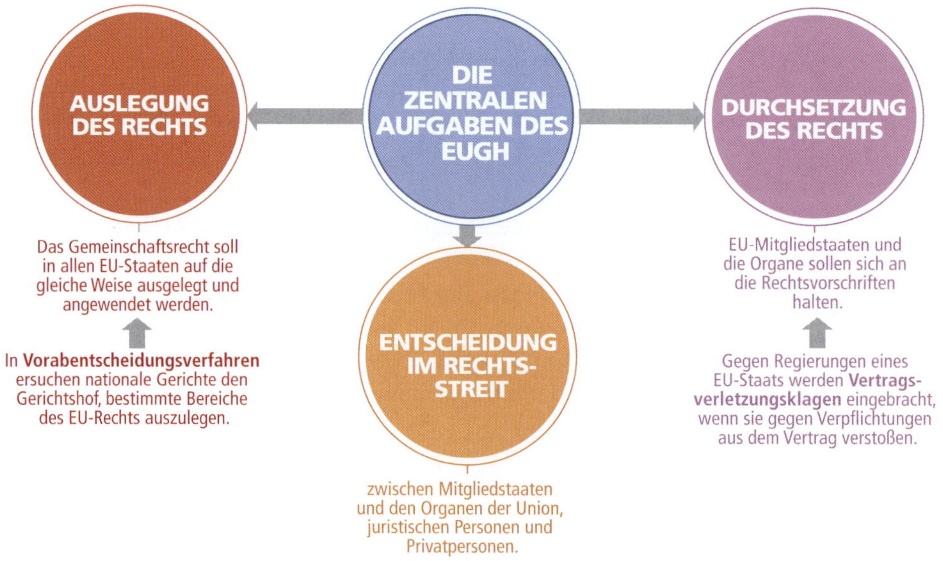

Der Sitz des Gerichtshofs der Europäischen Union ist nicht zu verwechseln mit dem EuGH für Menschenrechte in Straßburg, der keine Einrichtung der EU, sondern des Europarats ist.

7 Der Europäische Rechnungshof (EuRH)

Der Rechnungshof überprüft die Finanzen.

Der Europäische Rechnungshof sorgt dafür, dass die Finanzmittel der EU ordnungsgemäß verwendet werden.

Für Österreich ist Oskar Herics Mitglied des EuRH.

Zusammensetzung

Der Europäische Rechnungshof setzt sich aus je einem Vertreter bzw. einer Vertreterin aus den Mitgliedstaaten zusammen, die vom Rat nach Anhörung durch das Parlament auf sechs Jahre ernannt werden.

Aufgaben

Er ist für die nachträgliche Prüfung der Verwendung der Finanzmittel der EU und ihrer Organe nach den Kriterien der Rechtmäßigkeit, Zweckmäßigkeit und Wirtschaftlichkeit zuständig.

Sitz

Der Europäische Rechnungshof befindet sich in Luxemburg.

8 Die Europäische Zentralbank (EZB)

Die EZB ist für die Wirtschafts- und Währungspolitik der EU zuständig.

Die EZB bildet mit allen Notenbanken der Mitgliedstaaten das Europäische System der Zentralbanken (ESZB) und sorgt für Preisstabilität, insbesondere in den Staaten der Eurozone, und für die Stabilität des Finanzsystems.

Zusammensetzung

- **Direktorium der EZB:** Führung der laufenden Geschäfte und Durchführung der Geldpolitik im Euroraum, sechs Mitglieder inklusive dem Präsidenten werden für 8 Jahre von den Staats- und Regierungschefs ernannt.
- **EZB-Rat:** legt die Währungspolitik für die Eurozone fest, besteht aus dem Direktorium und den Präsidenten der nationalen Notenbanken der Eurostaaten
- **Erweiterter Rat der EZB:** Koordinierungsarbeiten in der gesamten EU, besteht aus dem Präsidenten und dem Vizepräsidenten der EZB sowie den Notenbankchefs aller EU-Staaten

Euro-Steckbrief: Währung in 19 EU-Staaten sowie 6 weiteren europäischen Staaten als „Euronutzer"; am **1. 1. 1999** als Buchgeld, am **1. 1. 2002** als Bargeld eingeführt

Sitz der EZB in Frankfurt am Main

Aufgaben

- Festlegung der Leitzinssätze der Eurozone und Kontrolle der Geldmenge
- Verwaltung der Währungsreserven der Eurozone
- Genehmigung der Ausgabe von Banknoten in den Ländern der Eurozone

9 Ausschüsse der EU

Die Ausschüsse unterstützen das Europäische Parlament, den Rat und die Kommission.

Die Ausschüsse der EU haben beratende Funktion.

Wirtschafts- und Sozialausschuss

Zusammensetzung

Der Wirtschafts- und Sozialausschuss besteht aus Vertretern aus den verschiedenen wirtschaftlichen und sozialen Bereichen, wie Arbeitnehmer- und Arbeitgebervertreter oder Konsumentenorganisationen.

Aufgaben

Vor Beschlüssen des Rates über Wirtschafts- und Sozialpolitik muss die Stellungnahme des Ausschusses eingeholt werden.

Ausschuss der Regionen

Zusammensetzung

Österreich hat in beiden Ausschüssen 12 Mitglieder.

Der Ausschuss der Regionen setzt sich aus Vertretern der regionalen und kommunalen Gebietskörperschaften zusammen, wie z. B. Landeshauptleute.

Aufgaben

Der Ausschuss kann Standpunkte der lokalen und regionalen Gebietskörperschaften zu Rechtsvorschriften der EU, die spezifische lokale Interessen betreffen, einbringen.

Ergänzt werden die Organe durch die **Europäische Investitionsbank,** die als Finanzierungsinstrument der EU fungiert.

Sichern & Merken

SbX ID: 0323

Europäischer Rat

Die Staats- oder Regierungschefs, der Kommissionspräsident und der Präsident des Europäischen Rats bestimmen im **Europäischen Rat** die Ziele der EU.

Rat der EU

Die Minister/Ministerinnen der Mitgliedstaaten bilden den **Rat der EU.**

Europäische Kommission

Ein Kommissar/eine Kommissarin pro Mitgliedstaat bilden die **Europäische Kommission,** die „Regierung" der EU.

Europäisches Parlament

Direkt gewählte europäische Abgeordnete wirken an der Gesetzgebung und Haushaltsgenehmigung mit und üben Kontrollbefugnisse aus.

Europäischer Gerichtshof

Ein Richter/eine Richterin pro Mitgliedsland üben am **Europäischen Gerichtshof** die richterliche Gewalt zur Wahrung des Gemeinschaftsrechts aus.

Europäischer Rechnungshof

Der **Europäische Rechnungshof** überprüft den sparsamen, wirtschaftlichen und wirksamen Mitteleinsatz der EU.

Europäische Zentralbank

Die Europäische Zentralbank **(EZB)** ist die Währungsbehörde der Mitgliedstaaten der Europäischen Währungsunion.

Wirtschafts- und Sozialausschuss

Mitglieder diverser Interessengruppen beraten im **Wirtschafts- und Sozialausschuss** die Organe der EU.

Ausschuss der Regionen

Mitglieder regionaler und kommunaler Gebietskörperschaften beraten im **Ausschuss der Regionen** die Organe der EU.

SbX ID: 0323

Im SbX finden Sie eine Bildschirmpräsentation mit den Grafiken dieser Lerneinheit.

Wissen & Können

A B C D E

W 3.8: Zusammensetzung der Organe B

Beschreiben Sie, wie die folgenden Organe bzw. Ausschüsse zusammengesetzt sind und wie Österreich darin vertreten ist.

Organe	Zusammensetzung	Vertretung Österreichs
Europäischer Rat		
Rat der EU		
Kommission		
Europäisches Parlament		
EuGH		
Europäischer Rechnungshof		
Europäische Zentralbank		
Ausschuss der Regionen		
Wirtschafts- und Sozialausschuss		

W 3.9: Tätigkeitsbereiche der EU-Organe B

Ordnen Sie folgende Tätigkeiten den Organen der EU zu.

Tätigkeiten	Organe
Vorgabe allgemeiner politischer Ziele	
Beschluss von europäischen Rechtsnormen	
Mitentscheidung in der Gesetzgebung	
Verwaltung des EU-Budgets	
Einbringung von Gesetzesvorschlägen	
Entscheidung über die Auslegung der europäischen Gesetze	
Setzung währungspolitischer Maßnahmen	
Überprüfung der Einnahmen und Ausgaben der EU	

W 3.10: Verwechslungsgefahr bei Organen B

Beschreiben Sie die Unterschiede zwischen dem Europäischen Rat, dem Rat der EU und dem Europarat.

W 3.11: Zusammenwirken der Organe der EU B

Welche Organe sind wofür zuständig?

Organ		Organ
Das Europäische Parlament	kann ein Misstrauensvotum einlegen gegen die	
Das Europäische Parlament	teilt sich die Gesetzgebungsfunktion mit dem	
Die Kommission	macht bei Vertragsverletzung eine Aufsichtsklage beim	
Das Europäische Parlament	muss der Ernennung der Kommission zustimmen, ernannt wird sie durch den	
Die Kommission	schlägt den Haushaltsplan vor und er muss genehmigt werden durch	1. 2.
Die Kommission	ist verantwortlich für den Haushaltsvollzug, die Kontrolle erfolgt durch den	

W 3.12: Bildung der Organe C

Erklären Sie, wie es zur Zusammensetzung der folgenden Organe der EU kommt.

a) Europäische Kommission
b) Europäisches Parlament
c) Ministerrat
d) Europäisches Gericht
e) Europäischer Rat
f) Direktorium der EZB
g) Rechnungshof

W 3.13: Gewaltenteilung in der EU und in Österreich B

Nennen Sie die Organe, die Sie auf EU-Ebene bzw. in Österreich den drei Staatsgewalten zuordnen können.

Staatsgewalten	EU	Österreich
Legislative		
Exekutive		
Judikative		

Ein kurzer Kompetenz-Check, bevor's weitergeht!

Kompetenz-Check

	☺	😐	☹
Ich kann einen Überblick über die Zusammensetzung und Aufgaben der Organe der EU geben.			
Ich kann die Aufgaben der Organe erklären.			
Ich kann erklären, wie die Organe zusammenarbeiten.			

Lerneinheit 3
Grundlagen des EU-Rechts und der Rechtsdurchsetzung

SbX
Alle SbX-Inhalte zu dieser Lerneinheit finden Sie unter der ID: 0330.

Die Mitgliedstaaten haben im Rahmen der EU ihre Gesetzgebungshoheit beschränkt. Sie haben eine eigene selbständige Rechtsordnung geschaffen.

Diese beruht in erster Linie auf den Gemeinschaftsverträgen. Abgeleitet davon können die Gemeinschaftsorgane weitere Rechtsakte setzen.

Lernen & Üben

A B C D E

1 Rechtsquellen des Unionsrechts
Herkunft und Verankerung des Rechts

Das Unionsrecht untergliedert sich in das primäre Unionsrecht, vergleichbar mit einer Verfassung, und das davon abgeleitete sekundäre Unionsrecht.

EUR-Lex ist das rechtsverbindliche elektronische Amtsblatt der EU in 24 Amtssprachen: **eur-lex.europa.eu.**

Primäres Unionsrecht	Sekundäres Unionsrecht
● **Verträge**	● **Verordnungen**
● **ungeschriebene Rechtsgrundsätze**	● **Richtlinien**
○ völkerrechtliche Bestimmungen	● **Beschlüsse**
○ ungeschriebene Rechtsgrundsätze	● **Empfehlungen und Stellungnahmen**

Unmittelbare Geltung der Verträge: Unter bestimmten Voraussetzungen müssen nationale Gerichte und Verwaltungsbehörden das Primärrecht unmittelbar anwenden, wie z.B. den Grundsatz gleichen Entgelts für Männer und Frauen gemäß Art. 157 AEUV.

Primärrecht

Das Primärrecht ist in Verträgen niedergeschrieben und bildet das rechtliche Dach der Gemeinschaft. Es ist mit der Verfassung eines Landes vergleichbar. Somit kann die Europäische Union nur das gesetzlich regeln, was die Mitgliedstaaten in den verschiedenen Verträgen festgelegt haben.

Verträge

- Vertrag über die Europäische Union (EUV)
- Vertrag über die Arbeitsweise der Europäischen Union (AEUV)
- Vertrag über die Europäische Atomgemeinschaft (EAGV)
- Charta der Grundrechte der EU

Ungeschriebene Rechtsgrundsätze

In der Rechtsprechung nimmt der EuGH auf **völkerrechtliche Bestimmungen** wie beispielsweise den Grundsatz des guten Glaubens Bezug. So können sich Einzelne auf Bestimmungen von EU-Richtlinien berufen, auch wenn der Staat sie nicht umgesetzt hat. Gleichzeitig entwickelt der EuGH durch seine Rechtsprechung allgemeine Rechtsgrundsätze, wie den Vorrang des Unionsrechts.

Rechtsakte des Sekundärrechts

Das sekundäre Unionsrecht leitet sich vom Primärrecht ab und wird nach dessen Regeln von den Gemeinschaftsorganen erzeugt. Der Vertrag über die Arbeitsweise der EU sieht unterschiedliche Rechtsakte vor.

3 Die Europäische Union

Für die Anwendung und Durchführung des Unionsrechts sind grundsätzlich die Mitgliedstaaten und ihre Behörden zuständig.

Verordnungen	Richtlinien
● Sie sind generelle, verbindliche Normen, die unmittelbar in jedem Mitgliedstaat gelten. ● Sie werden automatisch Bestandteil der nationalen Rechtsordnung.	● Sie sind generelle Normen und beinhalten Zielvorgaben an die Mitgliedstaaten. ● Diese sind verpflichtet, die Richtlinien innerhalb einer bestimmten Frist in entsprechende nationale Rechtsnormen umzusetzen.
Beispiele	
● EU-Verordnung über eine gemeinsame Einfuhrregelung (2015) ● Dublin-III-Verordnung (2013) ● EU-Lebensmittelinformationsverordnung (2011)	● Richtlinie über die Rechte der Verbraucher (2011) ● Richtlinie zur Verhinderung der Nutzung des Finanzsystems zum Zwecke der Geldwäsche und der Terrorismusfinanzierung (2015)
Adressaten sind juristische bzw. natürliche Personen und Mitgliedstaaten.	Die Mitgliedstaaten sind zur richtlinienkonformen Auslegung durch das nationale Recht verpflichtet.
Beschlüsse (Verwaltungsakte)	**Empfehlungen** (Verwaltungsanweisung) **Stellungnahmen** (Verwaltungsauskunft)
Sie sind im Einzelfall verbindlich.	Sie sind grundsätzlich nicht verbindlich.
Beispiele	
Beschluss über die Beteiligung der EU an verschiedenen Organisationen für die Zusammenarbeit bei der Terrorismusprävention und -bekämpfung (2015)	**Empfehlung** der Kommission an die Justizbehörden der EU-Länder, Videokonferenzen verstärkt für eine bessere grenzübergreifende Zusammenarbeit zu nutzen (2015) **Stellungnahme** vom Ausschuss der Regionen: „Maßnahmenpaket für saubere Luft in Europa" (2014)
Adressaten sind juristische bzw. natürliche Personen oder Mitgliedstaaten (selten).	Adressaten sind Mitgliedstaaten, Private oder andere Organe.

2 Rechtsetzungsverfahren

Werdegang eines Rechtsakts vom Vorschlag bis zur Verabschiedung

Das Rechtssystem der EU basiert auf Verträgen zwischen den Mitgliedstaaten. Davon abgeleitet werden allgemeinverbindliche europäische Rechtsnormen in Form von **Verordnungen** und **Richtlinien** beschlossen.

Der Rechtsetzungsprozess erfolgt im Zusammenwirken mehrerer Organe. Das wichtigste Verfahren ist das **ordentliche Gesetzgebungsverfahren** mit gleichberechtigter Mitentscheidung des EU-Parlaments.

Im Vertrag über die Arbeitsweise der Europäischen Union ist geregelt, wie das besondere Gesetzgebungsverfahren im Einzelfall durchzuführen ist.

Nur ausnahmsweise kommen **besondere Gesetzgebungsverfahren** zur Anwendung:

- Im **Anhörungsverfahren** gibt das Europäische Parlament lediglich Stellungnahmen zu den Vorschlägen der Europäischen Kommission ab, etwa im Steuer- und Wettbewerbsbereich.
- In einigen Fällen, wie beim Beitritt neuer Mitgliedstaaten oder bei internationalen Abkommen, muss das Parlament zustimmen **(Zustimmungsverfahren).**

Ablauf des ordentlichen Gesetzgebungsverfahrens

Eine Million Bürgerinnen und Bürger aus einem Viertel der Mitgliedstaaten können eine Gesetzesinitiative anregen.

doppelte Mehrheit: 55 % der Staaten mit mindestens 65 % der Gesamtbevölkerung der EU

Der Rechtsakt kann nur bei Einigkeit verabschiedet werden.

Ablauf des ordentlichen Gesetzgebungsverfahrens

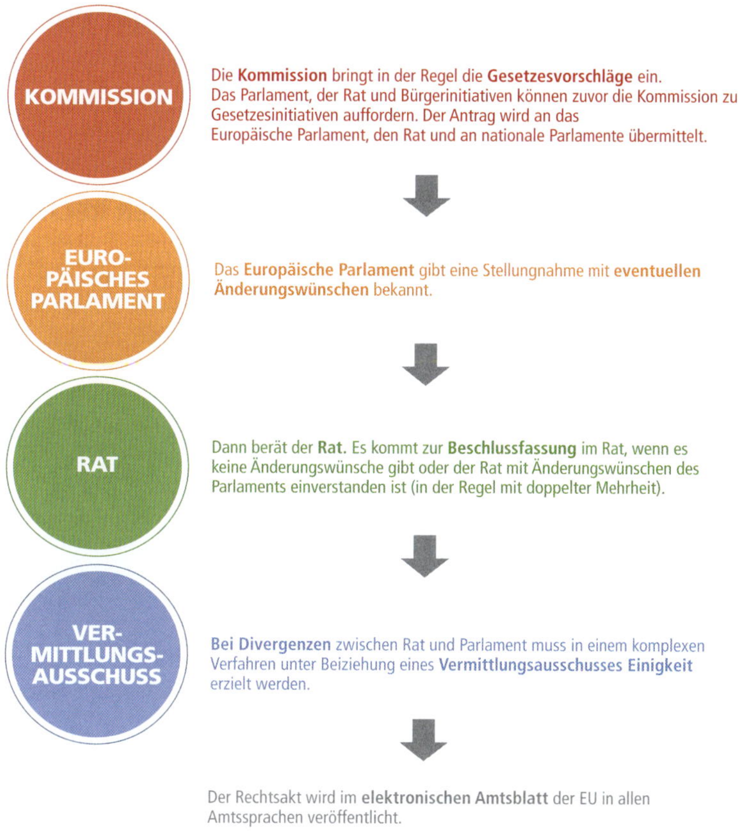

3 Gemeinsame Außen- und Sicherheitspolitik (GASP)

Außen- und sicherheitspolitische Zusammenarbeit

Ziel

Die Sicherheit, Unabhängigkeit und Unversehrtheit der EU soll durch gemeinsames Vorgehen der Mitgliedstaaten gewahrt bleiben.

Die **Instrumente** der GASP sind lediglich **allgemeine Leitlinien** und **Beschlüsse** in Form von

- **gemeinsamen Standpunkten** und
- **gemeinsamen Aktionen** (z. B. Sanktionen gegen andere Staaten).

Sie müssen in der Regel vom **Europäischen Rat** oder **Rat der EU einstimmig** getroffen werden. Das Europäische Parlament hat nur Anhörungs- und Informationsrechte, der EuGH ist im Bereich der GASP grundsätzlich nicht zuständig. Der **Hohe Vertreter für die Außen- und Sicherheitspolitik** leitet die GASP und ist für die Ausführung der Beschlüsse zuständig. Unterstützt wird er dabei vom **Europäischen Auswärtigen Dienst** (EEAS).

Der Spanier Josep Borrell ist der Hohe Vertreter für die Außen- und Sicherheitspolitik.

Beispiele

- **gemeinsamer Standpunkt** betreffend gemeinsame Regeln für die Kontrolle der Ausfuhr von Militärtechnologie und Militärgütern (2008)
- **gemeinsame Aktionen:** militärische Operationen wie in Bosnien und Herzegowina (EUFOR ALTHEA), an denen das österreichische Bundesheer beteiligt ist, oder zivile Missionen wie in Kosovo (EULEX), an denen sich österreichische Polizisten und Diplomaten beteiligen.

4 Das Verhältnis des Unionsrechts zum nationalen Recht

Verhältnis zwischen eigenständiger europäischer Rechtsordnung und nationalen Gesetzen

Mit der Einführung des Unionsrechts änderte sich in Österreich der Stufenbau der Rechtsordnung. Das Unionsrecht geht dem innerstaatlichen Recht vor, nur die Grundprinzipien der Bundesverfassung, wie das demokratische Prinzip, stehen über dem Unionsrecht.

Stufenbau der Rechtsordnung

Stufenbau der Rechtsordnung: Die niedrigere Norm muss jeweils durch die höhere gedeckt sein.

STUFENBAU DER RECHTSORDNUNG

Übungbeispiel

Ü 3.2: Stufenbau der Rechtsordnung B

Ordnen Sie im Stufenbau der Rechtsordnung folgende Normen, beginnend mit der obersten.

	republikanisches Prinzip der Bundesverfassung
	EU-Verordnung zur Lebensmittelkennzeichnung
	Vertrag über die Arbeitsweise der EU
	Staatsgrundgesetz über die allgemeinen Rechte der Staatsbürger
	UGB

Durch die **Rechtsprechung des EuGH** wurden folgende Grundsätze für das Verhältnis zwischen Unionsrecht und den nationalen Rechten entwickelt:

- **Vorrang des Unionsrechts**

Nach ständiger Rechtsprechung des EuGH ist sowohl das Primärrecht als auch das Sekundärrecht in der EU stärker als das Recht der Mitgliedstaaten, wenn gleiche Regelungsinhalte betroffen sind.

Beispiel

Im Costa/E.N.E.L.-Urteil vom 15. Juli 1964 wurde vom EuGH erstmals der absolute Vorrang des Gemeinschaftsrechts gegenüber den nationalen Rechtsordnungen festgestellt. Der EuGH entschied, dass das italienische Gesetz zur Verstaatlichung gegen den EWG-Vertrag verstößt. Es musste daraufhin aufgehoben werden.

- **Unmittelbare Wirkung des Unionsrechts**

Jeder Bürger kann sich bei nationalen Gerichten direkt auf die jeweilige Unionsvorschrift berufen.

Beispiel

Im Verfahren Van Gend & Loos gegen die niederländische Finanzverwaltung vom 5. Februar 1963 entschied der EuGH, dass das europäische Vertragsrecht eine unmittelbare Wirkung entfaltet und individuelle Rechte und Pflichten begründet, die staatliche Gerichte zu beachten haben.

- **Haftung der Mitgliedstaaten bei Verstoß gegen das Unionsrecht**

Bei Verstoß gegen das Unionsrecht haben Bürgerinnen und Bürger Haftungsansprüche gegenüber dem Mitgliedstaat.

Beispiel

In der Francovich-Entscheidung vom 19. November 1991 entschied der EuGH, dass Italien zum Ersatz jener Schäden verpflichtet ist, die dem Kläger durch Verstöße gegen das Gemeinschaftsrecht entstanden sind, die dem italienischen Staat zuzurechnen sind.

Sichern & Merken

SbX ID: 0332

Rechtsquellen – Als **Rechtsquelle** bezeichnet man die Herkunft und Verankerung des Rechts.

Primärrecht – Das **Primärrecht** beinhaltet das Vertragswerk der Union und ungeschriebene Rechtsgrundsätze.

Sekundärrecht – Die Rechtsakte der Union **(Sekundärrecht)** werden vom Primärrecht abgeleitet.

Verordnungen – Die generellen Normen **gelten unmittelbar** in den Mitgliedstaaten.

Richtlinien – Die generellen Normen sind **Zielvorgaben** und müssen erst im nationalen Recht umgesetzt werden.

Beschlüsse – Die **individuellen Normen** sind für Mitgliedstaaten, natürliche und juristische Personen verbindlich.

Empfehlungen und Stellungnahmen – **Empfehlungen** und **Stellungnahmen** ergehen meist an Mitgliedstaaten und sind unverbindlich.

Rechtsetzungsverfahren – Das Initiativrecht hat die **Kommission** → das **Europäische Parlament** hat unterschiedliche Mitentscheidungsbefugnisse → die Beschlussfassung erfolgt durch den **Rat.**

ordentliches Gesetzgebungsverfahren – Der **Rat** kann nur **gemeinsam mit dem Europäischen Parlament** ein Gesetz beschließen.

Entscheidungen im Rat – Die Beschlüsse werden in der Regel mit „doppelter Mehrheit" gefasst. Dies bedeutet, 55 % der EU-Mitgliedstaaten, die mindestens 65 % der EU-Bevölkerung vertreten, müssen zustimmen.

Vorrang des Unionsrechts – Das **Unionsrecht** ist stärker als das nationale Recht, wenn gleiche Regelungsinhalte betroffen sind.

SbX ID: 0332

Im SbX finden Sie eine Bildschirmpräsentation mit den Grafiken dieser Lerneinheit.

Wissen & Können

A B C D E

W 3.14: Rechtsquellen des Unionsrecht A

Ordnen Sie folgende Rechtsquellen dem Primär- bzw. Sekundärrecht zu.

Rechtsquelle	Primärrecht/Sekundärrecht
Charta der Grundrechte der EU	
EU-Verpackungsrichtlinie	
Vertrag über die Europäische Union (EUV)	
Empfehlung der EU-Kommission zur Stärkung des Grundsatzes des gleichen Entgelts für Frauen und Männer durch Transparenz	
EU-Verbraucherinformationsverordnung	

W 3.15: Unterschiede zwischen Primär- und Sekundärrecht B

Erläutern Sie die Unterschiede zwischen dem Primär- und Sekundärrecht anhand folgender Fragen:

a) In welchem Verhältnis stehen Primär- und Sekundärrecht?

b) Wer beschließt die Verträge der EU?

c) Wer beschließt Verordnungen und Richtlinien?

d) Wie unterscheiden sich Verordnungen von Richtlinien?

e) Wer erlässt üblicherweise Beschlüsse, für wen sind sie verbindlich?

f) Welche Rechtsakte der EU sind unverbindlich?

W 3.16: Gesetzgebungsverfahren A

Ordnen Sie den verschiedenen Organen die Kompetenzen im Gesetzgebungsverfahren zu.

Kompetenz	Organe
Initiativrecht	
Aufforderung an die Kommission, einen Gesetzesakt vorzuschlagen	1. 2. 3.
Beschluss der Rechtsakte	1. 2.

W 3.17: Wirkung des Unionsrechts B

Erklären Sie, welche Auswirkungen folgende durch die Rechtsprechung des EuGH entwickelten Grundsätze auf das Verhältnis zwischen nationalem Recht und Unionsrecht haben.

a) Grundsatz des Vorrangs des Unionsrechts

b) Grundsatz der unmittelbaren Wirkung des Primärrechts der Union

W 3.18: Auswirkungen des Unionsrechts auf die Mitgliedstaaten C

Beantworten Sie unter Berücksichtigung der folgenden Information die anschließenden Fragen!

1. Vertrag über die Arbeitsweise der EU
„Der freie Warenverkehr ist eine der Säulen des Binnenmarkts. Im innergemeinschaftlichen Handel sind mengenmäßige Beschränkungen sowie alle Maßnahmen gleicher Wirkung untersagt."
EU-Richtlinie
„Gemäß obiger Vertragsbestimmung wurden vom Ministerrat in einer Richtlinie gemeinsame Vorschriften für den Elektrizitätsbinnenmarkt beschlossen."
Klage von der Kommission beim EuGH
„In weiterer Folge wurde eine Klage gegen Griechenland wegen nicht ordnungsgemäßer Umsetzung der Richtlinie eingebracht."

a) In welchen Rechtsbereich des Unionsrechts fällt der Vertrag über die Arbeitsweise der EU?

b) Wer bringt bezüglich der Richtlinie den Vorschlag ein?

c) Welche Rolle spielt das Parlament im ordentlichen Gesetzgebungsverfahren?

d) Welche Wirkung hat eine Richtlinie in den Mitgliedstaaten?

e) Wer kann die Schaffung eines Elektrizitätsbinnenmarkts in den Mitgliedstaaten überwachen?

f) Welche Konsequenzen kann die Säumigkeit bei der fristgerechten Umsetzung der Richtlinie für Griechenland haben?

W 3.19: EU-Rechtssetzung B

Entscheiden Sie, welche der folgenden Aussagen in Bezug auf die EU-Rechtsetzung richtig sind und welche falsch. Korrigieren Sie die falschen Aussagen!

Aussage	Richtig/ Falsch	Korrektur
Nur die Kommission kann Gesetzesvorschläge einbringen.		
Der Ministerrat kann nur einstimmige Beschlüsse fassen.		
Der Rat ist an die Stellungnahme des Parlaments nicht gebunden.		
Das Unionsrecht hat immer unmittelbare Geltung.		
Der Mitgliedstaat muss der Rechtsmeinung des EuGH nicht folgen.		
Das Unionsrecht kann nationale Bestimmungen nicht verdrängen.		

W 3.20: Vereinbarkeit nationaler Rechtsvorschriften mit dem Unionsrecht C

Rechtsstreit: Die Gebietsbeschränkung in der österreichischen Gewerbeordnung für Rauchfangkehrer verstoße gegen die Richtlinie über Dienstleistungen im Binnenmarkt aus dem Jahr 2006. Der OGH ersuchte 2014 den EuGH um eine Vorabentscheidung.

a) Recherchieren Sie, wie der EuGH in dieser Causa entschieden hat.

b) Welche möglichen Auswirkungen hat eine Vorabentscheidung auf die nationale Rechtsprechung und auf nationale Rechtsvorschriften?

Ein kurzer Kompetenz-Check, bevor's weitergeht!

Kompetenz-Check

	☺	😐	☹
Ich kann die unterschiedlichen Gemeinschaftsnormen beschreiben.			
Ich kann erklären, wie Gemeinschaftsnormen erzeugt werden und in welchem Verhältnis sie zu innerstaatlichen Normen stehen.			
Ich kann erklären, wie innerhalb der Union Recht durchgesetzt wird.			

4 WIRTSCHAFTSRECHT

Worum geht's in diesem Kapitel?

Marco fragt sich, ob er für den Betrieb, den er später eröffnen möchte, zusätzliche Prüfungen ablegen muss oder sogar eine behördliche Bewilligung benötigt. Außerdem hat er Angst, dass andere seine guten Ideen nachahmen.

Katharina hat die Aufgabe übertragen bekommen, den Internetauftritt des Unternehmens neu zu gestalten. Sie hat gehört, dass das Web kein rechtsfreier Raum ist, sondern durch verschiedene Gesetze geregelt ist.

Der Wettbewerb zwischen Unternehmen soll fair ausgetragen werden, Kunden und Umwelt sollen geschützt werden. Dies ist Aufgabe der Regelungen des Wirtschaftsrechts.

Wenn Sie dieses Kapitel bearbeitet haben, können Sie erklären,

- wer ein Unternehmen eröffnen darf und welche Voraussetzungen dabei erfüllt werden müssen,
- welche Verhaltensweisen eines Unternehmers aggressiv oder irreführend sind,
- wie Ideen, Gedanken, Erfindungen und das Aussehen von Produkten geschützt werden können und
- wie ein Insolvenzverfahren abläuft

In diesem Kapitel erwerben Sie Kompetenzen zu folgenden Bildungs- und Lehraufgaben:

„Die Schülerinnen und Schüler können beurteilen, wann eine gewerbsmäßige Tätigkeit vorliegt, die Arten von Gewerbebetrieben und die Voraussetzungen für den Antritt eines Gewerbes erläutern."

„Die Schülerinnen und Schüler können Handlungen, die gegen den fairen Wettbewerb sowie gegen den Marken-, Muster- und Patentschutz verstoßen, erkennen und Rechtsschutzmöglichkeiten der Verletzten oder des Verletzten aufzeigen."

„Die Schülerinnen und Schüler können darstellen, wann ein Werk den Werksbegriff des Urheberrechts erfüllt und den umfassenden Schutz des Urheberrechts erläutern."

A B C D E

In diesem Kapitel finden Sie Übungsaufgaben, Fallbeispiele und Wiederholungsfragen zur Kompetenzüberprüfung auf den Handlungsebenen A Wiedergeben, B Verstehen, C Anwenden und D Analysieren & Interpretieren.

Dieses Kapitel umfasst folgende Lerneinheiten:

Lerneinheit 1
Gewerberecht

SbX
Alle SbX-Inhalte zu dieser Lerneinheit finden Sie unter der ID: 0410.

Zum selbständigen Betrieb eines Unternehmens wird zumeist eine Gewerbeberechtigung benötigt. Damit man diese erhält, müssen bestimmte Voraussetzungen erfüllt werden.

Lernen & Üben

SbX ID: 0411

1 Gewerbliche Tätigkeiten
Die Gewerbeordnung gilt nicht für alle selbständigen Tätigkeiten.

Benötige ich eine Gewerbeberechtigung, wenn ich meinen alten PC auf dem Flohmarkt verkaufe?

SbX
Eine Präsentation zum Thema „Gewerberecht" finden Sie unter der ID: 0411.

Die **Gewerbeordnung** ist ein Bundesgesetz, das
- den **Zugang,**
- die **Ausübung** und
- die **Beendigung**

gewerblicher Tätigkeiten regelt.

Eine gewerbliche Tätigkeit liegt nur vor, wenn alle drei Punkte erfüllt sind.

Eine **gewerbliche Tätigkeit,** für die eine Gewerbeberechtigung erforderlich ist, liegt vor,
- wenn die Tätigkeit **selbständig** ausgeübt wird. Selbständig ist, wer eine Tätigkeit auf eigene Rechnung und Gefahr ausübt, d. h. das wirtschaftliche Risiko und damit die Gefahr eines eventuellen Verlustes trägt.
- wenn die Tätigkeit **regelmäßig** ausgeübt wird. Das heißt, die Tätigkeit muss öfters ausgeübt werden oder länger andauern.
- wenn die **Absicht der Ertragserzielung** besteht. Es muss die Absicht bestehen, durch die Einnahmen zumindest die angefallenen Kosten abzudecken. Dabei ist es gleichgültig, für welche Zwecke der Ertrag gewidmet ist. Der Ertrag muss nicht in Geld bestehen; er kann auch ein anderer wirtschaftlicher Vorteil sein.

Antwort:
- Marco übt diese Tätigkeit selbständig, d.h. auf eigene Rechnung und Gefahr, aus. Er weiß nicht, ob er überhaupt einen Käufer findet und ob der Preis seine Kosten decken wird.
- Er hat die Absicht, zumindest seine Kosten zu decken, d.h., einen Ertrag zu erzielen.
- Er hat jedoch nicht die Absicht, mehrere PCs allein zum Zweck des Weiterverkaufs anzuschaffen und zu verkaufen. Die Tätigkeit wird daher nicht regelmäßig ausgeübt.

Daher liegt keine gewerbliche Tätigkeit vor.

Eine gewerbliche Tätigkeit würde auch nicht vorliegen, wenn er drei eigene PCs und den seines Bruders verkaufen würde.

Würde er PCs kaufen, mit Lieferanten die Konditionen vereinbaren, Geschäftsräume mieten und Inserate schalten, dann läge eine gewerbliche Tätigkeit vor, da er für Außenstehende durch das Anbieten der Geräte, die Miete der Räume und die Werbemaßnahmen gezeigt hat, dass er diese Tätigkeit mit Wiederholungsabsicht ausübt.

Dies gilt auch, wenn er nach dem Verkauf von drei Stück die Tätigkeit wieder aufgibt, weil er sieht, dass er den Break-even-Point nicht überschreiten wird.

Nicht jede selbständige Tätigkeit wird durch die Gewerbeordnung geregelt. Für bestimmte Berufe (die sogenannten „freien Berufe", wie Wirtschaftstreuhänder, Rechtsanwälte, Ärzte ...) und bestimmte Branchen (z. B. Banken, Versicherungen, Eisenbahnen, Güterbeförderung, Telekommunikationsdienste ...) gibt es eigene Gesetze. Auch die Land- und Forstwirtschaft und die Erteilung von Unterricht unterliegen nicht der Gewerbeordnung.

Übungsbeispiel

SbX
Ü 4.1
mit automatischer Aufgabenkontrolle
ID: 0411

Ü 4.1: Gewerbliche Tätigkeiten? C

Prüfen Sie, ob folgende Tätigkeiten der Gewerbeordnung unterliegen.

	Ja/Nein	Begründung
Verkauf des eigenen Kfz		
Betrieb eines Nachhilfeinstitutes		
Tätigkeit eines Steuerberaters		
Vorstandsvorsitzender einer großen Aktiengesellschaft		
Anmietung eines Geschäftslokales und Import von Kleidung		
einmalige Veranstaltung eines Maturaballs		
Verteilung von Speisen an Bedürftige durch karitative Einrichtung		
Kauf eines großen Warenlagers und stückweiser Verkauf der Waren		
Aufzucht von Rindern und Verkauf an Fleischhauer		
Installation von Elektroleitungen für viele Kunden		
Ein Sägewerk erhält für das Sägen des Holzes kein Geld, sondern einen Teil der geschnittenen Bretter		

2 Einteilung der Gewerbe

Es gibt verschiedene Kategorien von Gewerben.

Vom **Gewerbetreibenden** sind je nach Kategorie unterschiedliche Voraussetzungen zu erbringen, damit er das Gewerbe ausüben darf.

Zu den **reglementierten Gewerben** gehören insbesondere Tätigkeiten, bei deren Ausübung eine Gefährdung von Leben und Gesundheit von Personen sowie die Beschädigung fremder Sachen möglich ist.

Da von einigen Gewerben größere Gefahren ausgehen, von anderen geringere, unterscheidet die Gewerbeordnung verschiedene Kategorien von Gewerben.

Kategorien von Gewerben	
freie Gewerbe	**reglementierte Gewerbe**
Zur Erlangung der Gewerbeberechtigung müssen nur die allgemeinen persönlichen Voraussetzungen erbracht werden. Es muss keine Befähigung zur Ausübung dieser Tätigkeiten nachgewiesen werden.	Die Person, die ein derartiges Gewerbe ausüben möchte, muss nachweisen, dass sie die Kenntnisse, Fähigkeiten und Erfahrungen, die zur Ausübung des Gewerbes benötigt werden, besitzt.

In welche Kategorie eine Tätigkeit fällt, kann man nur dem **Gesetz** entnehmen. Alleine aus der Bezeichnung kann nicht auf die Zuordnung zu einer bestimmten Kategorie geschlossen werden.

Nur die im **§ 94 der Gewerbeordnung** ausdrücklich aufgezählten Tätigkeiten sind **reglementierte Gewerbe.**

Unter den Tätigkeiten, welche die Gewerbeordnung zu den **reglementierten Gewerben** zählt, sind beispielsweise zu finden:

- verbundenes Handwerk: Damenkleidermacher, Herrenkleidermacher, Wäschewarenerzeugung; verbundenes Handwerk: Kürschner, Säckler (Lederbekleidungserzeugung)
- Fremdenführer
- Gastgewerbe
- Immobilientreuhänder (Immobilienmakler, Immobilienverwalter, Bauträger)
- Reisebüros

4 Wirtschaftsrecht

- Spengler; Kupferschmiede (verbundenes Handwerk)
- Spediteure einschließlich der Transportagenten
- Überlassung von Arbeitskräften
- Unternehmensberater einschließlich der Unternehmensorganisation
- Gewerbliche Vermögensberatung
- Versicherungsvermittlung (Versicherungsagent, Versicherungmakler und Beratung in Versicherungsangelegenheiten)

Wer die Befähigung für ein Gewerbe erbringt, darf auch die Leistungen verbundener Gewerbe anbieten.

Beispiel

Gärtner und Florist sind verbundene Handwerke. Daher darf eine Person, die die Voraussetzungen für die Ausübung des Gewerbes Florist erbringt, sämtliche Leistungen eines Gärtners anbieten.

Alle übrigen Gewerbe sind **freie Gewerbe,** für deren Ausübung nur die allgemeinen persönlichen Voraussetzungen zu erbringen sind.

Weitere Beispiele für freie Gewerbe sind auf der Homepage des BMWFW zu finden **(www.bmdw.gv.at).**

Freie Gewerbe sind beispielsweise:

- Adressverlage und Direktmarketingunternehmen
- Ankündigungsunternehmen
- Partnervermittlung
- Vermittlung von Bausparverträgen
- Dienstleistungen in der automatischen Datenverarbeitung und Informationstechnik
- Handelsagent mit Ausnahme der reglementierten Handeslsgewerbe
- Handelsgewerbe
- Wahrsagerei
- Werbeagentur
- Instandsetzen von Schuhen

Wird ein Würstelstand als freies Gewerbe betrieben, darf er maximal acht Steh- oder Sitzplätze haben.

Übungsbeispiel

Ü 4.2: Freie Gewerbe? C

Überprüfen Sie, ob folgende Tätigkeiten „freie Gewerbe" sind (im Internet ist eine Liste freier Gewerbe zu finden):

	Freies Gewerbe ja/nein
Wertpapiervermittler	
Rauchfangkehrer	
Versicherungsmakler	
Graphologie	
Markt- und Meinungsforschung	
Fremdenführer	
Bäcker	
Reisebetreuung	
Massage	
Public-Relations-Berater	

3 Voraussetzungen zum Gewerbeantritt

Bei Antritt eines Gewerbes müssen bestimmte Voraussetzungen erfüllt werden.

Welche Voraussetzungen muss ich erfüllen, wenn ich mich als Gastwirt selbständig machen möchte?

Die **sachlichen Voraussetzungen** werden durch die **Betriebsanlagenbewilligung** nachgewiesen.

Voraussetzungen zum Gewerbeantritt	
persönliche	**sachliche**
muss der **Gewerbetreibende persönlich** erfüllen	muss der **Betrieb** erfüllen
Nicht jeder darf in Österreich einen Gewerbebetrieb eröffnen. Gewerbetreibende müssen in der Lage sein, ihre Geschäfte selbst zu tätigen, und es sollen von ihnen keine Gefahren ausgehen.	Der Betrieb muss so eingerichtet sein und betrieben werden, dass von ihm keine Gefahren für Mitarbeiter, Kunden und Umwelt ausgehen.

Persönliche Voraussetzungen

Gewerbetreibende müssen bestimmte Voraussetzungen erfüllen:

Die **allgemeinen persönlichen Voraussetzungen** müssen auch bei Ausübung eines freien Gewerbes oder eines reglementierten Gewerbes erfüllt werden.

Persönliche Voraussetzungen zum Gewerbeantritt	
allgemeine	**besondere**
müssen auf jeden Fall erfüllt werden, gleichgültig, welches Gewerbe ausgeübt werden soll	müssen nur bei Ausübung eines reglementierten Gewerbes erbracht werden und sind abhängig vom Gewerbe, das ausgeübt werden soll

Allgemeine persönliche Voraussetzungen

Ausschließungsgründe sind u. a.
- Nichteröffnung eines Konkurses mangels Masse,
- Verurteilung wegen Betruges, Diebstahls, organisierter Schwarzarbeit, bestimmter Finanzdelikte oder bestimmter Kridadelikte, solange die Verurteilung nicht getilgt ist. Dies gilt auch für bedingte Verurteilungen.

Die Eröffnung eines Insolvenzverfahrens ist kein Gewerbeausschließungsgrund.

Allgemeine persönliche Voraussetzungen sind:
- **Eigenberechtigung,** d. h. vollendetes 18. Lebensjahr
- **Österreichische Staatsbürgerschaft** oder **Staatsbürgerschaft eines EWR-Mitgliedstaates.** Daneben bestehen auch Abkommen mit anderen Staaten, dass deren Staatsbürger in Österreich ein Gewerbe ausüben dürfen (z. B. USA, Schweiz). Andere Ausländer dürfen ein Gewerbe ausüben, wenn sie sich zur Ausübung einer Erwerbstätigkeit in Österreich aufhalten dürfen.
- **Unbescholtenheit** (Fehlen von Ausschließungsgründen): Personen, die bestimmte strafbare Handlungen begangen haben, sind von der Gewerbeausübung ausgeschlossen.

Eine Gewerbeberechtigung kann durch ein Gericht oder die Gewerbebehörde auch wieder entzogen werden, wenn der Gewerbeinhaber schwerwiegend gegen Rechtsvorschriften verstößt.

Beispiel

Über einen Gastwirt wurde mehrmals eine Verwaltungsstrafe verhängt, weil er die Sperrstunde überzogen hat. Aufgrund der mehrmaligen Bestrafung kann ihm die Gewerbeberechtigung entzogen werden.

Auch **Kapitalgesellschaften** kann die Gewerbeberechtigung wieder entzogen werden.

Hat ein Geschäftsführer einer GmbH oder ein Vorstandsmitglied einer AG einen Ausschließungsgrund gesetzt, dann muss die Gesellschaft jemand anderen zum Geschäftsführer oder Vorstand bestellen.

Besondere persönliche Voraussetzungen

Soll ein **reglementiertes Gewerbe** ausgeübt werden, muss die Person, die das Gewerbe betreibt, die **Befähigung** zur Ausübung des Gewerbes **nachweisen.**

Eine Ausnahme besteht für **Patentinhaber** und für die meisten **Industriebetriebe:** Sie dürfen ein reglementiertes Gewerbe ohne Befähigungsnachweis ausüben. Die allgemeinen persönlichen Voraussetzungen müssen aber auch sie erbringen.

Befähigungsnachweis	
genereller	**individueller**
Für jedes reglementierte Gewerbe legt der **Wirtschaftsminister** mittels **Verordnung** fest, durch welche Zeugnisse nachzuweisen ist, dass der Gewerbeanmelder über die zur Ausübung des Gewerbes notwendigen Kenntnisse, Fähigkeiten und Erfahrungen verfügt.	Kann die Person, die ein Gewerbe ausüben möchte, nicht die entsprechenden Zeugnisse vorweisen, verfügt sie aber über die zur Gewerbeausübung notwendige Befähigung, dann kann sie diese auch **anders nachweisen.** Kann der Gewerbeanmelder **nicht nachweisen, dass er sämtliche Tätigkeiten beherrscht,** dann kann die Behörde verfügen, dass nicht alle Arbeiten des Gewerbes ausgeübt werden dürfen. Die Gewerbeberechtigung wird dann **auf bestimmte Tätigkeiten eingeschränkt.**

Antwort: Marco muss die allgemeinen persönlichen Voraussetzungen erfüllen:

- Eigenberechtigung
- österreichische Staatsbürgerschaft bzw. Staatsbürgerschaft eines EWR-Staates oder entsprechender Aufenthaltstitel
- keine Ausschließungsgründe

Da das Gastgewerbe ein reglementiertes Gewerbe ist, muss er zusätzlich seine Befähigung nachweisen.

Übungsbeispiel

Ü 4.3: Voraussetzungen zum Gewerbeantritt B

Entscheiden Sie, ob folgende Personen die allgemeinen persönlichen Voraussetzungen zum Gewerbeantritt in Österreich erfüllen.

	Ja/Nein	Begründung
unbescholtener 17-jähriger österreichischer Schüler		
rechtskräftig verurteilter 40-jähriger Betrüger, deutscher Staatsbürger		
30-jähriger unbescholtener portugiesischer Staatsbürger		
20-jähriger Österreicher, der bereits einmal Konkurs angemeldet hat		
50-jähriger unbescholtener georgischer Tourist		
unbescholtener 23-jähriger österreichischer Student		

4 Befähigungsnachweis

Für die Ausübung eines reglementierten Gewerbes wird ein Befähigungsnachweis benötigt.

Wie kann ich meine Befähigung zur Ausübung eines Gewerbes nachweisen?

Genereller Befähigungsnachweis

Die im Gesetz vorgesehene **Befähigungsprüfung** besteht aus folgenden Teilen:

Befähigungsprüfung		
Ausbilderprüfung bzw. -kurs	Unternehmerprüfung	fachliche Prüfung oder einschlägige Tätigkeit bzw. Funktion

Ausbilderprüfung

Siehe dazu auch Kapitel 5, Lerneinheit 4 „Lehrlingsausbildung".

Die **Ausbilderprüfung** kann auch ohne Befähigungsprüfung abgelegt werden.

Voraussetzung, dass ein Betrieb Lehrlinge ausbilden darf, ist unter anderem, dass der Gewerbeberechtigte oder der mit der Lehrlingsausbildung betraute Ausbilder die Ausbilderprüfung abgelegt hat.

Der Ausbilder muss bei der Prüfung die notwendigen berufspädagogischen und rechtlichen Kenntnisse belegen.

Unternehmerprüfung

Jedermann kann zur **Unternehmerprüfung** antreten, es müssen keinerlei Voraussetzungen (z. B. Praxis, Vorbildung, Besuch eines Kurses) erfüllt werden.

Das zur selbständigen Gewerbeausübung notwendige betriebswirtschaftliche und rechtskundliche Wissen wird durch die **Unternehmerprüfung** nachgewiesen. Sie kann entweder im Rahmen der **Befähigungs- bzw. Meisterprüfung** oder aber als **selbständige Einzelprüfung** abgelegt werden.

Fachliche Prüfung oder einschlägige Tätigkeit bzw. Funktion

Welche Schule welche Befähigungsnachweise ersetzt, kann unter **www.gewerbeordnung.at** nachgelesen werden.

Die Bundesministerin für Digitalisierung und Wirtschaftsstandort legt mittels Verordnung fest, durch welche Prüfung bzw. durch welche abgeschlossene Ausbildung die fachlichen Kenntnisse für die selbständige Ausübung eines Gewerbes nachgewiesen werden.

Handwerke

Einige **reglementierte Gewerbe** sind im Gesetz ausdrücklich als Handwerk bezeichnet.

Zum Beispiel:
- Bäcker (Handwerk)
- Fleischer (Handwerk)
- Kommunikationselektronik (Handwerk)
- Konditoren (Zuckerbäcker) einschließlich der Lebzelter und der Kanditen-, Gefrorenes- und Schokoladewarenerzeuger (Handwerk)
- Kunststoffverarbeitung (Handwerk)

Das Bäckergewerbe zählt zu den Handwerken.

Zur **Meisterprüfung** kann antreten, wer eigenberechtigt ist, d. h. das 18. Lebensjahr vollendet hat. Der Prüfungskandidat bzw. die -kandidatin muss keinerlei fachliche Vorbildung, z. B. Lehrabschlussprüfung, oder Besuch einer bestimmten Schule nachweisen.

Die Befähigung zur Ausübung eines Handwerks kann durch die **Meisterprüfung** nachgewiesen werden.

Absolventen einschlägiger berufsbildender höherer Schulen weisen durch den erfolgreichen Abschluss der Schule (Reife- und Diplomprüfung) und Praxis die notwendige Befähigung auf und müssen keine zusätzliche Prüfung ablegen. Sie können i. d. R. nach einem oder eineinhalb Jahren einschlägiger Tätigkeit selbständig einen Handwerksbetrieb eröffnen. Sie dürfen ihren Betrieb aber nicht als „Meisterbetrieb" bezeichnen. Die Begünstigungen sind für jedes Handwerk geringfügig anders geregelt:

Beispiel

Absolventen der Höheren Lehranstalt für Mode und Bekleidungstechnik können die zur Ausübung des Gewerbes der Damenkleidermacher notwendigen Kenntnisse, Fähigkeiten und Erfahrungen durch ihr Reifeprüfungszeugnis und eine mindestens einjährige fachliche Praxis nachweisen. Sie benötigen keine weiteren Prüfungen.

Auch für **Absolventen berufsbildender mittlerer Schulen** (z. B. Handelsschulen, Werkmeisterschulen) bestehen Begünstigungen, die ebenfalls in den entsprechenden Verordnungen zu finden sind.

Für andere reglementierte Gewerbe bestehen ähnliche Regelungen.

Sonstige reglementierte Gewerbe

Das **Gastgewerbe** ist ein **reglementiertes Gewerbe.** Daher muss ein Befähigungsnachweis erbracht werden. Als Nachweis der fachlichen Qualifikation für das Gastgewerbe werden u. a. anerkannt:
- Zeugnisse über den erfolgreichen Abschluss einer Studienrichtung an einer Universität oder
- Zeugnis über den erfolgreichen Abschluss eines Tourismus-Fachhochschul-Studienganges oder

4 Wirtschaftsrecht

Da Absolventen der
- Lehranstalt für Tourismus,
- Lehranstalt für Fremdenverkehrsberufe,
- Lehranstalt für wirtschaftliche Berufe

während ihrer Schulzeit eine mindestens 12-wöchige Praxis nachweisen müssen, haben sie mit Abschluss der Schule die Befähigung zur Ausübung des Gastgewerbes.

- Zeugnisse über den erfolgreichen Abschluss einer höheren Lehranstalt oder Fachschule für Tourismus oder für Fremdenverkehrsberufe oder deren Sonderformen, sofern im Rahmen der Schulausbildung ein Praktikum von insg. mindestens drei Monaten absolviert wurde, oder
- Zeugnisse über den erfolgreichen Abschluss einer mindestens dreijährigen berufsbildenden mittleren oder höheren Schule, in der schwerpunktmäßig gastgewerbliche Fähigkeiten und Kenntnisse vermittelt werden, sofern im Rahmen der Schulausbildung ein Praktikum von insgesamt mindestens drei Monaten absolviert wurde, oder
- Zeugnisse über die erfolgreich abgelegte Lehrabschlussprüfung in einem gastgewerblichen Lehrberuf (Koch, Restaurantfachmann, Hotel- und Gastgewerbeassistent, Systemgastronomiefachmann) oder in einem kaufmännischen Lehrberuf, sofern die kaufmännische Berufsausbildung im Rahmen eines Gastgewerbebetriebes absolviert wurde, oder
- Zeugnis über die erfolgreich abgelegte Befähigungsprüfung

Auch für **andere reglementierte Gewerbe** bestehen Begünstigungen für Absolventinnen und Absolventen berufsbildender Schulen.

Beispiel

Absolventinnen und Absolventen einer Handelsakademie dürfen nach mindestens eineinhalbjähriger fachlich einschlägiger Tätigkeit und Nachweis entsprechender Rechtskenntnisse das Gewerbe „Unternehmensberatung einschließlich der Unternehmensorganisation" ausüben.

Individueller Befähigungsnachweis

Kann jemand nicht die in der Verordnung vorgesehenen Zeugnisse als Nachweis der Befähigung beibringen, dann kann er seine **Befähigung** auch auf **andere Art nachweisen.**

Der **individuelle Befähigungsnachweis** erleichtert insbesondere Personen, die ihre Qualifikation in anderen Mitgliedstaaten des EWR erworben haben, ein Gewerbe in Österreich zu eröffnen.

Die Person, die ein Gewerbe anmelden möchte, muss der Behörde nachweisen, dass ihre Kenntnisse, Fähigkeiten und Erfahrungen denen entsprechen, die im Rahmen der vorgesehenen Prüfung nachzuweisen sind.

Beispiel

Ein 32-jähriger Absolvent einer Handelsakademie, der den Lehrgang „Technik und Recht im Liegenschaftsmanagement" an der TU Wien absolviert und 5 Jahre einschlägige Praxis gesammelt hat, sucht um Erteilung der Nachsicht für das „Immobilienmaklergewerbe" an.

Aufgrund seiner Ausbildung und bisherigen beruflichen Tätigkeit kann angenommen werden, dass er über die zur Gewerbeausübung erforderlichen Kenntnisse, Fähigkeiten und Erfahrungen verfügt. Er muss nicht die vorgesehene Prüfung ablegen, da er seine individuelle Befähigung auf einem anderen Weg nachgewiesen hat.

Geschäftsführer

Wird das Unternehmen in Form einer Gesellschaft betrieben, so ist der Gewerbeinhaber die Gesellschaft. Da eine Gesellschaft den Befähigungsnachweis nicht selbst erbringen kann, benötigt sie einen **Geschäftsführer.** Hier ist zu unterscheiden:

Geschäftsführer	
gewerberechtlicher Geschäftsführer	**unternehmensrechtlicher Geschäftsführer**
Person, die für ein Unternehmen die Befähigung zur Ausübung eines Gewerbes nachweist	Person, die ein Unternehmen leitet. Diese ist meist im Firmenbuch eingetragen.

Als **Geschäftsführer** darf nur jemand bestellt werden, der mindestens die Hälfte der wöchentlichen Normalarbeitszeit im Betrieb beschäftigt und voll sozialversicherungspflichtig ist.

Der **gewerberechtliche Geschäftsführer**
- muss die notwendige Befähigung erbringen,
- ist der Behörde gegenüber für die Einhaltung der gewerberechtlichen Vorschriften verantwortlich,
- ist dem Gewerbeinhaber gegenüber für die fachlich einwandfreie Ausführung der Tätigkeiten verantwortlich,
- muss im Betrieb über entsprechende Anordnungsbefugnisse verfügen, damit er die Einhaltung seiner Verpflichtungen gewährleisten kann,
- muss in der Lage sein, sich im Betrieb entsprechend zu betätigen.

Bei **Personengesellschaften (OG, KG)** kann der gewerberechtliche Geschäftsführer auch ein persönlich haftender Gesellschafter sein. Wird das Unternehmen in Form einer **juristischen Person (GmbH oder AG)** betrieben, dann kann als gewerberechtlicher Geschäftsführer auch ein Vorstandsmitglied oder unternehmensrechtlicher Geschäftsführer tätig werden.

Antwort: Legt Marco an einer höheren Lehranstalt für Tourismus oder einer höheren Lehranstalt für wirtschaftliche Berufe die Reife- und Diplomprüfung ab und hat er die vorgeschriebene Praxis absolviert, kann er ohne weiteres einen Gastgewerbebetrieb eröffnen. Absolviert er die Reife- und Diplomprüfung an einer anderen Schule, muss er eine Befähigungsprüfung ablegen oder einen Geschäftsführer bestellen. In diesem Fall könnte er

- jemanden, der eine entsprechende Befähigungsprüfung abgelegt hat, mindestens 20 Stunden wöchentlich im Betrieb als gewerberechtlichen Geschäftsführer beschäftigen oder
- mit jemandem, der die Befähigungsprüfung abgelegt hat, eine OG oder KG gründen, wobei diese Person persönlich haftender Gesellschafter sein muss.

5 Nebenrechte

Gewerbetreibende dürfen auch Arbeiten anbieten, die nicht zu ihren eigentlichen Aufgaben gehören.

Ich habe bei einem Möbelhaus eine Küche bestellt. Dürfen die Mitarbeiter des Möbelhauses die Küche auch montieren oder muss dafür ein Tischler kommen?

Gewerbetreibende dürfen auch **bestimmte Tätigkeiten** ausüben, die nicht zu ihrem Gewerbe gehören, sondern anderen Gewerbetreibenden vorbehalten wären.

Sämtliche **Gewerbetreibenden dürfen:**

- Vorarbeiten und Vollendungsarbeiten auf dem Gebiet anderer Gewerbe vornehmen, die dazu dienen, die eigenen Produkte absatzfähig zu machen
- für ihr Unternehmen Maschinen, Werkzeuge und sonstige Vorrichtungen anfertigen
- ihre eigenen Einrichtungen, Betriebsmittel (Anlagen, Maschinen, Werkzeuge) und Betriebsgebäude selbst instand halten
- unentgeltlich Getränke ausschenken
- Tätigkeiten, die sie ausführen dürfen, selbst planen
- Gesamtaufträge übernehmen, wobei sie Tätigkeiten, die ihnen nicht zustehen, von dazu befugten Betrieben ausführen lassen müssen

Um die Leistungen besser an die Wünsche der Kunden anpassen zu können, dürfen Gewerbetreibende auch Tätigkeiten ausführen, die nicht Teil ihres Gewerbes sind.

Für den Ausschank von Getränken darf nicht geworben werden, auch dürfen keine zusätzlichen Hilfskräfte oder Räume dafür verwendet werden.

Beispiel

Ein Baumeister darf den Auftrag übernehmen, als Generalunternehmer ein komplettes Haus zu planen und herzustellen. Bei der Ausführung muss er aber beispielsweise die Herstellung der Elektroinstallationen einem befugten Elektrotechniker überlassen.

- Verpackungen für ihre Produkte selbst herstellen und bedrucken
- Waren zurücknehmen, kaufen, verkaufen, vermieten oder vermitteln, sofern diese nicht Gegenstand eines reglementierten Gewerbes sind

Beispiel

Ein Betrieb, der PCs zusammenbaut (assembliert), darf daher auch PCs verkaufen, die er nicht selbst zusammengebaut hat, sowie CDs, Kabel, Drucker ... Dafür benötigt er keine Gewerbeberechtigung als Händler.

Das Unternehmen darf aber nicht Medikamente oder Waffen verkaufen oder vermieten, da dafür eine spezielle Berechtigung benötigt wird.

- an von ihnen hergestellten, von ihnen verkauften oder von ihnen vermieteten Sachen
  - schadhafte Bestandteile austauschen,
  - Zubehör anbringen,
  - regelmäßige Wartungen ausführen
- Waren an die Bedürfnisse des Marktes anpassen

Beispiele

Gastgewerbetreibende dürfen Waren des üblichen Reisebedarfes, Geschenkartikel sowie bestimmte Druckwerke verkaufen. Sie dürfen, wenn sie Gäste beherbergen, für ihre Gäste Ausflugsfahrten ohne Übernachtungen veranstalten.

- mehrere Waren gemeinsam verpacken und zu einem Gesamtpreis verkaufen (z.B. Betriebssystem auf einem PC installieren)
- Herstellen von Aufstrichen und Salaten durch Lebensmittelhändler
- Waren entsprechend verpacken (z.B. Weihnachtsverpackung)
- die Beinlänge einer verkauften Hose kürzen

- Postdienstleistungen, ausgenommen Geld- und Zahlungsverkehr, erbringen

Unternehmen dürfen weiters Leistungen anderer Gewerbe erbringen, wenn diese Leistungen die eigene Leistung wirtschaftlich sinnvoll ergänzen. Der damit erzielte Umsatz darf bestimmte Grenzen nicht übersteigen:

JAHRESUMSATZ

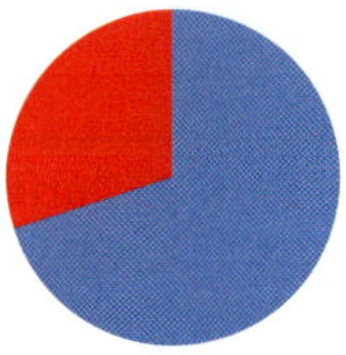

AUFTRAG

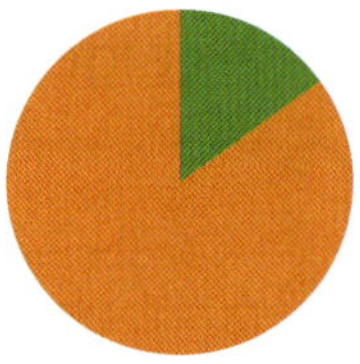

Für einige Gewerbe bestehen darüber hinaus weitere Nebenrechte.

Werden diese Grenzen überschritten, muss ein weiteres Gewerbe angemeldet werden. Bei der Ausübung sämtlicher Nebenrechte müssen

- der wirtschaftliche Schwerpunkt und die Eigenart des Betriebs erhalten bleiben,
- wenn es aus Sicherheitsgründen notwendig ist, entsprechend ausgebildete und erfahrene Fachkräfte eingesetzt werden.

Beispiele

- Erbringt eine Werbeagentur die Tätigkeiten einer Unternehmensberatung, wird der Schwerpunkt und die Eigenart des Betriebs erhalten bleiben.
- Erbringt ein Bäcker Installationsarbeiten, wird der Schwerpunkt und die Eigenart des Betriebs nicht erhalten bleiben.

Antwort: Das Möbelhaus darf die bestellte Küche bei Katharina von eigenen Mitarbeitern montieren lassen. Diese müssen entsprechend ausgebildete und erfahrene Fachkräfte sein, d.h. eine entsprechende Lehrabschlussprüfung abgelegt haben. Die für die Küche notwendigen Elektro- sowie Gas- und Wasserinstallationen darf das Möbelhaus nicht in eigener Verantwortung durchführen, da diese Tätigkeiten die ursprüngliche Aufgabe, die Kerntätigkeit, der Installationsgewerbe sind und diese Arbeiten Leben und Gesundheit gefährden können, wenn sie nicht fachgerecht ausgeführt werden.

Übungsbeispiel

Ü 4.4: Nebenrechte B

Sie betreiben einen Handel mit Büchern. Da die Umsätze nicht Ihren Erwartungen entsprechen, planen Sie innovative Marketingmaßnahmen. Prüfen Sie, ob Sie folgende Maßnahmen aus gewerberechtlicher Sicht setzen dürfen. (Bitte begründen Sie Ihre Antwort.)

a) Herstellung einer attraktiveren Betriebseinrichtung
b) Verkauf der Bücher in einer Sammelpackung (Sie fassen mehrere Bücher zu einem Gesamtpaket zusammen.)
c) Aufstellen von Sitzgelegenheiten und Verkauf von Speisen und Getränken, was Sie entsprechend bewerben
d) Errichtung einer Poststelle, sodass Kunden nicht nur Bücher kaufen, sondern auch Briefe und Pakete aufgeben können
e) Entgegennahme von Einzahlungen auf Sparbücher

6 Betriebsanlagen

Um Gefahren für Kunden, Mitarbeiter und Umwelt gering zu halten, müssen bestimmte Anlagen von der Behörde genehmigt werden.

In der Nachbarschaft hat ein Betrieb eröffnet, dessen Maschinen sehr laut sind. Muss er keine Rücksicht auf die Bewohner der umliegenden Häuser nehmen?

SbX Ein Arbeitsblatt zu „Betriebsanlagen" finden Sie unter der ID: 0411.

Eine **Betriebsanlage** im Sinne der Gewerbeordnung liegt vor, wenn die Einrichtung
- für die Ausübung einer **gewerblichen Tätigkeit** verwendet wird,
- **regelmäßig genutzt** wird (Wiederholungsabsicht reicht) und
- **nicht nur vorübergehend** an diesem Standort bleiben soll (örtlich gebundene Einrichtung).

Beispiele

- Eine Baustelle wird in der Regel nicht als Betriebsanlage angesehen, da sie nur vorübergehend an diesem Standort bleiben soll.
- Ein Würstelstand oder ein Hendlgriller, der auch nur kurzfristig an diesem Ort verbleibt und seine Waren verkauft, wird als eine Betriebsanlage angesehen, da Wiederholungsabsicht besteht.

Für die **Betriebsanlagenbewilligung** ist die Bezirksverwaltungsbehörde zuständig; die Anrainer müssen dabei gehört werden.

Für eine **Betriebsanlage** wird eine **Genehmigung** benötigt, wenn
- Leben, Gesundheit oder Eigentum gefährdet werden oder
- durch die Emission von Gerüchen, Lärm, Staub, Erschütterungen oder Ähnlichem jemand belästigt wird.

Bestehen diese Gefahren nicht, kann die Anlage ohne Bewilligung betrieben werden.

Beispiele

Nicht bewilligungspflichtige Betriebsanlagen
- Einzelhandelsbetriebe mit einer Betriebsfläche von bis zu 200 m² (ausgenommen Lebensmittelhandel)
- Bürobetriebe

Bewilligungspflichtige Betriebsanlagen
- Tankstelle
- Restaurant
- Werkstätte

Die Betriebsanlage muss wie genehmigt arbeiten und alle geltenden Vorschriften erfüllen.

Auch **andere Gesetze,** die bei der Errichtung und beim Betrieb von Betriebsanlagen zu beachten sind, werden beim Bewilligungsverfahren berücksichtigt (konzentriertes Verfahren), z. B.:
- Wasserrecht
- Abfallrecht
- Eisenbahngesetz
- Bundesstraßengesetz

Eine **genehmigte Betriebsanlage** ist alle **5 Jahre** durch geeignete und fachkundige Personen **zu überprüfen,** ob sie noch dem Genehmigungsbescheid entspricht. Daneben bestehen weitere Prüfpflichten z. B. für Elektroinstallationen.

Abfälle, die bei der Produktion eines Erzeugnisses entstehen, sind oftmals Rohstoffe für andere Produktionsprozesse. Durch Weiterverwendung von Abfällen können auch Kosten gespart werden.

In der Gewerbeordnung ist überdies vorgesehen, dass jeder Gewerbebetrieb, der über eine genehmigungspflichtige Betriebsanlage verfügt, ein **Abfallwirtschaftskonzept** zu erstellen und alle 5 Jahre fortzuschreiben hat. Sinn dieses Konzeptes ist, Abfall zu vermeiden bzw. so weit möglich zu verwerten oder ordnungsgemäß zu entsorgen.

4 Wirtschaftsrecht

Antwort: Bei der Erteilung der Betriebsanlagengenehmigung muss die Behörde darauf achten, dass die Nachbarn nicht belästigt werden. Dafür kann sie entsprechende Auflagen vorschreiben.

Beispiel

Ü 4.5: Betriebsanlagen C

Suchen Sie im Internet die 2. Genehmigungsfreistellungsverordnung des Bundesministers für Wissenschaft, Forschung und Wirtschaft. Diese regelt, welche Betriebsanlagen keiner Genehmigung bedürfen.

a) Prüfen Sie anhand des Gesetzestextes, ob folgende Betriebsanlagen von der Verordnung umfasst sind oder nicht.

	Erfasst	Nicht erfasst
Kfz-Mechanikerwerkstätte		
Änderungsschneiderei		
Shopping-Mall		
Friseursalon		
Druckerei		

b) Erklären Sie, welche Vorteile Betriebe haben, die von der 2. Genehmigungsfreistellungsverordnung umfasst sind.

7 Verfahren zur Erlangung der Gewerbeberechtigung
Ablauf der Anmeldung eines Gewerbes

Vor der Anmeldung muss geklärt werden, welchem Gewerbe die beabsichtigte Tätigkeit zuzuordnen ist. Im Allgemeinen wird man nach folgendem Schema vorgehen:

Auswahl der benötigten Gewerbeberechtigung

1. Festlegen der Tätigkeit, die ausgeübt werden soll
2. Feststellen, welche Gewerbetreibenden zur Erbringung dieser Leistung befugt sind
3. Prüfen, ob Befähigungsnachweis notwendig ist
4. Klären, ob Befähigungsnachweis erbracht werden kann
5. Anmelden des Gewerbes

Welche Arbeiten ein Gewerbetreibender ausführen darf, ergibt sich

1. aus dem **Wortlaut der Gewerbeanmeldung** bzw. dem Auszug aus dem Gewerbeinformationssystem;

bestehen danach noch Zweifel, dann

2. aus den **dem Gewerbe eigentümlichen Arbeitsvorgängen** sowie den verwendeten Roh- und Hilfsstoffen sowie Werkzeugen,
3. aus der **historischen Entwicklung,**
4. aus den in den beteiligten Kreisen **herrschenden Anschauungen und Vereinbarungen.**

Auskünfte, welche Arbeiten mit einer bestimmten Gewerbeberechtigung erbracht werden dürfen, erteilt z. B. die Wirtschaftskammer.

Es ist jedoch zu beachten, dass unter Umständen eine Tätigkeit bzw. sehr ähnliche **Tätigkeiten mit verschiedenen Gewerbeberechtigungen ausgeübt** werden dürfen.

Beispiele

Möchte jemand beispielsweise **EDV-Programme** erstellen, so kann er

- das reglementierte Gewerbe der „Unternehmensberatung einschließlich der Unternehmensorganisation" anmelden; diesfalls darf er auch das Unternehmen analysieren und es beraten, welche Hard- und Software es kaufen bzw. wie der Betrieb organisiert werden soll.
- das freie Gewerbe „Dienstleistungen in der automatischen Datenverarbeitung und Informationstechnik" anmelden; diese Gewerbetreibenden dürfen auch Systemanalysen durchführen und auf ihren EDV-Anlagen Programme für den Auftraggeber laufen lassen.
- das Programm ohne Auftraggeber herstellen und ohne Gewerbeberechtigung als „Urheber im Selbstverlag" vertreiben; in diesem Fall darf er für einen Auftraggeber keine spezifischen Anpassungen vornehmen.

8 Gewerbebehörde

Für die Vollziehung des Gewerberechts sind die Gewerbebehörden zuständig.

Mittelbare Bundesverwaltung bedeutet, dass **Bundesgesetze von Landesbehörden vollzogen werden.** Städte mit eigenem Statut sind alle Landeshauptstädte ausgenommen Bregenz sowie einige andere Städte, wie: Wiener Neustadt, Krems, Rust, Wels, Villach.

Das Gewerberecht wird von den **Bezirksverwaltungsbehörden** im Rahmen der mittelbaren Bundesverwaltung vollzogen. Das Gewerbe ist daher bei der für den Standort zuständigen Bezirksverwaltungsbehörde anzumelden. Dies sind:

- in Städten mit eigenem Statut: der **Magistrat**
- sonst: die **Bezirkshauptmannschaft**

Für die **Anmeldung eines Gewerbes** ist kein besonderes Formular vorgeschrieben. Es genügt ein formloses Schreiben an die für den Standort zuständige Behörde.

Erfüllt der Anmelder sämtliche Voraussetzungen, hat die Bezirksverwaltungsbehörde innerhalb von drei Monaten den neuen Gewerbetreibenden in das **Gewerbeinformationssystem Austria (GISA)** einzutragen und ihn durch Zusendung eines Auszugs aus GISA davon zu verständigen.

Die Anmeldung des Gewerbes kann auch elektronisch erfolgen, d. h., der Anmelder kann sich den Weg zur Gewerbebehörde ersparen. Er muss dabei der Gewerbebehörde nur jene Unterlagen übermitteln, die sie nicht online abfragen kann.

Grundsätzlich darf ein Unternehmen eröffnet und betrieben werden, **sobald das Gewerbe bei der zuständigen Behörde angemeldet wurde.** Bei einigen Gewerben wird die Zuverlässigkeit des Gewerbeanmelders geprüft. Mit der Ausübung dieser Gewerbe muss gewartet werden, bis die Behörde zustimmt.

Zeitpunkt, zu dem mit der Tätigkeit begonnen werden darf	
Anmeldungsgewerbe	**Gewerbe, bei denen die Zuverlässigkeit geprüft wird**
Das Gewerbe darf sofort mit der Anmeldung aufgenommen werden: ● sämtliche freien Gewerbe ● die meisten reglementierten Gewerbe	Die Gewerbebehörde muss mittels Bescheid feststellen, dass der Anmelder zuverlässig ist. Erst wenn dieser Bescheid rechtskräftig ist, darf mit der Tätigkeit begonnen werden Dies gilt für in der Gewerbeordnung ausdrücklich aufgezählte reglementierte Gewerbe, z. B. für: ● Baumeister, Brunnenmeister ● chemische Laboratorien ● Elektrotechnik ● Gas- und Sanitärtechnik ● Inkassoinstitute ● Rauchfangkehrer ● Reisebüros ● Gewerbliche Vermögensberatung ● Waffengewerbe

Weitere Informationen finden Sie unter **www.help.gv.at oder** unter **www.usp.gv.at.**

Erfüllt der Anmelder die Voraussetzungen nicht, dann **untersagt** die Gewerbebehörde mit Bescheid die Ausübung des Gewerbes. Dagegen kann Beschwerde beim Verwaltungsgericht erhoben werden:

Instanzenzug in Verwaltungssachen

In jedem Bundesland ist ein Verwaltungsgericht eingerichtet. Dieses entscheidet über Beschwerden
- gegen den Bescheid einer Verwaltungsbehörde,
- gegen die Ausübung unmittelbarer Befehls- und Zwangsgewalt,
- wegen Verletzung der Entscheidungspflicht (Säumnisbeschwerde).

INSTANZENZUG IN VERWALTUNGSSACHEN

Gewerbeinformationssystem Austria (GISA)

Die Stadt Wien führt im Auftrag des Wirtschaftsministeriums das **Gewerbeinformationssystem**. Dies ist eine Datenbank, in der Informationen über sämtliche Gewerbetreibenden gespeichert sind. Dies sind u. a.:

- Rechtsform
- Name, Geburtsdatum und Funktion, in der die Person tätig ist (Gewerbetreibender, Pächter, Geschäftsführer)
- Bezeichnung des Gewerbes
- Standort des Gewerbebetriebes
- Datum des Entstehens und der Endigung der Gewerbeberechtigung
- Firma und Firmenbuchnummer

Gewerbe-informationssystem

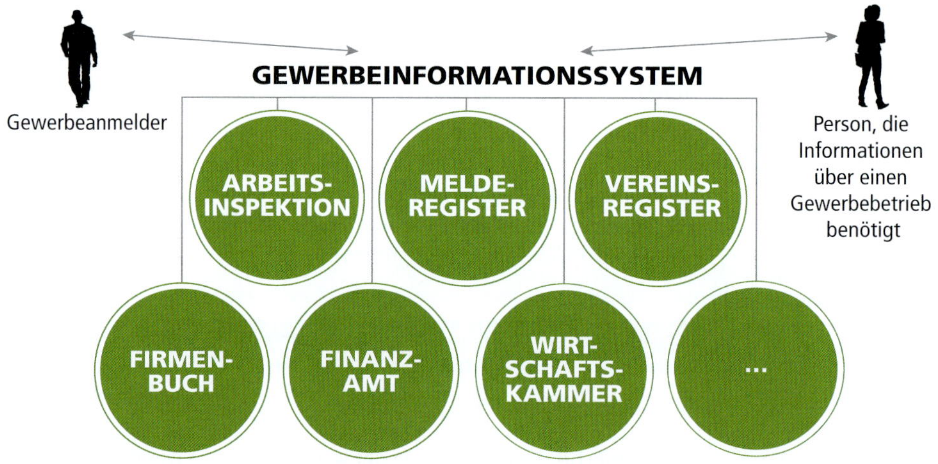

Jedermann kann von der Gewerbebehörde formlos Auskunft über bestimmte Daten verlangen; die Behörde ist zur Auskunftserteilung verpflichtet. Dadurch kann sich jede Person informieren, ob ein Betrieb über eine Gewerbeberechtigung verfügt und welche Leistungen er erbringen darf. Nicht bekanntgegeben wird z. B., wie jemand die Befähigung nachgewiesen hat.

Weitergehende Einsichts- und Auskunftsrechte haben die Wirtschaftskammer und die Finanzbehörden sowie die Sicherheitsbehörden (Polizei). Unter anderem besteht auch eine Datenverbindung zum Grundbuch und zum Hauptverband der Sozialversicherungsträger.

GISA

Gewerbeinformationssystem Austria

bmwfw

Stichtag: 18.02.2016	Auszug mit aktuellen Daten – Amtsgebrauch	DVR: 0037257

Behörde: Magistrat der Stadt Wiener Neustadt
GISA-Zahl: 27990216

DATEN ZUR GEWERBEBERECHTIGUNG

Entstehung: 21.10.2015

GEWERBEINHABERIN

Bezeichnung: Ritter GmbH
Rechtsform: Gesellschaft mit beschränkter Haftung
Firmenbuchnummer: 121 179 f
Anschrift: 2700 Wiener Neustadt, Burggasse 1
GLN: 7191724558133

GEWERBEWORTLAUT (Gewerbeart: freies Gewerbe)
Handelsgewerbe

STANDORT der GEWERBEBERECHTIGUNG

Entstehung: 21.10.2015
Gemeinde: Wiener Neustadt
Anschrift: 2700 Wiener Neustadt, Burggasse 1

GESCHÄFTSFÜHRER (gewerberechtlich)

seit 21.10.2015

Zuname: Hofbauer
Vorname: Erik
geboren am: 14.08.1994
Geschlecht: männlich
wohnhaft in: 2700 Wiener Neustadt, Burggasse 1
Staatsangehörigkeit: Österreich
Sozialversicherungsnr.: 212514081994

Dieses Dokument wurde amtssigniert.

Informationen zur Prüfung der elektronischen Signatur finden Sie unter: https://www.signaturpruefung.gv.at/. Die Bildmarke und Hinweise zur Veröffentlichung eines Papierausdrucks sind auf https://www.bmwfw.gv.at/amtssignatur oder http://www.help.gv.at/ veröffentlicht.

Gewerbelizenz

Gewerbeanmelder erhalten neben der Gewerbeberechtigung zusätzlich eine Gewerbelizenz, die auch im Gewerbeinformationssystem Austria (GISA) ausgewiesen wird. Sie umfasst sämtlich Gewerbe einschließlich der Nebenrechte, die der Gewerbetreibende ausüben darf. Bei Anmeldung weiterer Gewerbe wird die Gewerbelizenz erweitert. Sie endet mit der Beendigung des letzten Gewerbes.

Bezeichnung

Gewerbetreibende, die nicht in das Firmenbuch eingetragen sind, haben auf Geschäftsbriefen und Bestellscheinen (auch auf E-Mails und Websites), die an einen bestimmten Empfänger gerichtet sind,

- ihren **Namen** und
- den **Standort ihrer Gewerbeberechtigung**

anzugeben.

Weiters sind Gewerbetreibende verpflichtet, ihre **Betriebsstätten**, auch Lager, Baustellen und Automaten, **mit dem Namen des Gewerbetreibenden** und einem Hinweis auf den Gegenstand des Gewerbes **zu kennzeichnen.**

9 Öffnungszeiten und Betriebspflicht

Das Gewerberecht regelt auch den laufenden Betrieb.

Für den **Großhandel,** den Verkauf an andere Unternehmer, bestehen derzeit keine allgemeinen gesetzlichen Regelungen.

Für das **Gastgewerbe** gelten andere Öffnungszeitenregeln. Meist sind sie durch eine Verordnung des Landeshauptmannes festgelegt.

Das **Öffnungszeitengesetz** legt die erlaubten Öffnungszeiten fest; das **Arbeitszeitgesetz** regelt, wann Mitarbeiter beschäftigt werden dürfen.

Im Gesetz sind auch Vorschriften zu finden, die den laufenden Betrieb regeln, wie Betriebszeiten, Melde- und Überwachungspflichten.

Die Gewerbeordnung (GewO) selbst enthält keine Regelungen über die zulässigen Betriebs- und Geschäftszeiten. Diese sind im **Öffnungszeitengesetz** zu finden, einem gewerberechtlichen Nebengesetz. Für den Kleinhandel, d. h. den Verkauf von Waren an Private, dürfen Verkaufsstellen grundsätzlich **montags bis freitags** in der Zeit von **6:00 Uhr bis 21:00 Uhr** und **samstags** von **6:00 Uhr bis 18:00 Uhr** offengehalten werden. Die Öffnungszeit pro Woche darf jedoch **72 Stunden nicht übersteigen.** Innerhalb dieses Rahmens kann das Unternehmen die Öffnungszeiten so festlegen, dass es den bestmöglichen Umsatz erzielt.

Der Landeshauptmann kann durch Verordnung längere Öffnungszeiten festgelegen. Dabei ist insbesondere auf die Einkaufsbedürfnisse der Bevölkerung und auf den Tourismus zu achten.

Gewerbetreibende dürfen **an Jugendliche keinen Alkohol ausschenken** oder abgeben, wenn diesen aufgrund ihres Alters der Genuss von Alkohol verboten ist. Zur Kontrolle des Alters müssen sie sich einen Ausweis vorzeigen lassen.

Zur **Vermeidung von Geldwäsche und Terrorismusfinanzierung** bestehen bei Barzahlungen von € 15.000,– oder mehr besondere Sorgfalts- und Meldepflichten.

Gewerbetreibende trifft grundsätzlich **keine Betriebspflicht.** Wird das Gewerbe jedoch 5 Jahre hindurch nicht ausgeübt und ist der Gewerbeinhaber unbekannten Aufenthalts, wird die Gewerbeberechtigung entzogen.

Wird die Tätigkeit endgültig beendet, dann ist dies bei der zuständigen Gewerbebehörde zu melden.

Möchte der Gewerbetreibende sein Gewerbe nur vorübergehend nicht ausüben, dann muss er bei der zuständigen Landeskammer der gewerblichen Wirtschaft das **Ruhen** seiner Gewerbeberechtigung anzeigen.

Sichern & Merken

SbX ID: 0412

gewerbliche Tätigkeit

Wird eine Tätigkeit
- selbständig,
- regelmäßig,
- mit Ertragserzielungsabsicht

ausgeübt, wird dafür eine **Gewerbeberechtigung** benötigt.

persönliche Voraussetzungen

Der Gewerbetreibende muss jedenfalls die allgemeinen **persönlichen Voraussetzungen** erfüllen:
- Eigenberechtigung,
- österreichische oder EWR-Staatsbürgerschaft bzw. rechtmäßiger Aufenthalt in Österreich
- keine Ausschließungsgründe

gewerberechtlicher Geschäftsführer

Übt er ein reglementiertes Gewerbe oder ein Teilgewerbe aus, benötigt er zusätzlich einen **Befähigungsnachweis.** Kann er diesen nicht selbst erbringen, muss er einen **Geschäftsführer** bestellen.

Tätigkeiten, die ausgeübt werden dürfen

Welche Tätigkeiten mit einer Gewerbeberechtigung ausgeübt werden dürfen, ergibt sich aus
- dem Wortlaut der Gewerbeanmeldung,
- den dem Gewerbe eigentümlichen Arbeitsvorgängen,
- der historischen Entwicklung.

Betriebsanlagengenehmigung

Können die Anlagen, die zur Ausübung eines Gewerbes benötigt werden, Kunden, Mitarbeiter, Anrainer oder Umwelt beeinträchtigen, muss die **Anlage** von der Gewerbebehörde **bewilligt werden.**

Gewerbebehörde

Das Gewerberecht wird von der **Bezirksverwaltungsbehörde** vollzogen.

SbX ID: 0412

Im SbX finden Sie eine Bildschirmpräsentation mit den Grafiken dieser Lerneinheit.

Wissen & Können

SbX ID: 0413

A B C D E

W 4.1: Gewerberecht A

Geben Sie an, ob folgende Aussagen richtig oder falsch sind. Ist die Aussage falsch, korrigieren Sie diese:

	Richtig/ Falsch	Korrektur
Ein Anmeldungsgewerbe darf erst nach Erteilung einer behördlichen Bewilligung eröffnet werden.		
Die Eröffnung eines Gewerbes ist dem Bezirksgericht anzuzeigen.		
Kann derjenige, der ein reglementiertes Gewerbe ausüben möchte, nicht die erforderliche Befähigung nachweisen, darf er das Gewerbe nicht eröffnen.		
Jede Betriebsanlage muss von der Gewerbebehörde bewilligt werden.		
Jeder Betrieb muss einen gewerberechtlichen Geschäftsführer haben.		
Besitzt man eine Gewerbeberechtigung, muss das Gewerbe auch ausgeübt werden.		
Aufgabe des gewerberechtlichen Geschäftsführers ist die Leitung des Unternehmens.		
Die allgemeinen persönlichen Voraussetzungen muss jeder Gewerbeanmelder erfüllen.		

W 4.2: Handelsgewerbe B

Sie wollen nach Ihrer Reife- und Diplomprüfung einen Betrieb eröffnen, der mit EDV-Geräten handelt.

a) Prüfen Sie, in welche Kategorie von Gewerben der Gesetzgeber den Handel eingereiht hat.
b) Klären Sie, welche persönlichen Voraussetzungen Sie erfüllen müssen.
c) Beschreiben Sie, ab welchem Zeitpunkt Sie mit der Ausübung des Gewerbes beginnen dürfen.
d) Erklären Sie, wer die Gewerbeberechtigung erteilt.
e) Klären Sie, ob Sie Lehrlinge ausbilden dürfen.
f) Prüfen Sie, ob Sie die von Ihnen verkauften Geräte reparieren dürfen.

W 4.3: Umfang der Gewerbeberechtigung D

Ein Säckler, der über eine entsprechende Gewerbeberechtigung verfügt, hat gehört, dass große Nachfrage nach Pelzmänteln (= Tätigkeit der Kürschner) besteht. Er möchte diese daher anbieten.

Analysieren Sie, ob er dies darf.

W 4.4: Erlangung der Gewerbeberechtigung A

Eine Freundin von Ihnen bäckt gerne Kuchen und Kekse. Da diese Bäckereien allen gut schmecken, überlegt sie, einen entsprechenden Betrieb zu eröffnen. Sie erzählt Ihnen, dass sie demnächst zu Hause damit beginnen wird und schon die ersten Kunden akquiriert. Auf Ihre Bemerkung, dass dies eine gewerbliche Tätigkeit sei, reagiert sie erstaunt, da sie das Gewerberecht nicht kennt. Sie bittet Sie daher, ihr zu erklären, wie sie zu einer entsprechenden Gewerbeberechtigung kommt.

Was antworten Sie?

SbX
Lesen Sie zur Beantwortung der Frage auch § 7 GewO unter der ID: 0413.

W 4.5: Gewerbeeröffnung B

Franz Gruber ist Absolvent einer Handelsakademie und hat 10 Jahre als Vertriebsleiter in einem großen Unternehmen gearbeitet. Da er meint, dass großer Bedarf an EDV-Peripherie bestehe, möchte er Drucker herstellen. Er plant, diese Geräte in größerer Menge mithilfe entsprechender Fertigungsautomaten herzustellen und sie über den Fachhandel zu vertreiben. Er selbst wird die kaufmännische Abwicklung übernehmen.

a) Prüfen Sie, wie man einen derartig organisierten Betrieb nennt.
b) Klären Sie, ob Franz Gruber einen Befähigungsnachweis benötigt. (Falls ja, wie kann er ihn bekommen?)
c) Prüfen Sie, ob er die Gewerbeeröffnung anmelden muss. (Falls ja, wo?)
d) Prüfen Sie, ob er auch Geräte zukaufen darf und diese unverändert weiterverkaufen.
e) Prüfen Sie, ob er eine Betriebsanlagengenehmigung benötigen wird.

W 4.6: Tischlerei B

Erna Müller, Absolventin einer höheren Lehranstalt für wirtschaftliche Berufe, möchte selbständig eine Tischlerei betreiben.

a) Klären Sie, welche persönlichen Voraussetzungen sie erfüllen muss.
b) Prüfen Sie, ob es eine Möglichkeit gibt, diesen Betrieb zu eröffnen, wenn sie die Befähigungsprüfung nicht abgelegt hat.
c) Muss sie für die Bestellung des Geschäftsführers Gebühren bezahlen? (Suchen Sie die Antwort im Internet unter **www.help.gv.at.**)
d) Prüfen Sie, wo sie die Gewerbeeröffnung melden muss.
e) Beschreiben Sie, ab welchem Zeitpunkt sie mit der Ausübung des Gewerbes beginnen darf.
f) Darf sie Kunden, die sie in ihrem Büro empfängt, Getränke servieren oder benötigt sie eine Gewerbeberechtigung als Gastwirtin?

SbX
W 4.7–W 4.10 mit automatischer Aufgabenkontrolle ID: 0413

Weitere Aufgaben im SbX

W 4.7: Voraussetzungen zum Gewerbeantritt/Gewerberechtlicher Geschäftsführer C
Bearbeiten Sie Aufgaben zum Gewerberecht.

W 4.8: Einteilung der Gewerbe B
Vervollständigen Sie die Übersicht.

W 4.9: Gewerberecht B
Lösen Sie ein Kreuzworträtsel zum Thema „Gewerberecht".

W 4.10: Arbeitsblatt C
Beantworten Sie Fragen zum Beispiel „Reisebüro".

Ein kurzer Kompetenz-Check, bevor's weitergeht!

Kompetenz-Check

	☺	😐	☹
Ich kann die verschiedenen Arten von Gewerben nennen.			
Ich kann die Voraussetzungen für den Antritt eines Gewerbes nennen.			
Ich kann ein Gewerbe anmelden.			

Lerneinheit 2
Wettbewerbsrecht

SbX
Alle SbX-Inhalte zu dieser Lerneinheit finden Sie unter der ID: 0420.

Die österreichische Wirtschaft ist – ebenso wie jene der anderen EU-Staaten – nach marktwirtschaftlichen Prinzipien organisiert. Dies bedeutet, dass zwischen den verschiedenen Anbietern Wettbewerb herrschen und jeder versuchen soll, den anderen durch bessere Produkte, Ideen und Leistungen zu überflügeln. Dadurch wird den Wünschen der Nachfrager entsprochen und es werden neue und billigere Produkte angeboten, was allen zugute kommt.

Dass dadurch Mitbewerber, wenn sie schlechtere Leistungen anbieten, weniger Umsatz und Gewinn machen, unter Umständen sogar ihren Betrieb schließen müssen, ist Teil des Systems. Der Wettbewerb zum Nutzen aller kann jedoch nur funktionieren, wenn er fair ausgetragen wird. Daher schützt der Staat Unternehmen und Konsumenten vor unlauteren Praktiken durch entsprechende Gesetze.

Lernen & Üben

SbX ID: 0421

A B C D E

1 Gesetz gegen den unlauteren Wettbewerb (UWG)

Der Wettbewerb zwischen den Unternehmen soll fair sein.

Ein **Verstoß gegen das Wettbewerbsrecht** liegt vor, wenn ein Unternehmen im **Wettbewerb auf dem Markt** durch unlautere Maßnahmen seine Position verbessern will.

SbX
Eine Präsentation zum Thema „Wettbewerbsrecht" finden Sie unter der ID: 0421.

Es ist zu unterscheiden, wer bzw. was geschützt werden soll:

Ziel des gesetzlichen Schutzes	
fairer Wettbewerb	**Geschäftspartner**
UWG	ABGB, KSchG ...
Verbot von ● unlauteren ● aggressiven ● irreführenden Geschäftspraktiken	● regelt Rechte und Pflichten der Parteien ● sorgt für ausgewogene Vertragsgestaltung

Verstößt ein Unternehmen gegen das UWG, können Mitbewerber **Schadenersatz** verlangen, überdies kann es bestraft werden.

Ich habe im Internet eine Seite gefunden, auf der man Informationen über Musikbands findet und Songs herunterladen kann. Auf der Seite war groß zu lesen, dass das Angebot gratis ist und man sich anmelden muss. Bei der Anmeldung mussten auch die Allgemeinen Geschäftsbedingungen akzeptiert werden. Eine Klausel im Kleingedruckten enthielt die Bestimmung, dass nur bei Rücktritt innerhalb eines 14-tägigen „Testzeitraumes" das Angebot gratis ist. Danach sind € 14,50 pro Monat zu bezahlen. Muss ich diese € 14,50 tatsächlich zahlen?

Das UWG enthält im Anhang eine Liste von Geschäftspraktiken, die jedenfalls unlauter sind. Bei anderen Geschäftspraktiken ist im Einzelfall zu prüfen, ob sie aggressiv, irreführend oder sonst unlauter sind. In der Liste ist Folgendes unter „irreführende Geschäftspraktik" zu finden:
„Die Beschreibung eines Produktes als ‚gratis', ‚umsonst', ‚kostenfrei' oder ähnlich, obwohl der Umworbene weitergehende Kosten als die Kosten zu tragen hat, die im Rahmen des Eingehens auf die Geschäftspraktik und für die Abholung oder Lieferung der Ware unvermeidbar sind."

Die Liste der **irreführenden und aggressiven** Geschäftspraktiken, **„schwarze Liste"**, wurde im Rahmen der EU beschlossen und gilt daher EU-weit für alle Unternehmen.

4 Wirtschaftsrecht

Dieses Vorgehen verstößt auch gegen die Vorgaben zu Preisangaben nach dem KSchG.

Antwort: Das ausdrücklich als gratis bezeichnete reißerische Angebot kann nicht durch einen Hinweis im Kleindruck, der nur durch Scrollen sichtbar wird, ungültig gemacht werden. Ein derartiges Vorgehen ist irreführend und verstößt gegen das UWG.

Klagen gegen Unternehmen, die gegen das Wettbewerbsrecht verstoßen, führen neben den Mitbewerbern u. a.

- Bundeskammer für Arbeiter und Angestellte,
- Wirtschaftskammer Österreich,
- Präsidentenkonferenz der Landwirtschaftskammern Österreichs,
- Österreichischer Gewerkschaftsbund,
- Bundeswettbewerbsbehörde,
- Verein für Konsumenteninformation.

Bei der Prüfung, ob ein Verhalten gegen das UWG verstößt, ist nach folgendem Schema vorzugehen:

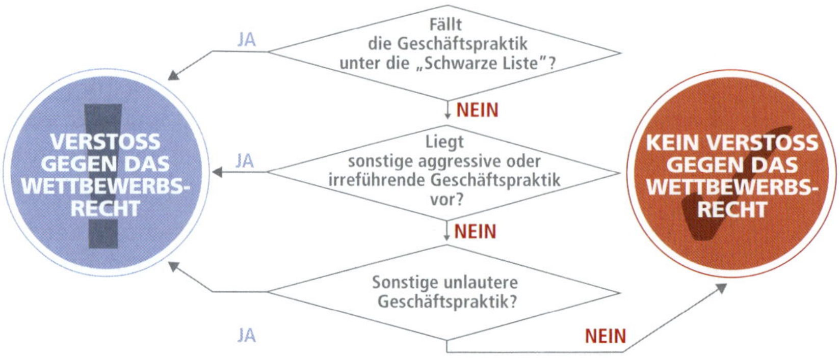

Die Rechtsprechung hat u. a. folgende Verhaltensweisen als unlauter im Sinne der Generalklausel beurteilt:

- Kundenfang

Beispiel
Psychologische Beeinflussung der Entscheidungsfreiheit

- Kündigt ein Unternehmen an, dass es für jede verkaufte Packung Kaffee 10 Cent für Kinder in einem Kriegsgebiet spendet, dann ist dies sittenwidrig, da dies eine planmäßige Ausnutzung von Mitgefühl und sozialer Hilfsbereitschaft darstellt, die mit der Ware in keinem Zusammenhang steht.

- Rechtsbruch (Verschaffen von Vorteilen gegenüber den gesetzestreuen Mitbewerbern)

Beispiel
Ein Unternehmen handelt unlauter, wenn es schuldhaft Rechtsvorschriften missachtet.

- Hält ein Unternehmen am Sonntag sein Geschäft ohne entsprechende Genehmigung offen, begeht es Rechtsbruch, da das Offenhalten am Sonntag grundsätzlich verboten ist.
- Übt jemand ein Gewerbe ohne die erforderliche Gewerbeberechtigung aus, dann verstößt er sowohl gegen das Gesetz gegen den unlauteren Wettbewerb als auch gegen die Gewerbeordnung.

- Behinderung

Beispiel
Verhindert ein Unternehmen durch gezielte Maßnahmen, dass die Mitbewerber ihre Leistungen am Markt zur Geltung bringen können, dann liegt eine Behinderung vor.

- Ein Unternehmen wirbt mit dem Bild eines Sportlers, welcher auf seiner Kleidung Werbesticker trägt. Dabei wird eine Werbung retuschiert und mit Werbung für die eigene Firma ersetzt.
- Ein Unternehmen veranlasst seine Lieferanten, einen Mitbewerber nicht zu beliefern, welcher dadurch in seiner Existenz gefährdet wird.

- Ausbeutung

Beispiel
Grundsätzlich dürfen fremde Ideen und Vertriebsformen übernommen und fremde Erzeugnisse nachgeahmt werden. Die Übernahme einer fremden Leistung ohne eigenes Zutun ist jedoch unlauter.

- Eine schmarotzerische Ausbeutung liegt vor, wenn ein Energydrink BOSS genannt wird.
- Die 1:1-Kopie eines fremden EDV-Programms und dessen gewerblicher Verkauf ist sittenwidrig, da eigene Kosten und Mühen erspart werden und der Ersteller um die Früchte seiner Arbeit gebracht wird.

Diese Verhaltensweisen können auch Verstöße gegen das Marken- bzw. Urheberrecht darstellen (siehe Lerneinheit Immaterialgüterrecht, S. 146).

- Anschwärzen

Beispiel

- Es wird behauptet, dass ein Konkurrent minderwertiges Material verwendet, obwohl dies nicht wahr ist.

- Irreführung

Beispiele
Alle Angaben, die den Kunden in die Irre führen können, sind verboten.

- In einem Flugblatt wird eine Ware mit einem besonders günstigen Preis beworben. Das Unternehmen hat davon jedoch nur ganz wenige Stück, obwohl es mit viel mehr Käufern rechnen musste.
- Eine Zeitung behauptete, sie sei die Nr. 1 in Wien. Dies wurde damit begründet, dass sie eine um 200 Stück höhere Druckauflage als die Mitbewerber hat.

  Der Oberste Gerichtshof hat in einem Urteil festgehalten, dass dies irreführend sei, da durch das Verschweigen wesentlicher Umstände, wie Anzahl der Leser, ein falscher Gesamteindruck entsteht.

Bei Abgabe einer Unterlassungserklärung werden in der Regel anfallenden Kosten als Schadenersatz gefordert.

Der Mitbewerber oder eine berechtigte Organisation kann
- die Zeitung, die diese Behauptung aufstellt, außergerichtlich auffordern, dies zu unterlassen. Gibt die Zeitung eine Erklärung ab, dass sie diese Behauptung nicht mehr aufstellt, ist der Rechtsstreit beendet. Dies wird Unterlassungserklärung genannt.
- gerichtlich gegen die Zeitung, die diese Behauptung aufstellt, vorgehen und
- u. U. Schadenersatz fordern.

Übungsbeispiel
SbX
Ü 4.6
mit automatischer Aufgabenkontrolle
ID: 0421

Ü 4.6: Unlauterer Wettbewerb? B

Prüfen Sie, ob sich der Unternehmer in folgenden Fällen korrekt verhält. Begründen Sie jeweils Ihre Antwort:

	Ja/Nein	Begründung
Bekleidungsstücke werden in derselben Aufmachung (inkl. Muster und Zeichen) wie jene der Konkurrenz auf den Markt gebracht.		
Im Werbeprospekt der Konkurrenz wird die Unternehmensbezeichnung geändert und dann als eigene Werbung verwendet.		
Ein Unternehmen wird ohne notwendige Gewerbeberechtigung betrieben.		
Eine Ware wird mit geringem Preis beworben, wobei nur drei Stück davon vorhanden sind.		

2 Unerlaubte Formen der Werbung

Das Gesetz erlaubt nicht jede Form von Werbung.

Zum Schutz der Allgemeinheit sind bestimmte Formen der Werbung verboten.

Werbung erfüllt einerseits eine wichtige wirtschaftliche Funktion, andererseits können bestimmte Formen der Werbung
- den Wettbewerb verfälschen und
- die Privatsphäre des Umworbenen stören.

Bei Werbemaßnahmen kommt grundsätzlich das Recht jenes Staates zur Anwendung, auf dessen Markt sich die Werbung auswirkt.

In Österreich muss **Werbung klar und eindeutig** als solche **erkennbar** sein. Das heißt, wenn Werbung in anderen Texten oder Inhalten (z. B. auf Websites, bei Werbebannern im Internet oder im redaktionellen Teil einer Zeitung oder Zeitschrift) „versteckt“ ist, muss sie mit Hinweisen, wie „Anzeige“, „entgeltliche Einschaltung“ oder „Werbung“ gekennzeichnet werden und den Auftraggeber erkennen lassen.

Bei Werbemaßnahmen sind **Preis- und Qualitätsvergleiche** des eigenen Produktes mit anderen **zulässig**.

Beispiel
Die Vergleiche dürfen nicht unwahr oder für den Kunden irreführend sein. Der Mitbewerber darf dabei nicht herabgesetzt werden.

Ein Händler wirbt in einer Zeitung mit besonders günstigen Preisen. Dabei ist zu lesen, dass ein Produkt € 9,90 statt € 14,20 kostet. Dabei muss angegeben sein, worauf sich der Statt-Preis bezieht, ob es der zuletzt gültige Preis des Unternehmens oder ein anderer Vergleichspreis ist. Dann ist diese Werbemaßnahme zulässig.

Sittenwidrig sind: Ansprechen von Kunden vor dem Geschäftslokal; Einsatz von Kundenfängern (Schleppern), der die Kunden einem Mitbewerber abspenstig macht; Verteilen von Reklamezetteln vor dem Geschäft des Konkurrenten oder in dessen unmittelbarer Nähe.

Ich habe gestern eine SMS mit folgendem Inhalt erhalten: „Gratulation, Sie haben gewonnen. Rufen Sie die Nummer ... an, um Näheres zu erfahren." Dabei handelte es sich um eine Mehrwertnummer und ich wurde mit einem Call-Center verbunden. Der rhetorisch geschulte Mitarbeiter des Call-Centers versuchte dabei, mir ein Produkt zu verkaufen.

Unerbetene Werbeanrufe verstoßen auch gegen das UWG.

Das **Telekommunikationsgesetz verbietet** unter anderem **folgende Formen der Werbung:**

- **Unerbetene Telefonanrufe,** in denen Werbung gemacht wird (cold calling). Dazu zählt auch das Vereinbaren von Gesprächsterminen für den Verkauf von Waren oder Dienstleistungen sowie die Einholung der Zustimmung zu E-Mail-Werbung und SMS-Werbung.

  Bei diesen Anrufen ist auch das Unterdrücken oder Verfälschen der Rufnummer durch den Anrufer verboten und strafbar.

Beispiel
Stimmt der Angerufene zu (z. B. auf einem Bestellformular, anlässlich der Teilnahme an einem Preisausschreiben ...), dann ist diese Form der Werbung erlaubt.

Eine Versicherungsvertreterin sucht sich Namen und Telefonnummern aus dem Telefonbuch und ruft diese an. Sie erklärt, dass sie wichtige Informationen hat, und vereinbart einen Termin, zu dem sie den Angerufenen besucht. Bei diesem Besuch versucht sie, eine Versicherung zu verkaufen.

- **Telefaxwerbung** verursacht dem Umworbenen Aufwand. Daher ist auch diese Form der Werbung ohne vorherige Zustimmung des Empfängers verboten. Ein allgemein gehaltener Hinweis in den AGB reicht dafür nicht aus.

Werbung per **Spam** ist sehr kostengünstig, aber verboten.

Wenn der Absender die Empfängerdaten im Zusammenhang mit dem Verkauf oder einer Dienstleistung erhalten hat und die Werbung für eigene ähnliche Produkte oder Dienstleistungen erfolgt, sind Werbemails erlaubt.

- **„Spamming":** Das massenhafte unverlangte Übermitteln von Werbe-E-Mails wird Spamming genannt. Empfänger werden durch diese Form der Werbung stark belästigt und mit Kosten belastet, da sie einerseits für die Übertragung zahlen müssen und andererseits Zeit für das Aussortieren unerwünschter Nachrichten benötigen. Die **Übermittlung von Spams** unterliegt daher **Beschränkungen:**
  - **Werbe-Mails** sind jedenfalls als solche **zu kennzeichnen,** weiters muss der Absender angegeben werden sowie eine Adresse, bei der die weitere Zusendung von Spams untersagt werden kann.
  - Die Zusendung von E-Mails und SMS zu Zwecken der Direktwerbung an mehr als 50 Empfänger **ohne vorherige Zustimmung der Empfänger** ist nur unter sehr eingeschränkten Umständen erlaubt.
  - Die **Telekom-Regulierungsbehörde** führt eine **„Robinson-Liste",** in die sich Personen und Unternehmen eintragen lassen können, die keine Werbe-E-Mails – auch nicht, wenn sie erlaubt wären – erhalten wollen. Der Werbende hat diese jedenfalls zu beachten.
- **Unerwünschte SMS:** Für das Zusenden von Werbe-SMS gelten dieselben Beschränkungen wie für das Zusenden von Werbe-E-Mails.

Antwort: Das unverlangte Zusenden von Werbe-SMS ist nach dem Telekommunikationsgesetz verboten. Marco kann bei der Fernmeldebehörde beantragen, dass der Absender bestraft wird.

Die **Höhe von Preisnachlässen** unterliegt außer im Buchhandel keiner gesetzlichen Einschränkung.

Der Vertrieb von Waren durch **Schneeballsysteme,** der Betrieb von **Ketten- oder Pyramidenspielen** ist verboten und auch **strafbar.**

Mein Freund Kevin wollte Geld als Verkäufer verdienen. Dafür musste er € 200,– für die Einschulung bezahlen. Neben dem Verkauf von Waren, sollte er auch weitere Freunde als Verkäufer anwerben. Diese mussten ebenfalls € 200,– für Schulungen bezahlen. Dafür sollte Kevin an ihren Umsätzen mitverdienen. Wenn seine Freunde weitere Verkäufer anwerben, sollte Kevin auch daran verdienen.

Antwort: Ein derartiges Vertriebssystem wird Schneeball- oder Pyramidensystem genannt und ist verboten.

Bei **Ausverkäufen** ist zu unterscheiden:

Ausverkauf		
bewilligungspflichtig	**anzeigepflichtig**	**frei**
Wird ein Ausverkauf mit „Aufgabe des Geschäftes" beworben, ist eine Bewilligung der Bezirksverwaltungsbehörde erforderlich. Mit Ablauf des Bewilligungsbescheides endet auch die Gewerbeberechtigung für diesen Standort.	Die Ankündigung eines **Ausverkaufes wegen eines Elementarereignisses** ist vor Beginn des beabsichtigten Ausverkaufs bei der zuständigen Bezirkshauptmannschaft anzuzeigen.	Keine Bewilligung oder Anzeige erforderlich
Beispiele: ● Geschäftsauflösung ● Standortverlegung	Beispiele: ● Hochwasser ● Feuer	Beispiele: ● Saisonschlussverkäufe ● Inventurverkäufe ● Räumungsverkäufe

Das **Zusenden von Zahlungsanweisungen** für Eintragungen in ein Verzeichnis ist unzulässig, wenn nicht eindeutig darauf hingewiesen wird, dass es sich nur um ein Vertragsangebot handelt und die Bezahlung freiwillig erfolgt.

Beispiel

Ein neu im Firmenbuch eingetragenes Unternehmen erhält eine Zahlungsanweisung samt Begleitschreiben, das wie ein Schreiben des Gerichts aussieht. Darin wird es aufgefordert, einen Betrag für den Eintrag in ein Branchenregister zu zahlen. Das Schreiben hinterlässt den Eindruck, dass es von einer Behörde kommt und der Empfänger zur Zahlung verpflichtet ist.

Eine unverlangt zugesandte Sache muss nicht zurückgeschickt werden.

Wird **jemandem, ohne dass er dies veranlasst, eine Sache zugesandt,** ist der Empfänger nicht verpflichtet, die Ware zu bezahlen oder zurückzusenden. Er kann sie sogar vernichten.

Beispiel

Marco erhält per Post ein Buch samt Zahlungsanweisung, das er nie bestellt hat. Er ist weder verpflichtet, das Buch zurückzusenden oder aufzubewahren, noch muss er es bezahlen. Er kann es auch lesen oder vernichten.

Sendet ein Unternehmen einem Konsumenten eine Gewinnzusage und erweckt es damit den Eindruck, der Empfänger der Mitteilung habe einen Preis gewonnen, muss es aufgrund der Bestimmungen des Konsumentenschutzgesetzes diesen auch übergeben.

Beispiel

Katharina hat von einem Verlag einen Brief bekommen, in dem ihr zum Gewinn einer Reise gratuliert wird. Bevor sie den Preis erhält, muss sie noch eine Mitteilung an den Verlag schicken. Gleichzeitig wird sie aufgefordert, Waren von diesem Verlag zu bestellen. Mit den bestellten Waren erhält sie wiederum einen Brief, in dem ihr gratuliert wird. Weiters wird sie in diesem Brief aufgefordert, neue Waren zu bestellen.

Wenn sie den Gewinn nicht erhält, kann sie das Unternehmen auf Herausgabe des Gewinns klagen.

Ich habe im Internet bei Google „OMV" eingegeben, da ich die Telefonnummer der Tankstelle in unserem Ort gesucht habe. Unter OMV habe ich Werbung für Tankstellen und Nachtlokale gefunden. Wieso?

Das **Internet** bietet **neue Möglichkeiten der Werbung,** die bisher nicht möglich waren:

- **Keyword Advertising:** Suchmaschinenbetreiber bieten Werbekunden an, deren Werbebanner einzublenden, wenn nach einem bestimmten Begriff gesucht wird.
- **Keyword Buying:** Der Betreiber der Suchmaschine wird dafür bezahlt, dass bei Eingabe eines bestimmten Suchbegriffes derjenige, der bezahlt hat, an erster Stelle oder weit vorne gereiht wird. Dadurch wird die Wahrscheinlichkeit, dass diese Website angeklickt wird, erhöht.
- **Meta Tagging:** In den einleitenden Zeilen einer HTML-Seite können Begriffe eingegeben werden, die der Besucher der Seite nicht sieht, aber von Suchmaschinen erkannt und ausgewertet werden.
- **Word Stuffing:** Auf einer Internetseite sind fremde Kennzeichen zu finden, die jedoch für den Betrachter unsichtbar sind, da sie in derselben Farbe wie der Hintergrund gehalten sind.

Keyword Buying verstößt auch gegen das Gebot der Trennung von Inhalt und Werbung.

Üblicherweise werden **Meta Tags** von Suchmaschinen höher bewertet und daher weiter vorne gereiht als Begriffe, die im Text vorkommen.

Diese Formen der Werbung sind **unlauter** und daher **verboten,** wenn eine **fremde Marke** oder ein **sonstiges fremdes Kennzeichen** verwendet wird, um

- Kunden, die nach dem fremden Kennzeichen suchen, auf die eigene Website umzuleiten,
- den guten Ruf des fremden Zeichens für eigene Zwecke auszubeuten.

Zulässig wäre hingegen, einen **Gattungsbegriff** wie „Heizung" oder „Solar" für Keyword Advertising, Meta Tagging oder Ähnliches zu verwenden, sofern dadurch die User nicht in die Irre geführt werden.

Antwort: Katharina wurde durch verbotene Werbemaßnahmen auf Internetseiten von Nachtlokalen gelockt.

Großabnehmer erhalten üblicherweise günstigere Preise als Kunden, die nur geringe Mengen kaufen. Beim **Powershopping** wird versucht, viele Kunden zu finden, die einzeln zwar nur eine kleine Menge kaufen, gemeinsam aber den günstigen Großkundenpreis erhalten. Problematisch wird Powershopping, wenn auf die Kunden ein psychologischer Kaufdruck ausgeübt wird, z. B. durch:

- Einblenden der Zahl der fehlenden Käufer
- hohe Preisreduktionen
- Ausnutzen der Spielleidenschaft der Kunden

Wird beim **Powershopping** psychologischer Druck ausgeübt, dann verstößt dies gegen das Wettbewerbsrecht.

Ü 4.7: Werbemaßnahmen zulässig? A

Kennzeichnen Sie, ob folgende Werbemaßnahmen zulässig sind, und begründen Sie Ihre Antwort:

	Ja/Nein	Begründung
Werbe-Mails an Kunden, die ihre E-Mail-Adresse bei Preisausschreiben bekanntgegeben haben		
bezahlter Bericht im redaktionellen Teil der Zeitung über neue Produkte des Unternehmens ohne besondere Kennzeichnung		
Versenden von Preislisten per Fax an Nummern, die aus dem Telefonbuch herausgesucht wurden		
Bezeichnung „BMW" wird so in den HTML-Text eines Waschmittelherstellers integriert, dass sie unlesbar bleibt, aber die Website bei Eingabe von „BMW" aufscheint		
Der Sommerschlussverkauf wird ohne Bewilligung begonnen.		

3 Preisauszeichnung

Unternehmen sind verpflichtet, ihre Preise für die Käufer sichtbar zu machen.

Gestern stand im Supermarkt eine 375-g-Packung Cornflakes neben einer 525-g-Packung. Wie kann ich da die Preise vergleichen?

Rechtsgrundlage: Preisauszeichnungsgesetz

Der Gesetzgeber fördert den Wettbewerb und unterstützt die Nachfrager bei Preisvergleichen, indem er Unternehmen verpflichtet, die verlangten Preise für

- **sichtbar ausgestellte Sachen** (z. B. Waren im Schaufenster) oder
- in den Geschäftsräumen **zum Verkauf bereitgehaltene Güter** (z. B. Pullover auf Kleiderpuppe)

ersichtlich zu machen. Die Preise müssen den Waren von einem durchschnittlichen Betrachter leicht zugeordnet werden können.

Auch bei **Angeboten im Internet** müssen die Preise zuordenbar sein.

Wenn sich das Angebot an Nicht-Unternehmer richtet, sind die Preise inkl. sämtlicher Abgaben (wie USt) anzugeben.

Überdies müssen bestimmte Betriebe die **Preise** auch für **andere Waren und Dienstleistungen** auszeichnen:

- **Gastgewerbebetriebe** in Form von Speisekarten oder deutlich sichtbar im Lokal; wenn sie warme Speisen verabreichen, müssen die Preise auch bei der Eingangstüre von außen lesbar angebracht sein.
- **Tankstellen** die Preise für Treibstoffe so, dass sie von der Straße aus gesehen werden können
- **Radio- und Fernsehtechniker:** Preis je Arbeitsstunde
- **Friseure:** Preis für die Erbringung einer Leistung (z. B. Männerhaarschnitt); dies muss innerhalb und außerhalb des Geschäftslokales lesbar sein

SbX
Eine Linkliste und Rechercheaufgaben zur Preisauszeichnung finden Sie unter der ID: 0421.

Um **Preisvergleiche** zu erleichtern, muss für bestimmte Waren zum Preis je Verpackungseinheit zusätzlich der Grundpreis (Preis je kg, m ...) ausgezeichnet werden.

Antwort: Bei den Cornflakes muss auch der Preis je kg angegeben sein.

Unternehmen, die gegen die Bestimmungen des Preisauszeichnungsgesetzes verstoßen, können von der Bezirksverwaltungsbehörde bestraft werden.

Sichern & Merken

SbX ID: 0422

Wettbewerbsrecht – fairer Wettbewerb

Das **Wettbewerbsrecht** soll sicherstellen, dass der Wettbewerb zwischen den Unternehmen fair verläuft und jeder seine Leistungen am Markt anbieten kann. Derjenige, der die bessere Leistung anbietet, soll Gewinn machen.

„Schwarze Liste"

Unlautere Geschäftspraktiken sind verboten. Das Wettbewerbsrecht enthält im Anhang eine Liste aggressiver und irreführender Geschäftspraktiken, die jedenfalls verboten sind.

Nicht jede Werbung ist erlaubt.

Auch der **Werbung** sind dort **Grenzen** gesetzt, wo sie die Umworbenen belästigt oder in fremde Rechte eingreift.

Preisauszeichnungspflicht

Unternehmen sind verpflichtet, die **Preise** ihrer Waren **auszuzeichnen,** damit die Käufer Preisvergleiche anstellen und das beste Angebot auswählen können. Richtet sich das Angebot an Konsumenten, dann ist der Bruttopreis anzugeben.

SbX
ID: 0422

Im SbX finden Sie eine Bildschirmpräsentation mit den Grafiken dieser Lerneinheit.

Wissen & Können

SbX ID: 0423

A B C D E

SbX W 4.11 mit automatischer Aufgabenkontrolle ID: 0423

W 4.11: Unverlangte Zusendung B

Sie erhalten eine CD samt Erlagschein und folgendes Begleitschreiben:

„Die neue CD Ihres Lieblingsmusikers ist nun erschienen. Um Ihnen das mühevolle Suchen zu ersparen, senden wir Ihnen ein Exemplar. Wir ersuchen, uns den Betrag von € 15,– für die CD mittels beiliegendem Zahlschein zu überweisen.
Mit freundlichen Grüßen"

Geben Sie an, ob folgende Aussagen richtig oder falsch sind:

	Richtig	Falsch
Wenn Sie die CD nutzen, sind Sie verpflichtet, € 15,– zu überweisen.		
Sie dürfen die CD vernichten (z. B. wegwerfen), ohne den Kaufpreis zu bezahlen.		
Wenn Sie den Kaufpreis nicht bezahlen, müssen Sie die CD unbenutzt aufbewahren oder zurücksenden.		

SbX W 4.12 mit automatischer Aufgabenkontrolle ID: 0423

W 4.12: „Schwarze Liste" C

Suchen Sie im Internet die Liste der aggressiven und irreführenden Geschäftspraktiken und prüfen Sie, ob Folgendes zulässig ist:

a) Ein Unternehmen führt das E-Commerce-Euro-Label, ohne die vorgeschriebenen Voraussetzungen zu erfüllen.

b) Eine Werbung enthält die Aussage, dass für Fehler, die die Waren bei der Übergabe hatten und die spätestens 2 Jahre nach dem Kauf reklamiert werden, das Geld rückerstattet wird.

c) In einer Werbeaussendung an Konsumenten wird ein Gewinn versprochen, wenn zuvor € 100,– eingezahlt werden.

SbX W 4.13 mit automatischer Aufgabenkontrolle ID: 0423

W 4.13: Absatzsteigerung B

Ein Unternehmen setzt zur Steigerung des Absatzes folgende Maßnahmen:

a) Kunden, die gut verhandeln, erhalten 10 % Preisnachlass. Die übrigen zahlen den angeschriebenen Preis.

b) Kunden erhalten beim Kauf einer CD um € 12,– gratis 15 Brieflose.

c) Der Saisonausverkauf wird eine Woche vor den übrigen Mitbewerbern ohne Zustimmung der Behörde gestartet.

Prüfen Sie, ob diese Vorgehensweisen zulässig sind.

W 4.14: Preisauszeichnung B

Ein Unternehmen hat Computerkassen. Daher sind auf den Regalen keine Preise, sondern nur die Artikelnummern angeschrieben. Auch auf der Rechnung sind nur die Artikelnummer und der Preis zu finden.

a) Erklären Sie, welches Problem sich dabei für die Kunden ergibt.

b) Prüfen Sie, ob dies rechtlich korrekt ist.

W 4.15: Werbe-Mails B

Ein Konsument hat einem Unternehmen seine E-Mail-Adresse bekanntgegeben. Daraufhin erhält er regelmäßig Werbe-E-Mails.

Erklären Sie, was der Konsument dagegen unternehmen kann.

SbX
W 4.16–W.4.17
mit automatischer Aufgabenkontrolle
ID: 0423

Weitere Aufgaben im SbX

W 4.16: Wettbewerbsrecht B

Bearbeiten Sie einen zusammenfassenden Test zum Thema Wettbewerbsrecht.

W 4.17: Abmahnungen C

Beantworten Sie mithilfe der angeführten Links die Fragen zum Abmahnwesen.

Ein kurzer Kompetenz-Check, bevor's weitergeht!

Kompetenz-Check

	☺	😐	☹
Ich kann überprüfen, ob eine Geschäftspraktik unlauter ist.			
Ich kann Preise richtig auszeichnen.			

SbX
Alle SbX-Inhalte zu dieser Lerneinheit finden Sie unter der ID: 0431.

Lerneinheit 3
Immaterialgüterrecht

Derjenige, der sich besonderes Wissen (Know-how) oder einen besonderen Ruf erarbeitet hat, soll geschützt werden. Könnte jeder diese Leistungen nutzen, müsste nur derjenige, der dieses Wissen bzw. den Ruf erarbeitet hat, die Entwicklungskosten bezahlen. Alle übrigen Anbieter könnten ein gleichartiges Produkt billiger herstellen.

Diesen Unternehmen wird ein besonderer Schutz eingeräumt, der ihnen eine monopolartige Stellung verleiht. Sie können daher während der Schutzzeit höhere Preise verlangen, was zu höheren Gewinnen und in weiterer Folge zu Anreizen führt, derartiges Wissen zu schaffen.

Lernen & Üben

SbX ID: 0431

A B C D E

Schutzvorschriften

DAS GESETZ SCHÜTZT …

Zeichen	Aussehen von Produkten	Technische Erfindungen	Werke
… bezeichnet der Gesetzgeber als …			
Marke	Muster	Patent	Urheberrecht
Schutzvorschriften finden sich im …			
Markenschutzgesetz	Musterschutzgesetz	Patentgesetz	Urheberrechtsgesetz
Schutzvorschriften wird erworben durch …			
Anmeldung beim Patentamt			Schaffung des Werkes

1 Marken
Marken kennzeichnen Waren oder Dienstleistungen.

Marken sind besondere, in das Markenregister eingetragene Zeichen, die dazu dienen, Waren oder Dienstleistungen zu kennzeichnen. Sie können folgende Zwecke erfüllen:

SbX
Eine Linkliste zum Thema „Immaterialgüterrecht" finden Sie unter der ID: 0431.

Arten von Marken		
Individualmarken	**Verbandsmarken**	**Gewährleistungsmarken**
Diese kennzeichnen Waren oder Dienstleistungen. Sie sollen sich dadurch von den Waren oder Dienstleistungen anderer Hersteller unterscheiden. Die Herkunft soll erkennbar werden.	Diese zeigen, dass der Ersteller einer Ware oder Dienstleistung Mitglied eines Verbandes bzw. einer Vereinigung ist. Die Ware wird als Mitglied des Verbandes vermarktet.	Diese zeigen, dass die Ware oder Dienstleistung eine vom Markeninhaber kontrollierte Qualität aufweist.
SONNENTOR Da wächst die Freude.	DIE GEBÄUDEREINIGER UND HAUSBETREUER	WOOLMARK

> Ich möchte später einmal ein Unternehmen gründen, das natürlich ein besonderes Logo haben soll. Wie kann ich mich davor schützen, dass andere dieses Zeichen ebenfalls verwenden?

Fremde Zeichen, auch wenn sie nicht als Marke registriert sind, dürfen **nicht nachgeahmt** werden. Durch die Registrierung sind das Aussehen und der Inhaber einer Marke bekannt. Dies soll auch gegen unbeabsichtigte Eingriffe schützen.

Grundsätzlich genießen alle Zeichen, die zur Kennzeichnung von Waren oder Dienstleistungen verwendet werden, Schutz vor Nachahmung. Kein gleiches oder ähnliches Produkt darf mit demselben oder einem ähnlichen Zeichen auf den Markt gebracht werden, wenn dadurch die Gefahr von Verwechslungen gegeben ist. Beim Umfang des Schutzes bzw. der Beweisbarkeit im Streitfall ist zu unterscheiden:

Kennzeichen von Waren und Dienstleistungen	
Marken	**Sonstige**
● in das Markenregister eingetragen ● geschützt durch das Markenschutzgesetz	● nicht als Marke registriert ● Schutz aufgrund des ○ UWG ○ UrhG

Mit der Registrierung wird das Markenrecht erworben, ein gesonderter Hinweis ist nicht erforderlich. Einige Markeninhaber bringen jedoch Zeichen wie ® an. Damit wird verhindert, dass die Marke zum Gattungsbegriff wird.

Als Marken können geschützt werden	Beispiele
Wortmarke	Manner
Bildmarke (Bilder oder Zeichnungen)	
kombinierte Marke (Kombination aus Wort und Bild)	
körperliche Form	
Klang, Melodie	Intel-Jingle 
Mustermarke (regelmäßige Wiederholung von Elementen)	
Multimediamarke (Videodateien z.B. animiertes Logo)	
Hologrammmarke	beautyway

Nicht als Marke registrierbar sind z. B.

- Marken, die nur Angaben über die Beschaffenheit oder Ähnliches enthalten.

Beispiel
Nur für landwirtschaftliche Produkte und Lebensmittel können geografische Angaben oder Ursprungsbezeichnungen geschützt werden (unbefristet).

Emmental liegt in der Schweiz und ist daher eine geografische Bezeichnung. Diese dürfte nicht als Marke registriert werden. Da aber jedermann Emmental mit einer bestimmten Sorte Käse verbindet, hat der Begriff Verkehrsgeltung und kann daher als Marke für diesen Käse registriert werden.

- Marken, denen die Unterscheidungskraft fehlt, ausgenommen, sie haben Verkehrsgeltung.

Beispiel

Keine Unterscheidungskraft hat die Zifferngruppe 4711. Da sie jedoch Verkehrsgeltung hat – sie wird vom Großteil der Kunden mit einer Parfumsorte in Verbindung gebracht –, kann sie registriert werden.

- Hoheitszeichen (z. B. Bundes- oder Landeswappen)
- Marken, die unsittlich, ärgerniserregend oder zur Täuschung geeignet sind
- Irreführende Zeichen

Beispiel „Wolltraum" für Kunststoffgewebe

- Formen, die sich aus der Technik des Gegenstandes ergeben

Dieses Schema wird Nizzaer Klassifikation genannt.

Das **Markenregister** wird vom Patentamt in 1200 Wien, Dresdner Str. 87, geführt, dort ist die Registrierung zu beantragen. Bei der Registrierung ist auch anzugeben, für welche Art von Waren oder Dienstleistungen der Schutz gelten soll. Dafür gibt es ein Klassifikationsschema, das 45 Klassen von Waren und Dienstleistungen unterscheidet.

österreichisches patentamt

Der **Schutz nach dem Markenschutzgesetz**
- beginnt mit der Eintragung in das Markenregister,
- gilt nur in Österreich,
- dauert 10 Jahre (eine immer wiederkehrende Verlängerung ist möglich),
- gewährt dem Inhaber das exklusive Recht, die Marke zu nutzen (dieses Recht kann auch an andere in Form eines Lizenzrechtes weitergegeben oder verkauft werden).

Mit der Registrierung wird das Markenrecht erworben, ein gesonderter Hinweis ist nicht erforderlich. Einige Markeninhaber bringen jedoch Zeichen wie ® an. Damit wird verhindert, dass die Marke zum Gattungsbegriff wird.

Beispiel

Marke „Kornspitz" ist endgültig Geschichte

Die Firma Backaldrin in Asten hat den Markenstreit um ihre Erfindung „Kornspitz" verloren. Der Oberste Gerichtshof hat laut Berichten der „Oberösterreichischen Nachrichten" und des „Volksblatts" vom Mittwoch endgültig entschieden, dass der Name eine Gattungsbezeichnung für Gebäck ist. Das heißt, dass Backaldrin gegenüber Konsumenten keine Markenrechte auf „Kornspitz" mehr genießt. Alle Backbetriebe könnten künftig im Verkauf diese Bezeichnung verwenden. Anders ist es im geschäftlichen Verkehr von Backaldrin mit Kunden: Gegenüber Abnehmern seiner Backmischungen kann das Unternehmen weiterhin auf den Namen pochen. […]

Der Rechtsstreit zieht sich schon seit 2011. Damals hatte ein Mitbewerber die Löschung der Marke beantragt. Der Oberste Patent- und Markensenat entschied seinerzeit dafür. Dagegen berief das Unternehmen in allen nur möglichen Instanzen, auch der Europäische Gerichtshof wurde um Entscheidungshilfe angerufen. Nunmehr wies der Oberste Gerichtshof eine außerordentliche Revision gegen das Urteil des Oberlandesgerichts Wien ab, das gegen Backaldrin entschieden hatte.

Quelle: derstandard.at/2000021926769/Marke-Kornspitz-ist-endgueltig-Geschichte, 9. 9. 2015; letzter Zugriff: 28. 3. 2016.

Übungsbeispiel

Ü 4.8: Markenschutz D

a) Erklären Sie, unter welchen Umständen ein Markenrecht gelöscht werden kann.

b) Prüfen Sie, ob § 33b Markenschutzgesetz auf die Bezeichnung „Kornspitz" anwendbar ist.

c) Analysieren Sie, was die Firma Backaldrin hätte tun müssen, um die Löschung der Marke „Kornspitz" zu verhindern.

Wird eine Marke fünf Jahre nicht genutzt, kann die Löschung der Registrierung beantragt werden. Diesen Antrag kann jede Person stellen.

Der **Markenanzeiger** kann auch auf der Website des Patentamtes abgerufen werden.

Im Markenrecht gilt der **Prioritätsgrundsatz:** Wessen Recht zuerst eingetragen wurde, der darf es nutzen. Derjenige, der später dran war, muss weichen.

Marken, für die ein Schutz erteilt wurde, werden im **„Österreichischen Markenanzeiger"** veröffentlicht:

ÖSTERREICHISCHER
MARKENANZEIGER

österreichisches patentamt

(111) **Nr. 271570** (210) **AM05688/2012**
(220) **Anmeldetag:** 2012 11 08
(151) **Schutzdauerbeginn:** 2013 03 20
(730) **VIS VITALIS GMBH**, 5585 UNTERNBERG, MOOSHAM 29 (AT)
(540)

EARTH FOOD

(591) (farbig)
(531) 26.01.19
27.01.12
29.01.13
(511) **Klassen; Waren- bzw. Dienstleistungen:**
Kl.29: Fleisch, Fisch, Geflügel und Wild; Fleischextrakte; konserviertes, tiefgekühltes, getrocknetes und gekochtes Obst und Gemüse; Gallerten (Gelees), Konfitüren, Kompotte; Eier, Milch und Milchprodukte; Speiseöle und -fette;
Kl.30: Kaffee, Tee, Kakao, Zucker, Reis, Tapioka, Sago, Kaffee-Ersatzmittel; Mehle und Getreidepräparate, Brot, feine Backwaren und Konditorwaren, Speiseeis; Hefe, Backpulver; Honig, Melassesirup; Salz, Senf; Essig, Soßen (Würzmittel); Gewürze, Kühleis;
Kl.31: Land-, garten- und forstwirtschaftliche Erzeugnisse sowie Samenkörner, so weit sie nicht in anderen Klassen enthalten sind; lebende Tiere; frisches Obst und Gemüse; Sämereien, lebende Pflanzen und natürliche Blumen, Futtermittel; Malz.

(111) **Nr. 271583** (210) **AM03266/2012**
(220) **Anmeldetag:** 2012 06 26
(151) **Schutzdauerbeginn:** 2013 03 21
(730) **lilatec GmbH**, 8463 Leutschach, Schloßberg 39 (AT)
(740) **Lambauer Karl**, 8442 Kitzeck, Greith 43 (AT)
(540)

lilatec GmbH
creative innovations for our future

(591) (farbig)
(531) 25.07.03
26.04.09
27.05.22
27.05.25
29.01.05
(511) **Klassen; Waren- bzw. Dienstleistungen:**
Kl.09: Elektrische Sensoren; Messgeräte (elektrisch); Präzisionsmessgeräte.

Das Markenrecht ist ein nationales Recht und gilt grundsätzlich nur in dem Staat, in dem es angemeldet wurde.

Bei der Registrierung wird nicht geprüft, ob die neu angemeldete Marke mit älteren Marken oder Zeichen verwechselt werden kann. Daher hat der Inhaber der älteren Marke die Möglichkeit, die Löschung einer später eingetragenen verwechselbaren Marke zu beantragen.

Damit eine Marke leichter in mehreren Staaten registriert werden kann, wurden internationale Abkommen geschlossen:

https://euipo.europa.eu/ohimport/de/home

- Innerhalb der EU kann eine Marke als **„Europäische Gemeinschaftsmarke"** durch Anmeldung beim Amt der Europäischen Union für geistiges Eigentum (EUIPO) in Alicante (Spanien) geschützt werden.

www.wipo.org

- Ein Markenschutz in mehreren Staaten kann durch Hinterlegung der Marke bei der **Weltorganisation für geistiges Eigentum (WIPO)** in Genf erlangt werden.

Die verschiedenen Schutzrechte (national – EU – international) können nebeneinander für dieselbe Marke bestehen.

Antwort: Der Schutz eines Zeichens entsteht durch seine Verwendung, unabhängig davon, ob es registriert ist oder nicht. Ist es allerdings als Marke eingetragen, kann der Schutz leichter durchgesetzt werden.

Übungsbeispiel

Ü 4.9: Schutz von Marken B

Geben Sie an, ob folgende Aussagen richtig oder falsch sind. Ist die Aussage falsch, korrigieren Sie diese:

	R/F	Korrektur
Durch eine Marke erhält man eine Stellung, die der eines Monopolisten ähnlich ist.		
Eine Marke kann in Österreich längstens 20 Jahre geschützt werden.		
Der Schutz einer Marke kann bei der Wirtschaftskammer beantragt werden.		
Das österreichische Bundeswappen kann als Marke registriert werden.		
Zeichen, die nicht als Marke registriert sind, können frei verwendet werden.		
Als Marke können nur bildliche Darstellungen geschützt werden.		
Marken können international nicht geschützt werden.		

2 Muster

Als Muster kann das Aussehen von Erzeugnissen geschützt werden.

Musterschutz gibt es für das **Aussehen,** das **Design,** eines gewerblichen Erzeugnisses. Es gewährt dem Inhaber das ausschließliche Recht, dieses zu benutzen und Dritten die Nutzung zu verbieten.

Der Musterschutz wird auch **Geschmacksmusterschutz** genannt. Die Anmeldung und das Verfahren laufen ähnlich wie bei der Registrierung einer Marke.

Neu angemeldete Muster werden im **Musteranzeiger** veröffentlicht. Dieser ist auf der Website des österreichischen Patentamtes abrufbar.

Ein in der gesamten EU geltender Musterschutz kann durch Registrierung beim Amt der Europäischen Union für geistiges Eigentum (EUIPO) beantragt werden.

Dieser Schutz wird
- für neue Muster erteilt,
- dauert 5 Jahre. Eine Verlängerung bis zu insgesamt 25 Jahren ist möglich.
- durch Eintragung in das Musterregister begründet, das ebenfalls beim Patentamt geführt wird.

Als Muster können beispielsweise geschützt werden:
- Form einer Flasche
- Design eines Vorhanges
- Form einer Verpackung
- Schriftbild
- Flaschenetikett

Nicht schützbar ist ein Muster u. a., wenn es
- der Öffentlichkeit bereits bekannt ist,
- sich aufgrund seiner technischen Funktion nicht anders herstellen lässt.

3 Patente

Patente schützen technische Erfindungen.

Ich habe ein neues Verfahren zum Bedrucken von T-Shirts erfunden. Wie kann ich mich davor schützen, dass andere meine Idee nutzen?

Durch ein **Patent** erhält man das Recht, **als Einziger** einen patentierten Gegenstand

- betriebsmäßig herzustellen,
- in Verkehr zu bringen,
- damit zu handeln,
- ein patentiertes Verfahren zu nutzen.

Nur technische Neuheiten sind patentierbar!

Voraussetzungen, damit ein Produkt oder Verfahren als Erfindung **patentiert wird,** sind:

- Es muss sich um eine **technische Entwicklung** handeln.
- Die Erfindung muss **gewerblich nutzbar** sein.
- Es muss sich um eine **Neuheit** handeln, die sich für einen Fachmann nicht aus dem Stand der Technik ergibt. Die Erfindung darf der Öffentlichkeit nicht bekannt sein.

In den USA sind EDV-Programme patentierbar. In Österreich und der EU wird für EDV-Programme grundsätzlich kein Patentschutz erteilt. EDV-Programme können aber als Gebrauchsmuster oder nach dem Urheberrecht geschützt sein.

Keine Erfindungen sind:

- Entdeckungen von Dingen, die in der Natur vorkommen, da dies keine technische Entwicklung ist; ebenso wissenschaftliche Theorien und mathematische Methoden
- Formen und ästhetische Kreationen
- Pläne, Regeln und Verfahren für gedankliche Tätigkeiten, für Spiele oder geschäftliche Tätigkeiten sowie Programme für Datenverarbeitungsanlagen
- Wiedergabe von Informationen

Nicht patentierbar sind:

- Erfindungen, deren Veröffentlichung oder Verwertung gegen die öffentliche Ordnung oder die guten Sitten verstoßen würde
- Verfahren zur chirurgischen oder therapeutischen Behandlung von Menschen oder Tieren. Dies gilt nicht für Medikamente.

Beispiel

Jemand entwickelt ein Verfahren, wie gebrochene Beine rascher heilen. Dafür benötigt er eine spezielle Vorrichtung. Das Verfahren ist nicht patentierbar, die Vorrichtung hingegen schon.

- Pflanzensorten, Tierarten und Verfahren zur Züchtung von Pflanzen oder Tieren. Dies gilt nicht für Mikroorganismen.

Das Patentrecht ist ein nationales Recht und gilt grundsätzlich nur in dem Staat, in dem es angemeldet wurde. Um leichter Schutz in anderen Staaten zu erlangen, bestehen internationale Abkommen.

Es gilt der Prioritätsgrundsatz!

Patentschutz für Österreich erteilt das **Patentamt.** Er dauert maximal 20 Jahre ab Anmeldung. Diese Frist ist **nicht verlängerbar.** Zur Aufrechterhaltung des Patentschutzes muss der Patentinhaber jährlich eine Gebühr an das Patentamt entrichten.

Wird von mehreren Personen Patentschutz für dieselbe Erfindung beantragt, so erhält derjenige das Patentrecht, der früher den Schutz beim Patentamt beantragt hat.

Antwort: Wenn es sich um eine technische Erfindung handelt, die für einen Fachmann nicht offenkundig ist, kann Marco seine Idee patentieren lassen.

Übungsbeispiel

SbX
Ü 4.10
mit automatischer Aufgabenkontrolle
ID: 0431

Ü 4.10: Schutz von Patenten A

Geben Sie an, ob folgende Aussagen richtig oder falsch sind. Ist die Aussage falsch, korrigieren Sie diese:

	R/F	Korrektur
Ein Patent kann in Österreich längstens 10 Jahre geschützt werden.		
Als Erfindungen können auch mathematische Formeln geschützt werden.		

Das **Gebrauchsmusterrecht,** das auch das „Recht der kleinen Erfindung" genannt wird, schützt technische Neuerungen einfacherer Art.

4 Wirtschaftsrecht

4 Urheberrecht

Das Urheberrecht schützt Personen, die bestimmte Werke schaffen oder aufführen.

Urheberrechtsgesetz

Im **Urheberrechtsgesetz (UrhG)** ist der Schutz folgender Leistungen geregelt:

Ich habe eine neue CD gekauft. Meine Freundin hat mich gebeten, diese für sie zu kopieren. Darf ich das?

SbX
Eine Linkliste zum Immaterialgüterrecht finden Sie unter der ID: 0431.

Das **Urheberrecht** kennt folgende **Arten von Werken,** die es schützt:

- **Literatur;** das sind
  - Sprachwerke aller Art, wie z.B. Bücher, Aufsätze, Zeitschriftenartikel, Skripten, Handbücher, Dokumentationen, Programmbeschreibungen, unabhängig vom Inhalt,
  - wissenschaftliche und belehrende Werke, wie Landkarten, Reliefs, Modelle,
  - Bühnenwerke, z.B. Theaterstücke,
  - Computerprogramme, sowohl der Quellcode als auch der Maschinencode.
- **Tonkunst** (z.B. Musikstücke)
- **bildende Künste;** das sind
  - Kunstwerke, z.B. Malereien, Zeichnungen, Plastiken
  - Lichtbildwerke, z.B. Fotografien (auch Urlaubsfotos),
  - Baukunst, z.B. Architektur,
  - Kunstgewerbe, angewandte Kunst, z.B. Keramiken.
- **Filmkunst**

In manchen Staaten der USA muss der Urheberschutz durch das Zeichen © ersichtlich gemacht werden.

Damit ein Werk **Urheberrechtsschutz** erhält,

- muss es nicht registriert werden. Der Schutz **entsteht mit der Schaffung des Werkes.**
- muss es nicht auf Papier oder einem sonstigen Träger vorhanden sein, es muss aber für Dritte erkennbar sein, z.B. ein Theaterstück oder ein Vortrag.
- muss es etwas Neues sein und eine gewisse Individualität aufweisen.

Beispiele
Auch Teile von Werken und Übersetzungen können urheberrechtlich geschützt sein, wenn ihnen Werkqualität zukommt

Für den Erhalt des Schutzes darf das Werk nicht Landläufiges, üblicherweise Hervorgebrachtes sein.

Beispiel für urheberrechtlich geschützte Werke	Beispiel für urheberrechtlich nicht geschützte Werke
Der Oberste Gerichtshof hat bei folgenden Werken festgestellt, dass sie eine gewisse Individualität aufweisen und daher durch das UrhG geschützt sind.	Diese Arbeiten weisen nicht genügend Individualität auf. Daher hat ihnen der Oberste Gerichtshof keinen Schutz nach dem UrhG zugesprochen.
Voll Leben und voll Tod ist diese Erde	Tausendmal berührt, tausendmal ist nix passiert, tausend und eine Nacht und es hat Zoom gemacht
Jura Soyfer: Gedicht „Das Lied von der Erde"	Refrain des Liedes „1001 Nacht"

Bei **Fotografien** fordert der Oberste Gerichtshof i. d. R. keine besondere Individualität. Daher stellt praktisch jedes Foto ein Werk dar.

Hat jemand ein Exemplar eines Buches gekauft, dann ist er **Eigentümer dieses Werkstückes** (Buches) und er kann das Eigentumsrecht am Buch geltend machen, dieses daher bspw. weiterverkaufen. Er hat aber nicht die übrigen Rechte, die dem **Urheber** vorbehalten sind. Er darf daher ohne Zustimmung des Urhebers das Werk nicht vervielfältigen, öffentlich aufführen oder im Rundfunk senden.

Urheber haben das ausschließliche Recht, ihre **Werke** in einer oder mehreren der folgenden Formen **zu verwerten:**

- Gestattung der Bearbeitung oder Übersetzung des Werkes
- Entscheidung, ob, wann und wo das Werk erstmals der Öffentlichkeit zugänglich gemacht wird
- Vervielfältigung und Verbreitung des Werkes zu bestimmen
- das Werk der Öffentlichkeit anzubieten oder zugänglich zu machen
- Recht, die Sendung des Werkes im Rundfunk zu gestatten
- Veröffentlichung eines Werkes im Inter- oder Intranet zu erlauben

Der Urheber kann daher auch die Verwertung seines Werkes ganz oder in bestimmten Formen verbieten.

Beispiele

- Ein französischer Schriftsteller verbietet die Übersetzung seines Werkes ins Deutsche und die öffentliche Lesung im deutschen Sprachraum.
- Ein Hobbyfotograf verbietet die Veröffentlichung seiner Fotos in einer Zeitung.

Wird dagegen verstoßen, kann der Urheber gerichtlich dagegen vorgehen und Unterlassung sowie die Zahlung eines angemessenen Entgelts verlangen.

Software-Programme oder Teile davon sind urheberrechtlich geschützt, wenn sie Ergebnis einer eigentümlichen geistigen Schöpfung sind.

Das **Urheberrecht** sieht für bestimmte Fälle vor, dass das Werk ohne Zustimmung des Urhebers und ohne Abgeltung genutzt werden darf **(freie Werknutzung).** Zum Beispiel:

- Herstellung einzelner Vervielfältigungen für den eigenen Gebrauch oder unentgeltlich für den Gebrauch eines anderen. Von Computerprogrammen dürfen jedoch nur Kopien für Sicherungszwecke hergestellt werden. Musiknoten sowie ganze Bücher oder ganze Zeitschriften dürfen nicht kopiert werden.
- zur Berichterstattung über Tagesereignisse
- für Unterrichtszwecke
- Gesetze, Verordnungen, amtliche Erlässe

Wird aus fremden Werken zitiert, muss das Werk und dessen Autor genannt werden und darauf hingewiesen werden, dass es sich um ein Zitat handelt.

Auf **digitalen Trägern gespeicherte Daten** (z. B. EDV-Programme, Musik-CD, Video-DVD) dürfen nur natürliche Personen zum privaten Gebrauch kopieren. Wird hingegen zu beruflichen Zwecken digital kopiert, dann wird die Zustimmung des Urhebers benötigt.

Beispiel

Ein Steuerberater erhält eine CD, die neben anderen Informationen eine Karikatur zum Thema „Steuern zahlen" enthält. Da sie ihm gut gefällt, kopiert er sie, ohne den Urheber um Erlaubnis zu fragen.

Bildet er die Kopie in seinem Fotobuch neben Urlaubsfotos ab, verwendet er sie privat und verstößt nicht gegen das Urheberrecht des Zeichners.

Nutzt er dieselbe Grafik für eine Klienteninformation, nutzt er sie beruflich, was das UrhG verbietet.

Auf Papier und ähnliche Träger (z. B. Karton, Kunststoff ...) darf weiterhin zum eigenen Gebrauch kopiert werden. Der eigene Gebrauch umfasst sowohl private als auch berufliche Zwecke, z. B. die Kopie in eine Powerpoint-Datei für einen beruflichen Vortrag.

Wenn ein Urheber sein Recht durch technische Maßnahmen schützt (z. B. Kopierschutz einer CD oder DVD), dann wird das Urheberrecht auch durch Umgehung dieses Schutzes verletzt. Ebenso verletzt der Hersteller, Verkäufer, Importeur, Vermieter des Kopierprogrammes den Urheberrechtschutz.

Antwort: Ist die CD nicht durch technische Maßnahmen geschützt, darf Katharina eine Kopie für ihre Freundin anfertigen, wenn sie dafür kein Geld erhält. Die Anfertigung vieler Kopien oder der Verkauf der Kopien ist immer verboten.

Ist die CD aber geschützt, verstößt das Kopieren gegen das Urheberrecht. Ebenso verstößt der Hersteller des Kopierprogrammes gegen das Urheberrecht.

Grundsätzlich dürfen Werke, auch deren Titel, ohne Zustimmung des Urhebers nicht verändert werden. Eine Ausnahme hievon besteht für Computerprogramme: Diese dürfen bearbeitet und den Bedürfnissen des Nutzungsberechtigten angepasst werden.

Werknutzungsrechte an Computerprogrammen können ohne Einwilligung des Urhebers übertragen werden.

Der Urheber kann seine Rechte auch **durch andere Personen ausüben lassen:**

Werknutzungen	
Werknutzungsrecht	**Werknutzungsbewilligung**
Der Berechtigte erhält das ausschließliche Recht, das Werk zu nutzen. Dieses Recht kann auf einzelne Nutzungsarten, zeitlich oder örtlich begrenzt werden. Kein anderer – auch nicht der Urheber – darf das Werk in diesem Rahmen nutzen.	Der Berechtigte erhält diesfalls das Recht, das Werk zu nutzen, jedoch ist sein Recht nicht ausschließlich, d. h., der Urheber kann gleichzeitig auch Dritte zur selben Nutzung ermächtigen.
Beispiel: Der Urheber überlässt einem Verlag das Recht, sein Manuskript weltweit zu vervielfältigen und zu verbreiten. Verbreitet der Urheber sein Werk z. B. in der Schweiz, kann der Verlag verlangen, dass er dies unterlässt.	**Beispiel:** Der Urheber überlässt einem Theater das Recht, sein Bühnenstück aufzuführen. Gleichzeitig überlässt er das Recht auch einem anderen Theater.

Das Urheberrecht – auch für Computerprogramme – erlischt **70 Jahre nach dem Tod des Urhebers.**

Übungsbeispiel

SbX
Ü 4.11
mit automatischer Aufgabenkontrolle
ID: 0431

Ü 4.11: Urheberrecht A

Geben Sie an, ob folgende Aussagen richtig oder falsch sind. Ist die Aussage falsch, korrigieren Sie diese:

	R/F	Korrektur
Das Urheberrecht entsteht mit der Registrierung.		
Das Urheberrecht besteht 50 Jahre ab Schaffung des Werkes.		
Von urheberrechtlich geschützten Werken darf jeder private Kopien auf Papier anfertigen.		
Hält jemand einen Vortrag, können für private Zwecke Mitschnitte angefertigt werden.		
Jede schriftliche Äußerung ist urheberrechtlich geschützt.		
Urheberschutz besteht nur für Werke, die das Zeichen © tragen.		
Hat man ein Werk gekauft, kann es beliebig verändert und verwendet werden.		

Ich habe mein Bild in einem Inserat entdeckt. Darf ohne mein Wissen mit einem Foto von mir Werbung gemacht werden?

Im Urheberrechtsgesetz ist auch der **Schutz des Abgebildeten vor ungewollter Veröffentlichung** des eigenen Bildes geregelt. Aufgrund dieser Bestimmung ist die Veröffentlichung von Bildern ohne Zustimmung des Abgebildeten untersagt, sofern dadurch dessen berechtigte Interessen verletzt werden.

Antwort: Wird von jemandem ein Bild ohne dessen Zustimmung für einen Werbefolder verwendet, dann sind berechtigte Interessen verletzt und der Abgebildete kann dagegen vorgehen; ebenso wenn von jemandem Bilder veröffentlicht werden, die ihn auf einem FKK-Strand zeigen.

Wird hingegen ein Landschaftsbild veröffentlicht, auf dem zufällig eine wandernde Person abgebildet ist, dann werden deren Interessen nicht verletzt.

Sichern & Merken

SbX ID: 0432

Immaterialgüterrecht

Geistige Leistungen können besonders leicht kopiert bzw. nachgeahmt werden. Die **Immaterialgüterrechte** schützen daher Personen, die derartige Leistungen erbracht haben, damit ihnen der Lohn für ihre Anstrengungen erhalten bleibt.

Zu den **Immaterialgüterrechten** zählen:

- Marken: das **Markenschutzgesetz,** welches die in das Markenregister eingetragenen Zeichen schützt, die dazu dienen, Waren oder Dienstleistungen zu kennzeichnen
- Muster: das **Musterschutzgesetz,** welches das Aussehen eines Erzeugnisses schützt
- Patente: das **Patentgesetz,** welches neue technische Erfindungen, die gewerblich nutzbar sind, schützt
- Urheberrecht: das **Urheberrechtsgesetz,** welches sowohl Personen, die Werke geschaffen haben, als auch Personen, die Werke aufführen oder vortragen, schützt

Der Schutz durch die Gesetze wird durch **Anmeldung beim Patentamt** erworben. Dieses führt auch Recherchen durch, welche Zeichen bzw. Erfindungen bereits registriert sind.

Nur das Urheberrecht wird ohne Registrierung bereits durch Schaffung des Werkes erworben.

SbX ID: 0432

Im SbX finden Sie eine Bildschirmpräsentation mit den Grafiken dieser Lerneinheit.

Wissen & Können

SbX ID: 0433

A B C D E

SbX W 4.18 mit automatischer Aufgabenkontrolle ID: 0433

W 4.18: Möglichkeit des Schutzes? B

Können folgende Ideen geschützt werden? Falls ja, nach welchem Gesetz, wo ist der Schutz zu beantragen, wie lange können sie geschützt werden?

	Schützbar?	Gesetz	Zu beantragen bei	Schutzdauer
Bezeichnung eines Unternehmens als „EDV-Doktor“				
EDV-Programm				
Firmenlogo				
Aussehen einer Verpackung				
gedruckte Anleitung für ein Computerspiel				
neues Medikament				

W 4.19: Erfindung B

Sie haben ein neues Display für Monitore erfunden, wofür Sie viel Geld aufgewendet haben.

a) Klären Sie, nach welchem Gesetz Sie Ihre Idee schützen lassen können.

b) Geben Sie an, wie lange Sie sie schützen können.

c) Prüfen Sie, ob der Schutz verlängerbar ist.

d) Beschreiben Sie, was Sie tun könnten, um die Erfindung wirtschaftlich zu nützen, wenn Sie das Display nicht selbst herstellen können.

W 4.20: Copyright B

Für die Diplomarbeit suchen Sie Unterlagen. Eine Freundin zeigt Ihnen verschiedene Bücher und meint, dass der Inhalt eines Buches geschützt sei, da darin das Zeichen © eingedruckt ist. Das andere Buch können Sie kopieren und die Kopien verkaufen, da kein © enthalten ist.

Prüfen Sie, ob die Meinung der Freundin richtig ist.

W 4.21: Kopie eines EDV-Programms D

Ein Freund erzählt, dass er ein neues Programm für seinen PC gekauft hat, und bietet Ihnen an, eine Kopie für Sie anzufertigen.

Analysieren Sie, ob dies rechtlich zulässig ist.

W 4.22: Musikstück B

Karin Sommer hat ein Musikstück komponiert und spielt dies ihren Freundinnen vor. Einer Freundin gefällt dies so gut, dass sie die Noten von Karin Sommer erbittet. Diese Noten veröffentlicht die Freundin unter ihrem Namen.

Prüfen Sie, ob Karin Sommers Freundin gegen ein Gesetz verstoßen hat.

W 4.23: Schutz eines Zeichens B

Sie haben für Ihr Unternehmen ein Zeichen entworfen, das Sie exklusiv nutzen wollen.

a) Klären Sie, nach welchen Gesetzen ein Zeichen geschützt werden kann.
b) Prüfen Sie, ob der Schutz beantragt werden muss.

W 4.24: Kopierprogramm D

Sie entwickeln ein Programm, das jede CD bzw. DVD kopieren kann.

a) Analysieren Sie, ob dieses Programm geschützt ist (falls ja, welches Gesetz, ab wann).
b) Prüfen Sie, ob dieses Programm verwendet werden darf, um kopiergeschützte CDs zu kopieren. (Begründung)

W 4.25: Urlaubsfotos B

Sie veröffentlichen im Internet ein Urlaubsfoto, das ein Freund aufgenommen hat, ohne seine Zustimmung. Damit soll Werbung für ein neues Produkt gemacht werden.

Prüfen Sie, ob dies zulässig ist.

SbX
W 4.26–W 4.28
mit automatischer
Aufgabenkontrolle
ID: 0433

Weitere Aufgaben im SbX

W 4.26: Urheberrecht C

Bearbeiten Sie die Rechercheaufgaben zum Thema Urheberrecht.

W 4.27: Tauschbörse C

Bearbeiten Sie die Rechercheaufgaben zum Thema „freie Werknutzung".

W 4.28: Schutzvermerke B

Bearbeiten Sie ein Arbeitsblatt zum Thema Schutzzeichen.

Ein kurzer Kompetenz-Check, bevor's weitergeht!

Kompetenz-Check

	☺	😐	☹
Ich kann Marken schützen lassen.			
Ich kann das Verfahren zur Erteilung eines Patentes erläutern.			
Ich kann prüfen, ob ein Internetauftritt gegen das Urheberrecht verstößt.			

Lerneinheit 4
Sicherheitsvorschriften für Produkte

Die Gesetze sorgen auch dafür, dass Produkte, die am Markt angeboten werden, sicher sind. Produkte dürfen bei bestimmungsgemäßem Gebrauch das Leben und die Gesundheit der Verbraucher nicht gefährden. Dies müssen jene Personen sicherstellen, die das Produkt auf den Markt bringen.

SbX
Alle SbX-Inhalte zu dieser Lerneinheit finden Sie unter der ID: 0440.

Lernen & Üben

A B C D E

1 Spezielle Vorschriften
Für einige Produkte gibt es spezielle Vorschriften, die die Sicherheitsanforderungen festlegen.

Die EU hat ein Konzept zur Harmonisierung der nationalen Produktsicherheitsvorschriften beschlossen. Dadurch wurden einheitliche technische Vorschriften, die **Harmonisierungsrichtlinien,** geschaffen. Diese Richtlinien gehen von folgendem Konzept aus:

- nur Festlegung grundsätzlicher Sicherheitsanforderungen
- Ausarbeitung harmonisierter Normen durch die nationalen Normungsorganisationen.
  - Werden diese eingehalten, wird vermutet, dass das von der Richtlinie geforderte Sicherheitsniveau bzw. die sonstigen Anforderungen der Richtlinie eingehalten werden (Konformitätsvermutung).
  - Die Einhaltung des Sicherheitsniveaus der Richtlinie kann aber auch anders als durch Einhaltung der Norm erfüllt werden. Dies ist jedoch vom Hersteller nachzuweisen.
- Mitgliedstaaten können Nachweise hinsichtlich der Übereinstimmung mit der Richtlinie fordern durch:
  - Konformitätsbescheinigungen, die von Dritten ausgestellt sind
  - Prüfungen, die von Dritten ausgeführt wurden
  - Konformitätserklärungen des Herstellers
  - Sonstige Bescheinigungen

Die ÖNORMEN sind grundsätzlich nur als Empfehlungen anzusehen. Ihre Einhaltung ist nur dann verpflichtend, wenn dies
- Verträge,
- Gesetze oder
- Verordnungen

ausdrücklich verlangen.

Konformität = Übereinstimmung

CE

Dieses Zeichen ist kein Qualitäts- oder Gütezeichen. Grundsätzlich kann ein Produkt auch mehreren Richtlinien unterliegen.

Ich habe hier ein Produkt mit einem CE-Kennzeichen. Bedeutet dies, dass es von einer staatlichen Stelle geprüft wurde?

In einigen Richtlinien ist vorgesehen, dass der Hersteller eines Produktes die Übereinstimmung seines Erzeugnisses mit diesen Richtlinien durch Anbringen der CE-Kennzeichnung (Conformité Européenne) bestätigt.

Vorgehen bei der CE-Kennzeichnung

VORGEHEN BEI DER CE-KENNZEICHNUNG

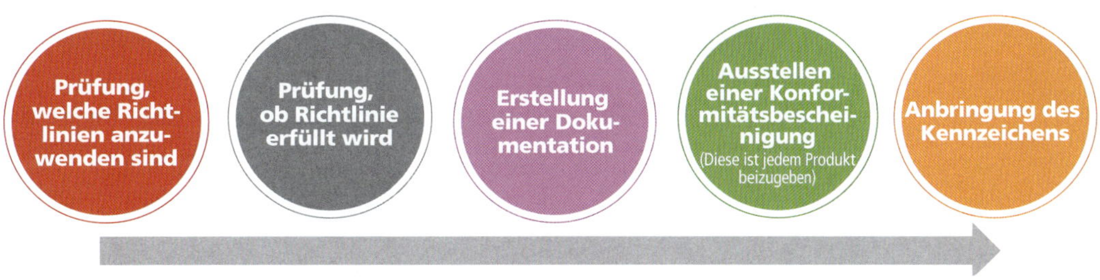

Wird festgestellt, dass ein Produkt die geforderte CE-Kennzeichnung nicht aufweist oder dass ein Produkt, das mit dem CE-Kennzeichen versehen ist, die Gesundheit oder Sicherheit gefährdet, muss der Staat das Produkt aus dem Verkehr ziehen und die Europäische Kommission davon informieren.

Antwort: Das CE-Zeichen bringt der Hersteller an. Dadurch zeigt er, dass das Produkt den geltenden Vorschriften entspricht.

Übungsbeispiel

Ü 4.12: CE-Kennzeichnung B

Ein Händler hat eine Ware gemäß den geltenden Normen hergestellt. Er überlegt, ob er aus Marketinggründen das CE-Kennzeichen auf dem Produkt anbringen soll. Die einschlägigen Bestimmungen enthalten keine Verpflichtung zur Anbringung des CE-Kennzeichens.

a) Prüfen Sie, ob der Hersteller das CE-Kennzeichen anbringen darf.

b) Prüfen Sie, ob der Käufer durch die Anbringung des CE-Kennzeichens einen Vorteil hat.

2 Produktsicherheitsgesetz (PSG)

Schutz vor gefährlichen Produkten

Grundlage für das Produktsicherheitsgesetz ist eine EU-Richtlinie.

Gibt es für ein Produkt keine speziellen Sicherheitsbestimmungen, die einzuhalten sind, ist das **Produktsicherheitsgesetz** zu beachten. Ziel dieses Gesetzes ist, Leben und Gesundheit von Menschen vor gefährlichen Produkten zu schützen.

Produkte im Sinne des Produktsicherheitsgesetzes sind alle beweglichen körperlichen Sachen einschließlich Energie.

Spezielle Sicherheitsvorschriften sind z. B. das Lebensmittelgesetz, das Medinzinproduktegesetz, das Chemikaliengesetz oder das Pyrotechnikgesetz.

Das Produktsicherheitsgesetz bestimmt, dass nur sichere Produkte auf den Markt gebracht werden dürfen. Wird ein Produkt

- angeboten,
- verkauft,
- importiert,
- unentgeltlich abgegeben oder verteilt,

Bei Beurteilung der Sicherheit ist auch auf Verbraucher mit erhöhtem Risiko, wie Kinder oder gebrechliche Personen, Bedacht zu nehmen.

müssen **Hersteller, Importeure bzw. Händler** prüfen, ob es sicher ist. Ein Produkt ist sicher im Sinne des Produktsicherheitsgesetzes, wenn es bei **bestimmungsgemäßem Gebrauch** oder vernünftigerweise vorhersehbarer Verwendung **keine Gefahren birgt.** Für die Beurteilung, ob ein Produkt sicher ist, können herangezogen werden:

- europäische oder nationale Normen
- Empfehlungen der Europäischen Kommission zur Festlegung von Leitlinien für die Beurteilung der Produktsicherheit
- der Stand der Wissenschaft und Technik
- die Sicherheit, die von den Verbrauchern und Verbraucherinnen vernünftigerweise erwartet werden kann
- Empfehlungen des Produktsicherheitsbeirates

Stellt sich erst später heraus, dass das Produkt nicht sicher ist, müssen der Hersteller, Importeure bzw. Händler Maßnahmen setzen, z. B. das Produkt zurückrufen.

Beispiel

Ein Sessel muss so konstruiert werden, dass er nicht umfällt, wenn eine Person darauf sitzt. Auch wenn ein Sessel zum Sitzen dient, wird manchmal eine Person hinaufsteigen und ihn als Leiter missbrauchen. Da mit dieser Belastung zu rechnen ist, muss der Sessel diese auch aushalten.

Auch wenn dieser Sesseltyp bereits verkauft wurde, müssen Hersteller, Importeur bzw. Händler beobachten, ob die verkauften Sessel sicher sind. Sind sie es nicht, müssen Maßnahmen eingeleitet werden.

Im Rahmen des RAPEX-Verfahrens werden diese Maßnahmen EU-weit abgestimmt. Sie können unter **http://ec.europa.eu/rapex** abgerufen werden.

Die Sicherheit von Produkten wird auch durch besonders geschulte Aufsichtsorgane überwacht. Stellen diese fest, dass ein Produkt unsicher ist, können sie verlangen, dass Maßnahmen gesetzt werden: z. B.:

- Anbringen von Warnhinweisen,
- Beigabe von Gebrauchsanweisungen
- Verkaufsverbot für Waren
- Rückruf der Waren oder
- Vernichtung der Waren.

Sichern & Merken

SbX ID: 0442

Produktsicherheitsgesetz

Das **Produktsicherheitsgesetz (PSG)** soll Menschen vor gefährlichen Produkten schützen. Es verpflichtet Hersteller bzw. Importeure zu besonderer Sorgfalt und findet dort Anwendung, wo keine anderen, besonderen Vorschriften zu beachten sind.

SbX ID: 0442

Im SbX finden Sie eine Bildschirmpräsentation mit den Grafiken dieser Lerneinheit.

Wissen & Können

SbX ID: 0443

A B C D E

W 4.29: Normen in Österreich D

Recherchieren Sie, wer in Österreich Normen beschließen darf.

W 4.30: Beachtung von Normen B

Bei der Herstellung eines Fahrrades wurden sämtliche einschlägigen Vorschriften und Normen beachtet.

a) Klären Sie, ob zu erwarten ist, dass das Produkt sicher ist.

b) Prüfen Sie, ob es sein kann, dass das Produkt trotzdem unsicher ist.

W 4.31: Herstellung eines Sessels B

Bei der Herstellung eines Sessels wurden die einschlägigen Vorschriften und Normen nur teilweise beachtet.

a) Prüfen Sie, ob das Produkt trotzdem sicher sein kann.

b) Erklären Sie, welchen Nachteil der Hersteller dafür auf sich nimmt.

SbX **W 4.32 mit automatischer Aufgabenkontrolle ID: 0443**

W 4.32: Produktsicherheit D

Schreiben Sie zu den folgenden Aussagen, ob sie richtig oder falsch sind, und begründen Sie Ihre Antwort:

	Richtig	Falsch	Begründung
Der Landeshauptmann kann veranlassen, dass unsichere Waren vernichtet werden.			
Für die Sicherheit eines Produktes ist nur der Hersteller verantwortlich.			

4 Wirtschaftsrecht

	Richtig	Falsch	Begründung
Produkte, die entsprechend den geltenden Normen hergestellt wurden, sind jedenfalls sicher.			
Entspricht ein Produkt nicht den geltenden Normen, kann der Hersteller bestraft werden.			
Wurden bei der Herstellung eines Produktes die einschlägigen Normen eingehalten, dann trifft den Hersteller im Schadenersatzfall kein Verschulden.			
Das Produktsicherheitsgesetz soll dafür sorgen, dass der Käufer eine mangelfreie Sache erhält.			
Das Produktsicherheitsgesetz ist auch auf Grundstücke anzuwenden.			

Ein kurzer Kompetenz-Check, bevor's weitergeht!

Kompetenz-Check

	☺	😐	☹
Ich kann die Bedeutung des CE-Kennzeichens darstellen.			
Ich kann die wichtigsten Regelungen des Produktsicherheitsgesetzes erklären.			

Lerneinheit 5
Insolvenzrecht

SbX
Alle SbX-Inhalte zu dieser Lerneinheit finden Sie unter der ID: 0451.

Marco träumt davon, später einmal selbst Unternehmer zu werden. Selbständig zu sein ist auch mit einem wirtschaftlichen Risiko verbunden. Was passiert, wenn sich ein Unternehmen nicht so entwickelt wie erwartet und pleitegeht?

Unternehmensinsolvenzen im Jahr 2018

eröffnete Insolvenzen	2985
nicht eröffnete Insolvenzverfahren (mangels kostendeckenden Vermögens)	1995
Gesamtinsolvenzen	4980
Insolvenzverbindlichkeiten	ca. € 2,1 Mrd.

Lernen & Üben

A B C D E

1 Insolvenzverfahren
Das Insolvenzverfahren stellt sicher, dass alle Gläubiger gleich behandelt werden.

Das Konkursverfahren wird auch **„Generalexekution"** genannt.

Im Gegensatz zur Exekution, bei der nur auf bestimmte Vermögensgegenstände zugegriffen wird, ist im Insolvenzverfahren das gesamte Vermögen des Schuldners zur Befriedigung der Forderungen der Gläubiger heranzuziehen.

Im Insolvenzverfahren gilt nicht der Grundsatz „Wer zuerst kommt, mahlt zuerst". Alle Gläubiger werden gleich behandelt.

Das **Konkursverfahren** hat die **Vermögensverwertung und -verteilung** zum Ziel. **Sanierungsverfahren** sind auf die **Erhaltung der Vermögenssubstanz** gerichtet.

ARTEN VON INSOLVENZVERFAHREN

Insolvenzverfahren haben die drohende oder bereits eingetretene **Zahlungsunfähigkeit** oder die **Überschuldung** zur Voraussetzung.

Eine bloß vorübergehende Zahlungsunfähigkeit, die in kurzer Zeit überwunden werden kann **(Zahlungsstockung)**, ist kein Grund für die Eröffnung eines Insolvenzverfahrens.

Ein Schuldner ist **zahlungsunfähig,** wenn er seine fälligen Verbindlichkeiten in angemessener Frist nicht mehr begleichen kann.

Anzeichen für das Vorliegen von Zahlungsunfähigkeit sind zahlreiche gegen den Schuldner anhängige Exekutionsverfahren, das Fehlen pfändbarer Gegenstände, nicht eingehaltene Ratenzahlungen, Nichtbezahlung regelmäßig wiederkehrender Abgaben wie Sozialversicherungsabgaben oder Steuern.

Überschuldung ist gegeben, wenn die Passiva einer juristischen Person höher sind als das vorhandene Vermögen und zu erwarten ist, dass das Unternehmen auch zukünftig seine Verpflichtungen nicht erfüllen kann.

Der Schuldner ist verpflichtet, innerhalb von **60 Tagen** ein **Insolvenzverfahren zu beantragen,** wenn Zahlungsunfähigkeit oder Überschuldung vorliegt. Stellt er keinen Antrag auf Eröffnung eines Insolvenzverfahrens, verwirklicht er einen gerichtlich strafbaren Tatbestand **(Krida).**

In Wien ist das Handelsgericht Wien zuständig.

www.edikte.justiz.gv.at

Das Verfahren findet vor dem örtlich zuständigen **Landesgericht** vor einem Einzelrichter statt.

Die Eröffnung eines Insolvenzverfahrens wird durch das Gericht in die **Insolvenzdatei** eingetragen. Das ist ein EDV-unterstützt geführtes Ediktsregister, in das jedermann Einsicht nehmen kann.

Beispiel für ein Konkursedikt aus der Ediktsdatei des BMVRDJ

Handelsgericht Wien (007), Aktenzeichen 4 S 148/18h	
	Bekannt gemacht am 09.07.2018
Firmenbuchnummer:	FN 168335b
Schuldner:	Pleintner Bau GmbH. Gesellschaft m.b.H. Hauptstraße 1 1190 Wien FN 168335 b
Masseverwalter:	Dr. Julius Rechthaber Rechtsanwalt Nebenstraße 34 1130 Wien
Eröffnung:	Eröffnung des Konkurses: 09.07.2018 Anmeldungsfrist: 08.10.2018
Geringfügig:	Der Konkurs ist geringfügig.
Tagsatzung:	Datum: 09.11.2018 um: 09:00 Uhr Ort: Zimmer 373 Prüfungstagsatzung Berichtstagsatzung
	Beschluss vom 09.07.2018
	Bekannt gemacht am 09.07.2018
Unternehmen:	Die Schließung des Unternehmens wird angeordnet.

Während Insolvenzgläubiger nach Eröffnung des Insolvenzverfahrens nach dem Grundsatz der Gleichbehandlung nur eine **quotenmäßige Befriedigung** ihrer Forderung erlangen können, sind aussonderungsberechtigte bzw. absonderungsberechtigte Gläubiger begünstigt. Sie können auch nach Eröffnung des Insolvenzverfahrens ihre Rechte klageweise geltend machen.

Aussonderungsrechte

Wer an einer Sache, die sich in der Insolvenzmasse befindet, ein dingliches oder persönliches Recht hat (z. B. Eigentum oder Miteigentum) und sie dem Schuldner daher nicht oder zum Teil nicht gehört, hat ein Recht auf **Aussonderung** (Herausgabe) dieser Sache. Der Eigentümer oder sonst zur Herausgabe Berechtigte (z. B. Vermieter) kann die Aussonderung begehren, da die Sache nicht in die Masse gehört.

Ein Aussonderungsrecht besteht auch bei Sachen, die vor der Eröffnung des Insolvenzverfahrens dem Gläubiger unter Eigentumsvorbehalt geliefert wurden.

Ist eine Sache, deren Aussonderung hätte verlangt werden können, nach der Insolvenzeröffnung veräußert worden, so kann der Aussonderungsberechtigte die Aussonderung des bereits geleisteten Entgelts aus der Masse bzw. die Abtretung des Rechts auf das ausstehende Entgelt verlangen, falls dieses noch nicht gezahlt worden ist **(Ersatzaussonderung).**

Absonderungsrechte

Zur **Absonderung** berechtigt sind Gläubiger, die ein Recht auf eine bevorzugte abgesonderte Befriedigung aus bestimmten Sachen des Schuldners haben. Dies sind vor allem Gläubiger, die an einer Sache ein Pfandrecht oder Zurückbehaltungsrecht haben. Im Gegensatz zu den Aussonderungsrechten machen absonderungsberechtigte Gläubiger keinen Anspruch auf den Gegenstand selbst geltend, sondern verfolgen mit ihrem Recht die Befriedigung aus dem Wert des Gegenstandes.

Lässt die Befriedigung des Absonderungsgläubigers keine volle Deckung erwarten, kann er seine ungesicherte Restforderung als Insolvenzforderung geltend machen. In den letzten 60 Tagen vor der Eröffnung des Insolvenzverfahrens erworbene richterliche Pfandrechte zur Befriedigung oder Sicherstellung erlöschen, mit Ausnahme zugunsten öffentlicher Abgaben, mit der Verfahrenseröffnung.

Das Absonderungsrecht wird durch ein laufendes Insolvenzverfahren nicht berührt.

Übungsbeispiel

Ü 4.13: Zahlungsunfähigkeit C

Die Fa. Ziegelmeister GmbH beliefert seit geraumer Zeit das Bauunternehmen Scheffer GmbH mit Baustoffen, als dem Geschäftsführer der Ziegelmeister GmbH zu Ohren kommt, dass die Scheffer GmbH in wirtschaftlichen Schwierigkeiten steckt. Es heißt, sie könnte zahlungsunfähig werden.

Welchen Ratschlag kann man dem Geschäftsführer der Ziegelmeister GmbH geben, der befürchtet, dass die Scheffer GmbH die Rechnungen für künftige Lieferungen nicht mehr bezahlen kann?

2 Konkursverfahren

Im Konkurs wird das noch vorhandene Vermögen verwertet und an die Gläubiger verteilt.

Das Konkursverfahren ist in der **Insolvenzordnung (IO)** geregelt. Der Schuldner wird im Konkursverfahren **Gemeinschuldner**, das Vermögen, das zur Abdeckung der Forderungen zur Verfügung steht, **Konkursmasse** genannt.

Bei Vorliegen von **Zahlungsunfähigkeit** oder **Überschuldung** können

- ein oder mehrere Gläubiger oder
- der Schuldner

die Eröffnung des Konkursverfahrens beantragen.

Bei Vorhandensein von **kostendeckendem Vermögen** wird vom Gericht das Konkursverfahren eröffnet.

Wirkungen der Konkurseröffnung

Mit der Eröffnung des Verfahrens

- Prozesssperre: werden alle anhängigen Zivilprozesse des Gemeinschuldners unterbrochen und neue Klagen können nicht eingebracht werden,
- Exekutionssperre: sind Einzelexekutionen unzulässig,
- Postsperre: sind sämtliche Sendungen (z.B. Briefe), die an den Gemeinschuldner gerichtet sind, dem Masseverwalter auszufolgen,
- kann der Gemeinschuldner **nicht mehr über die Masse verfügen;** der Masseverwalter handelt für ihn.
- Ist der Gemeinschuldner **Arbeitgeber** und soll das Unternehmen geschlossen werden, können seine Arbeitnehmer innerhalb eines Monats ihren vorzeitigen Austritt erklären. Der Masseverwalter hingegen hat die gesetzlichen, kollektivvertraglichen oder zulässigen kürzeren vertraglichen Kündigungsfristen – nicht jedoch die Kündigungstermine – zu beachten.

Ansprüche der Arbeitnehmer sind durch das **Insolvenz-Entgeltsicherungsgesetz** (IESG) besonders geschützt. Sie werden in vollem Umfang aus dem Insolvenz-Entgelt-Fonds beglichen.

Verfahrensablauf

- Bestellung des Masseverwalters: Das Gericht bestellt einen **Masseverwalter.** Er wird als Vertreter der Masse anstelle des Gemeinschuldners tätig.
- Forderungsanmeldung: Die Gläubiger müssen ihre **Forderungen** innerhalb einer bestimmten Frist **anmelden.**
- Berichtstagsatzung: Der **Masseverwalter** hat sich Kenntnis über die wirtschaftliche Lage, die bisherige Geschäftsführung und die Ursachen des Vermögensverfalls zu verschaffen. In der **Berichtstagsatzung** hat er den Gläubigern und dem Gericht Vorschläge zu unterbreiten, ob
  - das Unternehmen weitergeführt werden soll oder
  - ein Sanierungsplan vorgeschlagen werden soll oder
  - das Unternehmen geschlossen werden soll.
- Prüfungstagsatzung: In der **Prüfungstagsatzung** wird geprüft, ob die angemeldeten Forderungen tatsächlich bestehen.
- Verwertung: Der Masseverwalter **verwertet** die **Konkursmasse.**

4 Wirtschaftsrecht

Verteilung

Der Gemeinschuldner kann anbieten, zumindest 20 % der Konkursforderungen binnen 2 Jahren zu zahlen, und so das Konkursverfahren stoppen. Bei Zustimmung der Gläubiger wird ein **Sanierungsverfahren** eröffnet.

- Der **Erlös** aus der Verwertung der Konkursmasse wird unter den **Gläubigern verteilt.**
- Der **Konkurs** wird vom Gericht **aufgehoben,**
  - wenn sich herausstellt, dass nicht einmal die Verfahrenskosten aus der Verwertung der Konkursmasse gedeckt werden können, oder
  - nach erfolgter Schlussverteilung oder
  - bei Vorliegen des Einverständnisses der Gläubiger.

Nach Aufhebung des Konkurses erlangt der Gemeinschuldner wieder die freie Verfügungsbefugnis über sein Vermögen. Nicht voll befriedigte Gläubiger können gegen ihn wieder mit Klage oder Exekution vorgehen.

Der **Gemeinschuldner** ist von seiner **Restschuld nicht befreit!**

3 Sanierungsverfahren ohne Eigenverwaltung (Sanierungsplan)

Das Ziel ist die Sanierung und Fortführung des Unternehmens.

Das Sanierungsverfahren ohne Eigenverwaltung **(Sanierungsplan)** wird über Antrag des Schuldners eröffnet,

- wenn den Insolvenzgläubigern eine Quote von 20 %
- zahlbar innerhalb von 2 Jahren (bei Nichtunternehmern bis 5 Jahre) angeboten wird.

Das Gericht kann bestimmen, dass der Schuldner bestimmte Geschäfte gar nicht oder nur mit Zustimmung des Insolvenzverwalters durchführen darf.

Ein Antrag auf Abschluss eines Sanierungsplans ist unter anderem unzulässig, wenn

- der Schuldner wegen betrügerischer Krida rechtskräftig verurteilt worden ist,
- über sein Vermögen in den letzten 5 Jahren ein Insolvenzverfahren eröffnet worden ist oder
- der Antrag offenbar Verschleppungszwecken dient.

Der vom Gericht bestellte **Insolvenzverwalter** hat das Unternehmen fortzuführen und die erforderlichen Informationen aufzubereiten.

Wirkungen der Eröffnung des Sanierungsverfahrens

Mit der Eröffnung des Verfahrens beginnt der **Konkurs- und Exekutionsschutz:**

- Es muss – auch bei Vorliegen der Voraussetzungen – kein Antrag auf Konkurseröffnung gestellt werden.
- Einzelexekutionen sind unzulässig.
- Der Mietvertrag für die Geschäftsräume darf nicht wegen nicht bezahlter Miete gekündigt werden.

Zur Annahme des Sanierungsplans ist es erforderlich, dass in der **Sanierungsplantagsatzung**

Kopfmehrheit

- die Mehrheit der anwesenden Insolvenzgläubiger dem Antrag zustimmt und

Kapitalmehrheit

- die Gesamtsumme der Forderungen der *zustimmenden* Insolvenzgläubiger mehr als die Hälfte der Gesamtsumme der *anwesenden* Insolvenzgläubiger beträgt. (So wird sichergestellt, dass Insolvenzgläubiger mit hohen Forderungen nicht von Insolvenzgläubigern mit geringen Forderungen überstimmt werden können.)

Scheitert der Sanierungsplan, wird das Verfahren als **Konkursverfahren** fortgeführt. Das Unternehmensvermögen wird verwertet und die Erlöse werden an die Gläubiger verteilt.

Restschuldbefreiung

Wird der Sanierungsplan vom Insolvenzgericht nach Erfüllung aller Bedingungen bestätigt, ist der Schuldner **von der Restschuld befreit.** Nur Gläubiger, die aus Verschulden des Schuldners im Sanierungsplan unberücksichtigt blieben, können nach Aufhebung des Insolvenzverfahrens die Bezahlung ihrer Forderungen in voller Höhe vom Schuldner fordern.

Der Schuldner erhält wieder eine „weiße Weste".

Nach vollständiger Erfüllung des Sanierungsplans kann der Schuldner die Löschung der Insolvenz aus der Insolvenzdatei und im Firmenbuch bewirken, um im Geschäftsverkehr nicht mehr durch Bekanntmachung eines früheren Insolvenzverfahrens behindert zu sein.

4 Sanierungsverfahren mit Eigenverwaltung

Bei einem gut vorbereiteten Sanierungsplan bleibt der Schuldner verfügungsberechtigt.

Es gibt keine Postsperre.

Wenn der Schuldner anlässlich seines Antrages auf Eröffnung des Insolvenzverfahrens über sein Vermögen einen **Sanierungsplan** vorlegt, hat er Anspruch auf **eigene Verwaltung:** Das heißt, er kann weiterhin selbst rechtsverbindlich handeln, wenn er

- für die Gläubiger eine **Mindestquote von 30 %**
- zahlbar **innerhalb von zwei Jahren** ab Annahme dieses Plans anbietet und
- ein strukturiertes **Finanzierungskonzept** anschließt.

Auch hier ist eine Zustimmung der Gläubiger erforderlich.

Das Gericht bestellt einen **Sanierungsverwalter,** der den Schuldner während des Sanierungsverfahrens überwacht.

In der **Berichtstagsatzung** entscheidet sich, ob das Unternehmen weitergeführt werden kann. Dem Gericht obliegt nur eine formelle Prüfung des Finanzplans bzw. der Erfüllbarkeit des Sanierungsplans.

Die Eigenverwaltung ist zu entziehen,

- wenn ein Sanierungsplan mit der angebotenen Quote aufgrund der wirtschaftlichen Lage des Unternehmens nicht erreichbar ist oder
- wenn Nachteile für die Gläubiger zu erwarten sind.
- Die Eigenverwaltung ist auch zeitlich beschränkt. Wird der Sanierungsplan nicht innerhalb von 90 Tagen angenommen, so ist sie zu entziehen.

Die Bezeichnung des Verfahrens wird dann auf **Konkursverfahren** abgeändert.

Restschuldbefreiung

Eine **Befreiung von den Restschulden** findet nur gegenüber den Gläubigern statt, die bei der Erfüllung des Sanierungsplans berücksichtigt wurden.

Beispiel

In einem Sanierungsverfahren bietet der Schuldner eine Quote von 40 % zahlbar innerhalb von 2 Jahren an, die von den Gläubigern angenommen wird. Gelingt es dem Schuldner, innerhalb der 2-Jahres-Frist 40 % seiner Schulden den Gläubigern zurückzuzahlen, so werden ihm die restlichen 60 % von den Gläubigern erlassen. Er kann nie mehr gezwungen werden, sie zu bezahlen.

5 Unternehmensreorganisation

Dieses Verfahren ist in der Praxis selten.

Das Verfahren zur Unternehmensreorganisation ist in der Praxis selten.

Das Verfahren nach dem **Unternehmens-Reorganisations-Gesetz (URG)** steht Unternehmen offen, die zwar Reorganisationsbedarf haben, aber noch nicht zahlungsunfähig oder überschuldet sind. Dabei soll einem im Bestand gefährdeten Unternehmen durch betriebswirtschaftliche Maßnahmen die nachhaltige Weiterführung ermöglicht werden.

6 Schuldenregulierungsverfahren („Privatkonkurs“)

Privatpersonen erhalten die Möglichkeit eines Neuanfanges.

Das Schuldenregulierungsverfahren findet vor den **Bezirksgerichten** statt und wird bis zu einem Aktiva-Stand von € 50.000 von **Rechtspflegern** geführt.

Dem Schuldner soll durch ein Schuldenregulierungsverfahren einerseits ein Anreiz gegeben werden, einen möglichst großen Teil der Schulden abzudecken, und andererseits soll er die Möglichkeit eines wirtschaftlichen Neubeginns erhalten.

- Die Kosten eines Privatkonkurses sind wesentlich geringer als bei einem „normalen" Verfahren.
- Ein Privatkonkurs kann bereits eröffnet werden, wenn der Schuldner glaubhaft machen kann, dass seine Einkünfte die Kosten des Verfahrens voraussichtlich decken werden.

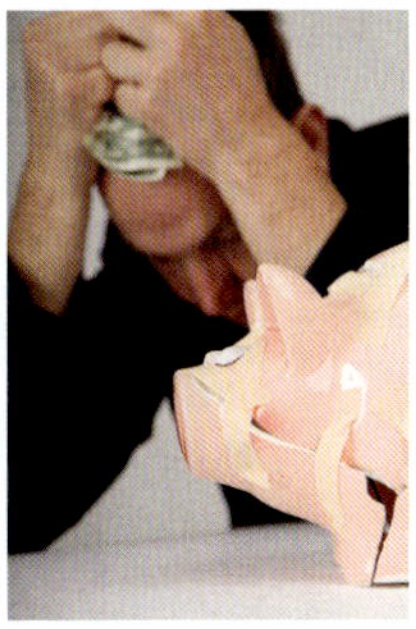

Ein **erfolgreicher Privatkonkurs** stellt sehr harte Ansprüche an den Schuldner und wird vom Gericht wie von den Gläubigern streng überwacht.

ABLAUF EINES PRIVATKONKURSES

Vor Einleitung des gerichtlichen Schuldenregulierungsverfahrens kann der Schuldner versuchen, eine einvernehmliche Lösung mit seinen Gläubigern herbeizuführen **(außergerichtlicher Ausgleich).** Es ist die Zustimmung aller Gläubiger notwendig.

Eröffnung des Insolvenzverfahrens

Scheitert der außergerichtliche Ausgleich, kann der Schuldner beim Bezirksgericht seines Wohnsitzes die Einleitung des Schuldenregulierungsverfahrens beantragen. Er kann sich dabei durch eine anerkannte Schuldenberatungsstelle vertreten lassen. Durch die Verfahrenseröffnung werden alle Exekutionen und der Zinsenlauf gestoppt.

Sanierungsplan

Der Schuldner kann den Gläubigern bei laufendem Verfahren in einem **Sanierungsplan** die Zahlung von mindestens 20 % der Forderungen innerhalb von 2 Jahren anbieten. Die Frist kann bis zu 5 Jahre ausgedehnt werden. Der Sanierungsplan gilt als angenommen, wenn die Gläubigermehrheit damit einverstanden ist. Der Vorteil des Sanierungsplans liegt darin, dass vorhandenes Vermögen erhalten bleibt.

Wird der Sanierungsplan von den Gläubigern nicht angenommen, kann ein Zahlungsplan oder das Abschöpfungsverfahren beantragt werden.

Zahlungsplan

Der Schuldner muss sein Vermögen verwerten und den Gläubigern mindestens eine Quote anbieten, die seiner Einkommenslage in den folgenden fünf Jahren entspricht. Die Zahlungsfrist darf 7 Jahre nicht übersteigen. Verfügt der Schuldner über kein pfändbares Einkommen bzw. ist der pfändbare Teil des Einkommens sehr gering, muss kein Zahlungsplanangebot gemacht werden.

Der Zahlungsplan muss durch die Gläubigermehrheit angenommen werden. Der Schuldner darf sein Vermögen selbst verwalten, außer das Gericht bestimmt anderes.

Kann der Schuldner die Zahlungen, zu denen er sich im Zahlungsplan verpflichtet, einhalten, **erlöschen** nach Ablauf der vereinbarten Laufzeit **die Restforderungen** der Gläubiger.

Abschöpfungsverfahren

Stimmen die Gläubiger dem Zahlungsplan nicht mehrheitlich zu oder musste der Schuldner keinen Zahlungsplan anbieten, weil er über kein oder nur geringes pfändbares Einkommen verfügt, wird vom Gericht über Antrag des Schuldners das **Abschöpfungsverfahren** mit Restschuldbefreiung eingeleitet. Die Gläubiger haben kein Mitspracherecht.

Verpflichtungen des Schuldners

- Der Schuldner muss sich verpflichten, den pfändbaren Teil seiner Einkünfte 5 Jahre lang einem Treuhänder zu übergeben. Dem Schuldner bleibt während dieser Zeit nur der unpfändbare Teil seines Einkommens (= Existenzminimum).
- Der Schuldner ist während des Verfahrens verpflichtet, einer Beschäftigung nachzugehen bzw., wenn er arbeitslos ist, sich um eine Stelle zu bemühen.
- Er ist weiters verpflichtet, Erbschaften und Schenkungen anzunehmen und dem Treuhänder zur Befriedigung der Gläubiger auszuhändigen.
- Während des Verfahrens darf er keine neuen Schulden aufnehmen, die er bei Fälligkeit aus den ihm verbleibenden Geldern nicht bezahlen kann.

Für die **Restschuldbefreiung** muss der Schuldner alle Auflagen erfüllen.

Nach Ende der Laufzeit hat das Gericht das Abschöpfungsverfahren für beendet zu erklären und auszusprechen, dass der Schuldner **von den nicht beglichenen Verbindlichkeiten befreit wird.** Dies gilt gegenüber sämtlichen Konkursgläubigern und auch gegenüber Gläubigern, die ihre Forderungen nicht angemeldet haben.

Wegen **betrügerischer Krida** nach dem StGB wird bestraft, wer die Befriedigung der Gläubiger durch die Verheimlichung oder Verringerung seines Vermögens vereitelt oder schmälert.

Wenn der Schuldner seine Verpflichtungen verletzt, z. B. durch
- betrügerische Krida,
- Gläubigerbegünstigung,
- Unterfertigung eines falschen Vermögensverzeichnisses (Offenbarungseides),
- schuldhafter Verletzung der Verpflichtungen aus dem Abschöpfungsverfahren (z. B. keine Erwerbstätigkeit trotz entsprechender Möglichkeiten),
- Eingehen neuer Schulden,

leben sämtliche noch nicht bezahlten Schulden auf. Die Restschuldbefreiung kann nicht wirksam werden.

Sichern & Merken

SbX ID: 0452

Insolvenzrecht – Das Insolvenzrecht regelt die Vorgangsweise bei drohender oder eingetretener **Zahlungsunfähigkeit oder Überschuldung.**

Konkursverfahren – Das **Konkursverfahren** hat die Verwertung und Verteilung des Vermögens des Gemeinschuldners unter den Gläubigern zu gleich großen Teilen zum Ziel.

Sanierungsverfahren – Das **Sanierungsverfahren** ist auf die Erhaltung der Vermögenssubstanz gerichtet.

Schuldenregulierungsverfahren – **Privatpersonen** können im **Schuldenregulierungsverfahren** von ihren Schulden befreit werden.

SbX ID: 0452

Im SbX finden Sie eine Bildschirmpräsentation mit den Grafiken dieser Lerneinheit.

Wissen & Können

SbX ID: 0453

A B C D E

SbX W 4.33 **mit automatischer Aufgabenkontrolle ID: 0453**

W 4.33: Insolvenzrecht B

Nehmen Sie zu jeder der folgenden Aussagen Stellung, ob sie richtig oder falsch ist. Ist die Aussage falsch, stellen Sie sie richtig.

	Richtig/ Falsch	Korrektur
Im Konkursverfahren erhält jeder Gläubiger einen gleich hohen Betrag aus der Konkursmasse zur Abdeckung seiner Forderungen.		
Im Sanierungsverfahren wird das gesamte Vermögen des Schuldners verwertet und verteilt.		
Nach Abschluss des Konkursverfahrens schuldet der Gemeinschuldner niemandem mehr etwas.		
Nach dem Ende des Abschöpfungsverfahrens im Privatkonkurs muss der Schuldner an die Gläubiger noch so lange Zahlungen leisten, bis keine Forderungen mehr offen sind.		

W 4.34: Konkurs C

Die Fa. Pünktlich GmbH hat noch Forderungen von mehr als € 30.000 gegen ihre Geschäftspartnerin Fa. Später GmbH. Der Geschäftsführer der Fa. Pünktlich GmbH hört von anderen Geschäftspartnern, dass die Fa. Später GmbH keine Rechnungen mehr bezahle. Auch die Dienstnehmer würden auf ihr Gehalt warten.

a) Was ist dem Geschäftsführer der Fa. Pünktlich GmbH zu raten?

b) Bei der Überprüfung zeigt sich, dass über das Vermögen der Fa. Später GmbH der Konkurs eröffnet wurde. Kann die Fa. Pünktlich GmbH die ausständigen € 30.000 einklagen?

c) Was muss die Fa. Pünktlich GmbH tun, damit ihre Forderungen gegen die Fa. Später GmbH im Konkursverfahren berücksichtigt werden?

d) Bei der Schlussverteilung erhält die Fa. Pünktlich GmbH aufgrund der Konkursquote nur € 3.000. Kann sie die restlichen € 27.000 noch von der Fa. Später GmbH verlangen?

W 4.35: Privatkonkurs C

Frau Violetta Zent hat insgesamt € 90.000 Schulden bei verschiedenen Versandhäusern und Banken. Mit ihrem Einkommen aus einer Teilzeitbeschäftigung kann sie nicht einmal die Zinsen bezahlen. Was raten Sie ihr?

SbX
W 4.36
mit automatischer Aufgabenkontrolle
ID: 0453

Weitere Aufgabe im SbX

W 4.36: Insolvenzrecht B

Vervollständigen Sie die Übersicht zum Insolvenzrecht.

Ein kurzer Kompetenz-Check, bevor's weitergeht!

Kompetenz-Check

	☺	😐	☹
Ich kann erklären, was Zahlungsunfähigkeit bedeutet.			
Ich kenne den Unterschied zwischen Sanierungsverfahren mit und ohne Eigenverwaltung.			
Ich kann den Ablauf eines Konkursverfahrens beschreiben.			
Ich kann den Begriff Restschuldbefreiung erklären.			
Ich kann den Ablauf eines Schuldenregulierungsverfahrens erläutern.			

5 ARBEITS- UND SOZIALRECHT

Worum geht's in diesem Kapitel?

Marco möchte sich mit dem Semesterzeugnis bei einem international tätigen Unternehmen bewerben. Viele Fragen gehen ihm durch den Kopf: Muss ich den Arbeitsvertrag sofort unterschreiben? Was passiert, wenn ich ein besseres Angebot bekomme? Bin ich in punkto Gehalt der Willkür des Arbeitgebers ausgeliefert? Welche Rechte und Pflichten habe ich generell als Arbeitnehmer? Wer vertritt meine Interessen im Fall einer ungerechtfertigten Entlassung?

Diese und ähnliche Fragen bewegen nicht nur Marco. Während manch andere Rechtsfrage durch Nachblättern im entsprechenden Gesetz mitunter schnell zu beantworten ist, muss man im Arbeitsrecht oft lange suchen, um die richtige Norm zu finden. Es existiert kein einheitliches „Arbeitsrechtsgesetz", welches das gesamte Arbeitsrecht abdeckt.

Wenn Sie dieses Kapitel bearbeitet haben, wissen Sie,

- wie ein Arbeitsvertrag abgeschlossen wird und welche Rechte und Pflichten daraus entstehen,
- welche Arbeitsverhältnisse man unterscheiden kann,
- welche Schutzbestimmungen allgemein gelten und welche Arbeitnehmergruppen einen besonderen Schutz genießen,
- wodurch Arbeitsverhältnisse aufgelöst werden und welche Rechtsfolgen dies nach sich zieht,
- wer die Interessen der Arbeitnehmerschaft einerseits im Betrieb und andererseits bei der Ausverhandlung von Arbeitbedingungen allgemein vertritt und
- welche verschiedenen Systeme der sozialen Sicherheit in Österreich bestehen.

In diesem Kapitel erwerben Sie Kompetenzen zu folgenden Bildungs- und Lehraufgaben:

„Die Schülerinnen und Schüler können die Struktur des arbeitsrechtlichen Normensystems wiedergeben und das Arbeitsverhältnis hinsichtlich seiner Rechte und Pflichten sowie Beendigungsmöglichkeiten aus Sicht der Arbeitgeberin und des Arbeitgebers, der Arbeitnehmerin und des Arbeitnehmers charakterisieren."

„Die Schülerinnen und Schüler können analysieren, ob in einem konkreten Rechtsfall ein Normalarbeitsverhältnis oder atypisches Arbeitsverhältnis vorliegt und deren sozialrelevante Auswirkungen beurteilen."

„Die Schülerinnen und Schüler können einzelne Bereiche des Arbeitnehmerschutzes darstellen sowie Vertretungskörperschaften des Arbeitsverfassungsgesetzes erläutern."

A B C D E

In diesem Kapitel finden Sie Übungsaufgaben, Fallbeispiele und Wiederholungsfragen zur Kompetenzüberprüfung auf den Handlungsebenen A Wiedergeben, B Verstehen, C Anwenden, D Analysieren & Interpretieren und E Entwickeln.

Dieses Kapitel umfasst folgende Lerneinheiten:

SbX ID: 0540

SbX

Alle SbX-Inhalte zu dieser Lerneinheit finden Sie unter der ID: 0510.

Lerneinheit 1
Individualarbeitsrecht

Zweifellos ist das Arbeitsrecht jenes Rechtsgebiet, das die materielle Existenzgrundlage des Großteils der Bevölkerung regelt. Da die Arbeitnehmer in der Vergangenheit oft der Willkür des wirtschaftlich stärkeren Arbeitgebers ausgeliefert waren, hat sich das Arbeitsrecht vor allem als Sonderschutzrecht der Arbeitnehmer entwickelt.

Wie der Name schon sagt, steht im Gegensatz zum kollektiven Arbeitsrecht beim Individualarbeitsrecht das Individuum, der einzelne Arbeitnehmer, im Mittelpunkt.

Das Individualarbeitsrecht beschäftigt sich

- einerseits mit den vertraglichen Beziehungen zwischen Arbeitgebern und Arbeitnehmern,
- andererseits mit den Bestimmungen zum Schutz der Arbeitnehmer am Arbeitsplatz.

Lernen & Üben

SbX ID: 0511

A B C D E

1 Arbeitsverhältnis und Arbeitsvertrag
Damit alles seine Richtigkeit hat.

Da die Interessen der Arbeitgeber und Arbeitnehmer von Natur aus sehr unterschiedlich sind, ist es wichtig, klare Vereinbarungen zu treffen, die auch bei späteren Meinungsverschiedenheiten nachgewiesen werden können.

Das Arbeitsverhältnis

Wenn ein Arbeitnehmer seine Arbeitskraft einem Arbeitgeber zur Verfügung stellt und dabei unter dessen Leitung in persönlicher und wirtschaftlicher **Abhängigkeit** tätig ist, so ist ein **Arbeitsverhältnis** entstanden.

Auch das EU-Recht hat Einfluss auf das österreichische Arbeitsrecht. Beispiele dafür sind etwa die **„Entsenderichtlinie“** oder die Urteile des EuGH über die Behandlung ausländischer Kindererziehungs-, Schul- und Studienzeiten.

Entsenderichtlinie der EU: gleicher Lohn für gleiche Arbeit am selben Ort!

Grundsätzlich gilt auch im Arbeitsrecht der **Stufenbau der Rechtsordnung.** Die höherrangige Norm geht in der Regel der niedrigeren vor. Ist jedoch die niedrigere Norm für den Arbeitnehmer **günstiger,** so gilt diese. Außerdem wird der Stufenbau durch spezielle arbeitsrechtliche Normen ergänzt.

ARBEITSRECHT UND RECHTSORDNUNG

Achtung: Unterschied

Ferialarbeiter/Ferialarbeiterinnen: meist Schüler/Schülerinnen oder Studierende. Sie arbeiten, um Geld zu verdienen.

Ferialpraktikanten/Ferialpraktikantinnen: Schüler/Schülerinnen oder Studierende, die aufgrund schulischer Vorschriften oder aufgrund der Studienordnung eine bestimmte praktische Ausbildung absolvieren müssen.

SbX **Eine Liste aller Lehrberufe und eine Rechercheaufgabe finden Sie unter der ID: 0511.**

Arten von Arbeitsverhältnissen

- Nach der **Art der Verwendung** unterscheidet man:

Angestellter	Arbeiter	Lehrlinge	Öffentliche Dienstverhältnisse
Darunter fallen alle Arbeitnehmer, welche ● **kaufmännische,** ● **höhere nicht kaufmännische** oder ● **Kanzleiarbeiten** erledigen.	sind all jene Arbeitnehmer, welche nicht Tätigkeiten nach dem Angestelltengesetz verrichten und keine Lehrlinge sind. Die Erbringung von **manuellen** Tätigkeiten steht im Vordergrund.	sind Personen, die aufgrund eines Lehrvertrags von einem Lehrberechtigten in einem Lehrberuf fachlich ausgebildet werden und die Berufsschule besuchen **(= duale Ausbildung).** Die möglichen Lehrberufe findet man in der Lehrberufsliste (VO).	Darunter fallen Personen, die bei einer Gebietskörperschaft entweder aufgrund eines ● einseitigen staatlichen Hoheitsaktes (Ernennung) tätig sind **(Beamte)** oder ● privatrechtlichen Vertrags tätig sind. **(Vertragsbedienstete)**
gesetzliche Grundlage: Angestelltengesetz (AngG)	**gesetzliche Grundlagen:** Gewerbeordnung 1858, ABGB oder Sondergesetze	**gesetzliche Grundlagen:** Berufsausbildungsgesetz (BAG), Kinder- und Jugendlichenbeschäftigungsgesetz (KJBG)	**gesetzliche Grundlagen:** Beamtendienstrechtsgesetz (BDG), Vertragsbedienstetengesetz (VBG)
Beispiele: Buchhalterin, Sekretär	**Beispiele:** Kfz-Mechanikerin, Bäcker		**Beispiele:** Bedienstete des Bundes, der Länder, der Gemeinden

In den Jahren 2018–2021 wird eine weitgehende Angleichung der Rechtsstellung von Arbeitern und Angestellten erfolgen. Diese Änderungen betreffen einerseits die Entgeltfortzahlung und andererseits die Kündigungsbestimmungen.

Kettenarbeitsverträge: Es werden mehrmals hintereinander befristete Arbeitsverträge abgeschlossen. Wenn dies ohne sachliche Rechtfertigung geschieht und damit der Kündigungsschutz umgangen werden soll, werden diese Verträge wie unbefristete Verträge behandelt.

- Nach der **Dauer** unterscheidet man:

Probearbeitsverhältnis	Befristetes Arbeitsverhältnis	Unbefristetes Arbeitsverhältnis
Dieses kann von jedem Vertragsteil jederzeit ohne Angabe von Gründen gelöst werden. Dauer: maximal 1 Monat, für Lehrlinge 3 Monate	Dieses endet mit dem Ablauf der Zeit, für die es eingegangen wurde. Daher ist keine Kündigung erforderlich. Arbeitnehmer haben somit keinen Kündigungsschutz. **Kettenarbeitsverträge** sind verboten.	Dieses ist auf unbestimmte Zeit abgeschlossen. Eine Auflösung kann nur durch einvernehmliche Lösung, Kündigung, Austritt oder Entlassung erfolgen.
	Beispiele: Ferialpraktikanten/Ferialpraktikantinnen, Lehrlinge	

Neue Selbständige: Darunter fallen alle Tätigkeiten, für die keine Gewerbeberechtigung notwendig ist (z. B. Autorin, Gutachter, auch Gesellschaften); entspricht dem Werkvertrag.

Abgrenzung: Arbeitsvertrag – freier Dienstvertrag – Werkvertrag

Arbeitsvertrag (Dienstvertrag)	Freier Dienstvertrag	Werkvertrag
persönliche Abhängigkeit	keine persönliche Abhängigkeit	keine persönliche Abhängigkeit
Erfolg und Misserfolg treffen den Arbeitgeber	Erfolg und Misserfolg treffen den Arbeitgeber	Werkvertragsnehmer schuldet den Erfolg
Dauerschuldverhältnis	Dauerschuldverhältnis	Zielschuldverhältnis
Arbeitgeber stellt Arbeitsmittel zur Verfügung	Arbeitgeber stellt meist Arbeitsmittel zur Verfügung	Werkvertragsnehmer arbeitet mit eigenen Arbeitsmitteln
Arbeitgeber teilt Zeit ein	Arbeitnehmer teilt sich Zeit frei ein	Werkvertragsnehmer teilt sich Zeit frei ein

Durch den Einsatz von **Leiharbeitern** dürfen die Arbeitsplätze der eigenen Beschäftigten nicht gefährdet werden.

Sinnvoll z. B. für Urlaubsvertretungen, Krankheit oder Auftragsspitzen.

Arbeitskräfteüberlassung (Personal-Leasing, Leiharbeit)

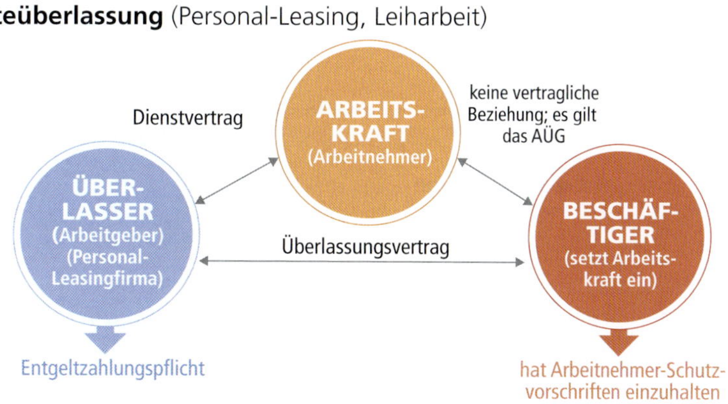

Waren Unternehmer früher noch bereit, Arbeitskräfte auch bei schlechter Auftragslage weiterzubeschäftigen, so lassen dies der zunehmende Konkurrenzdruck und die hohen Personalkosten nicht mehr zu. Bei kurzfristigen Engpässen werden daher lieber Leiharbeitskräfte eingesetzt.

Zum Schutz der überlassenen Arbeitnehmer wurde das **Arbeitskräfteüberlassungs-Gesetz (AÜG)** beschlossen. Es sollen auch nachteilige Entwicklungen am Arbeitsmarkt verhindert werden. Außerdem dürfen die Lohn- und Arbeitsbedingungen der eigenen Arbeitnehmer des Beschäftigerbetriebs nicht beeinträchtigt werden.

Ein Arbeitgeber macht sich gemäß **Lohn- und Sozialdumping-Bekämpfungsgesetz** strafbar, wenn er seine Arbeitnehmer unter dem Kollektivvertrag bezahlt. Es drohen Verwaltungsstrafen von bis zu € 50.000,– pro Arbeitnehmer.

Ein Überlasser (z. B. Personal-Leasing-Unternehmen) stellt dem Beschäftiger (z. B. Bauunternehmen) eine Arbeitskraft (Arbeitnehmer) zur Verfügung.

Atypische Arbeitsverhältnisse

Die Beschäftigungsverhältnisse der Leiharbeit, der freien Dienstnehmer und der Neuen Selbständigen bezeichnet man als **atypische Arbeitsverhältnisse.** Weiters zählen dazu auch die geringfügige Beschäftigung, die Teilzeitarbeit, die befristete Beschäftigung, die Heimarbeit bzw. die Teleheimarbeit sowie Beschäftigung auf Werkvertragsbasis.

Sie wurden geschaffen, um auf die Schwankungen von Arbeitsangebot und Arbeitsnachfrage schneller reagieren zu können. Für Arbeitnehmerinnen und Arbeitnehmer bedeutet dies jedoch auch den teilweisen Verlust der sozialen Absicherung.

Normalarbeitsverhältnisse	Atypische Arbeitsverhältnisse
zeitlich unbefristet	zeitlich teilweise befristet
nicht selbständig	teilweise auf Selbständigenbasis
geregeltes Einkommen	Einkommen schwankt
in die Struktur des Unternehmens eingegliedert	nicht in die Struktur des Unternehmens eingegliedert
Vollzeit	Teilzeit bzw. schwankende Beschäftigung
sozialversicherungsrechtliche Absicherung durch Unternehmer	Arbeitnehmer muss sich teilweise selbst versichern

Entwicklung der atypischen Beschäftigung in Österreich

Beschäftigungsform	Zahl der betroffenen Arbeitnehmer	Entwicklung
Geringfügig Beschäftigte	2000 196.772 2005 229.746 2010 296.463 2016 345.632	+ 75 %
Freie Dienstnehmer	2000 22.345 2005 26.661 2010 21.771 2016 15.818	– 30 %
Geringfügig freie Dienstnehmer	2003 42.177 2005 45.368 2010 37.471 2016 28.396	– 33 %
Neue Selbständige	2000 21.059 2005 34.593 2010 41.157 2016 49.499	+ 135 %
Leiharbeiter* Jahresschnitt	2000 30.120 2005 46.579 2010 68.054 2016 70.862	+ 135 %

Übungsbeispiel

Ü 5.1: Atypische Arbeitsverhältnisse C

Beurteilen Sie, inwiefern die atypische Beschäftigung persönliche und finanzielle Auswirkungen nach sich zieht.

Der Arbeitsvertrag (Dienstvertrag)

Eine Vereinbarung, mit der sich jemand zur Arbeitsleistung für einen anderen gegen Entgelt verpflichtet, nennt man **Arbeitsvertrag.**

Über diese Vereinbarung ist dem Arbeitnehmer **ein Dienstzettel** oder ein schriftlicher Dienstvertrag auszuhändigen.

Dienstzettel: ist eine bloße Beweisurkunde, in der die wesentlichen Vereinbarungen festgehalten werden – die Ausstellung ist in der EU zwingend vorgeschrieben.

Voraussetzungen für den gültigen Abschluss eines Arbeitsvertrags:

- die **Willensübereinstimmung:** Sie kann mündlich, schriftlich oder schlüssig erfolgen. Lehrverträge bedürfen der Schriftform.
- Die Vertragspartner müssen **geschäftsfähig** sein. Mündige Minderjährige (ab dem vollendeten 14. Lebensjahr), die die Schulpflicht erfüllt haben, dürfen mit Zustimmung ihres gesetzlichen Vertreters ein Ausbildungsverhältnis (Lehre) oder ein Pflichtpraktikum beginnen. Alle anderen Arbeitsverhältnisse (z. B. Ferialjob) dürfen erst nach dem 15. Geburtstag abgeschlossen werden. Hierfür ist die Zustimmung der Erziehungsberechtigten nicht erforderlich.

SbX

Ein Muster eines Dienstzettels finden Sie unter der ID: 0511.

Durch den Arbeitsvertrag werden die gegenseitigen Rechte und Pflichten der Vertragspartner geregelt.

Rechte und Pflichten aus dem Arbeitsvertrag

RECHTE UND PFLICHTEN AUS DEM ARBEITSVERTRAG

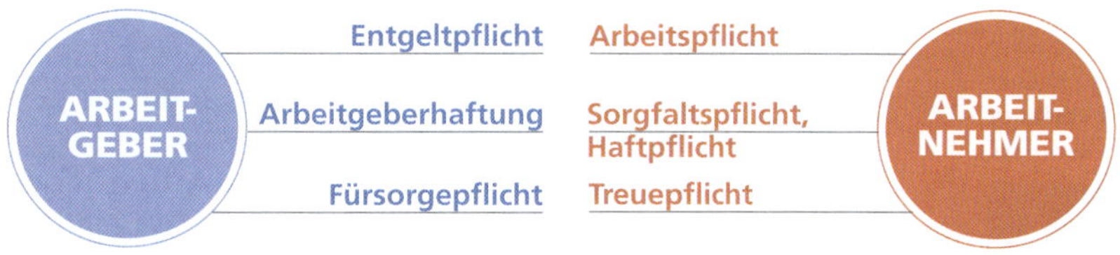

Die Pflichten des einen Vertragspartners stellen jeweils Rechte des anderen Partners dar.

Arbeitspflicht

Direktionsrecht des Arbeitgebers: Der Arbeitgeber weist die genaue Tätigkeit und den Arbeitsplatz zu, z. B. der Sekretär hat die Post zu bearbeiten, Termine zu koordinieren usw.

Auch in Bezug auf **Arbeitskleidung** können Weisungen erteilt werden.

Der Arbeitnehmer ist zur höchstpersönlichen Arbeitsleistung verpflichtet. Er darf daher seine Arbeitspflicht nicht auf andere Personen übertragen. Die konkret auszuführenden Tätigkeiten ergeben sich primär aus

- dem vertraglich Vereinbarten,
- Weisungen und
- der Treuepflicht.

Treuepflicht

Konkurrenzklausel: Damit der Arbeitgeber diese Klausel geltend machen kann, muss der Arbeitnehmer mindestens € 3.240,– brutto im Monat verdient haben.

Da der Arbeitnehmer durch seine Beschäftigung Einblick in die Abläufe des Betriebes erhält, ist er verpflichtet, alles zu unterlassen, was die betrieblichen Interessen schädigt. Verletzungen der Treuepflicht stellen Entlassungsgründe dar (gilt auch für besonders geschützte Arbeitnehmer, z. B. werdende Mütter). Arbeitnehmer dürfen jedoch dem Betriebsrat oder einer Gewerkschaft angehören.

- **Konkurrenzverbot** (gilt bei aufrechtem Dienstverhältnis): Es **verbietet** Angestellten im Geschäftsbetrieb eines Unternehmers ohne Bewilligung des Dienstgebers **ein selbständiges Unternehmen zu betreiben oder** im Geschäftszweig des Dienstgebers **für eigene oder fremde Rechnung Geschäfte zu tätigen.** Bei Verstößen kann es zu Schadenersatzforderungen gegen den Arbeitnehmer kommen.
- **Verschwiegenheitspflicht:** Der Arbeitnehmer darf keine ihm bekannt gewordenen Betriebsgeheimnisse weitergeben.
- **Verbot der Geschenkannahme:** Wenn ein Arbeitnehmer für seinen Arbeitgeber Geschäfte abschließt, so soll er sich daraus keinen Vorteil verschaffen, indem er für den Abschluss Provisionen oder sonstige Belohnungen ohne Einwilligung seines Arbeitgebers kassiert.
- **private Nutzung von Telefon, Internet und E-Mail am Arbeitsplatz:** Telefongespräche von kurzer Dauer sind zur Aufrechterhaltung von sozialen Kontakten zulässig. Internet und E-Mail-Kommunikation können vom Arbeitgeber untersagt werden. Eine schriftliche Vereinbarung zwischen Arbeitgeber und Arbeitnehmer könnte diesbezügliche Unklarheiten beseitigen.

Verbotene Geschenke, z. B. die für den Einkauf zuständige Sachbearbeiterin bevorzugt Lieferanten, die ihr private Flugreisen finanzieren.

Ü 5.2: Konkurrenzverbot – Konkurrenzklausel B

Erläutern Sie den Unterschied zwischen dem Konkurrenzverbot und der Konkurrenzklausel.

Entgeltformen: Zeitlohn, Leistungslohn, Erfolgslohn, Gewinnbeteiligung, All-in-Vereinbarung (Grundlohn inkl. sämtl. Mehrleistungen, z. B. Überstunden; im Dienstvertrag oder Dienstzettel ist der Grundlohn gesondert auszuweisen.)

Mitteilungs- und Nachweispflichten: Der Arbeitnehmer hat die **Arbeitsunfähigkeit** ohne Verzug dem Arbeitgeber mitzuteilen.

Der Arbeitgeber kann eine **Bestätigung** über Beginn, Dauer und Ursache der Arbeitsunfähigkeit verlangen (von Krankenkasse, Arzt oder Amtsarzt).

Die Angabe einer medizinischen **Diagnose** oder Bezeichnung der Krankheit kann **nicht verlangt werden.**

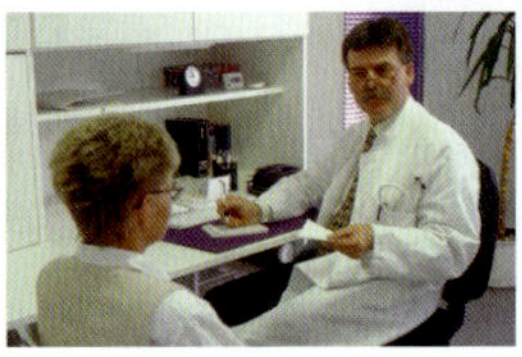

Arztbesuch: Dieser muss notwendig sein und es muss für den Arbeitnehmer bzw. die Arbeitnehmerin nicht möglich sein, den Arzt außerhalb der Arbeitszeit aufzusuchen.

Entgeltzahlungspflicht

- **Entgeltleistung:** Unter Entgelt sind alle Arten von Geld- bzw. Sachbezügen zu verstehen, die der Arbeitnehmer vom Arbeitgeber dafür erhält, dass er ihm seine Arbeitskraft zur Verfügung stellt. Die Höhe des Entgelts richtet sich nach dem vertraglich Vereinbarten oder nach dem Kollektivvertrag. Das Entgelt wird grundsätzlich nach Erbringung der geschuldeten Leistung fällig. Entgeltforderungen von Dienstnehmern verjähren innerhalb von 3 Jahren.
- **Entgeltfortzahlung:** Der Arbeitgeber muss das Entgelt weiterzahlen, ohne dass der Arbeitnehmer eine Leistung erbringt.

  a) im Krankheits- oder Unglücksfall:

Dauer des Dienstverhältnisses	Volle Entgeltfortzahlung bei Krankheit	Volle Entgeltfortzahlung bei Arbeitsunfall oder Berufskrankheit
im 1. Dienstjahr	6 Wochen	8 Wochen
ab dem 2. Dienstjahr	8 Wochen	
ab dem 16. Dienstjahr	10 Wochen	10 Wochen
ab dem 26. Dienstjahr	12 Wochen	

  Hinzu kommt jeweils noch ein Anspruch auf das halbe Entgelt für die Dauer von 4 Wochen.

  b) **Sonstige Verhinderungsgründe:** Arztbesuch, Eheschließungen, Geburten, Begräbnisse, Verkehrseinstellungen, Vorladungen zu Gerichts- oder Behördenterminen, Übersiedlungen, Katastrophenfälle, bei denen der Arbeitnehmer persönlich betroffen ist (z. B. Aufräumarbeiten nach einem Hochwasser).

  c) **Verhinderungsgründe aufseiten des Arbeitgebers:** Ist der Dienstnehmer zur Leistung bereit, aber aufgrund z. B. eines Defektes an einer Maschine oder der verspäteten Lieferung von Waren an der Dienstleistung verhindert, so hat der Dienstnehmer einen zeitlich unbegrenzten Entgeltfortzahlungsanspruch.

  d) **Pflegefreistellung und Betreuungsfreistellung:** Der Dienstnehmer hat Anspruch auf Entgeltfortzahlung, wenn er einen im gemeinsamen Haushalt lebenden **erkrankten nahen Angehörigen pflegen** muss. Bei erkrankten Kindern ist kein gemeinsamer Wohnsitz erforderlich. Er hat ebenso Anspruch auf Entgeltfortzahlung, wenn er sein Kind betreuen muss, da diejenige Person, die das Kind ständig betreut, nachweislich verhindert ist (z. B. Krankenhausaufenthalt). Die Dienstverhinderung ist dem Dienstgeber nachzuweisen. Dauer: Bis zum Höchstausmaß seiner regelmäßigen **wöchentlichen Arbeitszeit** innerhalb eines Arbeitsjahres. Die Pflegefreistellung kann auf **eine zweite Woche** ausgedehnt werden, wenn **Kinder unter 12 Jahren** versorgt werden müssen.

Ein einseitiges „In-den-Urlaub-Schicken" seitens des Dienstgebers ist, ebenso wie einseitiges „Auf-Urlaub-Gehen" seitens des Dienstnehmers, nicht zulässig.

Ein tageweiser Urlaubsverbrauch ist nur auf Wunsch des Arbeitnehmers möglich (Erholungszweck!).

Unter gewissen Voraussetzungen kann schon im Arbeitsvertrag ein Teil des Urlaubs kalendermäßig als **„Betriebsurlaub"** fixiert werden.

Sonderfälle der Entgeltfortzahlung bzw. Freistellung von der Arbeitsleistung

- **Urlaub:** Der Arbeitnehmer wird von der Arbeitsleistung freigestellt unter Fortzahlung des Entgelts.

Urlaub – Begriffe	
Rechtsquelle	Urlaubsgesetz (UrlG)
Zweck	Erholung; Erhaltung der Gesundheit und Arbeitsfähigkeit des Arbeitnehmers
Urlaubszeitraum	grundsätzlich das Arbeitsjahr – Umstellung auf Kalenderjahr möglich
Entstehung des Anspruchs	innerhalb der ersten 6 Monate im Verhältnis zu der im Arbeitsjahr zurückgelegten Dienstzeit; nach 6 Monaten in voller Höhe
Urlaubsantritt	Vereinbarung zwischen Arbeitgeber und Arbeitnehmer
Urlaubsentgelt	grundsätzlich wird das normale Monatsentgelt fortgezahlt
Urlaubsgeld	ist eine Sonderzahlung wie die Weihnachtsremuneration (13. und 14. Monatsgehalt)

Zu den **Werktagen** zählen alle Kalendertage, ausgenommen Sonn- und Feiertage. Daher auch der Samstag! Davon sind die **Arbeitstage** zu unterscheiden. Dies sind jene Tage, an denen tatsächlich gearbeitet wird.

Urlaub – Begriffe	
Krankheit unterbricht Urlaub (Achtung: Bei Arbeitsantritt ist ein ärztliches Attest oder eine Bestätigung der Krankenversicherung erforderlich!)	Wenn der Arbeitnehmer während des Urlaubs länger als drei Tage erkrankt, so werden die Tage der Arbeitsunfähigkeit, die auf Werktage fallen, nicht als Urlaub angerechnet. Bei erkrankten Kindern ist kein gemeinsamer Wohnsitz erforderlich. Er hat ebenso Anspruch auf Entgeltfortzahlung, wenn er sein Kind betreuen muss.
Verbrauch des Urlaubs	Urlaub ist möglichst im Entstehungsjahr zu verbrauchen; ansonsten Gefahr der Verjährung. (Der Urlaub ist im Jahr des Entstehens, spätestens in den beiden Folgejahren zu verbrauchen. Danach verfällt er!)
Ablöseverbot	Vereinbarungen über die Ablöse in Geld sind rechtsunwirksam; endet das Arbeitsverhältnis vor dem Verbrauch des Urlaubs, steht eine Ersatzleistung zu.
gesetzlicher Mindesturlaubsanspruch	unter 25 Dienstjahren = 30 Werktage (bzw. 25 Arbeitstage) über 25 Dienstjahre = 36 Werktage (bzw. 30 Arbeitstage)

SbX

Nähere Informationen zum Urlaubsrecht sowie eine Rechercheaufgabe finden Sie unter der ID: 0511.

Nahe Angehörige: Ehegatten, Großeltern, Eltern, Kinder, Lebensgefährten

- **Familienhospizkarenz:** Dienstnehmer können für die **Sterbebegleitung** von **nahen Angehörigen** (müssen nicht im gemeinsamen Haushalt leben) bzw. zur Begleitung ihrer im gemeinsamen Haushalt lebenden **schwerstkranken Kinder** eine Herabsetzung der Normalarbeitszeit oder völlige Freistellung von der Arbeitsleistung verlangen. Diese Regelung erfolgt zunächst bis zu 3 Monaten und kann auf 6 Monate verlängert werden. Während dieser Zeit besteht kein Entgeltanspruch.
- **Bildungskarenz:** Wer mindestens ein Jahr im Betrieb gearbeitet hat, kann mit dem Arbeitgeber eine Bildungskarenz für die Dauer von **mindestens 3 Monaten bis zu einem Jahr** vereinbaren. Es besteht während dieses Zeitraumes kein Anspruch auf Arbeitsentgelt. Der Arbeitnehmer hat jedoch einen Anspruch auf **Weiterbildungsgeld** in Höhe des Kinderbetreuungsgeldes.
- **Pflegezeit und Pflegekarenz:** Wenn der Arbeitnehmer einen nahen Angehörigen (mit Pflegegeldbezug ab der Pflegestufe 3) betreuen muss, kann er mit seinem Arbeitgeber eine Pflegekarenz oder Pflegeteilzeit von einem bis zu drei Monaten vereinbaren. Während dieser Betreuungszeit erhält der Arbeitnehmer Pflegekarenzgeld in Höhe des Arbeitslosengeldes.

Darunter fällt im Prinzip der ganze Arbeitnehmerschutz.

Fürsorgepflicht

Der Dienstgeber hat dafür zu sorgen, dass Leben, Gesundheit, Sittlichkeit und Eigentum des Dienstnehmers nicht gefährdet werden.

Weitere Pflichten des Arbeitgebers aus dem Arbeitsverhältnis

Die Kosten eines abschließenden Zeugnisses sind vom Dienstgeber zu tragen.

Beispiel für verbotene Bemerkung: „Das Arbeitsverhältnis wurde aufgelöst, weil der Arbeitnehmer faul und unpünktlich war."

Die Abfertigung NEU gilt für Dienstverhältnisse ab dem 1. 1. 2003.

- **An- und Abmeldung der Pflichtversicherten:** Der Dienstgeber hat jeden Beschäftigten vor Arbeitsbeginn elektronisch beim zuständigen Krankenversicherungsträger anzumelden und abzumelden.
- **Pflicht zur Ausstellung eines Dienstzeugnisses:** Auf Verlangen hat der Dienstgeber bei Beendigung des Dienstverhältnisses ein schriftliches Zeugnis über die Dauer und Art der Dienstleistung auszustellen. Eintragungen und Anmerkungen im Zeugnis, durch die dem Dienstnehmer die Erlangung einer neuen Stelle erschwert werden, sind unzulässig.
- **Gewährung von Postensuchtagen:** Bei einer Kündigung seitens des Dienstgebers steht dem Dienstnehmer auf sein Verlangen wöchentlich ⅕ der regelmäßigen wöchentlichen Normalarbeitszeit (bei vollem Lohnanspruch) zur Postensuche während der Kündigungsfrist zu.
- **Abfertigung NEU:** Der Dienstgeber muss für jeden Dienstnehmer bzw. jede Dienstnehmerin monatlich 1,53 % des Monatsentgelts samt allfälliger Sonderzahlungen der zuständigen Krankenkasse überweisen. Diese leitet den Betrag weiter an die zuständige **Mitarbeitervorsorgekasse.** Der Anspruch auf Auszahlung der Abfertigung besteht jedoch nur in bestimmten Fällen, z. B. bei einvernehmlicher Auflösung des Arbeitsverhältnisses und mindestens 3-jähriger Beitragsleistung. Die eingezahlten Abfertigungsbeiträge verfallen jedoch nicht, sondern bleiben in der MV-Kasse.

Es darf niemand bei Begründung des Arbeitsverhältnisses, bei der Festsetzung des Entgelts, bei der Gewährung freiwilliger Sozialleistungen, bei Maßnahmen der Aus- und Weiterbildung, der Umschulung, bei Beförderungen, bei der Beendigung des Arbeitsverhältnisses diskriminiert werden.

Um Einkommen transparenter zu machen, müssen Arbeitgeber, private Arbeitsvermittler und das AMS in Stelleninseraten das **Mindestentgelt** angeben. Sollte eine Bereitschaft zur Überzahlung bestehen, so ist auch dies anzumerken.

Gleichbehandlung in der Arbeitswelt

- Zur Umsetzung verschiedener EU-Richtlinien hat der Nationalrat 2004 das **Gleichbehandlungsgesetz** erlassen. Ziel dieses Gesetzes ist die Gleichstellung von Frauen und Männern in der Arbeitswelt sowie der Abbau von sonstigen Diskriminierungen.
  - **Diskriminierungsverbot:** Aufgrund des Geschlechtes, der ethnischen Zugehörigkeit, der Religion oder Weltanschauung, des Alters oder der sexuellen Orientierung darf im Zusammenhang mit dem Arbeitsverhältnis niemand diskriminiert werden.
  - **Gebot der geschlechtsneutralen Stellenausschreibung**
  - **Gleiches Entgelt für gleiche bzw. gleichwertige Arbeit**

  Rechtsfolgen bei Verletzung: z. B. Angleichung des Entgelts, Ersatz des erlittenen Vermögensschadens, Verhängung von Verwaltungsstrafen

Gleiches Entgelt für gleiche Arbeit?

- **Gleichbehandlungsgrundsatz:** wurde durch die Rechtsprechung entwickelt. Der Arbeitgeber darf einzelne Arbeitnehmer **nicht ohne sachliche Rechtfertigung** schlechter behandeln als die übrigen.
- Durch die Öffnung des österreichischen Arbeitsmarkts für die Arbeitgeber und Arbeitnehmer der „neuen" Mitgliedstaaten der EU wurden verschiedene Maßnahmen für einen fairen Wettbewerb notwendig. So wurde durch das **Lohn- und Sozialdumping-Bekämpfungsgesetz** u. a. die Entgeltzahlung unter dem Kollektivvertrag als Verwaltungsstraftatbestand festgeschrieben. Gebietskrankenkassen und Finanzpolizei kontrollieren die Einhaltung dieser Bestimmungen.

Haftungsfragen im Arbeitsverhältnis

Im Arbeitsleben kommt es immer wieder zu Schädigungen des Dienstgebers durch den Dienstnehmer und umgekehrt. Nach den Grundsätzen des Schadenersatzrechtes des ABGB hat der Schädiger für die rechtswidrige und schuldhaft herbeigeführte Schadenszufügung einzustehen. Zum Schadenersatz (Haftung) siehe auch S. 283 ff.

„Wer nichts arbeitet, kann auch nichts falsch machen."

Beispiel: Grobe Fahrlässigkeit: Der Arbeitnehmer vergisst, die Geschäftstür nach Dienstschluss abzusperren, obwohl er von der Dienstgeberin dazu beauftragt wurde.

- **Schädigung des Arbeitgebers durch den Arbeitnehmer:**

  Je nach Art der Tätigkeit sind Arbeitnehmer der Gefahr ausgesetzt, Schäden zu verursachen. Müssten sie für jeden Schaden einstehen, wäre es sehr riskant, zu arbeiten. Der Gesetzgeber hat zu diesem Zweck das Dienstnehmerhaftpflichtgesetz (DNHG) beschlossen. Es sieht eine richterliche Mäßigung vor, wenn der Schaden nur fahrlässig verursacht wurde.

  Haftungsumfang:

Art des Verschuldens	Ausmaß der Haftung
Vorsatz	volle Haftung
grobe Fahrlässigkeit (Sorgfalt wird stark vernachlässigt)	Haftung, aber das Gericht kann den Ersatz mäßigen
leichte Fahrlässigkeit (minderer Grad des Versehens)	Gericht kann den Ersatz mäßigen, Ersatz kann zur Gänze erlassen werden
entschuldbare Fehlleistung („kann auch sorgfältigen Menschen passieren")	Arbeitnehmer ist völlig haftungsfrei

  Schädigt der Arbeitnehmer z. B. einen Kunden des Unternehmers, so haftet diesem zunächst der Arbeitgeber. Der Arbeitgeber kann jedoch je nach Art des Verschuldens seines Arbeitnehmers den geleisteten Schadenersatz von diesem zurückfordern (Regress).

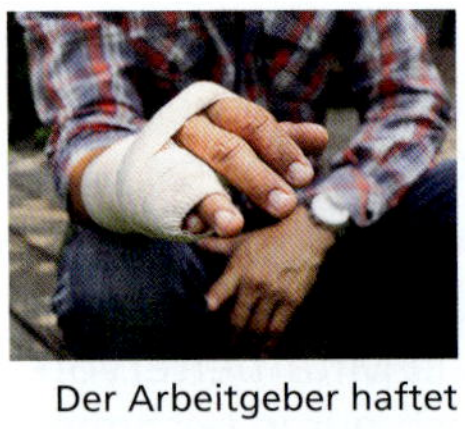
Der Arbeitgeber haftet dem verletzten Arbeitnehmer (oder seinen Hinterbliebenen) nur bei Vorsatz.

Diese Regelung dient auch dem Schutz des Arbeitsklimas!

- **Schädigung des Arbeitnehmers durch den Arbeitgeber** (nur bei Personenschäden!):

  Da der Arbeitgeber die Beiträge zur Unfallversicherung des Arbeitnehmers alleine entrichtet, wirkt die Unfallversicherung des Arbeitnehmers auch als Haftpflichtversicherung des Arbeitgebers. Das heißt, bei einer Schädigung des Arbeitnehmers durch den Arbeitgeber zahlt zunächst die Unfallversicherung. Wurde der Schaden vorsätzlich oder grob fahrlässig verursacht, wird der Arbeitgeber zur Rückerstattung der Versicherungsleistung verpflichtet.
  Bei Sachschäden gelten die allgemeinen Regelungen des Schadenersatzrechtes.

2 Die Beendigung des Arbeitsverhältnisses

„... möchten wir Ihnen mitteilen, dass Ihr Arbeitsverhältnis mit ... als beendet gilt."

Das Einkommen aus unselbständiger Beschäftigung stellt die Existenzgrundlage eines Großteils der Bevölkerung dar. Da eine falsch gewählte Auflösung des Arbeitsverhältnisses rechtlich enorme Nachteile bringen könnte, sollte man sich genau überlegen, wie und warum man sein Dienstverhältnis beendet.

> Mein Freund Peter hat sich gestern in einer Firma vorgestellt und die ausgeschriebene Stelle auch prompt bekommen. Er muss bereits nächste Woche seinen Dienst antreten. Der Haken an der Sache ist: Er befindet sich noch in einem aufrechten Arbeitsverhältnis. Kann Peter den Arbeitsplatz einfach wechseln?

Arten der Beendigung des Arbeitsverhältnisses

Tod des Arbeitgebers beendet z. B. das Arbeitsverhältnis einer privaten Pflegerin.

Zeitablauf: Eine Kündigung des Vertragspartners ist nicht erforderlich; es besteht daher auch kein Kündigungsschutz.

ARTEN DER BEENDIGUNG DES ARBEITSVERHÄLTNISSES

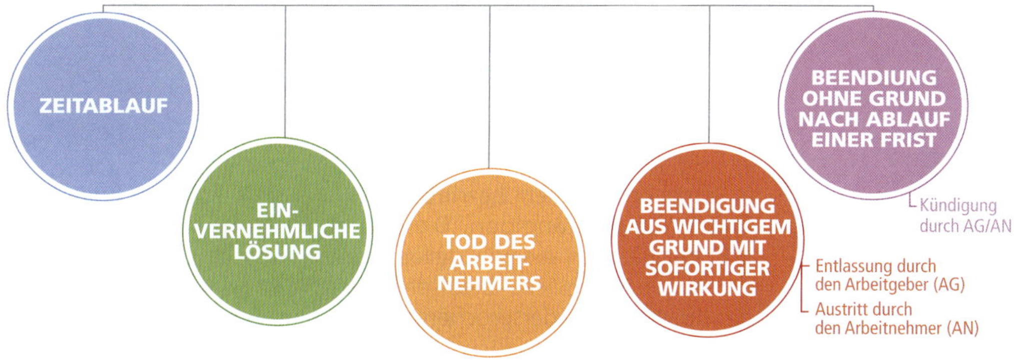

Entlassungsgründe: Arbeitnehmer verletzt die Treuepflicht, unterlässt die Dienstleistung, wird handgreiflich gegenüber Arbeitgeber (weitere Gründe siehe § 27 AngG).

Austrittsgründe: Arbeitgeber schuldet Entgelt, verletzt gesetzliche Schutzpflichten, wird handgreiflich gegenüber Arbeitnehmer (weitere Gründe siehe § 26 AngG).

Beendigung des Arbeitsverhältnisses – Begriffe	
Zeitablauf bei befristeten Arbeitsverhältnissen	Die Befristung ist bei Abschluss des Arbeitsvertrags ausdrücklich zu vereinbaren. Befristete Arbeitsverhältnisse dürfen nicht gekündigt werden. Ausnahme: Die Vertragsparteien haben eine zusätzliche Kündigungsmöglichkeit vereinbart und es handelt sich um eine längere Befristung.
einvernehmliche Auflösung	Arbeitgeber und Arbeitnehmer erklären ausdrücklich oder schlüssig, das Arbeitsverhältnis im gegenseitigen Einvernehmen aufzulösen.
Tod eines Vertragspartners	Der Tod des Arbeitnehmers beendet stets das Arbeitsverhältnis – der Tod des Arbeitgebers beendet dies nur ausnahmsweise.
Entlassung des Arbeitnehmers	Diese erfolgt unverzüglich, nachdem der Arbeitgeber vom Entlassungsgrund erfahren und die Entlassung ausgesprochen hat.
vorzeitiger Austritt des Arbeitnehmers	Die Fortsetzung des Arbeitsverhältnisses ist dem Dienstnehmer nicht mehr zuzumuten.
Kündigung	erfolgt durch Arbeitgeber oder Arbeitnehmer; einseitige Willenserklärung, nicht annahmebedürftig, jedoch empfangsbedürftig (empfehlenswert: Einschreiben!)

Bei der **Kündigung** sind Kündigungstermine und Kündigungsfristen einzuhalten! Für Angestellte sind diese im AngG geregelt, für Arbeiter gelten die jeweiligen kollektivvertraglichen Regelungen.

Ab 2021 werden die Kündigungsfristen von Arbeitern und Angestellten angeglichen – es gelten dann für beide Arbeitnehmer-Gruppen die auf der folgenden Seite abgebildeten Fristen und Termine.

Kündigungsfristen und Kündigungstermine

Kündigungsfrist: Zeitspanne zwischen dem Zugang der Kündigungserklärung und dem Kündigungstermin

Kündigungstermin: Zeitpunkt, zu dem das Arbeitsverhältnis tatsächlich aufgelöst sein soll

KÜNDIGUNGSFRISTEN UND TERMINE NACH DEM AngG

ARBEITGEBER

Kündigungsfristen → Diese richten sich nach der Dauer des Dienstverhältnisses.

Dienstjahr	Kündigungsfrist
1. und 2. DJ	6 Wochen
3. bis 5. DJ	2 Monate
6. bis 15. DJ	3 Monate
16. bis 25. DJ	4 Monate
ab dem 26. DJ	5 Monate

Kündigungstermine → Grundsätzlich kann der AG zum Quartalsende kündigen: 31.3., 30.6., 30.9., 31.12.

ARBEITNEHMER

Kündigungsfristen → 1 Monat

Kündigungstermine → Der AN kann zum Monatsletzten kündigen.

In Betrieben mit einem **Betriebsrat** muss der Arbeitgeber den Betriebsrat von der beabsichtigten Kündigung **verständigen.** Dieser kann hierzu **innerhalb einer Woche Stellung nehmen.** Gibt der Betriebsrat seine Stellungnahme verspätet ab, ist diese Erklärung wirkungslos. Spricht der Arbeitgeber nach Ablauf der 1-wöchigen Frist die Kündigung aus, obwohl der Betriebsrat der Kündigung widersprochen hat, so kann sie vom Betriebsrat oder vom Arbeitnehmer selbst angefochten werden.

Anfechtungsgründe sind:

- **Sittenwidrigkeit:** Es handelt sich hierbei um sogenannte verpönte Motive: z. B. Beitritt zu Gewerkschaften, Tätigkeit in Gewerkschaften; Bewerbung um Mitgliedschaft im Betriebsrat, bevorstehende Einberufung zum Präsenz- oder Zivildienst usw.
- **Sozialwidrigkeit:** Durch die Kündigung tritt eine Beeinträchtigung wesentlicher Interessen des Arbeitnehmers ein, insbesondere bei älteren, lange Jahre im Betrieb beschäftigten Personen.
- Wenn der Betriebsrat der Kündigung ausdrücklich widersprochen hat, kann noch ein **Sozialvergleich** beantragt werden, d. h. der Einwand, dass für andere Mitarbeiter im Betrieb die Kündigung keine solche Härte bedeuten würde wie für diesen Mitarbeiter.

In der Praxis kommt es selten zu einem Sozialvergleich.

Gibt das Gericht der Anfechtungsklage statt, so ist die Kündigung rechtsunwirksam.

Eine **Entlassung** kann **angefochten** werden, wenn

- der Dienstnehmer keinen Entlassungsgrund gesetzt hat und
- die Entlassung wegen eines verpönten Motivs ausgesprochen wurde oder
- sozial ungerechtfertigt ist.

Frühwarnsystem: Es dient zur Umsetzung der EU-Massenentlassungsrichtlinie 98/59EG.

Frühwarnsystem bei Massenkündigungen: Das Arbeitsmarktförderungsgesetz verpflichtet Betriebe, die **mehrere Arbeitnehmer/Arbeitnehmerinnen gleichzeitig kündigen** wollen, diese Absicht mindestens 30 Tage vor Ausspruch der ersten Kündigung dem zuständigen **AMS schriftlich anzuzeigen,** z. B. wenn der Arbeitgeber in Betrieben mit mindestens 100 Arbeitnehmern die Belegschaft um 5 % innerhalb von 30 Tagen verringern möchte.

Antwort: Da Marcos Freund Peter eine einmonatige Kündigungsfrist einzuhalten hat und nur zum Monatsletzten kündigen kann, ist er auf das Entgegenkommen seines alten Chefs angewiesen. Die Beendigung des Arbeitsverhältnisses könnte in diesem Fall einvernehmlich erfolgen. Ein Austritt wäre nicht ratsam, da kein Grund vorliegt, der diesen rechtfertigen würde.

Besonders geschützte Arbeitnehmergruppen

Besonderer Kündigungs- und Entlassungsschutz

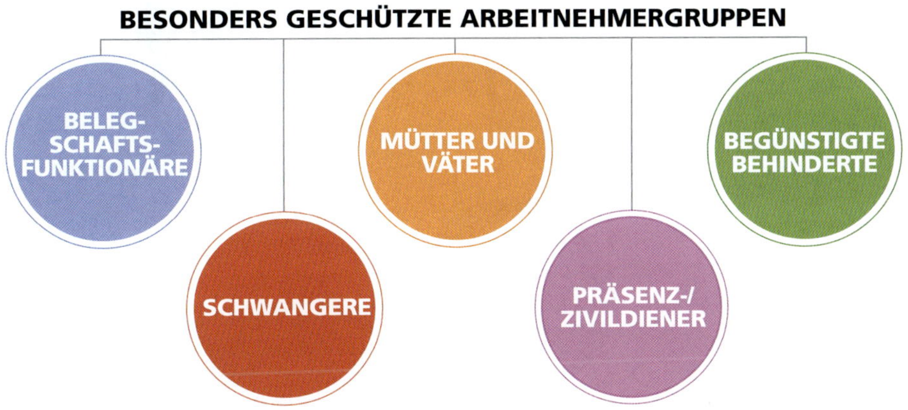

- **Belegschaftsfunktionäre:** Ein Mitglied des Betriebsrates darf nur nach vorheriger Zustimmung des Arbeits- und Sozialgerichtes gekündigt werden.
- **Schwangere und Eltern nach der Geburt eines Kindes:** Schwangere können während der Schwangerschaft und bis vier Monate nach der Entbindung nicht gekündigt werden. Nehmen sie einen Karenzurlaub in Anspruch, so besteht der Kündigungsschutz bis zum Ablauf von vier Wochen nach Beendigung der Karenz. Wenn das Recht auf **Teilzeitbeschäftigung** in Anspruch genommen wird, beginnt der Kündigungsschutz mit der Bekanntgabe, frühestens jedoch vier Monate vor dem geplanten Antritt der Teilzeitbeschäftigung. Er endet spätestens 4 Wochen nach dem Ende des 4. Lebensjahres des Kindes. Für Väter gelten ähnliche Regelungen. Auch sie dürfen ohne Zustimmung des Gerichtes nicht gekündigt werden.

Ausnahmen: Die Schwangerschaft war dem Dienstgeber nicht bekannt oder es wurde die Zustimmung des Gerichtes eingeholt oder die Kündigung wurde nach Stilllegung des Betriebs ausgesprochen.

- **Präsenz-, Zivil- und Ausbildungsdiener:** Der Kündigungsschutz **beginnt** mit der **Zustellung des Einberufungs- bzw. Zuweisungsbefehls** und endet einen Monat nach Beendigung des Präsenz-, Zivil- oder Ausbildungsdienstes.

Ausbildungsdienst = Dienst der Frauen im Bundesheer

- **Begünstigte Behinderte:** Darunter versteht man Personen, die zumindest eine 50 %ige Behinderung aufweisen können. Der Kündigungsschutz gilt nur bei Kündigungen durch den Dienstgeber. Die Kündigung darf erst **nach Zustimmung** des **Behindertenausschusses** ausgesprochen werden. Die Wirksamkeit des Kündigungsschutzes hängt von der Dauer des Arbeitsverhältnisses ab.

3 Der Arbeitnehmerschutz

Damit Arbeit nicht krank macht.

Das **Arbeitnehmerschutzgesetz** wurde speziell zur Unfallverhütung am Arbeitsplatz und zur Gesundheitsvorsorge geschaffen. Das **Arbeitszeitgesetz** hingegen schützt die Dienstnehmer vor übermäßiger Beanspruchung durch den Dienstgeber. Die Überprüfung, ob die Schutznormen auch eingehalten werden, erfolgt durch die **Arbeitsinspektorate.**

Technischer Arbeitnehmerschutz (Gefahrenschutz)

ANSchG = Arbeitnehmerschutzgesetz

Im Rahmen des ANSchG treffen den **Arbeitgeber** folgende **Pflichten:**

- Er muss mögliche Gefahren und gesundheitliche Belastungen (z. B. bei Verwendung von Arbeitsstoffen, Gestaltung von Arbeitsplätzen) ermitteln und beurteilen.
- Er muss aufgrund der Ergebnisse geeignete Maßnahmen zur Gefahren- bzw. Unfallverhütung festlegen.
- Er muss sich über den neuesten Stand der Technik und der Arbeitsgestaltung informieren.
- Er muss die Arbeitnehmer über die Gefahren sowie über die Maßnahmen zur Gefahrenverhütung informieren; dadurch sollen die Arbeitnehmer überprüfen können, ob die erforderlichen Schutzmaßnahmen seitens des Betriebes getroffen wurden.
- Er muss Sicherheitsvertrauenspersonen bestellen.

Rechtsquelle: Bundesgesetz über Sicherheit und Gesundheitsschutz bei der Arbeit (ANSchG)

Mit diesem Gesetz werden auch die Arbeitnehmerschutzrichtlinien der EU in Österreich umgesetzt.

Sicherheits-vertrauensperson

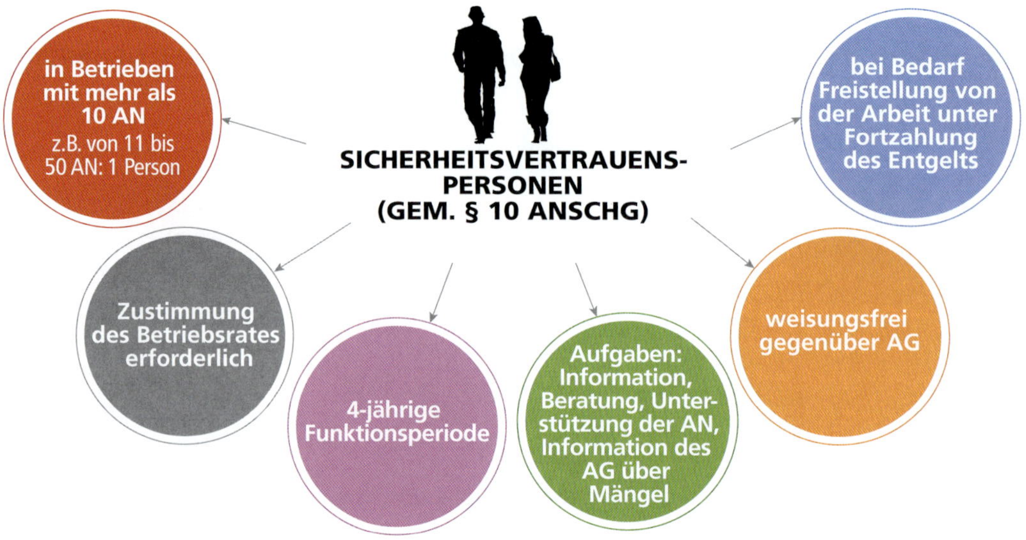

Nichtraucher sind vor den Einwirkungen von Tabakrauch am Arbeitsplatz sowie in Aufenthaltsräumen zu schützen.

- Er muss Sicherheitsfachkräfte und Arbeitsmediziner bestellen. Dies können eigene Arbeitnehmer oder externe Personen bzw. Zentren übernehmen.
- Er ist für die Einhaltung der Vorschriften verantwortlich und kann für die Nichteinhaltung bestraft werden.

Die Behörde kann jedoch auch zusätzliche Auflagen vorschreiben.

Die Kosten für den Arbeitnehmerschutz dürfen nicht auf die Arbeitnehmer abgewälzt werden. Die Arbeitnehmer müssen hingegen die vorgeschriebenen Schutzmaßnahmen einhalten (z. B. dürfen sie keine Schutzvorrichtungen eigenmächtig entfernen oder verändern).

Beispiele für den Gesundheitsschutz der Arbeitnehmer:

- **Nichtraucherschutz:** Der Arbeitgeber hat dafür zu sorgen, dass Nichtraucher vor den Einwirkungen von Tabakrauch am Arbeitsplatz geschützt sind. Müssen aus betrieblichen Gründen Raucher und Nichtraucher gemeinsam in einem Büro arbeiten, so ist seit 1.1.2002 das Rauchen am Arbeitplatz verboten.
- **Bestimmungen** über **sanitäre Einrichtungen** (Toiletten, Waschräume usw.)
- **Bestimmungen** über **die ergonomische Gestaltung von Bildschirmarbeitsplätzen**

Arbeitszeit und Ruhezeit

Rechtsquellen: Arbeitszeitgesetz (AZG), Arbeitsruhegesetz (ARG) Novelle ab 1.1.2008 (BGBl. I Nr.61/2007)

Durch die gesetzliche Regelung der Arbeits- und Ruhezeit sollen Arbeitnehmer vor der Ausbeutung ihrer Arbeitskraft durch den Dienstgeber geschützt werden. Der Anspruch auf genügend Freizeit zur Erholung soll gesichert werden.

Arbeitszeit: die Zeit vom Beginn bis zum Ende der Arbeit ohne Ruhepausen

Ruhepause: Nach 6 Stunden Arbeit steht dem Dienstnehmer eine Pause von 30 Minuten zu. Pausen sind normalerweise keine Arbeitszeit und werden nicht bezahlt.

Arbeitsbereitschaft: Der Arbeitnehmer muss sich an einem bestimmten Ort aufhalten und bei Bedarf die Arbeit aufnehmen können.

Zwischen den einzelnen Arbeitstagen muss eine **Ruhezeit** von mindestens 11 Stunden eingehalten werden. Beispiel: Die Arbeitszeit einer Arbeitnehmerin endet um 20:00 Uhr. Sie darf tags darauf erst wieder ab 7:00 Uhr beschäftigt werden. Die **Wochenendruhe** hat mindestens 36 Stunden zu dauern. Davon bestehen zahlreiche Ausnahmen: z. B. Schichtbetrieb, Baugewerbe, Gesundheitsberufe

Die **Normalarbeitszeit** beträgt **täglich 8 Stunden** und **wöchentlich 40 Stunden.**

Rufbereitschaft: Der Arbeitnehmer kann seinen Aufenthaltsort innerhalb gewisser Grenzen selbst wählen, muss jedoch binnen einer bestimmten Frist seinen Dienst antreten können.

Durch kollektivvertragliche Regelungen beträgt in manchen Branchen die wöchentliche Arbeitszeit 38,5 Stunden (siehe Günstigkeitsprinzip). Die Differenz (1,5 Stunden) auf die gesetzliche Normalarbeitszeit nennt man **Mehrstunden.** Diese Stunden werden normalerweise ohne Zuschläge entlohnt, außer ein entsprechender Kollektivvertrag sieht anderes vor.

Der Arbeitgeber darf im Zuge der Arbeitszeitflexibilisierung die tägliche Normalarbeitszeit auf zehn Stunden ausdehnen. Dies ist jedoch nur dann möglich, wenn es per Kollektivvertrag geregelt ist.

Wegzeiten: Darunter versteht man den Weg von der Wohnung des Arbeitnehmers bis zum Arbeitsplatz und zurück – er zählt grundsätzlich nicht zur Arbeitszeit. (Ausnahmen: Außendienst, Rufbereitschaft)

Gleitzeit: Der Arbeitnehmer bestimmt innerhalb eines vereinbarten Zeitrahmens Beginn und Ende seiner täglichen Normalarbeitszeit selbst. Während bestimmter Kernzeiten muss der Arbeitnehmer jedenfalls anwesend sein.

Auch Betriebe mit nur einer Mitarbeiterin bzw. einem Mitarbeiter sind zu den in der Aufzeichnungspflicht genannten Aufzeichnungen verpflichtet. Bei Nichtbeachtung hat der Arbeitgeber mit Geldstrafen zu rechnen.

Durch **Betriebsvereinbarungen** bzw. schriftliche Einzelvereinbarungen kann außerdem in folgenden Fällen die Normalarbeitszeit auf zehn Stunden ausgedehnt werden:

- im Rahmen von Gleitzeitmodellen
- für das Einarbeiten von Fenstertagen in Verbindung mit Feiertagen, wobei der Einarbeitungszeitraum bis zu 13 Wochen beträgt
- wenn die gesamte Arbeitszeit regelmäßig auf 4 Arbeitstage verteilt ist und die übrigen 3 Tage arbeitsfrei sind

Bei **Schichtarbeit** kann ausnahmsweise bei erhöhtem Arbeitsbedarf die Normalarbeitszeit auch auf 12 Stunden ausgedehnt werden. Dies muss jedoch durch Kollektivvertrag geregelt sein und ein Arbeitsmediziner muss erklären, dass es aus medizinischer Sicht unbedenklich ist.

Von **Überstundenarbeit** spricht man, wenn die Grenzen der gesetzlich zulässigen täglichen oder wöchentlichen Normalarbeitszeit überschritten werden.

Verpflichtung zur Überstundenleistung: besteht im Normalfall nicht; Ausnahmen: Verpflichtung im Arbeitsvertrag, Kollektivvertrag oder in der Betriebsvereinbarung sowie aus Gründen der Treuepflicht bei Betriebsnotstand.

Überstundenvergütung: Zuschlag von 50 % oder Abgeltung durch Zeitausgleich. Die Abgeltung der Überstunden kann auch als Überstundenpauschale geregelt sein.

Durch Betriebsvereinbarung können im Zusammenhang mit der 4-Tage-Woche und bei erhöhtem Arbeitsbedarf zusätzliche Überstunden zugelassen werden. In diesen Fällen kann in bis zu 24 Wochen pro Kalenderjahr die Wochenarbeitszeit auf bis zu 60 Stunden und die Tagesarbeitszeit auf bis zu 12 Stunden erhöht werden.

Von **Teilzeitarbeit** spricht man, wenn die gesetzliche oder durch KV festgelegte Normalarbeitszeit durch Vereinbarung unterschritten wird. Änderungen des Ausmaßes können nur in Schriftform vereinbart werden. Für Mehrarbeitsstunden gebührt außerdem ein 25%iger Zuschlag. Erfolgt jedoch innerhalb von 3 Monaten ein Zeitausgleich im Verhältnis 1:1, so müssen diese Zuschläge nicht bezahlt werden.

Aufzeichnungspflicht: Arbeitgeber sind verpflichtet, über geleistete Arbeitsstunden, Ort, Dauer und Art der Beschäftigung und Entlohnung ihrer Mitarbeiter Aufzeichnungen zu führen. Das Arbeitsinspektorat hat ein Einsichtsrecht.

Kurzarbeit (zur Verhinderung von Kündigungen): Darunter versteht man eine Herabsetzung der Arbeitszeit für einen bestimmten Zeitraum, um vorübergehende wirtschaftliche Probleme zu überbrücken und Arbeitnehmer in Beschäftigung zu halten. Die Dauer der Kurzarbeit beträgt max. 24 Monate, wobei die Genehmigung zunächst jeweils für 6 Monate erfolgt. Die Kollektivvertragspartner müssen jedoch der konkreten Kurzarbeitsvereinbarung des Betriebes zustimmen. Während der Dauer der Kurzarbeit hat der Arbeitgeber eine Behaltepflicht gegenüber seinen Mitarbeitern. Durch die Kurzarbeitsbeihilfe des AMS soll ein teilweiser Lohnausgleich stattfinden.

Der Schutz von besonderen Personengruppen

> Meine Freundin Tamara ist schwanger. Sie befürchtet, ihr Chef könnte sie kündigen, wenn er von der Schwangerschaft erfährt. Da sie als Chemielaborantin arbeitet, hat sie außerdem Angst davor, dass diese Tätigkeit ihrem Kind schaden könnte.

Schutz besonderer Personengruppen

Bekanntgabe der Schwangerschaft: Die Arbeitnehmerin muss den Dienstgeber über die Schwangerschaft informieren und den voraussichtlichen Entbindungstermin bekanntgeben.

8-Wochen-Frist: Diese Frist ist aufgrund eines ärztlichen Attests zu berechnen. Erfolgt die Entbindung früher oder später als im Zeugnis angegeben, so verkürzt oder verlängert sich diese Frist entsprechend.

Der Arbeitgeber muss dann das **Arbeitsinspektorat** über Tätigkeit und Arbeitsbedingungen der werdenden Mutter informieren und ihr diese Meldung auch schriftlich bestätigen.

Von der Schwangeren dürfen z.B. keine Arbeiten verlangt werden, die dauernd im Stehen zu verrichten sind.

Während der Karenzzeit gibt es zwar keinen Anspruch auf Lohn oder Gehalt, dafür können Mütter oder Väter **Kinderbetreuungsgeld** beantragen.

Kinderbetreuungsgeld: siehe Sozialrecht

Mutterschutz

Kernstücke des Mutterschutzgesetzes sind

- zeitliche und tätigkeitsbezogene Beschäftigungsverbote für werdende Mütter,
- das Verbot, Überstunden zu leisten,
- die Gewährung von Stillzeiten,
- besondere Kündigungs- und Entlassungsschutzregelungen,
- Sonderbestimmungen bei gefährlichen Arbeitsplätzen, an denen Schwangere beschäftigt sind.

Beschäftigungsverbote:

- **absolutes Beschäftigungsverbot:** Acht Wochen vor der voraussichtlichen Entbindung darf die Schwangere nicht beschäftigt werden. Dieser „Mutterschutz" dauert bis mindestens acht Wochen nach der Entbindung. Bei Mehrlings- und Kaiserschnittgeburten kann der Mutterschutz auf bis zu zwölf Wochen verlängert werden. Die Dienstnehmerin bezieht während dieser Zeit **Wochengeld** aus der gesetzlichen Krankenversicherung.
- **relatives Beschäftigungsverbot:** Werdende Mütter dürfen keine schweren Arbeiten verrichten sowie mit keinen Arbeitsstoffen oder Arbeitsgeräten hantieren, die sie oder ihre Leibesfrucht schädigen könnten.

Karenz

Der **Karenzurlaub** gibt Eltern die Möglichkeit, während einer bestimmten Zeit voll und ganz für ihr Kind da zu sein. Diese berufliche Auszeit muss rechtzeitig im Betrieb angemeldet werden.

Sowohl Mütter als auch Väter können in Karenz gehen.

Mütter können **bis zum Ablauf des zweiten Lebensjahres des Kindes** in Karenz gehen, wenn sie mit ihrem Kind im gemeinsamen Haushalt leben. **Väter** können ebenfalls **bis zum Ablauf des zweiten Lebensjahres ihres Kindes** Karenzurlaub in Anspruch nehmen, wenn sie mit ihrem Kind im gemeinsamen Haushalt leben und die Mutter nicht gleichzeitig Karenz in Anspruch nimmt.

Teilung der Karenz: Die Karenz kann **zweimal** zwischen den Eltern geteilt werden. Jeder Elternteil muss jedoch **mindestens zwei Monate** karenziert werden. Beim ersten Wechsel ist eine gemeinsame Inanspruchnahme für einen Monat möglich.

Antwort: Katharinas Freundin Tamara muss die Schwangerschaft unbedingt dem Arbeitgeber/der Arbeitgeberin bekanntgeben, da dadurch erst sämtliche Schutzbestimmungen zu wirken beginnen. Das heißt, es besteht nunmehr der Kündigungsschutz und Tamara darf keine Arbeiten verrichten, die ihr oder dem Baby schaden könnten. Außerdem bekommt Tamara während der Schutzfrist Wochengeld bezahlt und kann einen Antrag auf Kinderbetreuungsgeld stellen.

Wurde mit dem Arbeitgeber Elternteilzeit vereinbart, besteht bis zum 4. Geburtstag des Kindes ein Kündigungsschutz.

Nicht beschäftigt werden dürfen schulpflichtige Kinder und Minderjährige bis zur Vollendung des 15. Lebensjahrs.

Elternteilzeit

Unter gewissen Voraussetzungen hat eine Dienstnehmerin bzw. ein Dienstnehmer **Anspruch auf Teilzeitbeschäftigung bis zum Ablauf des siebenten Lebensjahres** oder einem späteren Schuleintritt des Kindes. Über Beginn, Dauer, Ausmaß und Lage der Teilzeitbeschäftigung ist mit dem Dienstgeber das Einvernehmen herzustellen. Dabei sind die Interessen von Dienstgeber und Dienstnehmer zu berücksichtigen. Kein Anspruch auf Teilzeitbeschäftigung besteht während eines Lehrverhältnisses.

Schutz der Kinder und Jugendlichen

Kinder dürfen **grundsätzlich nicht** zu Arbeiten herangezogen werden. **Ausnahmen:**

- Beschäftigungen im Rahmen des Unterrichts und der Erziehung sowie die Beschäftigung der eigenen Kinder mit „leichten Leistungen von geringer Dauer" im Haushalt.
- Der Landeshauptmann kann die Beschäftigung von Kindern im Rahmen von Musikaufführungen und Theatervorstellungen genehmigen.

SbX
Sie finden nähere Regelungen über das KJBG sowie eine Rechercheaufgabe unter der ID: 0511.

Jugendliche (bis zur Vollendung des 18. Lebensjahres) befinden sich noch im Wachstum und daher gelten für sie besondere Schutzbestimmungen.

Arbeitnehmer mit Behinderung (begünstigte behinderte Menschen)

- **Einstellungspflicht:** Arbeitgeber sind verpflichtet, pro 25 Arbeitnehmer einen begünstigten Behinderten einzustellen. Teilzeitbeschäftigte Behinderte sind für diese Berechnung voll zu berücksichtigen. Die Beeinträchtigung eines begünstigten Behinderten muss mindestens 50 % betragen und voraussichtlich mehr als 6 Monate dauern.
- **Ausgleichstaxe:** Arbeitgeber können sich von der Einstellungspflicht durch Zahlung einer Ausgleichstaxe pro offene Pflichtstelle „freikaufen". Die Mittel fließen in den Ausgleichstaxfonds.
- **erhöhter Kündigungsschutz:** Kündigungen dürfen nur mit Zustimmung des Behindertenausschusses erfolgen.

Die Minderung der Erwerbsfähigkeit ist durch Bescheid oder Urteil nachzuweisen.

SbX
Sie finden nähere Informationen zur Ausgleichstaxe sowie eine Rechercheaufgabe unter der ID: 0511.

Die Arbeitsinspektion

DIE ARBEITSINSPEKTION

ORGANISATION	Verwaltungsbehörden: oberste Leitung: Zentral-Arbeitsinspektorat, 19 regionale Arbeitsinspektorate, 1 Arbeitsinspektorat für Bauarbeiten
AUFGABEN	Überwachung der Einhaltung der Arbeitnehmerschutzbestimmungen, Beratung und Unterstützung von AG und AN
VORGANGSWEISE BEI ÜBERTRETUNGEN	Feststellung der Übertretung, Anordnung von Maßnahmen zur Behebung des Missstandes, bei Nichtbefolgung – Anzeige an Bezirksverwaltungsbehörde

Befugnisse der Arbeitsinspektion:
- Betreten und Besichtigen von Betriebsstätten, Arbeitsstellen, Unterkünften der Arbeitnehmer
- Durchführen von Messungen und Untersuchungen in den Betriebsstätten
- Vernehmen von Arbeitgebern und Arbeitnehmern zu den überprüften Sachverhalten
- Einsicht in alle Unterlagen im Zusammenhang mit dem Arbeitnehmerschutz
- Verstöße sind Verwaltungsübertretungen, die mit Geldstrafen von bis zu € 3.600,– bestraft werden können.

Besteht akute Gefahr für Leben oder Gesundheit der Arbeitnehmer, so kann das Arbeitsinspektorat die Betriebsstätte schließen oder die weitere Beschäftigung von Arbeitnehmern untersagen.

Sichern & Merken

SbX ID: 0512

Arbeitsvertrag

In einem **Arbeitsvertrag** verpflichtet sich ein Arbeitnehmer zur Arbeitsleistung für einen Arbeitgeber gegen Entgelt. Die Vereinbarung kann mündlich, schriftlich oder schlüssig abgeschlossen werden.

Stufenbau der Rechtsordnung, Günstigkeitsprinzip

Rechtsnormen sind **hierarchisch angeordnet,** so auch im Arbeitsrecht. Grundsätzlich geht die höherrangige Norm der niedrigeren vor. Ist jedoch die niedrigere Norm für den Arbeitnehmer günstiger, so gilt diese.

befristetes/unbefristetes Arbeitsverhältnis

Befristete Arbeitsverhältnisse werden für eine bestimmte Zeit abgeschlossen und müssen nicht gekündigt werden. **Unbefristete Arbeitsverhältnisse** werden auf unbestimmte Zeit abgeschlossen und enden durch Kündigung, einvernehmliche Lösung, Entlassung oder Austritt.

Pflichten des Arbeitgebers, Pflichten des Arbeitnehmers

Zu den **Rechten bzw. Pflichten des Arbeitgebers/Arbeitnehmers** gehören: die Entgeltpflicht/Arbeitspflicht, die Fürsorgepflicht/Treuepflicht sowie die Pflicht zur Schadenshaftung.

Entgeltfortzahlung	In bestimmten Fällen muss der Arbeitgeber das **Entgelt weiterzahlen,** obwohl der Arbeitnehmer keine Arbeitsleistung erbringt, z. B. bei Krankheit, Behördengängen und Arztbesuchen.
Urlaub	Unter **Urlaub** versteht man die Freistellung von der Arbeit unter Fortzahlung des Entgelts. Hauptzweck ist die Erholung.
Pflegefreistellung	Zur **Pflege** naher Angehöriger im gemeinsamen Haushalt bzw. Betreuung von Kindern hat der Arbeitnehmer Anspruch auf **bezahlte Freistellung** von der Arbeitsleistung.
Gleichbehandlungsgesetz	Das **Gleichbehandlungsgesetz** verpflichtet den Arbeitgeber zur Gleichstellung von Männern und Frauen in der Arbeitswelt. Es enthält ein Diskriminierungsverbot, z. B. in Bezug auf Entgeltzahlung, Aufstiegsmöglichkeiten und Fortbildung.
Gleichbehandlungsgrundsatz	Der **Gleichbehandlungsgrundsatz** wurde von der Rechtsprechung entwickelt. Der Arbeitgeber darf einzelne Arbeitnehmer ohne sachliche Rechtfertigung nicht schlechter behandeln als die übrigen.
Kündigung	Eine **Kündigung** ist eine einseitige, empfangsbedürftige, aber nicht annahmebedürftige Willenserklärung, die vom Arbeitgeber oder vom Arbeitnehmer ausgehen kann.
weitere Beendigungsarten des Arbeitsverhältnisses	Das Arbeitsverhältnis kann auch durch **Tod des Arbeitnehmers, Zeitablauf, Entlassung, Austritt** oder **einvernehmliche Auflösung** enden.
Kündigungsanfechtung	Wenn die Kündigung aus sozial ungerechtfertigten Gründen oder aus verpönten Motiven erfolgt und der Betriebsrat der Kündigung widersprochen hat, so kann die **Kündigung angefochten** werden.
Gefahrenschutz	Das Arbeitnehmerschutzgesetz verpflichtet den Arbeitgeber, Leben und Gesundheit der Arbeitnehmer im Betrieb zu schützen. Unter anderem muss er **Sicherheitsvertrauenspersonen, Sicherheitsfachkräfte** und **Arbeitsmediziner** mit der Wahrnehmung beauftragen.
Mutterschutz	Ab der Bekanntgabe der Schwangerschaft muss der Arbeitgeber verschiedene **Schutzbestimmungen** einhalten. So darf z. B. die Schwangere nicht mit Arbeiten betraut werden, die ihr oder dem Baby schaden könnten. Außerdem besteht ein besonderer Kündigungsschutz.
Arbeitsinspektion	Die **Arbeitsinspektion** ist eine Verwaltungsbehörde, die die Einhaltung der Schutzbestimmungen im Betrieb kontrolliert und bei Nichtbeachtung auch eine Anzeige an die Bezirksverwaltungsbehörde erstatten kann.
SbX ID: 0512	**Im SbX finden Sie eine Bildschirmpräsentation mit den Grafiken dieser Lerneinheit.**

Wissen & Können

SbX ID: 0513

A B C D E

W 5.1: Normen im Arbeitsrecht A

Beschreiben Sie den Stufenbau der Rechtsordnung im Arbeitsrecht.

W 5.2: Günstigkeitsprinzip B

Erklären Sie das Günstigkeitsprinzip.

W 5.3: Leiharbeit C

Stellen Sie grafisch dar, welche Personen an einer Arbeitskräfteüberlassung beteiligt sind und in welchem Verhältnis diese untereinander stehen.

W 5.4: Abschluss von Arbeitsverträgen B

Stellen Sie fest, ob folgende Aussagen richtig oder falsch sind.

	Richtig	Falsch
Mündige Minderjährige können bereits alleine Lehrverträge abschließen.		
Arbeitsverträge können nur schriftlich abgeschlossen werden.		

W 5.5: Normalarbeitsverhältnis – atypisches Arbeitsverhältnis B

Erklären Sie anhand von drei Merkmalen den Unterschied zwischen einem Normalarbeitsverhältnis und einem atypischen Arbeitsverhältnis.

W 5.6: Rechte und Pflichten aus dem Arbeitsvertrag A

Nennen Sie die Rechte und Pflichten, die aus einem Arbeitsvertrag entstehen.

W 5.7: Entgeltfortzahlung C

Zeigen Sie auf, in welchen Fällen der Arbeitgeber das Entgelt weiterzahlen muss, obwohl der Arbeitnehmer bzw. die Arbeitnehmerin keine Arbeitsleistung erbringt.

W 5.8: Angebot der Konkurrenz D

Hubert F. arbeitet als Konstrukteur bei einem bekannten Automobilkonzern. Eines Tages erhält er von der Konkurrenz ein sehr verlockendes Angebot. Beurteilen Sie die Rechtslage.

W 5.9: Arbeitnehmerhaftung C

Stellen Sie fest, in welcher Weise der Arbeitnehmer für Schäden haftet, die er dem Arbeitgeber zufügt.

Art des Verschuldens	Ausmaß der Haftung

W 5.10: Arbeitnehmerhaftung C

Hannes Muster fährt im Betrieb seines Chefs mit dem Gabelstapler durch den mit Paketen voll gestellten Gang des Lagers. Da es sehr eng ist, beschädigt er zwei Pakete, wodurch der Inhalt unbrauchbar wird und der Kunde sich die Ware anderweitig besorgen muss. Hannes ist ein sehr gewissenhafter Arbeiter, der schon lange im Betrieb beschäftigt ist.

Erörtern Sie, mit welchen Konsequenzen Hannes zu rechnen hat.

W 5.11: Arbeitnehmerschutz A

Nennen Sie die Organe, die im Betrieb mit der Wahrnehmung des Arbeitnehmerschutzes beauftragt sind.

W 5.12: Arbeitnehmerschutz C

Karl Jäger leitet ein Unternehmen mit 30 Mitarbeitern. Diskutieren Sie, welche Maßnahmen er im Rahmen des Arbeitnehmerschutzes zu treffen hat.

W 5.13: Urlaub C

Nehmen Sie das Urlaubsgesetz, welches unter **www.ris.bka.gv.at** im Internet abrufbar ist, zu Hilfe.

Paul Huber ist Tischlermeister und betreibt eine Tischlerei mit 10 Mitarbeitern. Da die Auftragslage momentan sehr schlecht ist, schickt er fünf seiner Gesellen in den Urlaub. Diese wehren sich dagegen mit der Begründung, sie könnten sich im November nicht erholen.

Überprüfen Sie, ob die Vorgangsweise von Tischlermeister Huber der Gesetzeslage entspricht.

W 5.14: Mutterschutz B

Irmgard Fischer ist schwanger. Da sie erst vor kurzem zu arbeiten begonnen hat, fürchtet sie sich davor, dem Arbeitgeber die Schwangerschaft mitzuteilen.

a) Erläutern Sie die Konsequenzen, die sich für Irmgard bei Nichtbekanntgabe ergeben.

b) Erklären Sie, welche Schutzbestimmungen für Schwangere allgemein gelten, und analysieren Sie, ob sich die Schwangerschaft auf die Dauer des Arbeitsverhältnisses auswirkt.

SbX
W 5.15, W 5.16
mit automatischer Aufgabenkontrolle
ID: 0513

Weitere Aufgaben im SbX

W 5.15: Individualarbeitsrecht – Begriffe B

Vervollständigen Sie die Übersicht zu wesentlichen Begriffen der Lerneinheit.

W 5.16: Individualarbeitsrecht B

Lösen Sie ein Kreuzworträtsel zum Thema.

Ein kurzer Kompetenz-Check, bevor's weitergeht!

Kompetenz-Check

	☺	😐	☹
Ich kann die Struktur des arbeitsrechtlichen Normensystems wiedergeben.			
Ich kann analysieren, ob in einem konkreten Rechtsfall ein Normalarbeitsverhältnis oder ein atypisches Arbeitsverhältnis vorliegt.			
Ich kann die Voraussetzungen für den Abschluss eines Arbeitsvertrags benennen.			
Ich kann die Rechte und Pflichten, die aus einem Arbeitsvertrag entstehen, erklären.			
Ich kann die verschiedenen Arten der Beendigung eines Arbeitsverhältnisses wiedergeben.			
Ich kann die Rechtsfolgen, die daraus entstehen, erläutern.			
Ich kann den Ablauf der Anfechtung einer Kündigung beschreiben.			
Ich kann einzelne Bereiche des Arbeitnehmerschutzes darstellen.			
Ich kann einfache arbeitsrechtliche Problemfälle lösen bzw. Beratungen durchführen.			

Lerneinheit 2
Kollektives Arbeitsrecht

SbX
Alle SbX-Inhalte zu dieser Lerneinheit finden Sie unter der ID: 0520.

Viele Errungenschaften wie Urlaubs- und Weihnachtsgeld oder jährliche Lohn- und Gehaltserhöhungen sind nicht gesetzlich garantiert, sondern von Gewerkschaften in Kollektivverträgen erkämpft. Da ein Kollektiv mehr bewegen kann als der einzelne Arbeitnehmer, sind Vertretungen auch in den Betrieben nicht mehr wegzudenken.

Die Mitbestimmung der Arbeitnehmerschaft in den Betrieben führt jedoch mitunter zu Problemen im Arbeitsalltag, da Betriebsräte manchmal benachteiligt werden, Arbeitgeber hingegen die Einschränkung ihrer Entscheidungsfreiheit kritisieren.

Lernen & Üben

SbX ID: 0521

1 Die Vertretung der Arbeitnehmerschaft im Betrieb (Betriebsverfassung)

Nur gemeinsam sind wir stark.

Forderungen der Arbeitnehmerinnen und Arbeitnehmer verursachen meist Kosten, sodass der einzelne Arbeitnehmer bzw. die einzelne Arbeitnehmerin kaum Chancen hat, seine bzw. ihre Wünsche (z. B. nach besseren Arbeitsbedingungen) durchzusetzen. Laut Arbeitsverfassungsgesetz haben die Organe der Arbeitnehmerschaft die Aufgabe, die wirtschaftlichen, sozialen, gesundheitlichen und kulturellen Interessen im Betrieb wahrzunehmen und zu fördern.

Damit die Belegschaft eines Betriebes rechtswirksam vertreten ist und auch auftreten kann, muss sie **Organe** bestellen, die für sie handeln.

Organe der Belegschaft

ORGANE DER BELEGSCHAFT

Arbeitnehmerinnen und Arbeitnehmer sollen entsprechend ihrem zahlenmäßigen Verhältnis vertreten sein.

Der Betriebsrat

Wenn in einem Betrieb dauernd **mindestens fünf Arbeitnehmerinnen bzw. Arbeitnehmer** beschäftigt sind, die das 18. Lebensjahr vollendet haben, ist ein **Betriebsrat zu bilden.** Unabhängig davon ist ein Jugendvertrauensrat zu bilden, wenn mindestens fünf Arbeitnehmerinnen bzw. Arbeitnehmer unter 18 Jahren im Betrieb beschäftigt sind.

Gründung eines Betriebsrats

Betriebsräte dürfen nicht mit dem Arbeitgeber verwandt sein.

Briefwahl ist möglich, z. B. bei Urlaub, Karenz oder Krankheit.

GRÜNDUNG EINES BETRIEBSRATS

Die **Zahl der Mitglieder** des Betriebsrates richtet sich nach der **Anzahl der Arbeitnehmer im Betrieb:**

Mitglieder des Betriebsrates	Anzahl der Arbeitnehmer im Betrieb
1 Person	5 bis 9 Arbeitnehmer
2 Personen	10 bis 19 Arbeitnehmer
3 Personen	20 bis 50 Arbeitnehmer
4 Personen	51 bis 100 Arbeitnehmer
+ 1 weiteres Mitglied	von 101 bis 1000 Arbeitnehmer für je 100 Arbeitnehmer
+ 1 weiteres Mitglied	in Betrieben über 1000 Arbeitnehmer für je weitere 400 Arbeitnehmer

Freigestellte Betriebsräte: In Betrieben mit mehr als 150 AN kann der Betriebsrat verlangen, dass Arbeitnehmervertreter unter Fortzahlung des Entgelts von der Arbeitsleistung befreit werden. Sie sind nur für die Interessenvertretung der Arbeitnehmer zuständig.

Aufgaben und Befugnisse des Betriebsrates:

- schließt Betriebsvereinbarungen mit dem Arbeitgeber ab
- sorgt für die Einhaltung der Kollektivverträge und der Betriebsvereinbarungen
- macht Vorschläge zur Verbesserung der Arbeitsbedingungen und der Sicherheit
- hat Mitspracherecht bei der Gestaltung der Arbeitsplätze
- hat das Recht auf Mitsprache bei Personal- und Wirtschaftsangelegenheiten
- wirkt im Aufsichtsrat von Aktiengesellschaften, GmbH und Genossenschaften mit (**Drittelparität:** für je zwei Vertreter des Kapitals ist ein Betriebsrat zu entsenden)
- hat das Recht, zu Kündigungen und Entlassungen Stellung zu nehmen und diese bei Gericht anzufechten
- kann (unter bestimmten Voraussetzungen) Versetzungen verhindern
- muss über alle die Arbeitnehmerinnen und Arbeitnehmer betreffenden Angelegenheiten informiert werden

Briefwahl ist möglich: z.B. bei Urlaub, Karenz, Krankheit.

Der Jugendvertrauensrat

Voraussetzungen:

- Im Betrieb sind dauernd mindestens **fünf Arbeitnehmerinnen bzw. Arbeitnehmer beschäftigt,**
- die das **18. Lebensjahr noch nicht vollendet** haben.

Die Betriebsversammlung

Die Betriebsversammlung besteht aus der **Gesamtheit aller Arbeitnehmer eines Betriebes.** Gibt es im Betrieb Gruppenversammlungen der Arbeiter und Angestellten, so muss mindestens einmal im Jahr eine **Betriebshauptversammlung** stattfinden.

Besteht sowohl die Gruppe der Arbeiter als auch die Gruppe der Angestellten aus mehr als fünf Arbeitnehmern, so sind eigene **Gruppenversammlungen** der Arbeiter und Angestellten zu bilden.

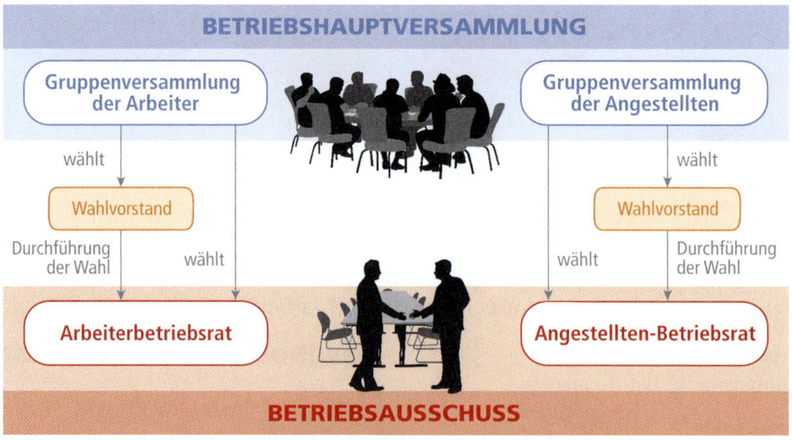

Europäischer Betriebsrat: muss auf Antrag in Unternehmen und Unternehmensgruppen, die EU-weit agieren, deren zentrale Leitung im Inland liegt und die eine gewisse Mindestarbeitnehmerzahl beschäftigen, errichtet werden.

Der Betriebsausschuss

Dieser umfasst die Gesamtheit der Mitglieder des Betriebsrates der Arbeiter und des Betriebsrates der Angestellten.

Der Zentralbetriebsrat

Dieser ist zu bilden, wenn ein Unternehmen mehrere Betriebe umfasst, die eine wirtschaftliche Einheit bilden und vom Unternehmen zentral verwaltet werden.

2 Die überbetriebliche Vertretung der Arbeitgeber und Arbeitnehmer (Berufsverfassung)

Die Interessenvertretungen verhelfen den Arbeitnehmern und Arbeitgebern zu ihrem Recht.

Grundsätzlich kann man sowohl auf Arbeitgeber- als auch auf Arbeitnehmerseite gesetzliche und freiwillige Interessenvertretungen unterscheiden. Stellvertretend werden hier nur die Kammer für Arbeiter und Angestellte, der ÖGB und die Wirtschaftskammer dargestellt.

> Mein Cousin Thomas wurde von seinem Arbeitgeber gekündigt. Er wartet nun schon zwei Monate auf den noch ausständigen Lohn. Wer verhilft ihm zu seinem Recht?

Die AK vertritt österreichweit die Interessen von 3,6 Mio. Arbeitnehmerinnen und Arbeitnehmern.

Weitere Informationen zur Kammerorganisation finden Sie unter der ID: 0521.

Gesetzliche Interessenvertretungen

Die Interessen der **Arbeitnehmer** vertreten die Kammern für Arbeiter und Angestellte und die Landarbeiterkammer.

Aufseiten der **Arbeitgeber** agieren als gesetzliche Interessenvertretungen: die Wirtschaftskammern, die Landwirtschaftskammern sowie die Kammern der freien Berufe (z. B. Ärztekammer).

Die Finanzierung erfolgt über die Kammerumlage (wird bei Arbeitnehmern automatisch vom Entgelt einbehalten).

Bundeskammer für Arbeiter und Angestellte

Beispiel: Bundesarbeitskammer

Wirtschaftskammer

Die Sparten gliedern sich wiederum in **Fachorganisationen.** In der Sparte „Gewerbe und Handwerk" heißen die Fachorganisationen **„Innungen"**.

Beispiel: Wirtschaftskammer

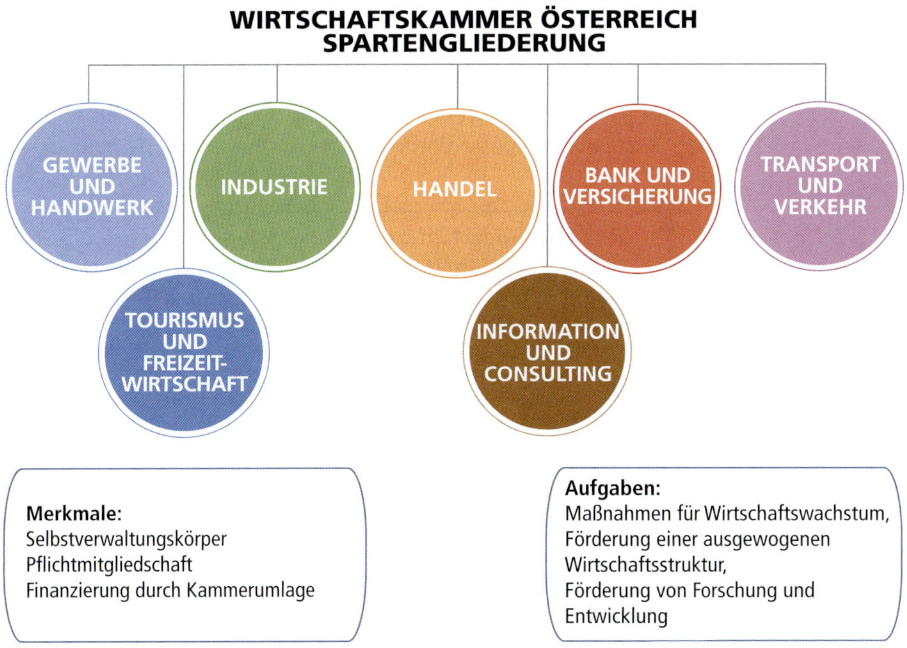

Ca. 500 000 Unternehmen sind aktive Mitglieder der Wirtschaftskammer.

Der **ÖGB** vertritt die Interessen von ca. 1,2 Mio. Arbeitnehmerinnen und Arbeitnehmern.

Freiwillige Berufsvereinigungen

Vertretung der Arbeitnehmer	Vertretung der Arbeitgeber
Österreichischer Gewerkschaftsbund (ÖGB)	z. B. Industriellenvereinigung, Verband der österreichischen Zeitungsherausgeber

Die Mitgliedschaft ist freiwillig. Es muss ein Mitgliedsbeitrag entrichtet werden.

Der Österreichische Gewerkschaftsbund (ÖGB)

Struktur des ÖGB

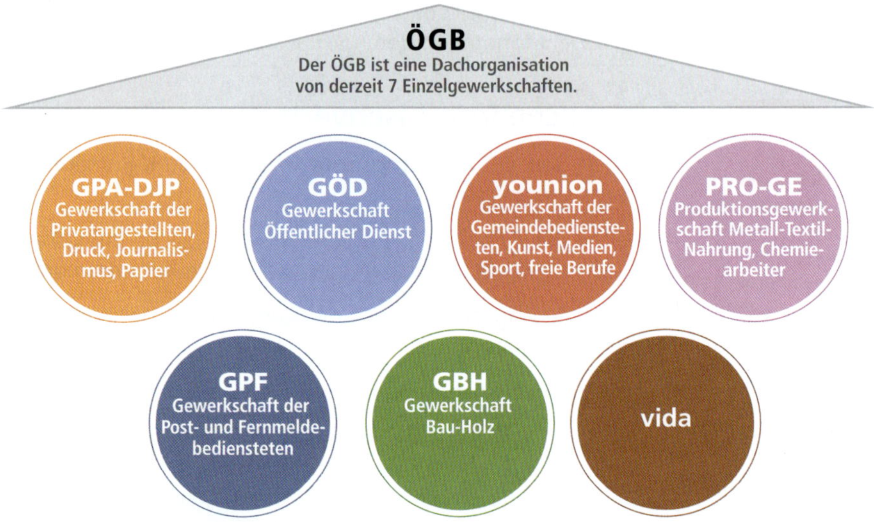

Beispiele

GÖD: Gewerkschaft öffentlicher Dienst, vertritt ca. 230 000 Mitglieder

vida: Gewerkschaft Verkehr, soziale Dienstleister, private Dienstleistungen; z. B. Handel, Tourismus, vertritt ca. 155 000 Mitglieder

Bundeskongress nennt man die Versammlung der Delegierten der einzelnen Gewerkschaften. Er ist das höchste Organ des ÖGB.

Die Wahl der Organe erfolgt i. d. R. alle 5 Jahre.

Der ÖGB ist eine überparteiliche, aber nicht unpolitische Interessenvertretung. Innerhalb des ÖGB gibt es mehrere politische Gruppierungen (Fraktionen). Er ist als Verein (juristische Person des privaten Rechts) organisiert und setzt sich derzeit aus 7 Fachgewerkschaften zusammen. Die einzelnen Fachgewerkschaften besitzen keine rechtliche Selbständigkeit. Die Kollektivvertragsabschlüsse erfolgen im Namen des ÖGB, dessen Organe sie sind.

Antwort: Marcos Cousin soll sich an die Arbeiterkammer wenden, deren Pflichtmitglied er ist. Sollte er auch Gewerkschaftsmitglied sein, wird der ÖGB bestimmt auch seine Forderungen gegenüber dem Arbeitgeber vertreten.

Die Sozialpartnerschaft

Die Zusammenarbeit der Wirtschaftskammer Österreich (WKO) und der Landwirtschaftskammer Österreich (LKÖ) auf Arbeitgeberseite sowie der Bundesarbeitskammer (BAK) und des Österreichischen Gewerkschaftsbunds (ÖGB) auf Arbeitnehmerseite sowohl untereinander als auch mit der Bundesregierung bezeichnet man als die **Wirtschafts- und Sozialpartnerschaft.**

Ich habe kürzlich in der Zeitung gelesen, dass sich die Sozialpartner im Handel auf einen Anstieg der Gehälter ab dem 1. Jänner um durchschnittlich 1,5 % geeinigt haben. Die Verhandlungen seien in einem sehr konstruktiven Klima geführt worden. Welche Aufgabe haben eigentlich Sozialpartner?

Das Zusammenwirken der vier großen Interessenvertretungen reicht zurück in die Nachkriegszeit. Ohne diese Konsenspolitik wäre der Wiederaufbau nicht möglich gewesen. Österreich verdankt auch heute noch das wirtschaftliche Wachstum und den sozialen Frieden dem Dialog und der **Kompromissbereitschaft** der Vertreter der Arbeitgeber und Arbeitnehmer.

Eine der Hauptaufgaben ist der Abschluss von Kollektivverträgen. Vertreter der Sozialpartner findet man in den Parteien, aber auch im Nationalrat, in den Landtagen und in der Regierung. Außerdem wirken sie in zahlreichen Kommissionen und Ausschüssen mit. Sie können Gesetzesvorschläge einbringen und Gesetzesvorschläge begutachten.

Zentrale Ziele der Sozialpartnerschaft

nach: wigbit.voegb.at

Antwort: Sozialpartner führen z.B. Lohnverhandlungen durch. Sie sorgen dabei oft für einen Kompromiss, indem Arbeitnehmer/innen zwar höhere Löhne und Gehälter bekommen, Unternehmer/innen aber nicht durch zu hohe Ausgaben für Löhne Nachteile im internationalen Wettbewerb haben und somit konkurrenzfähig bleiben können.

3 Die kollektive Rechtsgestaltung

Wer garantiert mir, dass ich für meine Arbeit auch entsprechend entlohnt werde?

Faire Arbeitsbedingungen sowie gerechte Löhne und Gehälter waren in der Vergangenheit keine Selbstverständlichkeit. Die Instrumente der kollektiven Rechtsgestaltung, wie z. B. der Kollektivvertrag, sind für den sozialen Frieden in Österreich mitverantwortlich.

Der Kollektivvertrag

Kollektivverträge sind schriftliche Vereinbarungen zwischen **kollektivvertragsfähigen Körperschaften** der **Arbeitnehmer** und der **Arbeitgeber.** Da Kollektivverträge privatrechtliche Verträge sind, kommen sie durch übereinstimmende Willenserklärungen zustande.

Neben dem Kollektivvertragslohn **(Mindestlohn)** wird bei KV-Verhandlungen auch der **Istlohn** (effektiv gezahlter Lohn) ausgehandelt.

Gegnerunabhängigkeit: Jedes Gremium, das über den Abschluss eines Kollektivvertrags bestimmt, darf entweder nur aus Vertretern der Arbeitgeber oder nur aus Vertretern der Arbeitnehmer bestehen.

Mindestlohn: In Österreich besteht kein gesetzlicher Mindestlohn; die Höhe des Entgelts richtet sich nach dem Kollektivvertrag oder dem Arbeitsvertrag.

Kollektivvertragsfähigkeit

Darunter versteht man die Fähigkeit, Kollektivverträge abzuschließen. Diese besteht entweder

- aufgrund des **Gesetzes:** gesetzliche Interessenvertretungen (z. B. Kammern) oder
- aufgrund der **Zuerkennung durch das Bundeseinigungsamt:** Freiwillige Berufsvereinigungen (z. B. der ÖGB) erhalten die Kollektivvertragsfähigkeit auf Antrag vom Bundeseinigungsamt zuerkannt, wenn sie gewisse Voraussetzungen erfüllen, die das Arbeitsverfassungsgesetz vorschreibt (z. B. maßgebende wirtschaftliche Bedeutung: ÖGB-Mitgliederzahl!).
- **Praxis bei Kollektivvertragsabschlüssen:** Kollektivverträge auf Arbeitgeberseite werden meist von der zuständigen **Wirtschaftskammer** abgeschlossen. Kollektivverträge auf Arbeitnehmerseite schließt der **Österreichische Gewerkschaftsbund** ab, der durch die einzelnen Fachgewerkschaften vertreten ist.

Aufbau eines Kollektivvertrags

Schuldrechtlicher Teil	Normativer Teil
enthält Regelungen, die nur die Kollektivvertragsparteien berechtigen und verpflichten	regelt die Rechte und Pflichten der Arbeitgeber und Arbeitnehmer – dieser Teil wird Bestandteil des einzelnen Arbeitsvertrags

Inhalt und Wirksamkeit von Kollektivverträgen

Der Kollektivvertrag regelt:

- das Entgelt (Mindestlöhne und -gehälter, Lehrlingsentschädigung)
- die Arbeitszeit (einige Kollektivverträge setzen die im Arbeitszeitgesetz vorgesehene Arbeitszeit von 40 Stunden herab)

Bei Wohnsitzwechsel stehen dem Arbeitnehmer bis zu 2 bezahlte Arbeitstage zur Verfügung.

- Sonderzahlungen
- Zuschläge und Zulagen (z. B. Schmutzzulage)
- Abrechnungs- und Auszahlungsmodalitäten
- Aufwandsentschädigungen
- Kündigungsfristen und Kündigungstermine
- Entgeltfortzahlungsansprüche bei Dienstverhinderungen (z. B. Übersiedlung, Hochzeit ...)

Jeder Kollektivvertrag ist nach seinem Abschluss unverzüglich beim **Bundesministerium für Arbeit, Soziales und Konsumentenschutz zu hinterlegen.** Anschließend hat die Kundmachung **(Veröffentlichung)** des Abschlusses des Kollektivvertrags im **„Amtsblatt zur Wiener Zeitung"** zu erfolgen.

Die Wirksamkeit **beginnt** entweder zu dem Zeitpunkt, der im Kollektivvertrag steht, oder ansonsten **am Tag nach der Veröffentlichung.** Der Kollektivvertrag **endet** entweder durch **Zeitablauf oder durch Kündigung.**

Kollektivverträge müssen außerdem im Betrieb aufgelegt werden.

Kollektivvertrag – Rechtswirkung

DIE RECHTSWIRKUNGEN DES KOLLEKTIVVERTRAGS

Die Ausdehnung wird auch als **Außenseiterwirkung auf Arbeitgeberseite** bezeichnet. Dadurch sollen die Rechtsvorteile eines Kollektivvertrags auch Arbeitnehmern zukommen, deren Arbeitgeber keine Kollektivvertragsangehörigkeit besitzen.

Die Satzung

Wird ein Kollektivvertrag oder Teile davon vom Bundeseinigungsamt zur Satzung erklärt, so bedeutet dies eine **Ausdehnung** seines Wirkungsbereiches auf Arbeitgeber, die nicht vom Geltungsbereich eines Kollektivvertrags erfasst sind. Die Satzungserklärung ist auch ein wirksames Mittel gegen Lohndumping durch Außenseiter auf Arbeitgeberseite.

Bundeseinigungsamt: siehe Gerichte und Behörden

Der Mindestlohntarif

Das Bundeseinigungsamt setzt auf Antrag einer kollektivvertragsfähigen Körperschaft der Arbeitnehmer **Mindestentgelte** fest. Es bestehen in diesem Fall auf Arbeitgeberseite keine kollektivvertragsfähigen Körperschaften und es ist auch keine Satzungserklärung eines Kollektivvertrags erfolgt.

Betriebsvereinbarungen müssen im Betrieb kundgemacht werden.

Die Betriebsvereinbarung

Darunter versteht man **schriftliche Vereinbarungen,** die zwischen dem Betriebsinhaber und dem Betriebsrat abgeschlossen werden. Die Vereinbarungen betreffen Angelegenheiten, deren Regelung durch Gesetz oder Kollektivvertrag der Betriebsvereinbarung vorbehalten ist.

Betriebsvereinbarungen

BETRIEBSVEREINBARUNGEN

Rechtsquelle: Arbeitsverfassungsgesetz (ArbVG)

Die Installation von Kameras am Arbeitsplatz muss vom Betriebsrat genehmigt werden, wenn die Menschenwürde berührt wird.

Notwendige Betriebsvereinbarungen

Für das Zustandekommen **folgender Maßnahmen** ist die Einigung zwischen Arbeitgeber und Betriebsrat erforderlich:

- Einführung einer betrieblichen Disziplinarordnung
- Einführung von Personalfragebögen
- Einführung von Kontrollmaßnahmen, die die Menschenwürde berühren
- Einführung und Regelung von Leistungslohnsystemen

Notwendige Betriebsvereinbarungen mit Zwangsschlichtung

In erster Linie ist die Zustimmung der Vertragsparteien notwendig. Wenn sich Arbeitgeber und Betriebsrat nicht einigen können, kann der Betriebsinhaber die **Schlichtungsstelle** anrufen. Die Zustimmung der Schlichtungsstelle ersetzt die Zustimmung des Betriebsrates und die Betriebsvereinbarung kommt zustande.

Folgende Maßnahmen sind hierbei gemeint:

- die Einführung von Personalinformationssystemen (gehen über die Ermittlung von allgemeinen Angaben zur Person und den fachlichen Voraussetzungen hinaus)
- die Einführung von Personalbeurteilungssystemen (sofern diese Daten nicht durch die betriebliche Verwendung gerechtfertigt sind)

Schlichtungsstelle: entscheidet Streitigkeiten über den Abschluss, die Änderung oder die Aufhebung von Betriebsvereinbarungen

Auf Antrag einer Streitpartei ist die Schlichtungsstelle beim Sitz jenes ASG einzurichten, in dessen Sprengel der Betrieb liegt.

Erzwingbare Betriebsvereinbarungen

Auch hier ist in erster Linie die Zustimmung von Arbeitgeber und Betriebsrat erforderlich. Kommt jedoch keine Einigung zustande, so können sowohl Arbeitgeber als auch Betriebsrat die Schlichtungsstelle anrufen. Diese entscheidet dann und ersetzt dadurch die Zustimmung des anderen Partners. Die Betriebsvereinbarung kann in diesem Fall daher auch gegen den Willen des anderen Partners erzwungen werden.

In folgenden Angelegenheiten können **erzwingbare Betriebsvereinbarungen** abgeschlossen werden (Auszug):

- allgemeine Ordnungsvorschriften zur Regelung des Verhaltens der Arbeitnehmer im Betrieb
- Arbeitskräfteüberlassung
- generelle Festsetzung von Arbeitsbeginn und Ende, Arbeitspausen und Verteilung der Wochenarbeitszeit
- Art und Weise der Abrechnung sowie Zeit und Ort der Auszahlung der Bezüge
- Maßnahmen bei Betriebsänderungen („Sozialpläne"), wenn damit wesentliche Nachteile für die Arbeitnehmer verbunden sind

Sind Arbeitgeber und Betriebsrat einer Meinung, dient dies dem Wohl der Belegschaft.

Freiwillige Betriebsvereinbarungen

Freiwillige Betriebsvereinbarungen kommen ausschließlich durch die Einigung von Arbeitgeber und Betriebsrat zustande. Solche Vereinbarungen können in folgenden Fällen abgeschlossen werden (Auszug):

- Richtlinien für die Vergabe von Werkswohnungen
- Maßnahmen zur menschengerechten Arbeitsgestaltung
- Systeme der Gewinnbeteiligung

Die Anrufung einer Schlichtungsstelle oder eine Zwangsschlichtung ist nicht vorgesehen.

Arbeitskampfrecht (Streik, Aussperrung)

Laut Aussage des Sozialrechtsexperten Theodor Tomandl haben wir in Österreich **kein Streikrecht,** sondern eine **Streikfreiheit.** Da unsere Gerichte selten mit Streikfragen befasst werden, gibt es auch kaum Judikatur zu diesem Thema. Weder in der Verfassung noch in einfachen Gesetzen ist der Arbeitskampf geregelt.

Bei einem **Streik** legen mehrere Arbeitnehmer ihre Arbeit nieder, um damit eine Verbesserung ihrer Arbeitsbedingungen (oder Entgeltforderungen) zu erreichen.

Da in Österreich Vertreter der Arbeitgeber und Arbeitnehmer Löhne und Arbeitsbedingungen aushandeln (siehe Kollektivvertrag, Sozialpartnerschaft), herrscht weitgehend sozialer Friede. Dies lässt sich auch in der alljährlich erstellten Streikstatistik der Wirtschaftskammer Österreich klar erkennen.

Im Jahr 2014 betrug der durchschnittliche Streikzeitraum pro Arbeitnehmer 0,5 min, 2015 und 2016 wurde nicht gestreikt.

SbX

Eine Statistik zu Streiks in Österreich finden Sie unter der ID: 0521.

Wilder Streik: Streik, der ohne Unterstützung der Gewerkschaft stattfindet

Aussperrung: Arbeitgeber wollen dadurch ein bestimmtes Verhalten der Arbeitnehmer erzwingen. Die Aussperrung ist eine Reaktion der Arbeitgeber auf Streiks.

4 Gerichte und Verwaltungsbehörden

Wo kein Kläger, da kein Richter.

Arbeitsrechtliche Streitigkeiten sind häufig durch Gespräche zwischen Arbeitgebern und Arbeitnehmern oder durch Interventionen der Interessenvertretungen beizulegen. Sind die Fronten schon zu stark verhärtet, hilft nur mehr der Weg zum Arbeits- und Sozialgericht.

Verfahren vor den Arbeits- und Sozialgerichten

Rechtsquelle: Arbeits- und Sozialgerichtsgesetz (ASGG)

Arbeits- und Sozialgerichte entscheiden grundsätzlich über

- arbeitsrechtliche Streitigkeiten zwischen Arbeitgebern und Arbeitnehmern (Beispiel: Arbeitgeber bleibt Entgelt schuldig) oder
- sozialrechtliche Streitigkeiten zwischen Versicherten und Sozialversicherungsträgern (Beispiel: Arbeitnehmer klagt die GKK auf Zahlung von Krankengeld).

Zuständigkeit und Organisation: Die **Entscheidungen** in arbeits- und sozialgerichtlichen Angelegenheiten erfolgen **durch Senate:**

Fachkundige Laienrichter werden von den gesetzlichen Interessenvertretungen auf Arbeitgeber- und Arbeitnehmerseite für eine einheitliche Amtszeit von 5 Jahren gewählt.

- In **1. Instanz** entscheiden immer **Dreiersenate** (1 Berufsrichter und 2 fachkundige Laienrichter).
- Beim **OLG** bzw. **OGH** entscheiden grundsätzlich **Fünfersenate** (3 Berufsrichter und 2 fachkundige Laienrichter). Es können jedoch in bestimmten Angelegenheiten auch Dreiersenate Entscheidungen treffen (z. B. bei der Herbeiführung eines gerichtlichen Vergleichs über einzelne Streitpunkte).

Arbeits- und Sozialgerichte

ARBEITS- UND SOZIALGERICHTE

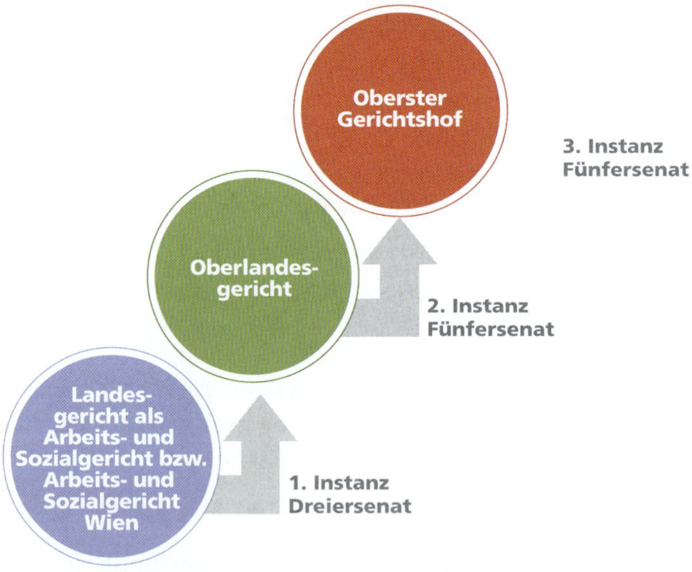

Vorteile des Verfahrens: Durch das ASG wurde eine Beschleunigung des Verfahrens erzielt, wodurch es auch zu Kosteneinsparungen kommt.

Das Bundeseinigungsamt

Das Bundeseinigungsamt verhandelt und entscheidet in **Senaten.**

Es handelt sich hierbei um eine **Verwaltungsbehörde,** die beim BM für Arbeit, Soziales und Konsumentenschutz eingerichtet ist. Sie besteht aus einem Vorsitzenden und dessen Stellvertreter(n). Außerdem werden weitere Mitglieder aus den Arbeitgeber- und Arbeitnehmervertretungen bestellt.

Aufgaben: Erlassung von Mindestlohntarifen, Satzungserklärung von Kollektivverträgen, Zuerkennung der Kollektivvertragsfähigkeit in bestimmten Fällen

Sichern & Merken

SbX ID: 0522

Betriebsrat
Ein **Betriebsrat** wird in Betrieben, in denen dauernd mindestens 5 Arbeitnehmer über 18 Jahre beschäftigt sind, von der Betriebsversammlung gewählt.

Aufgaben des Betriebsrates
Der Betriebsrat ist zuständig für die **Vertretung der Belegschaft** im Betrieb und für den **Abschluss von Betriebsvereinbarungen.**

gesetzliche Interessenvertretung, Pflichtmitgliedschaft
Kammern auf Arbeitgeber- und Arbeitnehmerseite sind kraft Gesetzes zur Interessenvertretung befugt. Es herrscht **Pflichtmitgliedschaft.** Die Finanzierung erfolgt über die Kammerumlage.

Sozialpartnerschaft
Unter **Sozialpartnerschaft** versteht man die gesetzlichen und freiwilligen Interessenvertretungen auf Arbeitnehmer- und Arbeitgeberseite, diese arbeiten sowohl untereinander als auch mit der Bundesregierung zusammen.

freiwillige Interessenvertretungen
Die wichtigste freiwillige Interessenvertretung der Arbeitnehmer ist der **ÖGB.** Er ist ein Verein, der auf freiwilliger Mitgliedschaft basiert. Der ÖGB ist auch zum Abschluss von Kollektivverträgen berechtigt.

Kollektivvertrag
Kollektivverträge sind schriftliche Vereinbarungen zwischen Arbeitgeber- und Arbeitnehmervertretungen. In der Praxis schließen die Wirtschaftskammer und der ÖGB die meisten Kollektivverträge ab. Unter anderem werden darin das Mindestentgelt, Arbeitszeiten, Kündigungstermine und Sonderzahlungen geregelt.

Betriebsvereinbarung
Betriebsvereinbarungen werden zwischen Arbeitgeber und dem Betriebsrat abgeschlossen. Die Einführung von Personalbeurteilungssystemen oder Leistungslohnsystemen brauchen z. B. die Zustimmung des Betriebsrates.

Streik
Die **Arbeitsniederlegung** durch die Arbeitnehmer, um Forderungen gegenüber den Arbeitgebern durchzusetzen, wird als **Streik** bezeichnet. Es gibt keine gesetzliche Regelung der Streiks in Österreich.

Arbeits- und Sozialgericht
Arbeitsrechtliche Streitigkeiten zwischen Arbeitgebern und Arbeitnehmern werden vor den **Arbeits- und Sozialgerichten** verhandelt, ebenso sozialrechtliche Streitigkeiten zwischen Arbeitnehmern und Sozialversicherungsträgern. Die Entscheidung erfolgt in Senaten. Es handelt sich um ein relativ schnelles und kostengünstiges Verfahren.

Bundeseinigungsamt
Das **Bundeseinigungsamt** ist eine Verwaltungsbehörde, die u. a. für die Satzungserklärung von Kollektivverträgen zuständig ist.

SbX ID: 0522

Im SbX finden Sie eine Bildschirmpräsentation mit den Grafiken dieser Lerneinheit.

Wissen & Können

SbX ID: 0523

A B C D E

W 5.17: Betriebsrat B

Erläutern Sie,

a) wie ein Betriebsrat gegründet wird.

b) wonach sich die Anzahl der Mitglieder des Betriebsrates richtet.

c) welche Befugnisse der Betriebsrat allgemein hat.

W 5.18: Gründung eines Betriebsrats E

Bernhard Maier arbeitet als Buchhalter in der Firma Anschitz & Partner. Da es im Betrieb immer wieder Differenzen zwischen den Angestellten und dem Chef gibt, beschließen die Mitarbeiter, einen Betriebsrat zu gründen. Der Chef lehnt dies jedoch ab.

W 5.19: Freistellung von Betriebsräten A

Beurteilen Sie, inwieweit die Mitarbeiter der Fa. Anschitz & Partner gegen den Willen ihres Chefs einen Betriebsrat gründen können.

Nennen Sie die Voraussetzungen, unter denen Betriebsräte von der Arbeitsleistung freizustellen sind.

W 5.20: Interessenvertretungen B

Vergleichen Sie die gesetzlichen mit den freiwilligen Interessenvertretungen und arbeiten Sie die Unterschiede heraus.

W 5.21: Zwangsmitgliedschaft D

Analysieren Sie die verschiedenen Vor- und Nachteile der Zwangsmitgliedschaft bei den gesetzlichen Interessenvertretungen.

W 5.22: Kollektivverträge B

Erläutern Sie,

a) aus welchen Teilen ein Kollektivvertrag besteht und was diese Teile beinhalten.

b) die Rechtswirkungen eines Kollektivvertrags.

W 5.23: Kollektivvertragsverhandlungen A

Beschreiben Sie, wer die Interessen der Arbeitgeber sowie der Arbeitnehmer bei den Kollektivvertragsverhandlungen vertritt.

W 5.24: Mitarbeiterbeurteilung C

Günter Müller möchte in seinem Unternehmen (20 Mitarbeiter) ein System zur Beurteilung seiner Mitarbeiter einführen.

Erörtern Sie, inwiefern er diese Maßnahme im Alleingang entscheiden kann.

W 5.25: Arbeits- und Sozialgericht B

a) Erläutern Sie, über welche Streitigkeiten Arbeits- und Sozialgerichte entscheiden.

b) Erklären Sie, in welcher Besetzung das Arbeits- und Sozialgericht entscheidet.

W 5.26: Anfechtung der Kündigung C

Walter Hauser wird gekündigt. Da er der Meinung ist, dies habe einen Zusammenhang mit seiner Bewerbung für das Amt des Betriebsrates, beschließt er, die Kündigung anzufechten.

a) Beurteilen Sie, ob Herr Hauser die Kündigung überhaupt anfechten kann, und wenn ja, zeigen Sie auf, wo er die Kündigung anfechten muss.

b) Stellen Sie den Instanzenzug dar, sollte das Erstgericht Herrn Hauser nicht recht geben.

W 5.27: Streikrecht C

Diskutieren Sie das „Streikrecht" in Österreich.

Stellen Sie einige Beispiele aus der Vergangenheit dar.

W 5.28: Instanzenzug C

Stellen Sie den Instanzenzug bei Streitigkeiten aus dem Arbeitsverhältnis dar.

SbX
W 5.29, W 5.30
mit automatischer Aufgabenkontrolle
ID: 0523

Weitere Aufgaben im SbX

W 5.29: Kollektives Arbeitsrecht – Begriffe B

Vervollständigen Sie die Übersicht zu wesentlichen Begriffen der Lerneinheit.

W 5.30: Kollektives Arbeitsrecht B

Lösen Sie ein Kreuzworträtsel zum Thema.

Ein kurzer Kompetenz-Check, bevor's weitergeht!

Kompetenz-Check

	☺	😐	☹
Ich kann die Vertretung der Arbeitnehmerschaft im Betrieb benennen und deren Aufgaben und Befugnisse beschreiben.			
Ich kann das Zusammenwirken der überbetrieblichen Interessenvertretungen der Arbeitnehmer und Arbeitgeber erläutern.			
Ich kann den Inhalt und die Rechtswirkungen eines Kollektivvertrags erklären.			
Ich kann den Instanzenzug vor dem Arbeits- und Sozialgericht skizzieren.			

Lerneinheit 3
Sozialrecht

SbX
Alle SbX-Inhalte zu dieser Lerneinheit finden Sie unter der ID: 0530.

Marco und Katharina sind junge, gesunde Menschen mit einer höheren Bildung, die ihnen den Weg ins Arbeitsleben ermöglicht. Doch was passiert, wenn Katharina krank wird, den Job verliert oder ein Kind erwartet?

Obwohl Österreich eines der reichsten Länder der Welt ist, werden laut dem jüngsten Sozialbericht 18 % der in Österreich lebenden Menschen als armutsgefährdet und ca. 460 000 Personen als „akut arm" bezeichnet. Zwei Drittel davon sind Frauen. Außerdem steigt bei Menschen, die in Armut leben, das Risiko zu erkranken stark an. Aufgabe des Staates ist es daher, ein soziales Netz zu schaffen.

Lernen & Üben

SbX ID: 0531

1 Das System der sozialen Sicherheit
Vorsorgen ist besser als heilen.

Menschen sind im Laufe ihres Lebens mit verschiedenen Ereignissen konfrontiert: Schwangerschaft, Arbeitslosigkeit, Krankheit, Alter oder Tod. Ein gut funktionierendes Sozialsystem bietet eine Absicherung gegen den Verlust des Erwerbseinkommens und hilft, die Armut zu bekämpfen.

Die Sozialversicherung

Die Sozialversicherung ist eine **Pflichtversicherung;** Arbeitnehmerinnen und Arbeitnehmer sind mit Aufnahme einer Beschäftigung automatisch versichert. Der Arbeitgeber muss Arbeitnehmer vor Arbeitsantritt bei der zuständigen Sozialversicherung auf elektronischem Weg anmelden.

Rechtsquellen: ASVG, GSVG jeweils in der geltenden Fassung

Träger: eine Organisation, die eine Einrichtung betreibt

Die Verwaltung und Durchführung der Kranken-, Unfall- und Pensionsversicherung erfolgt durch 5 Sozialversicherungsträger, die im **Dachverband der Sozialversicherungsträger** zusammengefasst sind.

Dachverband der Sozialversicherungsträger: stellt das neue organisatorische Dach über die Kranken-, Unfall- und Pensionsversicherung dar, ist u.a. zuständig für die Vertretung der Sozialversicherungsträger nach außen.

Selbstverwaltung: Der Staat lässt bestimmte Bereiche von jenen Personen (Einrichtungen) verwalten, die ein eigenes Interesse daran haben (Subsidiaritätsprinzip).

Vorteile: kostengünstiger, Entlastung der staatlichen Verwaltung

Dachverband der Sozialversicherungsträger

Österreichische Gesundheitskasse	Krankenversicherung
Versicherungsanstalt für den öffentlichen Dienst und Schienenverkehrsunternehmen (BVAEB)	Krankenversicherung, Unfallversicherung, Pensionsversicherung
Sozialversicherung der Selbständigen (SVS)	Krankenversicherung, Unfallversicherung, Pensionsversicherung
Pensionsvesicherungsanstalt (PVA)	Pensionsversicherung
Allgemeine Unfallversicherungsanstalt (AUVA)	Unfallversicherung

Finanzierung

Kapitaldeckungsverfahren: Jeder spart für seine eigene Altersversorgung an.

Generationenvertrag: Durch die Bevölkerungsentwicklung („weniger Junge, mehr Alte“) entstehen Probleme bei diesem Finanzierungssystem.

Finanziert wird die Sozialversicherung hauptsächlich durch die **Beiträge der Arbeitgeber und Arbeitnehmer.** Der **Bund** leistet **Zuschüsse.** Die Finanzierung erfolgt in Form des **Umlageverfahrens:** Die derzeit geleisteten Beiträge der Versicherten werden nicht für deren Absicherung gesammelt (Kapitaldeckungsverfahren), sondern sie werden z. B. gleich für Pensionszahlungen (Generationenvertrag) verwendet.

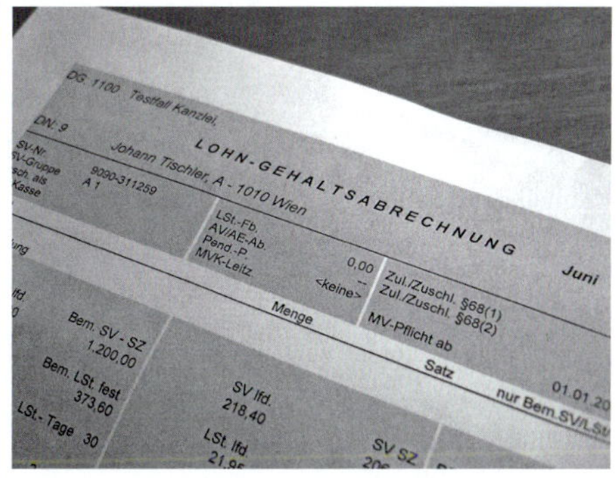

Unter den Abzugsposten **„Sozialversicherung“** fallen Beiträge zur Pensions-, Kranken-, Unfall- und Arbeitslosenversicherung sowie die Beiträge zum Familienlastenausgleichsfonds (FLAF), zur Insolvenzentgeltsicherung und zur Wohnbauförderung.

Prämienbemessung

Die Beitragshöhe richtet sich nach dem Einkommen der Versicherten (es bestehen jedoch Höchstbeitragsgrundlagen). Die Leistungen sind nicht prämienabhängig (Solidaritätsprinzip). Ausnahmen: Geldleistungen wie Krankengeld, Wochengeld oder die Pension.

SbX

Eine Statistik der Sozialausgaben finden Sie unter der ID: 0531.

Freiwillige Versicherung/Selbstversicherung

Diese Möglichkeit besteht, falls das Gesetz keine Pflichtversicherung vorsieht. Voraussetzung ist in der Krankenversicherung ein Wohnsitz im Inland.

Die Krankenversicherung

Ich möchte im September meinen Urlaub in Spanien verbringen. Bin ich dort eigentlich versichert, falls ich krank werde oder einen Unfall habe?

Versicherter Personenkreis

Freie Dienstnehmer sind Personen, die sich auf bestimmte oder unbestimmte Zeit zu Dienstleistungen für einen Dienstgeber verpflichten. Sie unterliegen der Vollversicherung nach dem ASVG, wenn sie aus dieser Tätigkeit ein Entgelt beziehen, die Dienstleistungen persönlich erbringen und über keine wesentlichen eigenen Betriebsmittel verfügen.

Es handelt sich um eine subsidiäre Versicherungspflicht, d. h. nur dann, wenn der Dienstnehmer nicht bereits aus anderen Gründen sozialversichert ist.

- unselbständig Erwerbstätige (Arbeiter, Angestellte, Lehrlinge ...)
- selbständig Erwerbstätige (Gewerbetreibende, Bauern)
- freie Dienstnehmer
- sonstige selbständig Erwerbstätige (z. B. Hebammen, Musiker ...)
- Arbeitslose
- Pensionisten, Präsenzdiener, Kriegshinterbliebene
- Familienangehörige ohne eigenen Versicherungsschutz **können** einen Antrag auf Mitversicherung stellen, wenn sie in Schul- oder Berufsausbildung stehen und das 27. Lebensjahr noch nicht vollendet haben.
- Kinder sind beitragsfrei mitversichert, wenn sie nicht selbst krankenversichert sind. Kinder, die das 18. Lebensjahr bereits vollendet haben, müssen einen Antrag auf Mitversicherung stellen.
- Ehegatten sind unter bestimmten Voraussetzungen beitragsfrei mitversichert (z. B. wenn sie Kinder erziehen oder 4 Jahre hindurch erzogen haben). Ansonsten ist ein Zusatzbeitrag zu entrichten.
- Lebensgefährten: Sie können sich nicht mitversichern, wenn keine gemeinsamen Kinder vorhanden sind. In diesem Fall ist eine freiwillige Weiterversicherung bei der Gebietskrankenkasse zu beantragen.

Jeder und jede Versicherte erhält jährlich eine Aufstellung über die von der Krankenversicherung erbrachten Leistungen.

Aufgaben

Die Krankenversicherung trifft u. a. Vorsorge für:

- die Früherkennung von Krankheiten und die Erhaltung der Volksgesundheit
- die Gesundheitsförderung
- eine ausreichende medizinische Versorgung bei Krankheit und körperlichen Gebrechen
- die medizinischen Maßnahmen der Rehabilitation
- den Fall der Mutterschaft
- Zahnbehandlungen und Zahnersatz

Leistungen (Auszug)

- Vorsorgeuntersuchungen, Jugendlichenuntersuchungen
- Familienberatung, Impfungen
- ärztliche Hilfe, Heilmittel (Arzneien), Heilbehelfe (Brillen), Zahnbehandlung und Zahnersatz
- Hauskrankenpflege, Anstaltspflege
- Krankengeld
- Mutterschaftshilfe: ärztlicher Beistand, Hebammenbeistand, Heilmittel und Heilbehelfe, Wochengeld. Anspruch besteht nur, wenn die Schwangere einen Verdienstentgang erleidet.
- Rehabilitation und Kuraufenthalte

Krankengeld: gebührt ab dem vierten Tag der Arbeitsunfähigkeit. Die Auszahlung erfolgt erst nach dem Ende der Entgeltfortzahlung für maximal 52 Wochen. Wird das Entgelt zur Hälfte fortgezahlt, gebührt auch das halbe Krankengeld.

Wochengeld: gebührt für die letzten acht Wochen vor der voraussichtlichen Entbindung, für den Tag der Entbindung und für die ersten acht Wochen nach der Entbindung. (12 Wochen bei Mehrlings-, Kaiserschnitt- oder Frühgeburten)

Höhe: der Durchschnittsverdienst der letzten 13 Wochen vor der Geburt

Die Versicherungsleistungen erhält man mit der **E-Card:** Auf der Karte sind Name, akademischer Grad und Versicherungsnummer gespeichert; außerdem enthält sie Informationen über den Krankenversicherungsträger.

Vorderseite Rückseite

Die Rückseite ist gleichzeitig die **europäische Krankenversicherungskarte.** Sie garantiert die kostenlose Behandlung bei Vertragsärzten und öffentlichen Spitälern in der gesamten EU, im EWR-Raum und in der Schweiz.

Antwort: Da Spanien im EU-Raum liegt, kann Katharina mit der europäischen Krankenversicherungskarte ärztliche Hilfe in Anspruch nehmen. Es könnte allerdings auch sein, dass sie die Rechnung zuerst bezahlen muss und zu Hause dann bei ihrer Krankenkasse einreichen muss. – Andere Länder, andere Sitten!

ELGA (Elektronische Gesundheitsakte): Durch dieses Informationssystem bekommen Patienten, Spitäler, Ärzte, Apotheker sowie Pflegeeinrichtungen einen Zugang zu bestimmten, den Patienten betreffenden Gesundheitsdaten.

Die Unfallversicherung

Arbeitsunfälle sind Unfälle, die sich im örtlichen, zeitlichen und ursächlichen Zusammenhang mit der Beschäftigung, die die Versicherung begründet, ereignen, z. B. auch Unfälle, die sich auf dem Weg von und zur Arbeitsstätte ereignen oder beim Besuch berufsbildender Kurse.

Versicherter Personenkreis:

- selbständig und unselbständig Erwerbstätige
- freie Dienstnehmer
- Schüler und Studenten
- freiberuflich Selbständige (z. B. Ärzte, Tierärzte ...)
- geringfügig Beschäftigte

Geringfügig Beschäftigte: unterliegen nur der Unfallversicherung; sie sind daher in der Regel weder kranken- noch pensions- oder arbeitslosenversichert.

Den Beitrag hat zur Gänze der Dienstgeber zu bezahlen.

Aufgaben

Die Unfallversicherung trifft **Vorsorge** für:

- die Verhütung von Arbeitsunfällen und Berufskrankheiten
- die Erste-Hilfe-Leistung bei Arbeitsunfällen
- die Unfallheilbehandlung
- die Rehabilitation von Versehrten
- die Entschädigung nach Arbeitsunfällen und Berufskrankheiten

Berufskrankheit: z. B. durch Lärm verursachte Schwerhörigkeit

Leistungen

- ärztliche Hilfe
- Heilmittel, Heilbehelfe
- berufliche und soziale Maßnahmen der Rehabilitation
- Pflege in Kranken-, Kur- und sonstigen Anstalten
- Beistellung von Körperersatzstücken
- Versehrtenrente und Hinterbliebenenrente

Soziale Rehabilitation: Durch Zuschüsse wird die Wohnungs- oder Pkw-Anschaffung bzw. Adaptierung gefördert.

Die Pensionsversicherung

SbX
Informationen zu den Reformen des österreichischen Pensionsrechts finden Sie unter der ID: 0531.

Versicherter Personenkreis: alle unselbständig und selbständig Erwerbstätigen

Die **Finanzierung** erfolgt durch Beiträge der Arbeitgeber und Arbeitnehmer. Der Staat leistet Zuschüsse (Ausgleichszulage). Vor allem im Bereich der Pensionsversicherung bestehen Finanzierungsprobleme. Der Staat wird daher in Zukunft die Ansprüche der Pensionisten nicht mehr in gewohnter Höhe abdecken können. Eine mögliche Abhilfe soll das **Drei-Säulen-Modell** bieten: Neben dem Staat (Absicherung der Mindestpension) sollen auch der Versicherte und der Arbeitgeber zur Absicherung des gewohnten Lebensstandards herangezogen werden.

Laut WIFO wird die Zahl der über 60-Jährigen bis 2030 um 55 % zunehmen.

Pensionsarten

- **Alterspension:** Derzeit besteht in Österreich noch ein geschlechtsspezifischer Unterschied beim Pensionsantrittsalter („Regelpensionsalter"). Für Männer beginnt der Anspruch mit dem vollendeten 65. Lebensjahr, für Frauen mit dem vollendeten 60. Lebensjahr. Durch Übergangsbestimmungen soll eine schrittweise Angleichung erfolgen. **Ab 1. Jänner 2033** beträgt das **Regelpensionsalter** für Frauen und Männer einheitlich 65 Jahre.
- **Korridorpension:** jene Pension, die beantragt werden kann, wenn man das 62. Lebensjahr vollendet und 480 Versicherungsmonate erworben hat. Frauen können frühestens ab 2028 in Korridorpension gehen.
- **Schwerarbeitspension:** Diese Leistung erhalten Personen, die 45 Versicherungsjahre nachweisen können. Sie müssen außerdem innerhalb der letzten 20 Jahre vor Pensionsantritt mindestens 10 Jahre Schwerarbeit verrichtet haben. Diese Pension kann frühestens ab dem 60. Lebensjahr in Anspruch genommen werden.
- **weitere Arten:** Berufsunfähigkeits-/Invaliditätspension, Hinterbliebenenpension

Der Begriff **Schwerarbeit** ist durch Verordnung festzulegen.

Bei Vorliegen von vorübergehender Invalidität gibt es:

- **Rehabilitationsgeld** soll zur Wiederherstellung der Arbeitsfähigkeit für vorübergehend invalide Personen dienen (ab Geburtsjahrgang 1964; wird von der GKK ausbezahlt).
- **Umschulungsgeld** erhalten Personen, die z.B. ihren erlernten Beruf nicht mehr ausüben können ; wird vom AMS ausbezahlt.

Die Arbeitslosenversicherung

Kann ich eigentlich nach der Matura einen Antrag auf Arbeitslosengeld stellen, wenn ich nicht gleich einen Arbeitsplatz finde?

Rechtsquelle: Arbeitslosenversicherungsgesetz (AlVG)

Versicherter Personenkreis: alle krankenversicherten unselbständig Erwerbstätigen (außer Beamte). Unternehmer können eine freiwillige Arbeitslosenversicherung abschließen.

Leistungen:

- **Arbeitslosengeld:** Je nach Beitragszeiten wird es für einen Zeitraum von 20 bis 39 Wochen gewährt; bei Vollendung des 50. Lebensjahres kann das Arbeitslosengeld 52 Wochen bezogen werden. Besucht der Arbeitslose eine Schulungsmaßnahme, kann das Arbeitslosengeld max. 4 Jahre bezogen werden.
- **Notstandshilfe:** Wenn der Anspruch auf Arbeitslosengeld ausgeschöpft ist, aber eine Notlage vorliegt, kann auf Antrag Notstandshilfe gewährt werden. Die Höhe beträgt 92 % bis 95 % des Grundbetrags des Arbeitslosengeldes.

Notlage: Die Befriedigung der notwendigen Lebensbedürfnisse ist nicht möglich.

VORAUSSETZUNGEN FÜR DIE INANSPRUCHNAHME DES ARBEITSLOSENGELDES

Erfüllung der Anwartschaft: Es müssen in diesen Zeiträumen arbeitslosenversicherungspflichtige Beschäftigungen nachgewiesen werden.

SbX
Informationen zur Höhe des Arbeitslosengeldes und der Notstandshilfe erhalten Sie unter der ID: 0531.

Antwort: Da Marco die Anwartschaft nicht erfüllt (siehe S. 189), kann er auch kein Arbeitslosengeld beziehen. Er könnte jedoch an einer Schulungsmaßnahme des AMS teilnehmen.

2 Systeme zur sozialen Absicherung der Familie

Die Familie ist die Keimzelle des Staates.

Um die Belastungen teilweise auszugleichen, die Familien mit Kindern im Vergleich zu Kinderlosen haben, wurde die Familienbeihilfe eingeführt. Der Staat versucht über dieses Instrument u. a. dazu beizutragen, dass die Geburtenrate nicht noch mehr sinkt.

Familienbeihilfe

Rechtsquelle: Familienlastenausgleichsgesetz (FLAG)

Der Anspruch auf Familienbeihilfe ist unabhängig von der Beschäftigung oder vom Einkommen. Voraussetzung ist lediglich der Wohnsitz oder gewöhnliche Aufenthalt in Österreich.

Meine Cousine Tamara möchte nach der Fachschule den Aufbaulehrgang besuchen und dann studieren. Wie lange und in welcher Höhe kann sie Familienbeihilfe beziehen?

Im September erhalten Familien für Kinder zwischen 6 und 15 Jahren zusätzlich € 100 Schulstartgeld.

Dauer des Anspruchs:

- Grundsätzlich besteht Anspruch bis zum vollendeten 18. Lebensjahr.
- Darüber hinaus besteht der Anspruch nur dann, wenn z. B. eine Berufsausbildung oder ein Studium absolviert wird (das Finanzamt verlangt eine Schulbesuchsbestätigung oder einen Nachweis über eine laufende Berufsausbildung oder einen Studienerfolgsnachweis).
- Bei Schülern und Studenten in Ausbildung besteht Anspruch bis max. zum 24. Lebensjahr (bzw. 25. Lebensjahr, wenn z. B. der Präsenz- oder Zivildienst oder ein freiwilliges soziales Jahr absolviert wurde). Es müssen jeweils Nachweise über den Studienerfolg erbracht werden.

Beispiel: Eine Familie mit einem Kind im Alter von 17 Jahren erhält monatlich € 141,50 Familienbeihilfe, bei erheblicher Behinderung weiters noch € 155,90. Der Kinderabsetzbetrag in Höhe von € 58,40 wird zusätzlich ausbezahlt.

Neben dem Bezug der Familienbeihilfe dürfen im Kalenderjahr nicht mehr als € 10.000,– (vor Steuer) dazuverdient werden. Erzielt ein Kind ab dem Kalenderjahr, in dem es das 20. Lebensjahr vollendet, eigene Einkünfte, so darf das zu versteuernde Gesamteinkommen den Betrag von € 10.000,– pro Jahr nicht übersteigen. Wird der Betrag von € 10.000,– überschritten, ist jener Betrag zurückzuzahlen, um den der Grenzbetrag überschritten wurde.

Erheblich behinderten Kindern gebührt eine **erhöhte Familienbeihilfe.**

Die Mittel dafür stammen aus dem **Familienlastenausgleichsfonds.** Die Höhe ist abhängig von der **Anzahl der Kinder** und deren **Lebensalter.** Die Auszahlung erfolgt monatlich direkt durch das Finanzamt. Mit der Familienbeihilfe wird für jedes Kind ein **Kinderabsetzbetrag** ausbezahlt.

Der **Familienlastenausgleichsfonds** wird hauptsächlich durch die Dienstgeberbeiträge und allgemeine Steuermittel gespeist. Finanziert werden daraus neben der Familienbeihilfe auch das Kinderbetreuungsgeld sowie die Schülerfreifahrt und die Schulbücher. Dieser Fonds wird vom Familienministerium verwaltet. Grundgedanke: Es soll ein finanzieller Ausgleich zwischen kinderreichen und kinderarmen Familien bzw. Familien ohne Kinder geschaffen werden.

Im Jahr 2017 wurde an ca. 1,75 Mio. Anspruchsberechtigte rund € 3,42 Mrd. an Familienbeihilfe sowie rund € 1,32 Mrd. an Kinderabsetzbetrag ausgezahlt.

Antwort: Wenn Tamara die Voraussetzungen (Studienerfolg und keine eigenen Einkünfte über die Geringfügigkeitsgrenze hinaus) erfüllt, kann sie die Familienbeihilfe in der Regel bis zum 24. Lebensjahr beziehen.

Kinderbetreuungsgeld

Was passiert eigentlich, wenn eine Schülerin schwanger wird? Gibt es in einer solchen Situation eine finanzielle Unterstützung vom Staat für die werdende Mutter (und den betreuenden Vater)?

Rechtsquelle: Kinderbetreuungsgeldgesetz (KBGG)

Kinderbetreuungsgeld wird immer nur für das jüngste Kind gewährt.

Ein Zuschuss zum KBG ist möglich, wenn das Einkommen unter eine Mindestgrenze fällt.

Anspruchsvoraussetzungen:

- Bezug von Familienbeihilfe
- gemeinsamer Haushalt mit dem Kind
- Durchführung der erforderlichen Mutter-Kind-Pass-Untersuchungen
- Beachtung der Zuverdienstgrenze (Die Einkünfte dürfen im Kalenderjahr je nach gewähltem Modell € 6.800,– bzw. € 16.200,– nicht übersteigen.)
- Lebensmittelpunkt in Österreich

Familien können zwischen dem **Kinderbetreuungsgeld-Konto (KBG-Konto)** und dem **einkommensabhängigen Kinderbetreuungsgeld (ea KBG)** wählen. Für die Abwicklung ist die Krankenkassa zuständig.

Das Kinderbetreuungsgeld-Konto (KBG-Konto)

Die **Bezugshöhe** hängt davon ab, ob nur einer (€ 12.366,20) oder beide Elternteile (€ 15.449,28) das KBG-Konto in Anspruch nehmen.

Die **Bezugsdauer** kann innerhalb eines Zeitrahmens gewählt werden und bestimmt die Höhe des Tagesbetrags: Bezieht nur ein Elternteil das KBG-Konto, kann die Bezugsdauer zwischen 365 Tagen und maximal 851 Tagen ab der Geburt des Kindes gewählt werden. Teilen sich die Eltern das KBG-Konto, kann die Bezugsdauer zwischen 456 und maximal 1063 Tagen ab der Geburt des Kindes gewählt werden. Je nachdem, welche Anspruchsdauer gewählt wird, beträgt das KBG pro Tag zwischen € 14,53 und € 33,88. Je länger die Anspruchsdauer, desto geringer ist der Tagesbetrag.

Das einkommensabhängige Kinderbetreuungsgeld (ea KBG)

Voraussetzung für den Bezug des ea KBG ist neben den allgemeinen Voraussetzungen, dass man als Mutter in den letzten 182 Tagen vor dem Mutterschutz bzw. als Vater vor der Geburt des Kindes durchgehend in Österreich kranken- und pensionsversichert war und dass man zum Zeitpunkt der Geburt des Kindes ein aufrechtes Arbeitsverhältnis hat.

Die **Bezugshöhe** des ea KBG errechnet sich aus 80 % des Wochengeldes der Mutter bzw. aus 80 % eines fiktiven Wochengeldes für Väter.

Die **Bezugsdauer** liegt zwischen 365 Tagen (wenn das ea KBG nur von einem Elternteil bezogen wird) und 426 Tagen ab der Geburt des Kindes (wenn sich beide Eltern das KBG teilen).

Partnerschaftsbonus

Beziehen beide Elternteile für dasselbe Kind in etwa gleich lang KBG, hat jeder Elternteil Anspruch auf einmalig € 500,– Partnerschaftsbonus.

Gleichzeitiger Bezug

Eltern können sich beim Bezug des KBG abwechseln, es ist ein Wechsel bis zu zwei Mal möglich. Anlässlich des ersten Bezugswechsels können sie das KBG bis zu 31 Tage überlappend beziehen.

Antwort: Wenn die Anspruchsvoraussetzungen erfüllt sind, erhält auch eine Mutter, die selbst noch die Schule besucht, Kinderbetreuungsgeld.

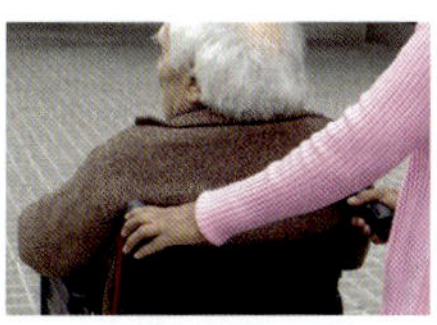

Pflegebedarf: Die pflegebedürftige Person braucht z. B. Hilfe beim Kochen, beim Essen, bei der Körperpflege oder beim Reinigen der Wohnung.

Pflegegeld

Mit zunehmender Überalterung der Gesellschaft wird das Problem der Pflege immer brisanter. Durch das Bundespflegegesetz bzw. die jeweiligen Landespflegegesetze wurde daher erreicht, dass der Mehraufwand, der durch die Pflege entsteht, zum Teil abgedeckt werden kann. Außerdem kann die Pflege weitgehend selbst organisiert werden.

Anspruchsvoraussetzungen:
- ständiger Pflegebedarf wegen einer körperlichen, geistigen oder psychischen Behinderung
- Der monatliche Pflegebedarf beträgt mehr als 65 Stunden.
- Dieser Zustand wird wahrscheinlich mehr als 6 Monate andauern.

SbX
Informationen über die Höhe des Pflegegeldes sowie fünf Rechercheaufgaben finden Sie unter der ID: 0531.
Linktipp:
www.help.gv.at
www.sozialministerium.at

Höhe:

Das Pflegegeld ist pauschaliert in 7 Stufen festgelegt. Die **Auszahlung** erfolgt monatlich. Der **Antrag** ist bei jener Stelle einzubringen, die auch für die Auszahlung der Pension zuständig ist.

Mindestsicherung/Sozialhilfe

Hilfsbedürftige Personen, die für ihren Lebensunterhalt aus eigener Kraft nicht aufkommen können, sollen durch diese Unterstützung ein menschenwürdiges Leben führen können.

Voraussetzungen für den Bezug:
- Eigenes Vermögen muss vorher verwertet werden. Es gibt jedoch Vermögensfreibeträge.
- Arbeitsfähige Personen müssen sich einen Arbeitsplatz suchen bzw. arbeitswillig sein. Ansonsten kann die Leistung gestrichen werden.
- Anstelle von Geldleistungen kann die Zuerkennung von Sozialhilfe auch in Form von Sachleistungen erfolgen (z. B. direkte Überweisung der Miete).

Sichern & Merken

SbX ID: 0532

Teilbereiche der Sozialversicherung
Die gesetzliche Kranken-, Unfall- und Pensionsversicherung sind zur **Sozialversicherung** zusammengefasst. Es handelt sich hierbei um eine Selbstverwaltung durch die Sozialversicherungsträger.

Arbeitslosenversicherung
Die **Arbeitslosenversicherung** zählt im weitesten Sinn auch zur Sozialversicherung. Sie wird jedoch durch den Staat verwaltet. Die Abwicklung erfolgt über das Arbeitsmarktservice.

Arbeitslosengeld
Wer arbeitsfähig und arbeitswillig ist, dem AMS zur Vermittlung zur Verfügung steht und die Anwartschaft erfüllt hat, hat Anspruch auf **Arbeitslosengeld.** Es wird bis zu einer maximalen Höhe für eine bestimmte Zeit ausbezahlt.

E-Card
Zum Nachweis der Krankenversicherung und für den Bezug von Leistungen aus der Krankenversicherung benötigt man die **E-Card.** Die Rückseite der E-Card ist die europäische Krankenversicherungskarte, die im europäischen Ausland die kostenlose ärztliche Behandlung ermöglicht.

Pension
Die **Pension** ist ein regelmäßig ausbezahltes Einkommen, das einem Versorgungszweck dient (meist der Altersversorgung).

Kinderbetreuungsgeld
Mütter oder Väter, die mit dem Kind im gemeinsamen Haushalt leben, können zwischen dem Kinderbetreuungsgeld-Konto und dem einkommensabhängigen Kinderbetreuungsgeld wählen.

Pflegegeld
Um den Mehraufwand, der durch die Pflege physisch, geistig oder psychisch kranker Personen entsteht, teilweise abzudecken, wurde das **Pflegegeld** eingeführt. Es wird pauschaliert in sieben Stufen gewährt.

Sozialhilfe/Mindestsicherung
Damit hilfsbedürftige Menschen, die sich in einer Notlage befinden, ein menschenwürdiges Leben führen können, wird die **Sozialhilfe/Mindestsicherung** gewährt.

SbX
ID: 0532

Im SbX finden Sie eine Bildschirmpräsentation mit den Grafiken dieser Lerneinheit.

Wissen & Können

SbX ID: 0533

A B C D E

W 5.31: Sozialversicherung A
Nennen Sie die Teilbereiche der Sozialversicherung.

W 5.32: Selbstverwaltung – staatliche Verwaltung B
Vergleichen Sie die Selbstverwaltung mit der staatlichen Verwaltung und arbeiten Sie Unterschiede heraus.

W 5.33: Finanzierung des Sozialversicherungssystems B
Erklären Sie die beiden grundsätzlichen Verfahren zur Finanzierung eines Sozialversicherungssystems.

W 5.34: Finanzierungsverfahren C
Diskutieren Sie in Gruppen über die Vor- und Nachteile der verschiedenen Finanzierungsverfahren des Sozialversicherungssystems.

W 5.35: Prämienunabhängigkeit C
Diskutieren Sie die Tatsache, dass Sachleistungen aus der Krankenversicherung nicht prämienabhängig sind.

W 5.36: Sozialversicherung B
Stellen Sie fest, ob folgende Aussagen richtig oder falsch sind:

	Richtig	Falsch
Wer höhere Sozialversicherungsbeiträge bezahlt, erhält bessere Leistungen (z. B. Medikamente, ärztliche Hilfe).		
Kinder sind bei ihren Eltern mitversichert.		

W 5.37: Leistungen der gesetzlichen Krankenversicherung B
Erläutern Sie, welche Leistungen man aus der gesetzlichen Krankenversicherung beziehen kann.

W 5.38: Leistungen im Ausland B
Erklären Sie,

a) ob man im Ausland Leistungen aus der gesetzlichen Krankenversicherung beziehen kann.

b) aufgrund welcher Karte man diese Leistungen in Anspruch nehmen kann.

W 5.39: Gesetzliche Unfallversicherung B
Legen Sie dar, für welche Unfälle die gesetzliche Unfallversicherung aufkommt.

W 5.40: Arbeitslosenversicherung B
Erläutern Sie, welche Leistungen aus der Arbeitslosenversicherung bezogen werden können.

W 5.41: Fallbeispiel Arbeitslosigkeit C
Der Angestellte Karl Gruber wurde von seinem Arbeitgeber gekündigt und meldet sich nun beim AMS als arbeitslos. Zeigen Sie auf,

a) wovon es abhängt, ob Herr Gruber überhaupt Arbeitslosengeld bekommt

b) wie lange Herr Gruber Arbeitslosengeld beziehen kann

c) was passiert, wenn sein Anspruch auf Arbeitslosengeld ausgeschöpft ist und er noch immer keine Arbeit hat.

W 5.42: Arztbesuch bei Arbeitslosigkeit B

Während Herr Gruber arbeitslos ist, bekommt er furchtbare Zahnschmerzen, sodass er einen Zahnarzt aufsuchen muss. Erläutern Sie,

a) wer die Zahnarztrechnung bezahlt,

b) was der Zahnarzt von ihm benötigt, um ihn zu behandeln.

W 5.43: Unterstützung bei Schwangerschaft C

Maria Müller ist schwanger. Sie studiert im 3. Semester BWL und wird von ihren Eltern finanziert. Maria erkundigt sich nun nach verschiedenen Unterstützungsmöglichkeiten, da ihre Eltern andeuten, sie in Zukunft nicht mehr zu unterstützen.

Beraten Sie die Studentin, wo und in welcher Höhe sie Unterstützungen beantragen kann.

W 5.44: Pflege C

Martin Ott leidet an Altersdemenz und ist nicht mehr in der Lage, seinen Haushalt alleine zu bewältigen. Er braucht außerdem Hilfe bei der täglichen Körperpflege sowie beim Essen.

Suchen Sie im Internet **(www.help.gv.at)** nach Möglichkeiten der Betreuung und finanziellen Hilfe für Herrn Ott. Diskutieren Sie auch Schwierigkeiten bei der Finanzierung der Pflege allgemein.

SbX
W 5.45, W 5.46
mit automatischer Aufgabenkontrolle
ID: 0533

Weitere Aufgaben im SbX

W 5.45: Sozialrecht – Begriffe B

Vervollständigen Sie die Übersicht zu wesentlichen Begriffen der Lerneinheit.

W 5.46: Sozialrecht B

Lösen Sie ein Kreuzworträtsel zum Thema.

Ein kurzer Kompetenz-Check, bevor's weitergeht!

Kompetenz-Check

	☺	😐	☹
Ich kann die verschiedenen Teilbereiche des sozialen Netzes in Österreich beschreiben.			
Ich kann die Aufgaben und Leistungen der Sozialversicherung benennen.			
Ich kann die Voraussetzungen für den Bezug des Arbeitslosengelds erläutern.			
Ich kann die Voraussetzungen für den Bezug von Sozialleistungen überprüfen und bei Bedarf diese Leistungen auch beantragen.			
Ich kann zur Bedeutung des Generationenvertrags im Rahmen der Finanzierung des sozialen Systems in Österreich Stellung nehmen.			
Ich kann in Diskussionen meine eigene Meinung zu den Vor- und Nachteilen des Sozialstaats zum Ausdruck bringen.			

SbX
Download
ID: 0540

Lerneinheit 4: Lehrlingsausbildung ist in SbX unter der ID: 0540 verfügbar.

6 BÜRGERLICHES RECHT

Worum geht's in diesem Kapitel?

Diejenigen Normen, die das Zusammenleben von Menschen untereinander regeln, nennt man das Privatrecht. Diese rechtlichen Bestimmungen berühren und betreffen unser Leben in sehr vielen Bereichen.

Wenn Katharina und Albrecht heiraten, schließen die beiden einen Ehevertrag. Wenn sie Kinder bekommen, finden sich die Regelungen über Rechte und Pflichten zwischen Eltern und Kindern im Familienrecht. Wenn Katharina für das Unternehmen, in dem sie angestellt ist, Verträge abschließt, muss sie Bescheid wissen über die Grundlagen des Vertragsrechts.

Wenn Marcos Tante stirbt, wird Marco mit erbrechtlichen Fragen konfrontiert sein. Wenn sich Katharina und Albrecht eine Wohnung kaufen, bewegen sie sich – rechtlich gesehen – im Schuldrecht. Damit sie Eigentümer der Wohnung werden können, müssen sie ins Grundbuch eingetragen werden, das ist Sachenrecht. Dies alles sind Regelungen des allgemeinen Privatrechts (d. h., dass es alle Menschen betrifft). Es wird auch bürgerliches Recht genannt.

Wenn Sie dieses Kapitel bearbeitet haben,

- kennen Sie die Einteilung des Privatrechts,
- können Sie wichtige Vertragsarten unterscheiden und erklären.
- wissen Sie, welche rechtlichen Folgen eine Heirat, aber auch eine Scheidung für die ganze Familie hat,
- können Sie bei einfachen Familienverhältnissen die gesetzliche Erbfolge und die Pflichtteile bestimmen,
- wissen Sie, wann und wie ein Schaden ersetzt werden muss und
- kennen Sie die Ziele des Mietrechtsgesetzes und einige praktische Tipps für den Abschluss eines Mietvertrages,

SbX
ID: 0600

In diesem Kapitel erwerben Sie Kompetenzen zu Bildungs- und Lehraufgaben, die unter der ID: 0600 aufgelistet sind.

A B C D E

In diesem Kapitel finden Sie Übungsaufgaben, Fallbeispiele und Wiederholungsfragen zur Kompetenzüberprüfung auf den Handlungsebenen A Wiedergeben, B Verstehen, C Anwenden, D Analysieren & Interpretieren, und E Entwickeln.

Dieses Kapitel umfasst folgende Lerneinheiten:

SbX
Alle SbX-Inhalte zu dieser Lerneinheit finden Sie unter der ID: 0610.

Lerneinheit 1
Einführung ins bürgerliche Recht

Wir beschäftigen uns in diesem Kapitel ausführlich mit dem Privatrecht. Es regelt die Rechte der einzelnen privaten Personen zueinander.

Im Privatrecht ist zum Beispiel geregelt, ab wann junge Menschen sich selbständig vertraglich verpflichten können, welche Rechte und Pflichten man in einer Ehe hat, wie man rechtsgültig Eigentum an einer Sache erwerben kann und was man bei Abschluss eines Vertrages beachten muss.

Lernen & Üben

1 Objektives und subjektives Recht
Der Begriff „Recht" hat verschiedene Bedeutungen.

Wozu brauche ich „bürgerliches Recht" überhaupt?

Antwort: Das allgemeine Privatrecht oder bürgerliche Recht berührt und regelt auch Marcos Leben jeden Tag. Wenn Marco sich z. B. ein Elektrogerät kauft und nach ein paar Wochen feststellen muss, dass es nicht einwandfrei funktioniert, wird er sich ärgern und fragen, welche Rechte er als Privatperson hier hat.

Beim Kauf eines Tablet-PC hat man zwei Jahre Anspruch auf Gewährleistung.

Der erste Schritt, damit er zu seinem Recht kommt, ist, dass er über folgende Dinge Bescheid weiß:

- welches Recht zur Anwendung kommt: Marco hat als Privatperson das Elektrogerät gekauft. Rechtlich gesehen bewegt er sich im **Privatrecht**.
- welche Rechte er hat: Marco hat hier das **Recht auf Gewährleistung.**
- wie er diese durchsetzen kann: Marco muss **selbst tätig werden,** indem er dem Händler gegenüber den Mangel geltend macht.

Einerseits sagt man Privat**recht,** andererseits heißt es auch, jemand hat das **Recht** auf Gewährleistung. Ist da ein Unterschied?

Die Rechtsvorschriften, die in einer Rechtsordnung für alle gelten, nennt man **objektives Recht.**

Die Rechtsansprüche, die sich aus dem Gesetz für den/die Einzelne/n ableiten und ergeben, nennt man **subjektives Recht.**

Objektives Recht	Subjektives Recht
Das sind die generellen Rechtsvorschriften, die in einer Rechtsordnung gelten.	Darunter versteht man die Rechtsansprüche, die sich für den/die Einzelne/n aus der jeweiligen Norm ergeben.

Antwort: Ja, hier ist juristisch gesehen ein Unterschied. Das Privatrecht ist eine Fülle von Rechtsnormen, die für alle Menschen gleichermaßen gelten → es ist daher objektives Recht.

Wenn Marcos Elektrogerät nach ein paar Wochen nicht mehr einwandfrei arbeitet, hat er als Einzelner das Recht auf Gewährleistung → sein Rechtsanspruch ist subjektives Recht.

2 Rechtsquellen und Einteilung des Privatrechts

Das Privatrecht ist in vielen verschiedenen Gesetzen zu finden.

Wo finde ich mehr Informationen zu meinen Rechten als Privatperson?

Dieses Schulbuch geht nicht nach der Gliederung des ABGB vor, sondern nimmt aus Gründen der Übersichtlichkeit eine genauere Einteilung vor: Einleitung, Personenrecht, Familienrecht, Erbrecht, Sachenrecht, Schuldrecht, Schadenersatzrecht, Produkthaftung, Konsumentenschutz und Mietrecht.

Ein großer Teil der Regelungen des Privatrechts ist im **Allgemeinen Bürgerlichen Gesetzbuch (ABGB)** zu finden. Das ABGB ist am 1. 1. 1812 in Gesetzeskraft getreten und wurde wiederholt novelliert.

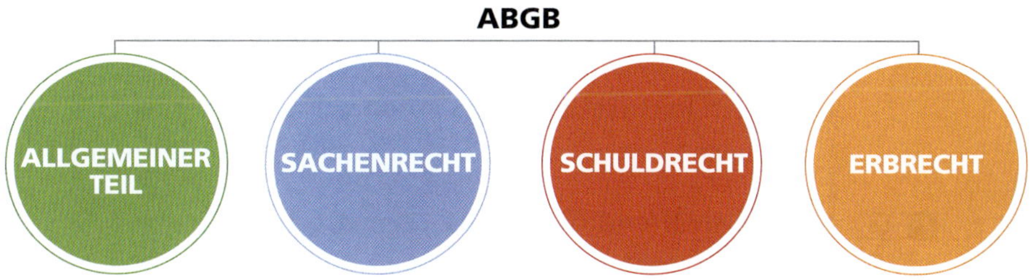

Neben dem ABGB gibt es noch eine Reihe anderer wichtiger Nebengesetze (sogenannte **Sondergesetze**) wie z. B.:

- das **Ehegesetz**
- das **Konsumentenschutzgesetz** (für Verbraucher)
- das **Mietrechtsgesetz** (für Mieter)
- das **Wohnungseigentumgesetz** (für Wohnungseigentümer)

Das Allgemeine Privatrecht wird auch als Allgemeines bürgerliches Recht bezeichnet.

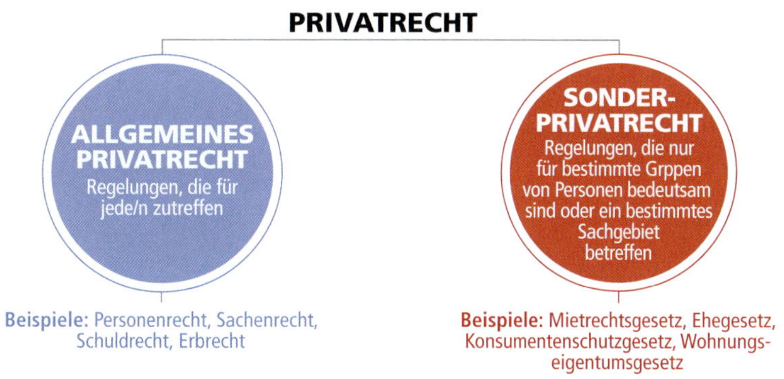

Antwort: Ein großer Teil der Regelungen für Privatpersonen, die jede/n betreffen, ist im ABGB zu finden. Regelungen, die nur bestimmte Personengruppen betreffen (z. B. Mieterinnen und Mieter), finden sich in Sondergesetzen (z. B. Mietrechtsgesetz).

Sichern & Merken

SbX ID: 0612

Privatrecht – Das **Privatrecht** regelt die Beziehung der Menschen untereinander. Es wird eingeteilt in das allgemeine Privatrecht und Sonderprivatrechte.

allgemeines Privatrecht – Das **allgemeine Privatrecht** nennt man auch bürgerliches Recht.

Sonderprivatrechte – Die **Sonderprivatrechte** enthalten Vorschriften für bestimmte Gruppen von Personen oder für ganz bestimmte Sachgebiete. Beispiele: Ehegesetz, Mietrechtsgesetz, Konsumentenschutzgesetz

ABGB – Das **Allgemeine Bürgerliche Gesetzbuch** ist eine wesentliche Quelle, wo privatrechtliche Normen zu finden sind. Es ist am 1. 1. 1812 in Kraft getreten und wurde mehrfach novelliert.

SbX ID: 0612

Im SbX finden Sie eine Bildschirmpräsentation mit den Grafiken dieser Lerneinheit.

Wissen & Können

SbX ID: 0613

A B C D E

W 6.1: Bedeutung des Privatrechts A

Erklären Sie einer Freundin oder einem Freund, was unter dem Begriff „Privatrecht" zu verstehen ist und warum das Privatrecht für sie bzw. ihn wichtig ist.

W 6.2: Privatrecht – Sonderprivatrecht B

Unterscheiden Sie das allgemeine Privatrecht und das Sonderprivatrecht.

W 6.3: Rechtsquellen des Privatrechts A

Nennen Sie mindestens vier Rechtsquellen des Privatrechts.

SbX W 6.4 mit automatischer Aufgabenkontrolle ID: 0613

W 6.4: Öffentliches Recht – Privatrecht C

Entscheiden Sie, ob sich Katharina und Marco im genannten Fall im öffentlichen Recht oder im privaten Recht bewegen, und kreuzen Sie an. Sollte es sich um Privatrecht handeln, versuchen Sie, das Teilgebiet richtig zuzuordnen.

Fall	Öffentliches Recht	Privatrecht	Wenn Privatrecht: Welches Teilgebiet?
Katharina und Albrecht heiraten.			
Katharina und Albrecht kaufen eine Eigentumswohnung.			
Marco erhält einen Strafzettel, weil er im Ortsgebiet zu schnell gefahren ist.			
Katharina erhält vom zuständigen Finanzamt einen Steuerbescheid.			
Katharina kauft einen Laptop.			
Marco erbt einen größeren Geldbetrag von seiner Tante.			

SbX W 6.5 mit automatischer Aufgabenkontrolle ID: 0613

Weitere Aufgabe im SbX

W 6.5: Überblick bürgerliches Recht A

Vervollständigen Sie eine Übersicht zum bürgerlichen Recht.

Ein kurzer Kompetenz-Check, bevor's weitergeht!

Kompetenz-Check

	☺	😐	☹
Ich kann objektives und subjektives Recht unterscheiden.			
Ich kann das allgemeine Privatrecht vom Sonderprivatrecht abgrenzen.			
Ich kann zuordnen, ob für einen Fall öffentliches Recht oder Privatrecht angewendet wird.			

Lerneinheit 2
Personenrecht

SbX
Alle SbX-Inhalte zu dieser Lerneinheit finden Sie unter der ID: 0620.

Marcos Schwester Melissa besucht eine berufsbildende höhere Schule. Mit Schulbeginn wechselt sie in die 3. Klasse. Da alle ihre Freundinnen eine Vespa fahren, möchte sie natürlich auch einen solchen Roller. Melissas Eltern sind dagegen, da sie meinen, es sei zu gefährlich. Melissa überlegt, ob sie mit ihrem Ersparten die Vespa trotzdem kaufen kann.

Marco überlegt, dem Alpenverein beizutreten, da er gerne Wanderungen unternimmt und auch zwei seiner Freunde dabei sind.

Marcos Mutter hat andere Probleme. Sie soll die Vertretung für ihre demenzkranke Mutter übernehmen.

Dies alles sind Situationen und Probleme, die im Alltag vorkommen – und sie sind durchaus von Bedeutung, da sie Rechtsfolgen nach sich ziehen.

Lernen & Üben

SbX ID: 0621

A B C D E

1 Die Rechtsfähigkeit natürlicher und juristischer Personen

„Alle Menschen sind frei und gleich an Würde und Rechten geboren.“ (Art. 1 Allgemeine Erklärung der Menschenrechte)

Sobald ein Kind das Licht der Welt erblickt, ist es bereits mit Rechten und Pflichten ausgestattet. Manche Rechte stehen sogar schon dem Ungeborenen zu. Um jedoch eigenständig rechtlich handeln zu können, müssen neben dem entsprechenden Alter auch die notwendigen geistigen Fähigkeiten vorhanden sein.

Die Fähigkeit, **Träger von Rechten und Pflichten** zu sein, spricht die Rechtsordnung allen Menschen (natürlichen Personen), aber auch bestimmten Verbänden (juristischen Personen) zu.

Sachen hingegen dienen dem Menschen zum Gebrauch und haben daher grundsätzlich keine Rechte und Pflichten. Als Grenzfälle könnte man den Leichnam, menschliche Organe oder etwa das menschliche Kopfhaar betrachten.

Natürliche Personen

Geburtsurkunde: Die Geburt wird durch den Staat (Standesamt) bestätigt. Man benötigt sie z. B. für die Ausstellung eines Reisepasses oder für die Eheschließung.

Alle Menschen sind, egal welcher Herkunft, Hautfarbe oder Einkommensklasse, ab der Geburt **Rechtspersonen.** Dass dies in der Vergangenheit nicht selbstverständlich war, kann man an der Rechtsstellung der Sklaven oder der Frauen in der Antike erkennen. Sie waren damals Rechtsobjekte (Sachen), nicht Rechtssubjekte (Personen).

- Mit der **Geburt beginnt** die **uneingeschränkte Rechtsfähigkeit.** Die Rechtsfähigkeit ist daher unabhängig vom Alter sowie den geistigen Fähigkeiten eines Menschen.
- Manche **Rechte** gesteht die Rechtsordnung bereits dem **Ungeborenen** zu, z. B. **Erbrecht, Recht auf Schadenersatz** bei Schädigung des ungeborenen Kindes im Mutterleib. Diese Rechte entstehen mit der Lebendgeburt, die im Zweifel vermutet wird.
- Das **Ende** der Rechtsperson Mensch und damit das Ende der Rechtsfähigkeit erfolgt durch den Tod. Der Tod kann rechtlich auf verschiedene Arten nachgewiesen werden:

Ausschlaggebendes Kriterium für die Feststellung des Todes ist der Hirntod.

Der Tod wird aufgrund des **Totenscheins** durch den Staat (Standesamt) beurkundet. Man benötigt ihn z. B. für eine neue Eheschließung oder einen Antrag auf Witwer-/Witwen-Pension.

Das Lebensende – der Tod der natürlichen Person	
Voraussetzungen	**Beweis des Todes**
Der Gemeindearzt stellt anhand des Leichnams den Tod der Person fest.	durch Ausstellung des Totenscheins
Das Gericht ist vom Tod der Person überzeugt, obwohl der Leichnam fehlt (Bestätigung durch Zeugen).	durch Gerichtsbeschluss
Verschollenheit	durch gerichtliches Todeserklärungsverfahren

Erben oder Ehepartner, die ein berechtigtes Interesse haben, können ein Todeserklärungsverfahren beantragen.

Verschollenheit: Wenn eine über 25-jährige Person lange Zeit ohne Nachricht abwesend ist und berechtigte Zweifel bestehen, dass sie noch am Leben ist, kann vom Bezirksgericht ein Todeserklärungsverfahren eingeleitet werden. Es gibt folgende **Arten und Fristen:**

- **allgemeine Verschollenheit:** Seit der letzten Nachricht sind mindestens 10 Jahre (bei über 80-Jährigen mindestens 5 Jahre) verstrichen.
- **allgemeine Gefahrenverschollenheit:** Frist: 1 Jahr ab Wegfall der Gefahr (z. B. Erdbeben)
- **Kriegsverschollenheit:** Frist: 1 Jahr ab Kriegsende
- **Seeverschollenheit:** Frist: mindestens 6 Monate (z. B. nach Untergang des Schiffes)
- **Luftverschollenheit:** Frist: mindestens 3 Monate (z. B. nach Absturz des Flugzeuges)

Beispiel: Erdbeben in Nepal 2015

Rechtliche Folgen des Todeserklärungsbeschlusses:

- Die Erbfolge tritt ein.
- Höchstpersönliche Rechte gelten als erloschen.
- Eine bestehende Ehe gilt als aufgelöst.

Was passiert, wenn der/die für tot Erklärte wieder zurückkehrt?

Antwort: Die Todeserklärung ist unverzüglich aufzuheben. Eine neu geschlossene Ehe kann aufgehoben werden – es kann jedoch nur der Ehegatte/die Ehegattin aus erster Ehe geheiratet werden.

Obduktion (Leichenöffnung): wird durchgeführt, wenn Fremdverschulden nicht ausgeschlossen werden kann oder der Verdacht auf eine Seuche besteht.

Juristische Personen

Juristische Personen sind im Gegensatz zu den natürlichen Personen künstliche Gebilde, denen der Gesetzgeber Rechtssubjektivität zugesteht. Bestimmte Rechte (z. B. Familienrechte) stehen jedoch nur natürlichen Personen zu. Man unterscheidet grundsätzlich **zwei Arten:**

Juristische Personen

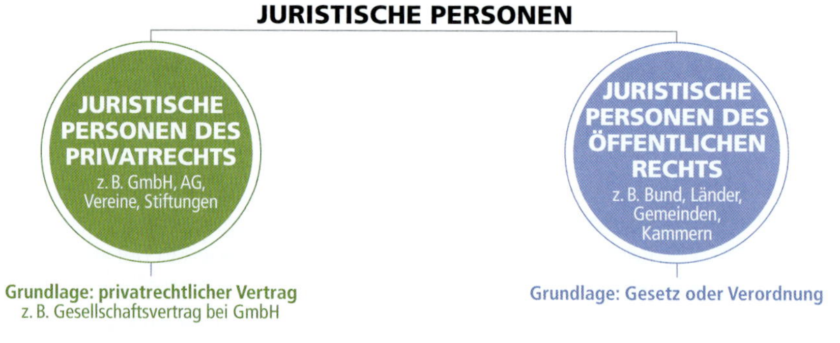

Die juristische Person endet je nach Art durch **Auflösung** (z. B. durch Mitgliederbeschluss, Gesetz).

Der Verein als Beispiel für eine juristische Person

In Österreich gibt es mehr als 120 000 registrierte Vereine.

Beispiele: Sportverein, Kulturverein, Elternverein …

Unter einem Verein versteht man einen freiwilligen Zusammenschluss von mindestens zwei Personen, die einen bestimmten ideellen Zweck verfolgen. Der Verein ist auf Dauer angelegt und wird durch die Vereinbarung von Statuten (Gründungsvereinbarung – interne Angelegenheit) errichtet. Als Rechtsperson entsteht er mit dem positiven Abschluss des vereinsbehördlichen Verfahrens (Fristablauf – äußere Angelegenheit).

Rechtsquelle:
Vereinsgesetz 2002

Linktipps:
www.bmi.gv.at/vereinswesen
www.help.gv.at

SbX
Unter der ID: 0621 finden Sie ein Arbeitsblatt zum Vereinswesen.

Vereinsgründer können natürliche und juristische Personen sein.

Wie gründet man einen Verein?

- Mindestens zwei natürliche oder juristische Personen beschließen die Gründung und legen die **Vereinsstatuten** (z. B. Name, Zweck, Organe) fest **(Gründungsvereinbarung).**
- Die **Errichtung** des Vereins wird der **Vereinsbehörde (Bezirkshauptmannschaft** bzw. **Bundespolizeidirektion) angezeigt.** In den Statuten können bereits Funktionäre bestimmt werden, die diese Anzeige durchführen.
- **Innerhalb von vier Wochen prüft die Vereinsbehörde,** ob der Zweck, der Name oder die Organisation des Vereins gesetzwidrig sind.
- Gibt die Behörde innerhalb der Frist keine Erklärung ab, so kann ihr **Schweigen als Zustimmung** gesehen werden. Die Vereinstätigkeit kann aufgenommen werden.
- Mit dem **Ablauf der Frist** entsteht der Verein als **Rechtsperson.**
- Innerhalb eines Jahres ab der Entstehung müssen organschaftliche **Vertreter bestellt** und der Vereinsbehörde gemeldet werden. Ansonsten kann der Verein behördlich aufgelöst werden.

Organe:

- **Mitgliederversammlung:** mindestens alle vier Jahre einzuberufen
- **Leitungsorgan (Vorstand):** mindestens zwei natürliche Personen (meist Obmann, Obmannstellvertreter, Kassier, Schriftführer)
- **Rechnungsprüfer:** mindestens zwei Personen

Erwirtschaftet ein Verein Gewinne, darf er diese nicht an die Mitglieder ausschütten.

Ein Verein darf nicht auf Gewinn ausgerichtet sein. Er kann jedoch wirtschaftlich tätig sein. Die Einnahmen sind dem Vereinszweck gemäß zu verwenden. Für Verbindlichkeiten haftet der Verein mit seinem Vermögen.

Vereine können sich **freiwillig auflösen**. Die **Vereinsbehörde** kann einen Verein auflösen, wenn er z. B. **gegen Strafgesetze verstößt.**

Übungsbeispiel

Ü 6.1: Vereinsgründung A

Stellen Sie die Vereinsgründung grafisch dar.

2 Die Handlungsfähigkeit natürlicher und juristischer Personen

Die Rechte und Pflichten hängen vom Alter und von den geistigen Fähigkeiten ab.

Melissa (Marcos Schwester) regt sich furchtbar auf, weil ihre Eltern dem Vespa-Kauf nicht zustimmen. Mit den Worten: „In einem Jahr bin ich volljährig, dann mach ich, was ich will", verlässt sie wutschnaubend den Raum.

„Minderjährige ... stehen unter dem besonderen Schutz der Gesetze." Diese Regelung des § 21 Abs 1 ABGB hat der Gesetzgeber nicht beschlossen, um Jugendliche wie Melissa zu ärgern, sondern er stellt damit vielmehr den Fürsorgegedanken in den Vordergrund.

Die Handlungsfähigkeit natürlicher Personen richtet sich in erster Linie nach dem Alter der Betroffenen. Aber auch volljährige Personen können nicht in der Lage sein, Rechtsgeschäfte zu tätigen. Dies ist dann der Fall, wenn sie geistig oder psychisch beeinträchtigt sind.

Handlungsfähigkeit

HANDLUNGSFÄHIGKEIT

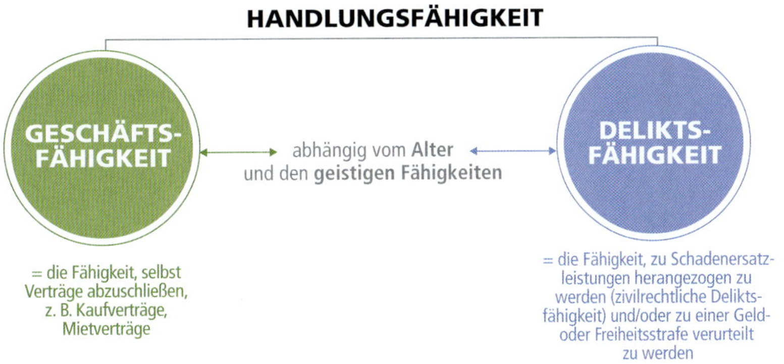

Die Altersstufen der Geschäftsfähigkeit

Altersstufen der Geschäftsfähigkeit

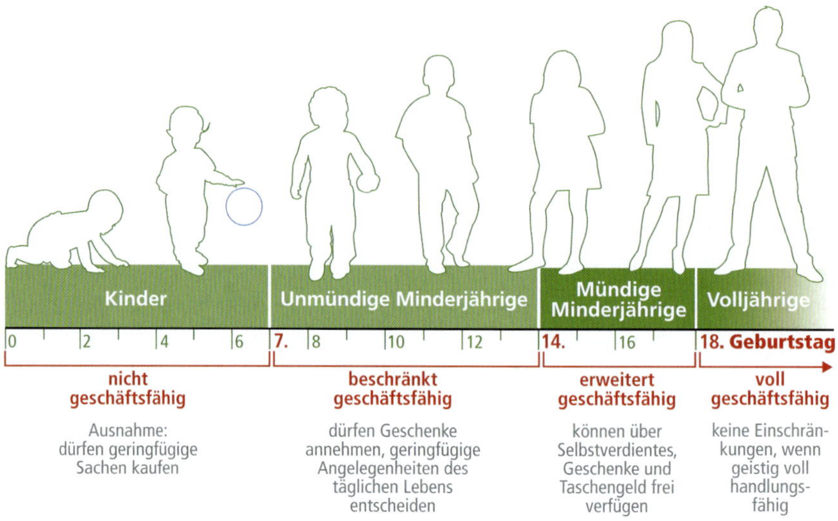

Die **Geschäftsfähigkeit Minderjähriger** kann entsprechend dem Alter in **verschiedene Stufen** eingeteilt werden:

Eine Ausnahme bildet der sogenannte „Wurstsemmel- oder Taschengeldparagraf".

- **0- bis 7-Jährige:** Sie sind **geschäftsunfähig.** Geschäfte über
  - geringfügige Angelegenheiten des täglichen Lebens, die
  - von Kindern dieses Alters üblicherweise geschlossen und
  - sofort erfüllt werden,

  sind jedoch ohne Genehmigung des Vertreters gültig. Zum Beispiel können Süßigkeiten, Jause oder Busticket vom Taschengeld erworben werden. Bereits abgeschlossene andere Rechtsgeschäfte sind absolut nichtig.

Geldgeschenke können angenommen werden, nicht aber ein Reitpferd, da dies eine finanzielle Belastung darstellen würde.

- **7- bis 14-Jährige:** Sie sind **beschränkt geschäftsfähig** und können neben den Geschäften des täglichen Lebens auch Geschenke, die sie nicht belasten, annehmen. Bereits abgeschlossene andere Rechtsgeschäfte sind bis zur Genehmigung durch den gesetzlichen Vertreter schwebend unwirksam.

Ab dem vollendeten 14. Lebensjahr beginnt auch die Religionsmündigkeit.

- **14- bis 18-Jährige:** Sie sind ebenfalls **beschränkt geschäftsfähig.** Sie können jedoch ohne Zustimmung ihres gesetzlichen Vertreters
  - selbständig Arbeitsverträge abschließen (ausgenommen Lehr- und Ausbildungsverträge), sofern die Schulpflicht beendet und das 15. Lebensjahr vollendet ist.
  - selbständig über alle Sachen verfügen, die ihnen zur freien Verfügung überlassen wurden,
  - über das Einkommen aus eigenem Erwerb frei verfügen. Sie dürfen hierbei jedoch nicht ihre Lebensbedürfnisse gefährden. Solche Rechtsgeschäfte müssten vom gesetzlichen Vertreter genehmigt werden, um gültig zu sein. Genehmigt der gesetzliche Vertreter dieses Geschäft nicht, so können bereits erbrachte Leistungen vom Verkäufer zurückgefordert werden, ebenso etwaige Anzahlungen durch den Minderjährigen.

Beispiel

Tattoo und Piercing

Tattoos: Unter 16-Jährige dürfen nicht tätowiert werden. Hier hilft auch die Einwilligung des gesetzlichen Vertreters nicht. Ab Vollendung des 16. Lebensjahres ist das Tätowieren mit schriftlicher Einwilligung des gesetzlichen Vertreters erlaubt.

Piercings: Mündige Minderjährige benötigen für das Piercen keine Einwilligungserklärung des gesetzlichen Vertreters, wenn zu erwarten ist, dass die gepiercte Stelle innerhalb von 24 Tagen heilt (siehe § 2 Ausübungsregeln für das Piercen und Tätowieren). Befindet sich das Piercing an einer empfindlichen Stelle, wie z. B. im Nabel- oder Mundbereich, wird hier eine Zustimmung erforderlich sein.

Mit vollendetem **18. Lebensjahr** sind Personen **voll handlungsfähig** (mit Ausnahmen).

Die zivilrechtliche Deliktsfähigkeit

Gestern habe ich in der Zeitung gelesen, dass zwei 16-Jährige Häuser besprüht und Autoreifen aufgeschlitzt haben. Wer bezahlt eigentlich den Schaden, der dadurch entstanden ist?

Graffiti sind Sachbeschädigung!

Grundsätzlich sind Personen **ab dem vollendeten 14. Lebensjahr** für ihr unerlaubtes Handeln **selbst verantwortlich** und müssen daher den **Schaden selbst ersetzen** (zivilrechtliche Deliktsfähigkeit). Unter gewissen Voraussetzungen sind Minderjährige auch unter 14 Jahren schon haftbar (z. B. wenn sie trotz ihres Alters eine gewisse Einsichtsfähigkeit haben und Vermögen besitzen).

Eltern müssen nur dann Schadenersatz leisten, wenn sie **schuldhaft ihre Aufsichtspflicht verletzt** haben.

Davon zu unterscheiden ist die **strafrechtliche Deliktsfähigkeit.** Ab Vollendung des 14. Lebensjahres ist man strafmündig und kann daher auch zu Geld- oder Freiheitsstrafen verurteilt werden.

Antwort: Der Schaden, der den Haus- und Autoeigentümern durch die zwei 16-Jährigen entstanden ist, muss von den Jugendlichen selbst bezahlt werden.

Übungsbeispiel

Ü 6.2: Haftung der Eltern D

Markus fährt mit seinem Fahrrad an einer Baustelle vorbei. Dort ist ein Schild angebracht mit der Aufschrift „Betreten der Baustelle verboten – Eltern haften für ihre Kinder".

Überprüfen Sie, ob diese Aussage stimmt.

Die Handlungsfähigkeit juristischer Personen

Die finanziellen Probleme diverser Fußballvereine sorgen immer öfter für Aufregung und offene Fragen: Wer haftet für die Verbindlichkeiten eines Vereins? Können Funktionäre zur Verantwortung gezogen werden?

Beispiele für Verpflichtung durch Rechtsgeschäft: Ein Vorstandsmitglied nimmt einen Kredit für den Verein auf und gibt eine Bürgschaftserklärung ab.

Im Gegensatz zur natürlichen Person können juristische Personen nur durch ihre **Organe** (z. B. der Vorstand eines Vereins, Geschäftsführer einer GmbH) handeln. Die Organe sind natürliche Personen.

Die **Haftung** trifft jedoch die juristische Person und nicht ihre Vertreter.

- **Grundsätzlich haftet** der Verein für Verbindlichkeiten mit dem **Vereinsvermögen.**
- **Funktionäre und Mitglieder haften** normalerweise **nicht persönlich, außer** sie haben sich **rechtsgeschäftlich dazu verpflichtet** oder haften **aufgrund von anderen gesetzlichen Vorschriften.** Der Verein kann u. a. von seinen Funktionären Schadenersatz verlangen, wenn sie das Vereinsvermögen zweckwidrig verwendet haben, Vereinsvorhaben ohne ausreichende finanzielle Sicherung begonnen haben oder z. B. Steuern oder Sozialversicherungsabgaben aus ihrem Verschulden nicht abgeführt wurden.
- Durch das **Verbandsverantwortlichkeitsgesetz (VbVG)** können nun auch Vereine **strafrechtlich zur Verantwortung gezogen** werden. Wenn also ein Entscheidungsträger (z. B. Vorstandsmitglied) oder ein Mitarbeiter (z. B. wegen mangelnder Kontrolle) eine gerichtlich strafbare Handlung zugunsten des Verbandes (GmbH, AG, Verein) begangen hat bzw. Verbandspflichten verletzt hat, kann der Verein zu einer Geldbuße verurteilt werden, die sich am Jahresertrag des Verbandes bemisst.

3 Die gesetzliche Vertretung

Stellvertreter bei Rechtsgeschäften

„Die Eltern haben das minderjährige Kind zu pflegen und zu erziehen, sein Vermögen zu verwalten und es in diesen sowie allen anderen Angelegenheiten zu vertreten" (§ 144 ABGB)

Minderjährige und volljährige Personen, die nicht in der Lage sind, ihre Angelegenheiten ohne Schaden für sich selbst zu erledigen, brauchen einen Vertreter. Teils gibt das ABGB diesen Vertreter vor (z. B. die Eltern), teils wird dieser erst vom Gericht bestellt.

Gesetzliche Vertreter

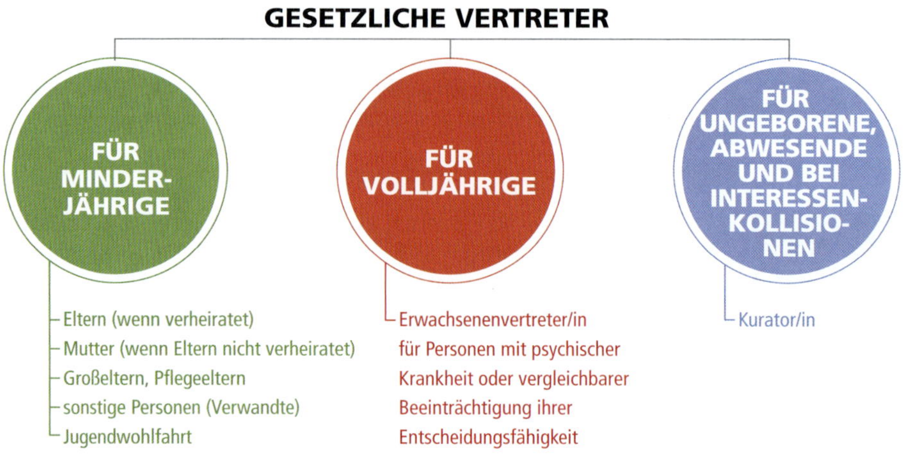

Vertretung für Minderjährige

Obsorge: Pflege und Erziehung; Vermögensverwaltung und Vertretung (siehe auch Familienrecht)

Minderjährige werden in der Regel **durch Personen vertreten,** denen die **Obsorge** zukommt.

Grundsätzlich ist **jeder Elternteil** für sich **allein berechtigt und verpflichtet,** das Kind zu vertreten. Sind die Eltern verschiedener Meinung darüber, ob das Geschäft des Kindes genehmigt werden soll, so gilt die zuerst erteilte Zustimmung des einen Elternteils, auch wenn der andere Elternteil damit später nicht einverstanden ist.

Die **Zustimmung des anderen Elternteils** ist z. B. erforderlich bei Namensänderungen oder vorzeitiger Auflösung eines Lehrvertrags.

In bestimmten Angelegenheiten ist jedoch die **ausdrückliche Zustimmung des anderen Elternteils** erforderlich.

Hat das Kind eigenes Vermögen (z. B. aus Erbschaften oder Schenkungen), sind die Eltern zur **sorgfältigen Verwahrung** verpflichtet, damit es bis zu dessen Volljährigkeit wertmäßig erhalten bleibt und – wenn möglich – vermehrt wird.

Beispiel

Geld der Kinder ist mündelsicher anzulegen, dafür sind u. a. Sparbücher, Staatsanleihen oder Pfand- und Kommunalbriefe geeignet.

Zustimmung des Pflegschaftsgerichts

In **Vermögensangelegenheiten, die nicht zum ordentlichen Wirtschaftsbetrieb gehören** (z. B. wenn ein Haus, das der Minderjährige geerbt hat, verkauft werden soll), muss außerdem das **Pflegschaftsgericht** zustimmen.

Im Zuge von Scheidungsverfahren kann bei Obsorgerechts- und Besuchsrechtsstreitigkeiten für Kinder bis 14 Jahre von Amts wegen ein **Kinderbeistand** bestellt werden. Dieser soll den Willen und die Wünsche der Kinder in solchen Verfahren vertreten und das Kind auch zu Gerichtsterminen begleiten.

Vertretung für Volljährige

Die Erwachsenenvertretung

Das 2. Erwachsenenschutzgesetz stellt die Autonomie, die Selbstbestimmung und die Entscheidungshilfe der Betroffenen in den Mittelpunkt.

Volljährige brauchen dann eine Vertretung, wenn sie Betroffene einer psychischen Krankheit oder einer vergleichbaren Beeinträchtigung der Entscheidungsfähigkeit sind und deshalb ihre Geschäfte nicht mehr selbst erledigen können.

Die betroffenen Personen sollen so lange wie möglich selbstbestimmt handeln können. Unterstützung bekommen sie dabei z. B. von der Familie oder von Pflegeeinrichtungen. Hat die betroffene Person selbst eine Stellvertretung vorgesehen oder ist diese zur Wahrung ihrer Interessen unbedingt notwendig, dann ist eine **Vertretung durch Stellvertreter/innen** zulässig.

Nach dem Autonomieprinzip unterscheidet man **vier Vertretungsformen:**

DIE VIER SÄULEN DER VERTRETUNG

Vorsorgevollmacht

Für den Fall, dass die vollmachtgebende Person die Entscheidungsfähigkeit verliert, bestimmt sie schon im Vorhinein eine Vertrauensperson, die sie dann in bestimmten oder allen Arten von Angelegenheiten vertritt.

Die vollmachtgebende Person muss persönlich vor einem Notar, einem Rechtsanwalt oder einem Erwachsenenschutzverein nach Belehrung diese Vollmacht unterschreiben. Neben der Schriftform ist auch die Eintragung im Österreichischen Zentralen Vertretungsverzeichnis (ÖZVV) erforderlich. Die Vorsorgevollmacht gilt unbefristet.

Gewählte Erwachsenenvertretung

Kann die betroffene Person aufgrund ihrer geminderten Entscheidungsfähigkeit (z.B. beginnende Demenz) keine Vorsorgevollmacht errichten, so kann sie trotzdem eine/n Vertreter/in frei wählen, wenn sie die Tragweite dieser Bevollmächtigung zumindest in Grundzügen versteht. Diese Vertretung kann neben einem Angehörigen auch ein Freund oder Nachbar sein.

Der Bevollmächtigungsvertrag muss vor einem Notar, Rechtsanwalt oder Erwachsenenschutzverein schriftlich errichtet werden und wird in das ÖZVV eingetragen. Diese Art der Vollmacht bezieht sich ebenfalls auf einzelne oder alle Arten von Angelegenheiten und unterliegt einer gerichtlichen Kontrolle.

Gesetzliche Erwachsenenvertretung

Wenn die betroffene Person ihre Angelegenheiten nicht mehr selbst erledigen kann und kein/e Vorsorgebevollmächtigte/r und kein/e Gewählte/r Erwachsenenvertreter/in existieren, kommt die Gesetzliche Erwachsenenvertretung zum Tragen. Darunter versteht man die Vertretungsbefugnis nächster Angehöriger (Ehegatten, eingetragene Partner, Lebensgefährten, Geschwister, volljährige Kinder und Enkel, Eltern, Neffen und Nichten). Die Vertretungsbefugnis gilt erst, wenn sie in das ÖZVV eingetragen wird, ist auf 3 Jahre beschränkt und unterliegt einer gerichtlichen Kontrolle.

Bereiche der Vertretung sind z. B. die Organisation einer Heimhilfe, mobilen Krankenpflege, des Pflegegelds, der Zustimmung bei medizinischen Behandlungen usw.

Gerichtliche Erwachsenenvertretung

Diese Vertretungsart soll nur dann bestimmt werden, wenn die Entscheidungsfähigkeit der betroffenen Person eingeschränkt ist und andere Vertretungsarten nicht möglich sind. Die Bestellung erfolgt durch das Gericht und ist auf einzelne Arten von Angelegenheiten, die gegenwärtig zu besorgen sind, beschränkt. Die gerichtliche Erwachsenenvertretung ist zu beenden, sobald diese Angelegenheiten erledigt sind. Die Vertretung erlischt automatisch nach 3 Jahren.

Beispiel

VertretungsNetz – Beispiel für einen Erwachsenenschutzverein

Die Aufgaben umfassen die Beratung der Betroffenen, die Errichtung von Vorsorgevollmachten und die Registrierung der Vertretungen im ÖZVV. Es gibt auch eine Clearingstelle: Hier soll geklärt werden, ob eine gerichtliche Erwachsenenvertretung benötigt wird oder andere Vertretungsvarianten ausreichen.

Patientenanwälte wahren die Rechte der Patienten im gerichtlichen Unterbringungsverfahren. Rechtsquelle: Unterbringungsgesetz **(UbG)**

Die Unterbringung psychisch Kranker in Krankenanstalten

Folgende Voraussetzungen müssen gleichzeitig vorliegen:

- Die betroffene Person ist psychisch krank.
- Es besteht akute Selbst- oder Fremdgefährdung.
- Es fehlen andere Betreuungs- und Behandlungsmöglichkeiten.

Vertretung für Ungeborene, für Abwesende und in Kollisionsfällen

Ein **Kurator** wird vom Gericht bestellt, um z. B. das Erbrecht eines Ungeborenen zu wahren oder um für vermisste Personen aus deren Vermögen die rückständige Miete zu bezahlen (Abwesenheitskurator). Weiters wird z. B. dann ein Kurator bestellt, wenn die Mutter als gesetzliche Vertreterin das Haus ihrer minderjährigen Tochter kaufen möchte, das diese von ihrem Onkel geerbt hat.

Vertretung von juristischen Personen

Bei juristischen Personen, wie z. B. dem Verein, legen die Statuten fest, wer nach außen zur Vertretung befugt ist.

Sichern & Merken

SbX ID: 0622

Rechtssubjekt und Rechtsobjekt

Wer Träger von Rechten und Pflichten ist, wird als **Rechtssubjekt** bezeichnet. **Rechtsobjekte** sind Sachen. Sie dienen dem Gebrauch des Menschen und haben keine Rechte.

Rechtsfähigkeit

Unter **„Rechtsfähigkeit"** versteht man die Fähigkeit, Träger von Rechten und Pflichten zu sein. Diese Fähigkeit haben alle natürlichen und juristischen Personen.

natürliche und juristische Personen

Natürliche Personen sind alle Menschen. **Juristische Personen** sind z. B. Vereine, Aktiengesellschaften, der Bund, Kammern ...

Vereine

Vereine sind juristische Personen des Privatrechts. Durch eine Gründungsvereinbarung von mindestens zwei Personen wird der Verein errichtet, und mit Ablauf der Anzeigefrist an die Vereinsbehörde wird der Verein zur Rechtsperson.

Todeserklärung

Besteht Ungewissheit darüber, ob eine bestimmte Person noch am Leben ist, kann unter gewissen Voraussetzungen (Verschollenheit) beim Bezirksgericht eine **Todeserklärung** beantragt werden.

Handlungsfähigkeit

Handlungsfähigkeit ist die Fähigkeit, Rechte und Pflichten durch eigenes Verhalten zu begründen. Man unterteilt sie in die Geschäftsfähigkeit und in die Deliktsfähigkeit.

Geschäftsfähigkeit

Geschäftsfähigkeit ist die Fähigkeit, Rechtsgeschäfte im eigenen Namen abzuschließen und auch Verpflichtungen daraus zu übernehmen.

Deliktsfähigkeit

Deliktsfähigkeit ist die Fähigkeit, durch eigenes rechtswidriges Verhalten schadenersatzpflichtig zu werden und zu Geld- oder Freiheitsstrafen herangezogen zu werden.

gesetzliche Vertretung

Wer nicht (oder nur beschränkt) geschäftsfähig ist, braucht eine **gesetzliche Vertretung.** Dies sind in der Regel Personen, denen die Obsorge für Minderjährige zukommt.

Erwachsenenvertretung

Für Volljährige, die psychisch krank sind oder an einer vergleichbaren Beeinträchtigung ihrer Entscheidungsfähigkeit leiden, kann eine **gerichtliche Erwachsenenvertretung** bestellt werden. Diese hat einen bestimmten Wirkungskreis und wird für 3 Jahre bestellt.

Unterbringung

Wenn die Gefahr besteht, dass eine **psychisch kranke Person** sich oder andere gefährdet, kann sie in eine Anstalt für psychisch Kranke auch gegen ihren Willen eingewiesen werden.

SbX ID: 0622

Im SbX finden Sie eine Bildschirmpräsentation mit den Grafiken dieser Lerneinheit.

Wissen & Können

SbX ID: 0623

A B C D E

W 6.6: Rechtspersonen A

Beschreiben Sie, welche Fähigkeiten die Rechtsperson kennzeichnen und wodurch sich diese unterscheiden.

W 6.7: Vereinsgründung C

Sie wollen einen Skater-Verein gründen. Entwerfen Sie in Kleingruppen die Statuten. Recherchieren Sie unter **www.help.gv.at.** Dort erhalten Sie auch die notwendigen Formulare (z.B. Vereinsstatuten, Anzeige der Vereinserrichtung usw.).

W 6.8: Feststellung des Todes B

Erklären Sie, wodurch der Tod einer Person bezeugt bzw. festgestellt werden kann.

SbX
W 6.9
mit automatischer Aufgabenkontrolle
ID: 0623

W 6.9: Rechtsfähigkeit B

Kreuzen Sie an, ob folgende Aussagen richtig oder falsch sind. Stellen Sie falsche Aussagen richtig:

Aussage	Richtig	Falsch	Anmerkungen
Kinder und Pensionisten sind nicht rechtsfähig.			
Ungeborene haben keine Rechte.			
15-Jährige können allein Arbeitsverträge abschließen.			
Die Geburtsurkunde wird durch das Gericht ausgestellt.			
13-Jährige dürfen Geldgeschenke annehmen.			
10-Jährige können ihr Religionsbekenntnis ohne Zustimmung der Eltern wechseln.			

W 6.10: Tattoo und Piercing C

Die 15-jährige Sabine ist Lehrling bei der Fa. Style Company. In der Mittagspause zeigt ihre 18-jährige Arbeitskollegin Susi stolz ihr brandneues Tattoo auf der linken Schulter her. Erst vorige Woche hat sich ihre frühere Mitschülerin Martina ein Bauchnabel-Piercing machen lassen. Sabine möchte schon lange ein Nasen-Piercing und ein Tattoo wie Susi.

Beurteilen Sie die Rechtslage.

W 6.11: Haftung von Eltern B

Erläutern Sie, ob Eltern für Schäden haften, die ihre Kinder verursacht haben.

W 6.12: Gesetzliche Vertretung B

Erklären Sie, wer Minderjährige bei Geschäften vertritt, die sie selbst noch nicht tätigen dürfen.

W 6.13: Vorsorgevollmacht C

Walter S. ist Berufskraftfahrer. Da er täglich den Gefahren des Straßenverkehrs ausgeliefert ist, macht er sich Gedanken darüber, wer seine Angelegenheiten im Falle eines schweren Unfalls regeln könnte. Beraten Sie Herrn S.

Verwenden Sie bei der Bearbeitung dieser Aufgabenstellung auch das unter **www.help.gv.at** abrufbare Formular (Vorsorgevollmacht). Diskutieren Sie die Vor- und Nachteile einer solchen Verfügung.

SbX
W 6.14–W 6.18
mit automatischer
Aufgabenkontrolle
ID: 0623

Weitere Aufgaben im SbX

W 6.14: Vereinswesen B
Bearbeiten Sie den Test zu den Themen Vereinsgründung – Vereinsstatuten.

W 6.15: Rechtsfähigkeit, Handlungsfähigkeit A
Vervollständigen Sie die Übersicht.

W 6.16: Die gesetzliche Vertretung B
Ordnen Sie die Texte richtig zu.

W 6.17: Natürliche Personen – Juristische Personen B
Welche Aussagen treffen zu?

W 6.18: Tattoo und Piercing B
Beantworten Sie mithilfe eines Links rechtliche Fragen zum Thema Tätowieren und Piercen.

Ein kurzer Kompetenz-Check, bevor's weitergeht!

Kompetenz-Check

	☺	😐	☹
Ich kann die Unterschiede zwischen der Rechtsfähigkeit und Geschäftsfähigkeit natürlicher und juristischer Personen herausarbeiten.			
Ich kann Vereinsstatuten erarbeiten und Schritte zur Vereinsgründung einleiten.			
Ich kann beurteilen, inwiefern Personen in der Lage sind, Rechtsgeschäfte selbst zu tätigen, oder eine Vertretung benötigen.			

Lerneinheit 3
Familienrecht

SbX
Alle SbX-Inhalte zu dieser Lerneinheit finden Sie unter der ID: 0630.

Die Familie ist für die meisten Menschen ihr Leben lang prägend. Schon durch die Geburt ist ein Kind mit seinen Eltern aber auch rechtlich verbunden. Wenn man sich später entschließt, eine eigene Familie zu gründen, entstehen dadurch Rechte und Pflichten, entweder als Ehefrau/Ehemann oder als Lebensgefährte/Lebensgefährtin. Sollte eine Partnerschaft scheitern, hat eine Trennung für alle Familienangehörigen Folgen, die sich auf die gesamte Lebensführung auswirken.

In der folgenden Lerneinheit erfahren Sie, welche Rechte und Pflichten Kinder gegenüber ihren Eltern haben und ob es rechtliche Unterschiede gibt, wenn die Eltern nicht verheiratet sind. Sie lernen, was eine Heirat bewirkt (persönlich und finanziell), wie eine Scheidung abläuft und welche Unterschiede zwischen Ehe und Lebensgemeinschaft bestehen.

Lernen & Üben

SbX ID: 0631

A B C D E

1 Beziehung zwischen Eltern und Kindern

Ob die Eltern verheiratet sind oder nicht, hat für die Rechtsbeziehung zu ihren Kindern nicht mehr so viel Bedeutung wie früher.

Rechtsquellen: ABGB, Ehegesetz, BG zum Schutz vor Gewalt in der Familie, Fortpflanzungsmedizingesetz, Unterhaltsvorschussgesetz, Unterhaltsschutzgesetz, Zivilrechts-Mediationsgesetz

Zwischen Kindern und Eltern bestehen viele rechtliche Beziehungen: Eltern geben ihren Kindern den Namen, versorgen und erziehen sie, treffen wichtige Entscheidungen für sie, z. B. die Wahl der Schule oder der beruflichen Ausbildung. Dabei müssen die Eltern immer das **Wohlergehen der Kinder** berücksichtigen, deren Fähigkeiten fördern und die Persönlichkeit der Kinder unterstützen. Kinder und Eltern sollen einander beistehen, Kinder haben ihren Eltern Respekt entgegenzubringen. Eltern leisten **Unterhalt** für die Kinder und willigen als **gesetzliche Vertreter** in Rechtsgeschäfte der Minderjährigen ein.

1991 wurden in Österreich 25 % aller Kinder unehelich geboren, bis 2017 stieg dieser Anteil auf 42 %.

SbX
Eine Bildschirmpräsentation mit einem Überblick zum Familienrecht finden Sie unter der ID: 0631.

In der Gesellschaft waren uneheliche Kinder früher weniger anerkannt. In den letzten Jahren wurden jedoch in Österreich immer mehr Kinder geboren, ohne dass ihre Eltern verheiratet waren. Die sogenannte „Unehelichenquote" stieg von knapp 10 % in den 1960er-Jahren auf zuletzt 42 %. Durch gesetzliche Reformen haben Kinder, deren Eltern nicht verheiratet sind, heute eine ähnliche Rechtsposition wie Kinder verheirateter Eltern.

Die finanzielle Situation der Frauen, die Kinder unverheiratet zur Welt bringen, jahrelang versorgen und dafür oft ihre Erwerbstätigkeit und damit ihre Alterspension einschränken oder aufgeben, hat sich dadurch jedoch nicht verbessert und Alleinerzieherinnen sind besonders stark von Altersarmut betroffen.

Bei begründeten Zweifeln an seiner Vaterschaft kann ein Ehemann bei Gericht einen Antrag einbringen, worauf eine erbbiologische Untersuchung zur Feststellung der Vaterschaft durch Sachverständige **(„Vaterschaftstest")** durchgeführt werden kann.

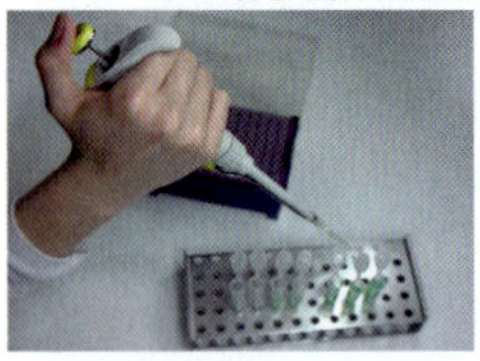

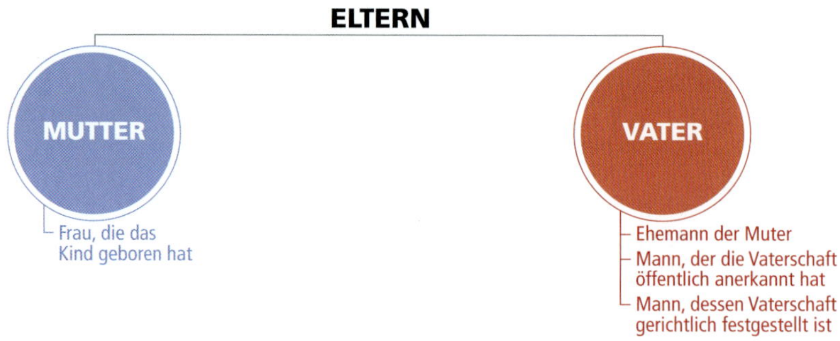

Feststellung der Vaterschaft, wenn die Eltern nicht verheiratet sind: Ein Mann kann die Vaterschaft zum Kind öffentlich **anerkennen** (Standesamt, Gericht, Notar, Bezirkshauptmannschaft oder Magistrat) oder es kann bei Gericht ein Antrag auf Feststellung der Vaterschaft eingebracht werden.

Namensschutz: Falls jemand unbefugt den Namen eines anderen verwendet und ihm dadurch einen Schaden zufügt, kann er/sie auf **Unterlassung und Ersatz des Schadens** geklagt werden.

Vornamen werden durch die Eltern (bzw. die Mutter) festgelegt.

Namensrecht

Kinder verheirateter Eltern erhalten	Kinder unverheirateter Eltern erhalten
● den gemeinsamen Familiennamen der Eltern oder ● den Namen eines Elternteils oder einen Doppelnamen.	● den Namen der Mutter oder ● den Namen des Vaters oder ● einen Doppelnamen aus den Namen der Eltern.

Bei fehlender Einigung erhält das Kind den Namen der Mutter.

Unterhaltsanspruch

Nach der Matura möchte ich eventuell studieren, Betriebswirtschaftslehre oder auch Wirtschaftsrecht. Habe ich das Recht auf finanzielle Unterstützung durch meine Eltern?

Der **Unterhaltsanspruch** beträgt je nach Kindesalter zwischen 16 und 22 % des Nettoeinkommens des Unterhaltspflichtigen und berücksichtigt Durchschnittsbedarfswerte (z. B. € 208,– für Kinder bis drei Jahre).

Eltern (subsidiär auch Großeltern) sind verpflichtet, für ihre Kinder auch in materieller Hinsicht zu sorgen. Der Unterhaltsanspruch eines Kindes richtet sich nach den **Lebensverhältnissen der Eltern,** wobei die **Anlagen, Fähigkeiten, Neigungen und Entwicklungsmöglichkeiten des Kindes** zu berücksichtigen sind. Die **Höhe des Unterhaltes** hängt vom Alter und den Bedürfnissen des Kindes einerseits und vom Einkommen und weiteren Sorgepflichten der Eltern andererseits ab.

Ausreichend begabten und lernwilligen Kindern ist bei entsprechenden finanziellen Mitteln der Eltern der Besuch einer höheren Schule und ein Universitätsstudium, unter Umständen sogar eine zweite Berufsausbildung zu ermöglichen.

Wenn die Eltern nicht zusammenleben, erfüllt derjenige Elternteil, der das Kind in seinem Haushalt betreut, pflegt und erzieht, durch diese Tätigkeiten seine Unterhaltspflicht **(Naturalunterhalt).** Der andere Elternteil ist zu Geldzahlungen verpflichtet **(Geldunterhalt).**

Selbsterhaltungsfähigkeit besteht erst dann, wenn man seine gesamten Lebensbedürfnisse aus eigener Erwerbstätigkeit oder aus eigenen Einkünften decken kann und tritt nicht automatisch mit Volljährigkeit ein.

Der **Unterhaltsanspruch**

- **vermindert** sich, wenn das Kind **eigene Einkünfte** hat (z. B. Lehrlingsentschädigung, Lohn), und
- **erlischt,** wenn es **selbsterhaltungsfähig** ist.

Beispiel

Ein Lehrling mit einer monatlichen Entschädigung von € 500,– ist nicht selbsterhaltungsfähig und hat daher noch einen (verminderten) Unterhaltsanspruch gegenüber seinen Eltern.

Eine Studentin, welche die durchschnittliche Studienzeit ohne gerechtfertigte Gründe (wie z. B. längere Krankheit) überschreitet, hat keinen Anspruch auf Unterhalt.

Antwort: Wenn Marco die Matura erfolgreich absolviert, sein Studium danach gewissenhaft und erfolgreich betreibt und in einer angemessenen Zeit abschließt, hat er Anspruch auf Unterstützung durch seine Eltern – falls diese finanziell dazu in der Lage sind.

Anspruch auf Ausstattung

Wenn ein Kind bei seiner Heirat selbst nicht über genügend Mittel zur Gründung eines eigenen Hausstandes verfügt, die Eltern jedoch vermögend sind, hat das Kind Anspruch auf **Ausstattung** gegenüber seinen Eltern (z. B. finanzielle Unterstützung bei der Wohnungseinrichtung).

Der Anspruch auf Unterhaltsvorschuss besteht bis zur Volljährigkeit.

Anspruch auf Unterhaltsvorschuss durch den Staat

Bekommt ein Kind von einem Elternteil keinen Unterhalt, kann mit Unterstützung des Jugendamtes bei Gericht ein Antrag auf Unterhaltsvorschuss gestellt werden. Der Unterhaltspflichtige wird geklagt und ein Exekutionsantrag eingebracht (gerichtliche Pfändung). Der Staat streckt aus Steuermitteln den Unterhalt für das Kind vor und treibt ihn später beim Unterhaltspflichtigen wieder ein.

Ein Platz in einem öffentlichen Pflegeheim kostet in Österreich durchschnittlich ca. € 3.800,– monatlich.

Unterhaltsanspruch der Eltern gegenüber ihren Kindern

Im Rahmen der familiären Beistandspflicht sollen Kinder ihre Eltern unterstützen, wenn diese sich selbst nicht (mehr) erhalten können. Reicht das Einkommen der Eltern mit gesetzlicher Alters- und Pflegevorsorge (Pension, Pflegegeld) zur Deckung der Pflegekosten nicht aus (z. B. Kosten eines Pflegeheimes), wird der Rest durch Sozialhilfe/Mindestsicherung abgedeckt. In der Vergangenheit konnten Kinder in einigen Bundesländern zur Zahlung eines monatlichen Beitrages zu den Pflegekosten verpflichtet werden. Dieser sogenannte „Kinderregress" wurde jedoch überall in Österreich abgeschafft. Der Staat kann auch nicht mehr auf das Vermögen von Heimbewohner/innen und deren Angehörige zugreifen (Abschaffung des „Pflegeregresses").

Sorgerecht, Pflege und Erziehung

Die Eltern bestimmen auch das **Religionsbekenntnis** ihrer Kinder. Ab der Vollendung des 14. Lebensjahres steht allerdings dem Kind die Religionswahl frei.

Gewalt und die Zufügung körperlichen oder seelischen Leids sind verboten.

Eltern haben die **Pflicht**, sich um ihre Kinder zu kümmern, sie zu versorgen und zu erziehen. Dazu gehört:

- Sorge um das körperliche Wohl, die Gesundheit und die Aufsicht über das Kind,
- Förderung der Entfaltung der körperlichen, geistigen, seelischen und sittlichen Kräfte,
- Förderung der Anlagen, Fähigkeiten, Neigungen und Entwicklungsmöglichkeiten des Kindes,
- Förderung der Ausbildung in Schule und Beruf.

Eltern können ihren Kindern zu Erziehungszwecken unter Berücksichtigung von Alter, Entwicklung und Persönlichkeit **Anordnungen** erteilen. Diese sind von den Kindern zu befolgen. Das **Sorgerecht der Eltern** besteht **bis zur Volljährigkeit** des Kindes.

Bei Meinungsverschiedenheiten der Eltern über wichtige Fragen der Erziehung kann eine Entscheidung des Gerichts beantragt werden.

Für Kinder- und Jugendangelegenheiten zuständige Behörden:
- Bezirksgericht
- Jugendwohlfahrtsbehörde (Jugendamt bei der Bezirkshauptmannschaft oder beim Magistrat)

Siehe auch **www.help.gv.at.**

Das Sorgerecht wird von den Eltern wie folgt ausgeübt:

Kinder verheirateter Eltern	Kinder unverheirateter Eltern
• **gemeinsames Sorgerecht** der Eltern • Wenn ein Elternteil das Sorgerecht nicht ausüben kann oder es ihm entzogen wurde, hat der andere das alleinige Sorgerecht. • Sollten beide Eltern verhindert sein, entscheidet das Gericht über den Zuspruch des Sorgerechts an ein Großelternpaar oder andere Personen, bevorzugt aus dem Familienkreis.	• **alleiniges Sorgerecht der Mutter** • Die Eltern können beim Standesamt die gemeinsame Obsorge bestimmen. • Auch der Vater kann einen Antrag auf das Sorgerecht bei Gericht stellen.

Rechte des Elternteils ohne Sorgerecht

Auch der nicht obsorgeberechtigte und vom Kind getrennt lebende Elternteil soll die Möglichkeit haben, das Kind zu treffen und über sein Leben Bescheid zu wissen. Er hat ein Recht auf Information und Äußerung, auf Vertretung (wenn der obsorgeberechtigte Elternteil verhindert ist) und auf regelmäßigen Kontakt. Ein sogenannter **Kinderbeistand** kümmert sich um die Anliegen und Wünsche von minderjährigen Kindern bei Sorgerechtsstreitigkeiten.

Tipp: Kinder- und Jugendanwaltschaft: **www.kija.at**, **www.kiz-tirol.at** (je nach Bundesland)

Entzug des Sorgerechts

Bei allen Entscheidungen über das Sorgerecht hat das Gericht immer zu berücksichtigen, wie das **Wohl des Kindes** am besten gewährleistet ist. Wenn das Wohl der Kinder gefährdet ist, kann das Sorgerecht den Eltern gerichtlich entzogen werden. (Beispiel: Die Eltern vernachlässigen ihre Kinder, schlagen sie und fügen ihnen körperliche Verletzungen zu.)

Siehe auch Lerneinheit 2 Personenrecht – Geschäftsfähigkeit (S.52).

Gesetzliche Vertretung und Vermögensverwaltung

Bis zum Erreichen der **vollen Geschäftsfähigkeit** mit Vollendung des 18. Lebensjahres brauchen Kinder grundsätzlich die **Zustimmung der Eltern für den Abschluss von Verträgen.**

Familien ohne leibliche Abstammung

Stiefkinder	Adoptivkinder	Pflegekinder
• Ein Elternteil ist nicht der leibliche Vater bzw. die leibliche Mutter – bei neuer Ehe oder Lebensgemeinschaft von Vater oder Mutter. • keine Rechte und Pflichten wie bei leiblichen Kindern.	Ein Elternteil oder beide sind nicht die leiblichen Eltern, aber • rechtliche Beziehung wie bei leiblichen Kindern: Sorgerecht, Unterhaltspflicht, gesetzliche Vertretung. • Erbrecht der Adoptivkinder.	Beide Eltern sind nicht die leiblichen Eltern, aber • Pflegeeltern haben Recht zur Pflege und Erziehung. • Vertretung und Vermögensverwaltung bleibt bei leiblichen Eltern.

In sogenannten Patchworkfamilien leben von unterschiedlichen Eltern stammende Kinder aus der aktuellen oder einer früheren Beziehung.

Stiefkinder

Verheiratete Stiefeltern können für ihre Stiefkinder „Obsorgeangelegenheiten des täglichen Lebens" erledigen, z.B. Abholen vom Kindergarten, Unterschreiben einer Entschuldigung für die Schule, Besuch des Elternsprechtages, Bestimmen der Schlafenszeit, Erlaubnis zum Kinobesuch oder zum Umgang mit Freunden ... Voraussetzung ist, dass der Ehepartner des Stiefelternteils das Sorgerecht für das Kind hat.

Adoptivkinder

Die Jugendabteilung der Bezirkshauptmannschaft bzw. des Magistrats und das Gericht prüfen die Eignung der Adoptiveltern. Diese müssen mindestens 25 Jahre und älter als das Adoptivkind sein.

Manchmal sind die leiblichen Eltern, z.B. wegen schwieriger sozialer Verhältnisse, vorübergehend oder dauernd nicht in der Lage, für ihre Kinder zu sorgen. In solchen Fällen kann das Kind in einer **Pflegefamilie** betreut und erzogen werden.

Pflegekinder

Die Pflegeeltern haben das Recht zur Pflege und Erziehung. Die Vertretung und Vermögensverwaltung der Kinder verbleibt im **Unterschied zur Adoption** grundsätzlich bei den leiblichen Eltern bzw. der leiblichen Mutter. Pflegeeltern brauchen eine Bewilligung vom zuständigen Jugendwohlfahrtsträger.

Eine Kurzzeitpflege („Krisenpflege") zielt darauf ab, das Kind nach Beendigung der familiären Probleme wieder in seine Herkunftsfamilie zurückzuführen.

Manchmal nehmen Pflegeeltern die Pflegekinder längerfristig, sogar bis zur Volljährigkeit, in ihre Obhut. Dann besteht die Möglichkeit, das Sorgerecht bzw. eine Adoption zu beantragen.

Übungsbeispiele

Ü 6.3: Feststellung der Vaterschaft A

Beschreiben Sie, wie die Vaterschaft eines Kindes unverheirateter Eltern festgestellt wird!

Ü 6.4: Namensrecht B

a) Stellen Sie fest, welchen Familiennamen Kinder verheirateter Eltern erhalten!

b) Stellen Sie fest, welchen Familiennamen Kinder unverheirateter Eltern erhalten!

Ü 6.5: Unterhaltsanspruch B

a) Wovon hängt der Unterhaltsanspruch von Kindern gegenüber ihren Eltern ab?

b) Wie lange sind Eltern für ihre Kinder unterhaltspflichtig?

Ü 6.6: Unterhaltsanspruch B

Stellen Sie dar, was ein Kind tun kann, wenn es von einem Elternteil keinen Unterhalt bekommt!

Ü 6.7: Unterhaltsanspruch B

Begründen Sie, ob Studierende ein Recht auf finanzielle Unterstützung durch ihre Eltern während des Studiums haben!

☐ Nein, weil ______________________________.

☐ Ja, wenn ______________________________.

Ü 6.8: Sorgerecht B

Unter welcher Voraussetzung kann den Eltern das Sorgerecht für ihre Kinder behördlich entzogen werden?

Ü 6.9: Zuständige Behörden A

Nennen Sie die Behörden, die vor allem für die Angelegenheiten von Familien, Kindern und Jugendlichen zuständig sind.

Ü 6.10: Adoptivkinder – Pflegekinder B

Beschreiben Sie den wichtigsten rechtlichen Unterschied zwischen Adoptiv- und Pflegekindern.

2 Beziehungen zwischen den Ehepartnern

Der Entschluss zweier Menschen, ihrer Liebesbeziehung eine rechtliche (und oft auch religiöse) Grundlage zu geben, hat persönliche und finanzielle Auswirkungen.

Quelle: Der Standard

Während die Ehe früher durch die bestimmende Rolle des Mannes als Familienoberhaupt geprägt wurde, gilt heute der Grundsatz der **Gleichberechtigung von Mann und Frau.** Das **Partnerschaftsprinzip der Ehe** bedeutet für beide Partner gleiche Rechte (z. B. auf Beistand durch den Partner) und Pflichten (z. B. Unterhaltspflicht, Pflicht zur Haushaltsführung). Obwohl sich die Mehrheit der Jugendlichen eine glückliche und stabile Familie wünscht und auch heiraten will, steigt die Zahl der Scheidungen. 2017 betrug die Scheidungsrate 41 %, wobei in Tirol am wenigsten Ehen geschieden werden (35,5 %) und in Wien am meisten (47,3 %).

Übungsbeispiel

Ü 6.11: Gleichberechtigung von Mann und Frau E

Interpretieren Sie in Gruppen den Cartoon und stellen Sie einen Zusammenhang zum nebenstehenden Text her!

Verlobung

Ich habe gerade meinen 25. Geburtstag gefeiert und lebe seit zwei Jahren mit meinem Freund Albrecht zusammen. Wir möchten eine gemeinsame Familie gründen und haben beschlossen zu heiraten. Hat dies rechtliche Folgen?

Quelle: Der Standard

Wenn zwei Personen versprechen, einander zu heiraten, nennt man dies **Verlobung.** Dadurch entsteht **keine Verpflichtung zur Eheschließung.** Der an der Auflösung der Verlobung unschuldige Teil kann jedoch unter Umständen Schadenersatz fordern, z. B. Kosten für die Hochzeitsvorbereitungen oder Aufwendungen für die gemeinsame Wohnung. Von einem der Partner oder von Dritten (z. B. Eltern oder sonstigen Verwandten) für die künftige Ehe übergebene Geschenke können zurückgefordert werden.

Trauzeugen sind für die Eheschließung nicht mehr unbedingt erforderlich.

Eheschließung

Die staatlich anerkannte Form der Eheschließung in Österreich ist die **standesamtliche Trauung.**

Die Ehe ist ein **Vertrag,** in dem die Brautleute sich zur **Lebensgemeinschaft, Treue, Respekt** und zum **Beistand** verpflichten. Die **Gründung einer Familie mit Kindern** ist ein wichtiges Ziel der Ehe, jedoch sind auch kinderlose Ehen gültig.

Das Eheversprechen wird von beiden Partnern vor dem Standesbeamten bzw. der Standesbeamtin abgegeben und durch Eintragung ins Familienbuch festgehalten (Heiratsurkunde).

Eine **kirchliche Eheschließung** darf erst nach der standesamtlichen Trauung erfolgen und hat – für viele gläubige Menschen sehr wichtige – religiöse, jedoch **keine rechtlichen Wirkungen.**

Nach Vollendung des 16. Lebensjahres kann die Ehe nach Vorliegen einer **gerichtlichen Erklärung über die Ehemündigkeit und Zustimmung des gesetzlichen Vertreters** mit einem volljährigen Partner bzw. einer volljährigen Partnerin geschlossen werden.

Verwandte in gerader Linie sind Großeltern, Eltern, Kinder, Enkel.

Voraussetzungen:

- Vollendung des 18. Lebensjahres und volle geistige Einsichtsfähigkeit
- Keine Nichtigkeitsgründe. Diese sind:
  - **Blutsverwandtschaft:** Verwandte in gerader Linie und voll- oder halbbürtige Geschwister (Inzest)
  - **Doppelehe:** Bigamie, strafbar gem. § 192 StGB
  - **Staatsbürgerschaftsehe:** Zweck ist ausschließlich die Verschaffung der Staatsbürgerschaft (allerdings praktisch schwer nachweisbar).

Bei Vorliegen von Nichtigkeitsgründen ist die Ehe ungültig und kann vom Gericht nach Klage für nichtig erklärt werden. „Leichtere Mängel" wie z. B. Formmängel hindern die Gültigkeit der Ehe nicht.

Zwangsehen (ohne freien Willen von Braut oder Bräutigam) sind in Österreich verboten, die Täter werden mit Freiheitsstrafe bis zu 5 Jahren bestraft.

Aufhebungsgründe:

Folgende Gründe können zur **Aufhebung der Ehe** führen:

- **Irrtum** (z. B. über die Identität des Partners, über wichtige Umstände wie unheilbare Krankheit, Geschlechtskrankheiten)
- **arglistige Täuschung, Drohung** oder **Zwang**

In diesen Fällen kann ein Ehepartner innerhalb eines Jahres ab Kenntnis der wahren Umstände gerichtliche Klage erheben.

Persönliche und finanzielle Auswirkungen der Eheschließung

Was ändert sich für uns rechtlich durch die Hochzeit? Muss ich meinen Familiennamen aufgeben?

Auswirkungen der Eheschliesssung

Die eheliche Lebensgemeinschaft umfasst:
- **gemeinsames Wohnen**
- **Treue**
- **Respekt**
- **Beistand**

Eheliche Lebensgemeinschaft

Ehepartner **wohnen** üblicherweise **gemeinsam,** nur ausnahmsweise ist ein getrennter Wohnsitz vorgesehen (z. B. vorübergehende räumlich entfernte Berufstätigkeit). Sie sind einander zur **Treue** verpflichtet (sexuelle Treue, aber auch Unterlassung von ehewidrigen Beziehungen, die das Vertrauensverhältnis der Ehepartner stören). Sie sollen einander **Respekt** entgegenbringen, aufeinander **Rücksicht** nehmen und sich im Krankheitsfall oder in Lebenskrisen **beistehen.**

Bei der Hochzeit kann auch für die gemeinsamen (späteren) Kinder ein Familienname bestimmt werden.

Namensführung

Die Ehepartner können sich auf einen **gemeinsamen Familiennamen** einigen (jenen der Frau oder jenen des Mannes oder einen Doppelnamen). Der Partner, dessen Name nicht gemeinsamer Familienname ist, kann seinen **bisherigen Familiennamen** dem gemeinsamen Namen **vor- oder nachstellen.** Wird nichts bestimmt, behalten beide ihren bisherigen Namen bei.

SbX

Eine Bildschimpräsentation zu den Auswirkungen der Eheschließung finden Sie unter der ID: 0631.

Gewinnbeteiligungsanspruch bei Mitwirkung im Betrieb

Wenn ein Ehepartner den anderen bei einer betrieblichen Tätigkeit (z. B. Landwirtschaft, Gewerbe) unterstützt, besteht ein Anspruch auf angemessene Abgeltung.

Gemeinsame Haushaltsführung

Beide (berufstätigen) Ehepartner sind zur gemeinsamen Haushaltsführung verpflichtet. Für Haushalt und Kinderpflege ist nicht mehr ausschließlich die Frau zuständig, auch der berufstätige Ehepartner ist in seiner Freizeit zur Mithilfe verpflichtet.

Die Ehepartner sind zur gemeinsamen Haushaltsführung verpflichtet.

Der Unterhalt ist grundsätzlich in **Naturalleistungen** zu erbringen (Wohnung, Nahrungsmittel etc.), jedoch hat der haushaltsführende, nicht erwerbstätige Ehepartner auch Anspruch auf einen dem gemeinsamen Lebensstandard angemessenen Geldbetrag zur Deckung seiner/ihrer **persönlichen Bedürfnisse.**

Unterhalt

Nach dem Gleichberechtigungsgrundsatz sind **beide Ehepartner gemeinsam** zur Deckung der Kosten der ehelichen Lebensgemeinschaft und daher grundsätzlich zu einer **Erwerbstätigkeit** verpflichtet. Wenn beide Partner berufstätig sind, bilden ihre Einkommen einen gemeinsamen „Deckungsfonds". Daraus werden die ehelichen Ausgaben bezahlt und Ersparnisse gebildet. Führt einer der beiden Ehepartner den gemeinsamen Haushalt, leistet er/sie dadurch einen gleichwertigen Beitrag zur Deckung der Bedürfnisse und hat gegenüber dem anderen einen **Unterhaltsanspruch.** Dieser beträgt laut Rechtsprechung ca. 33 % des Nettoeinkommens des verdienenden Ehepartners, wobei eigene Einkünfte zu berücksichtigen sind.

Wenn ein Ehepartner deutlich weniger verdient, hat er/sie einen Ergänzungsanspruch (40 % des Nettofamilieneinkommens abzüglich des eigenen Einkommens).

Haftung der Ehepartner

Die Ehepartner haften grundsätzlich nicht für Schulden, die der andere Partner eingeht, sondern **nur für ihre eigenen Rechtsgeschäfte.** Ausnahme: Der haushaltsführende, nicht erwerbstätige Ehepartner vertritt den anderen in den täglichen Geschäften, sofern diese nicht sofort bezahlt werden („Schlüsselgewalt").

Ehegattenbürgschaft

Wenn ein Ehepartner die Haftung als Bürge oder Solidarschuldner für einen Kredit des anderen übernimmt, kann dies **sittenwidrig und damit unwirksam** sein, weiters besteht ein richterliches Mäßigungsrecht nach dem Konsumentenschutzgesetz.

Über die Unwirksamkeit der Ehegattenbürgschaft muss gerichtlich entschieden werden.

Der **Bürge** bzw. die **Bürgin** ist **schutzwürdig,** wenn
- er bzw. sie selbst über kein Einkommen oder Vermögen verfügt und daher die Schulden nicht zurückzahlen kann,
- er bzw. sie aus dem Kreditvertrag keinen Nutzen hat,
- sich die Übernahme der Bürgschaft aus einer familiären und gefühlsmäßigen Bindung ergibt,
- er bzw. sie von der Bank nicht über das Risiko des Kredites aufgeklärt wurde.

Die Wohnmöglichkeit für den anderen Partner, der darüber nicht verfügungsberechtigt ist, wird dadurch gesichert.

Schutz des Wohnbedürfnisses

Ein Ehepartner, der Alleineigentümer oder Alleinmieter der Ehewohnung ist, darf diese nicht verkaufen oder den Mietvertrag kündigen. Der verfügungsberechtigte Ehepartner muss beispielsweise auch die Miete bezahlen, um eine Kündigung zu vermeiden.

Schutz vor Gewalt in der Familie

Die Wegweisung kann von der Polizei mit Zwangsgewalt durchgesetzt werden.

Linktipp: **www.evita-frauenberatung.at**

Wenn ein Ehepartner den anderen (oder gemeinsam lebende Familienmitglieder) körperlich angreift, misshandelt, bedroht oder durch seelische Qualen das weitere Zusammenleben unzumutbar macht, kann er bzw. sie gerichtlich aus der gemeinsamen Wohnung weggewiesen und die Rückkehr vorübergehend verboten werden.

Antwort: Durch die Heirat entstehen für Katharina (ebenso wie für Albrecht) die **Pflicht zur Lebensgemeinschaft, Unterhalts- und Haushaltsführungspflichten, Pflicht zum Schutz des Wohnbedürfnisses.**

Es entstehen für beide **folgende Rechte:**

- auf **Treue**
- auf **Beistand**
- auf **Respekt**

Der Familienname darf aus höchstens zwei Teilen bestehen – zur Vermeidung unübersichtlicher Namensketten.

Namensrecht (Katharina Berger und Albrecht Fröhlich heiraten): Die beiden können Berger als gemeinsamen Familiennamen wählen (dann heißen beide Berger oder somit heißt Katharina weiterhin Berger und Albrecht kann sich Berger-Fröhlich oder Fröhlich-Berger nennen) oder sie entschließen sich für Fröhlich als gemeinsamen Namen (dann heißen beide Fröhlich oder Albrecht heißt weiterhin Fröhlich und Katharina kann sich Berger-Fröhlich oder Fröhlich-Berger nennen). Beide können als gemeinsamen Familiennamen einen Doppelnamen wählen, entweder Berger-Fröhlich oder Fröhlich-Berger. Wenn Sie keinen gemeinsamen Namen bestimmen, behält jeder seinen eigenen.

Vermögen der Ehepartner

Ich habe vor einem halben Jahr aus eigenen Ersparnissen, mit Unterstützung der Eltern und durch Aufnahme eines Hypothekarkredites eine Eigentumswohnung gekauft. Dort werden wir nun gemeinsam wohnen. Wir benützen Albrechts Pkw. Albrecht wird auch seine Möbel, Hi-Fi- und Fernsehgeräte und die Haushaltsgegenstände aus seiner bisherigen Mietwohnung, die er gekündigt hat, mitbringen.

Ändert sich durch die Hochzeit an den Vermögensverhältnissen etwas?

Gütertrennung während aufrechter Ehe – Vermögensaufteilung bei Scheidung

Die Eheschließung ändert an den bisherigen Vermögensverhältnissen der Partner nichts. Jeder bleibt Eigentümer der Sachen, die er/sie in die Ehe mitgebracht hat. Jeder Ehepartner haftet auch weiterhin allein für die von ihm eingegangenen Schulden. **Ab der Eheschließung Erworbenes** (auch Ersparnisse) gilt grundsätzlich als **gemeinsames Vermögen.**

Im Scheidungsfall gelten Eheverträge **nur beschränkt,** z. B. nicht für die Aufteilung des ehelichen Gebrauchsvermögens und der Ehewohnung, für die Aufteilung der Ersparnisse nur bedingt.

Ehevertrag?

Wollen Ehepartner von der Gütertrennung abweichen, so können sie einen Ehevertrag in Form eines **Notariatsaktes** schließen und **Gütergemeinschaft** vereinbaren. Dabei wird jeder Ehepartner **Miteigentümer am Gesamtvermögen** und **haftet** damit auch für die Schulden des anderen. Beide Partner dürfen nur gemeinsam über das Gesamtgut verfügen.

Vermögende Ehepartner können so ihr Eigentum für den Fall einer Scheidung erhalten. Dies steht jedoch dem Schutzbedürfnis des (oft aufgrund der Haushaltsführung und Kindererziehung) vermögensschwächeren Ehepartners entgegen.

Vorausvereinbarung:

Vor der Hochzeit oder auch während der Ehe können die Partner eine **Vereinbarung über die Vermögensaufteilung nach einer Trennung** schließen (sog. „Vorausvereinbarung"). Solche Vereinbarungen sind als Notariatsakt abzuschließen, wenn sie die ehelichen Ersparnisse oder die Ehewohnung betreffen. Für Vorausvereinbarungen über das übrige eheliche Gebrauchsvermögen (z. B. gemeinsames Auto) genügt die Schriftform. Das Gericht kann jedoch bei der Scheidung eine von diesem Vertrag abweichende Aufteilung oder Nutzung beschließen, wenn ein Ehepartner dadurch unzumutbar benachteiligt würde oder sich die Lebensverhältnisse eines Ehepartners oder eines gemeinsamen Kindes deutlich verschlechtern würden.

Antwort: Durch die Hochzeit ändert sich an den bisherigen Eigentumsverhältnissen von Katharina und Albrecht nichts. Jeder behält das, was ihm vorher schon gehört hat, und haftet für die Schulden, die er vorher aufgenommen hat.

Scheidung

Scheidungsformen

Für beide Scheidungsformen ist das Bezirksgericht zuständig.

SCHEIDUNGSFORMEN

SbX

Eine Bildschirmpräsentation zum Thema „Scheidung" finden Sie unter der ID: 0631.

Einvernehmliche Scheidung

Die meisten Scheidungen erfolgen **einvernehmlich.** Die Ehepartner einigen sich **über die Scheidungsfolgen** und **das Gericht fasst darüber einen Beschluss.** Dabei wird oft rechtliche Beratung eingeholt oder ein Mediationsverfahren durchgeführt.

Voraussetzungen für die einvernehmliche Scheidung

Der Inhalt der schriftlichen Einigung orientiert sich an den gesetzlichen Scheidungsregeln.

VORAUSSETZUNGEN FÜR DIE EINVERNEHMLICHE SCHEIDUNG

Wenn minderjährige Kinder betroffen sind, muss vor der Scheidung eine Elternberatung in Anspruch genommen werden.

Eine einvernehmliche Scheidung mit Berücksichtigung der Interessen beider Partner und der Kinder ist billiger und erspart ein möglicherweise nervenaufreibendes Gerichtsverfahren. Dadurch kann die **Grundlage für eine weitere Gesprächsbasis** zwischen den Ex-Ehepartnern geschaffen werden – besonders wichtig für die gemeinsamen Kinder.

Bei einem Scheidungsprozess werden auch Zeugen, z. B. die Kinder, angehört.

Das Gericht kann einen Kinderbeistand für die Anliegen und Wünsche der minderjährigen Kinder bestellen.

Scheidungsklage

Wenn sich die Partner nicht einigen können, muss einer der beiden eine **Klage** einbringen. Der/die beklagte Partner/in kann einen Mitverschuldensantrag oder eine Widerklage einbringen, wenn er/sie der Meinung ist, dass der/die andere Ehepartner/in das Verschulden am Scheitern der Ehe trägt. Das **Gericht** fällt nach Durchführung eines Prozesses mit Beweisaufnahme das **Scheidungsurteil.** Auch die **Scheidungsfolgen** (Unterhalt für Partner und Kinder, Sorgerecht, Vermögensaufteilung etc.) werden auf Antrag der Partner gerichtlich bestimmt.

Die Familienrichter/innen werden bei ihren Entscheidungen durch Psychologinnen/Psychologen und Sozialarbeiter/innen unterstützt, die bei Bedarf sofort mit den Betroffenen sprechen und konkrete Erhebungen vor Ort durchführen können **(Familiengerichtshilfe).**

Scheidungsgründe

Verschuldensprinzip (ein Partner zerstört die Ehe durch Eheverfehlungen) und **Zerrüttungsprinzip** (Partner haben sich auseinandergelebt, Wiederherstellung ist nicht zu erwarten)

Weitere Beispiele für Eheverfehlungen: körperliche und seelische Gewalt, böswilliges Verlassen, Trunksucht, übermäßige Spielleidenschaft, hemmungsloses Eingehen von Schulden

SCHEIDUNGSGRÜNDE

Die Scheidungsgründe müssen bewiesen werden.

Bei Scheidung wegen Krankheit oder Auflösung der Lebensgemeinschaft gilt eine **Härteklausel:** Wenn die Auflösung den Partner oder die Partnerin außergewöhnlich hart treffen würde, ist keine Scheidung möglich.

Beispiel

Die Ehe dauerte bereits mehrere Jahrzehnte und der Partner bzw. die Partnerin ist bereits im fortgeschrittenen Alter.

Wenn kein Verschulden vorliegt und der/die Ehepartner/in nicht in die Scheidung einwilligt, kann erst nach dreijähriger Trennung auf Scheidung geklagt werden. Nach sechsjährier Trennung muss die Scheidung durchgeführt werden.

Scheidungsfolgen

2017 waren von einer Scheidung 1 017 unter 3-jährige Kinder und 2 176 Kinder zwischen 3 und 6 Jahren betroffen.

Ob eine eigene Erwerbstätigkeit zumutbar ist, hängt von Alter, Ausbildung, bisheriger Erwerbstätigkeit oder Kinderbetreuungspflichten ab.

Unterhaltsanspruch der Ehepartner

In folgenden Fällen hat ein Ehepartner gegenüber dem anderen **Anspruch auf Unterhaltszahlungen,** wenn dieser Partner über kein Einkommen aus eigenem Vermögen oder aus einer zumutbaren Erwerbstätigkeit verfügt:

- **Verschuldensunterhalt:** wenn einen Ehepartner die Schuld an der Scheidung allein oder überwiegend trifft
- **verschuldensunabhängiger Bedarfsunterhalt:**
  - während der Pflege und Erziehung eines gemeinsamen Kindes bis zu dessen 5. Lebensjahr
  - wenn der Partner sich während der Ehe der Haushaltsführung oder Betreuung von Kindern oder Angehörigen gewidmet hat und sich nicht mehr selbst erhalten kann (z. B. wegen der langen Abwesenheit vom Arbeitsmarkt)

Der **Unterhaltsanspruch**

- **ruht** bei Aufnahme einer neuen Lebensgemeinschaft und
- **erlischt** bei einer Wiederverheiratung.

Vermögensaufteilung

Bei der sogenannten **„Billigkeitsentscheidung"** des Gerichtes über die Vermögensaufteilung wird z. B. auf Beiträge der Ehepartner und besonders auf das Wohl der Kinder Rücksicht genommen.

Das **eheliche Gebrauchsvermögen** (inkl. Hausrat und Ehewohnung) und die **ehelichen Ersparnisse** werden bei der Scheidung entweder einvernehmlich aufgeteilt oder das Gericht versucht, eine **im jeweiligen Fall gerechte Entscheidung** durch Urteil zu treffen.

Nicht aufgeteilt werden:

- von einem Ehepartner in die Ehe eingebrachte, geerbte oder von Dritten erhaltene Sachen
  Ausnahme: Ehewohnung, die jedenfalls aufgeteilt oder einem der Partner zugesprochen wird, gegebenenfalls nach Leistung einer Ausgleichszahlung
- persönliche oder für die Berufsausübung notwendige Gegenstände
- Unternehmensanteile (ausgenommen sind reine Wertanlagen)

Auch bestehende **Schulden** werden einem der Partner zugewiesen. Dadurch wird die **Mithaftung** des anderen gegenüber dem Gläubiger **nicht beseitigt.** Allerdings kann diese gerichtlich auf eine **Ausfallshaftung** beschränkt werden.

Beispiel

Nach der Scheidung übernimmt die Frau die Wohnung samt allen Schulden und das Sorgerecht für die Kinder. Der Mann haftet grundsätzlich für die Schulden weiter. Seine Haftung kann jedoch durch Gerichtsbeschluss in eine Ausfallshaftung umgewandelt werden.

Durch Mediation sollen möglicherweise jahrelange Streitereien nach der Scheidung verhindert werden.

Neben der Mediation im Familienrecht gibt es diese Form der Konfliktregelung auch für den wirtschaftlichen Bereich.

Mediation im Scheidungsverfahren

Bei der Scheidung oder Trennung einer Lebensgemeinschaft müssen sich die Partner und Eltern über viele Dinge einig werden (z. B. Unterhalt, Vermögen, Sorgerecht für die Kinder). Für viele Menschen ist dies eine schwierige, oft durch Beziehungskonflikte aufgeheizte Situation. Da kann es vorteilhaft sein, sich von fachlich ausgebildeten, neutralen Vermittlern bei der Kompromissfindung helfen zu lassen.

Ziel der Mediation ist das gemeinsame Erarbeiten eines Scheidungsvergleiches, der als Grundlage für eine **einvernehmliche Scheidung** vor Gericht dient.

Sorgerechtsverfahren können für Kinder belastend sein. Ein **Kinderbeistand** kann Minderjährige in Verfahren unterstützen und betreuen.

3 Lebensgemeinschaft

Manche Paare leben ohne Trauschein zusammen.

Wenn zwei Menschen längerfristig in eheähnlicher Gemeinschaft zusammenleben, spricht man von **Lebensgemeinschaft.** Mit Ausnahme einiger weniger Bereiche werden durch die Lebensgemeinschaft **keine Rechtsfolgen wie bei Eheschließung** ausgelöst.

Vergleich mit der Ehe

Es bestehen folgende wichtige Unterschiede zwischen Ehe und Lebensgemeinschaft:

	Ehe	Lebensgemeinschaft
Beginn	Formvorschriften für die Eheschließung	formfrei
aufrechter Bestand	Rechte und Pflichten der Partner sind **gesetzlich festgelegt:** ● gemeinsames Wohnen ● Treue ● Respekt ● Beistand ● Namensführung ● Pflicht zur gemeinsamen Haushaltsführung ● gegenseitige Unterhaltspflicht	Gestaltung nach **freiem Willen** der Partner
Tod eines Partners	● gesetzliches Erbrecht des Überlebenden ● Anspruch auf Witwen-/Witwer-Pension	● kein gesetzliches Erbrecht ● kein Anspruch auf Witwen-/Witwer-Pension
Auflösung	**gesetzliche Scheidungsregeln:** ● Unterhaltsanspruch für sozial schwächeren Partner bei Verschulden des anderen oder Bedarfsunterhalt für Hausfrauen/-männer ● gerechte Aufteilung des ehelichen Gebrauchsvermögens und der Ersparnisse ● Unterhaltsanspruch ist Grundlage für Pensionsanspruch des haushaltsführenden und kinderbetreuenden Ehepartners	**formfrei, keine gesetzlichen Regelungen:** ● kein Unterhaltsanspruch ● Rückforderung und „Teilung" nach allgemeinen zivilrechtlichen Regeln (Beweispflicht) ● eigene Alterspension nur, wenn Anspruch selbst erworben wurde
Rechtsfolgen für Kinder bei Trennung	gemeinsame Obsorge, sonst gerichtlicher Zuspruch an einen Ehepartner, der andere hat Mitsprache- und Besuchsrecht	grundsätzlich Sorgerecht der Mutter, Vater hat Antragsrecht

Bei Erbeinsetzung des/r Lebensgefährten/in im Testament haben die **gesetzlichen Erben** den **Pflichtteilsanspruch.**

Außerordentliches Erbrecht: Lebensgefährten bzw. Lebensgefährtinnen erben, wenn es keine gesetzlichen Erben gibt und sie mit der verstorbenen Person in den letzten drei Jahren gemeinsam im Haushalt gelebt haben.

Zur Vermeidung von Streitigkeiten bei einer evtl. späteren Trennung sollten Lebensgefährten bei gemeinsamen Anschaffungen Aufzeichnungen führen **(Beweissicherung).**

Einige wichtige Ziele von Partnerschaften können ohne Eheschließung nicht oder nur teilweise erreicht werden: z. B. Schutz und Versorgung des sozial schwächeren, haushaltsführenden und kinderbetreuenden Partners ohne eigenes Einkommen – meistens der Frau – bei Tod des Partners oder bei Scheitern der Beziehung.

Eine Lebensgefährtin bzw. ein Lebensgefährte hat (bei jahrelanger Haushaltsführung und Kinderbetreuung ohne Erwerbstätigkeit) keinen Anspruch auf Alterspension. Der Staat gewährt jedoch eine Ausgleichszulage etwa in Höhe des Existenzminimums oder Notstandshilfe/Mindestsicherung.

Übungsbeispiel

SbX
Ü 6.12
mit automatischer Aufgabenkontrolle
ID: 0631

Ü 6.12: Eherecht C

Kennzeichnen Sie, ob folgende Aussagen richtig sind:

	Richtig	Falsch	Richtigstellung
Man muss nicht unbedingt standesamtlich heiraten, wesentlich ist allein die kirchliche Trauung.			
Rechtlich gesehen wird eine Ehe durch die standesamtliche Eheschließung bewirkt.			
Zwei 16-jährige Jugendliche können mit Zustimmung ihrer Eltern heiraten.			
Die Ehefrau muss bei der Hochzeit den Namen des Mannes annehmen.			
Die Ehepartner müssen sich jedenfalls auf einen gemeinsamen Familiennamen einigen, das kann jener der Frau oder des Mannes sein.			
Wenn ein Ehepaar Kinder bekommt, muss sich die Frau um Haushalt und Kinderbetreuung kümmern. Der Mann muss dafür den Familienunterhalt verdienen.			
Beide Ehepartner haften grundsätzlich für Bankkredite, auch wenn sie nur einer alleine aufnimmt.			
Wenn eine Frau von ihrem Ehemann misshandelt wird, kann der Täter von der Polizei gewaltsam aus der Wohnung gewiesen werden.			

Ü 6.13: Eheschließung A

Beschreiben Sie, welche Rechte und Pflichten durch die Eheschließung entstehen.

Ü 6.14: Gütertrennung B

Erklären Sie, was man unter Gütertrennung versteht.

Ü 6.15: Einvernehmliche Scheidung B

a) Begründen Sie, warum man im Trennungsfall eine einvernehmliche Scheidung anstreben sollte.

b) Erklären Sie, welche Voraussetzungen für eine einvernehmliche Scheidung vorliegen müssen.

c) Erläutern Sie die Folgen, wenn sich ein Ehepaar nicht auf eine einvernehmliche Scheidung einigen kann.

Ü 6.16: Prinzipien des Scheidungsrechts A

Beschreiben Sie die Prinzipien des Scheidungsrechts in Stichworten!

Ü 6.17: Eheverfehlungen A

Nennen Sie vier Beispiele für Eheverfehlungen!

Ü 6.18: Sorgerecht, Pflege und Erziehung B

Welche Rechte stehen demjenigen Ehepartner, der das Sorgerecht für die gemeinsamen Kinder nicht zugesprochen erhält, jedenfalls zu?

Ü 6.19: Ansprüche bei Auflösung der Lebensgemeinschaft B

Welche Ansprüche hat eine kinderbetreuende Hausfrau bzw. ein kinderbetreuender Hausmann nach Auflösung der Lebensgemeinschaft?

Ü 6.20: Vermögensaufteilung bei Auflösung der Lebensgemeinschaft A

Wie wird das gemeinsame Vermögen von Lebensgefährten bei Trennung aufgeteilt?

Ü 6.21: Tod des Lebensgefährten C

Ist der überlebende Lebensgefährte bei Tod des Partners bzw. der Partnerin abgesichert?

4 Eingetragene Partnerschaft

Alle Menschen – ungeachtet ihres Geschlechts, ihrer Religion oder sexuellen Orientierung – sollen gleich behandelt werden.

Im Jahr 2010, dem Jahr der Einführung, wurden in Österreich 705 eingetragene Partnerschaften begründet, 2017 waren es 529.

Lange waren homosexuelle Paare in Österreich rechtlich den heterosexuellen Paaren nur teilweise gleichgestellt. Mehrere Gerichtsurteile erzwangen **2010** die **Einführung** der **Eingetragenen Partnerschaft für lesbische und schwule Paare,** womit ein rechtlicher Rahmen für das Zusammenleben gleichgeschlechtlicher Paare geschaffen wurde.

Der Verfassungsgerichtshof hat jedoch entschieden, dass zwei verschiedene Rechtsinstitute – Ehe für heterosexuelle Paare und eingetragene Partnerschaften für homosexuelle Lebensgemeinschaften – eine Diskriminierung darstellen, und diese Bestimmung mit 31.12.2018 aufgehoben. Daher können seit **1.1.2019 homosexuelle Paare auch heiraten** und **heterosexuelle Paare auch eine eingetragene Partnerschaft** begründen.

5 Vergleich Ehe und Eingetragene Partnerschaft

Die Eingetragene Partnerschaft wird auch als „Ehe light" bezeichnet.

Die 2010 für homosexuelle Paare eingeführte Eingetragene Partnerschaft wurde aufgrund von mehreren Urteilen des Verfassungsgerichtshofes und des Europäischen Gerichtshofes für Menschenrechte **schrittweise an die Ehe angepasst.** Es bestehen allerdings noch **einige Unterschiede,** insbesondere bei der Auflösung einer Eingetragenen Partnserschaft (EP) mit gemeinsamen Kindern:

Die EP wurde vom Gesetzgeber offensichtlich als lockerere Bindung als die Ehe angesehen.

- Die EP darf erst **mit 18 Jahren eingegangen** werden, die Ehe unter bestimmten Voraussetzungen schon ab 16.
- Es gibt **keine Verlobung,** daher auch keinen Schadenersatzanspruch wegen schuldhafter Auflösung des Eheversprechens.
- Es gibt **keine Pflicht zur Treue,** sondern zur „Vertrauensbeziehung".
- Bei der **Trennung wegen Verschuldens** eines Partners kennt die EP weniger Tatbestände als die Ehe.
- **Leichtere Auflösung:** Eine EP kann schon nach drei Jahren wegen unheilbarer Zerrüttung einseitig aufgelöst werden, die Ehe in besonderen Härtefällen erst nach sechs Jahren.

- Es gibt bei einer EP mit gemeinsamen Kindern **keine Unterhaltsregelung** für die Zeit der Kindesbetreuung. Nach der Scheidung einer Ehe jedoch steht dem Partner, der sich zum überwiegenden Teil der Kindererziehung widmet, unabhängig vom Verschulden Unterhalt zumindest bis zum fünften Lebensjahr des Kindes zu.

Übungsbeispiel

SbX Ü 6.22 mit automatischer Aufgabenkontrolle ID: 0631

Ü 6.22: Eingetragene Partnerschaft B

Kennzeichnen Sie, ob folgende Aussagen richtig oder falsch sind, und ergänzen Sie die richtigen Aussagen:

Aussage	Richtig	Falsch	Ergänzung
Für homosexuelle Paare gibt es keine rechtlich geregelte Form der Lebensgemeinschaft.			
Eingetragene Partner/innen sind nicht erbberechtigt.			
Eingetragene Partner/innen dürfen Kinder adoptieren.			
Die Auflösung einer eingetragenen Partnerschaft hat keine nennenswerten rechtlichen Folgen.			
Heterosexuelle Paare können nur heiraten, homosexuelle Paare können nur eine eingetragene Partnerschaft begründen.			
Die eingetragene Partnerschaft ist für Familien mit Kindern gut geeignet, um alle Familienmitglieder abzusichern.			
Die eingetragene Partnerschaft wurde vom Gesetzgeber aufgrund von Gerichtsurteilen wegen Diskriminierung von Homosexuellen geschaffen.			

Sichern & Merken

SbX ID: 0632

Abstammung der Kinder

Mutter ist die Frau, die das Kind geboren hat.

Vater ist

- der Ehemann der Mutter
- der Mann, der die Vaterschaft öffentlich anerkannt hat oder
- der Mann, dessen Vaterschaft gerichtlich festgelegt wurde.

Feststellung der Vaterschaft

Die Vaterschaft zu einem unehelichen Kind wird durch **öffentliches Anerkenntnis** des Vaters oder nach Klage durch gerichtliches **Urteil** bestimmt.

wechselseitige Rechte und Pflichten von Eltern und Kindern

Kinder haben gegenüber ihren Eltern folgende **Rechte:**

- Namensrecht
- Unterhaltsanspruch
- Anspruch auf Pflege und Erziehung
- gesetzliche Vertretung und Vermögensverwaltung
- Anspruch auf Ausstattung
- Erbrecht

Kinder haben die Anordnungen der Eltern zu befolgen und ihren Eltern im Notfall beizustehen, auch durch finanzielle Beiträge.

Adoptivkinder

Durch **Adoption** wird zwischen den Wahleltern und den Adoptivkindern rechtlich ein Verhältnis wie zwischen leiblichen Eltern und Kinder hergestellt.

Pflegekinder

Manche Kinder können nicht bei ihren Eltern leben und wachsen daher bei **Pflegeeltern** auf, die sich um sie kümmern und sie erziehen, alle übrigen Rechte können bei den leiblichen Eltern verbleiben.

Verlobung

Durch das Eheversprechen zweier verschiedengeschlechtlicher Personen entsteht die **Verlobung,** die zwar nicht die Pflicht zur Eheschließung, jedoch unter Umständen eine Schadenersatzpflicht auslösen kann.

Ehe

Bei der **Eheschließung** (standesamtliche Trauung) verpflichten sich die Ehepartner zur

- Lebensgemeinschaft,
- Treue,
- anständigen Begegnung und
- zum Beistand.

Wichtiges **Ziel der Ehe** ist die Gründung einer Familie mit Kindern. **Ehefähig** sind voll geschäftsfähige Personen. Weiters dürfen keine Nichtigkeits- oder Aufhebungsgründe vorliegen.

Rechte und Pflichten der Ehepartner

Rechte aus dem Eheversprechen: Lebensgemeinschaft, Treue, anständige Begegnung, Beistand sowie Namensrecht

Pflichten aus dem Eheversprechen: Unterhaltspflicht, in manchen Fällen Pflicht zur Mitwirkung im Erwerb des Partners, gemeinsame Haushaltsführung, Schutz des Wohnbedürfnisses des Partners

Scheidung

Eine **Scheidung** kann einvernehmlich oder durch gerichtliches Urteil erfolgen. Gründe: wenn ein Ehepartner durch Eheverfehlungen das Scheitern verursacht hat **(Verschuldensprinzip)** oder wenn die Ehe aus sonstigen Gründen unheilbar zerbrochen ist **(Zerrüttungsprinzip).** Weitere Gründe sind z. B. ansteckende oder ekelerregende Krankheit (hier gilt eine Härteklausel) oder länger bestehende Auflösung der häuslichen Gemeinschaft.

Scheidungsfolgen

Durch die Scheidung kann ein Ehepartner für den anderen, sozial schwächeren Teil **unterhaltspflichtig** werden **(Verschuldens- oder Bedarfsunterhalt).** Eheliches Gebrauchsvermögen und Ersparnisse sowie Schulden werden aufgeteilt. Die Unterhaltspflicht für gemeinsame Kinder besteht auch nach der Scheidung weiter. Das Sorgerecht für die Kinder kann gemeinsam ausgeübt oder einem der Ehepartner zugesprochen werden, der andere Teil hat Mindestrechte. Der gemeinsame Familienname kann beibehalten oder ein früherer Name wieder angenommen werden.

Unterschiede zwischen Ehe und Lebensgemeinschaft

Das **Zusammenleben ohne Trauschein** löst nicht dieselben Rechtsfolgen aus wie die Eheschließung. Im Trennungsfall gibt es keine gesetzliche Vermögensaufteilung und keinen Unterhalt für die Partner. Bei Tod eines Partners oder bei Trennung besteht für den sozial schwächeren, kinderbetreuenden Partner keine Absicherung. Das Sorgerecht für gemeinsame Kinder steht grundsätzlich der Mutter zu, es besteht jedoch ein Antragsrecht des Vaters.

eingetragene Partnerschaft

Die **eingetragene Partnerschaft** schuf einen rechtlichen Rahmen für Lebensgemeinschaften homosexueller Paare mit Rechtsfolgen ähnlich denen einer Ehe.

Ehe und eingetragene Partnerschaft für alle

Hetero- und homosexuelle Paare können seit 2019 heiraten oder eine eingetragene Partnerschaft begründen. Bei der Auflösung einer eingetragenen Partnerschaft fehlt der verschuldensunabhängige Bedarfsunterhalt während der Kinderbetreuung, der bei der Scheidung zusteht.

SbX
ID: 0632

Im SbX finden Sie eine Bildschirmpräsentation mit den Grafiken dieser Lerneinheit.

Wissen & Können

SbX ID: 0633

A B C D E

W 6.19: Beziehungen zwischen Eltern und Kindern C

Die unverheiratete Lisa Miller bekommt ein Kind namens Stefanie. Der Vater ist Mario Bauer, mit dem sie schon seit vier Jahren zusammenlebt. Lisa kümmert sich um die Haushaltsführung und Kinderbetreuung, während Mario seiner Tätigkeit als Bankangestellter nachgeht.

a) Lisa gibt nach der Geburt Mario als Vater an. Reicht das aus?

b) Welchen Familiennamen kann Stefanie führen?

c) Wer hat das Sorgerecht für Stefanie?

d) Welche Ansprüche hat Stefanie – an wen?

W 6.20: Beziehungen zwischen Eltern und Kindern C

Mario wurde inzwischen aufgrund eines von ihm verursachten Verkehrsunfalles zu einer Freiheitsstrafe von einem Jahr verurteilt und hat daher kein Einkommen.

Von wem kann Lisa den Unterhalt für sich und Stefanie bekommen?

W 6.21: Scheidung C

Lisa und Mario haben geheiratet und noch ein zweites Kind bekommen. Lisa ist mit der Haushaltsführung und Kinderbetreuung beschäftigt, Mario hat wieder eine Arbeitsstelle gefunden. Als das zweite Kind 2 Jahre alt ist, ergeben sich unüberbrückbare Differenzen und die beiden stellen fest, dass sie sich auseinandergelebt haben. Nach längeren Streitereien beschließen die beiden, sich zu trennen.

a) Schildern Sie die beiden grundsätzlichen Möglichkeiten der Trennung!

b) Welche Folgen hat die Trennung für alle Familienmitglieder?

W 6.22: Scheidung C

Schildern Sie die Folgen der Trennung unter der Voraussetzung, dass Lisa und Mario nicht verheiratet sind!

W 6.23: Patchworkfamilien E

Diskutieren Sie (in Partner- oder Gruppenarbeit), ob die gesetzlichen Regelungen des Familienrechts für Patchwork-Familien anwendbar sind! Welche Bereiche müssten Ihrer Meinung nach zusätzlich geregelt werden? Halten Sie die Ergebnisse schriftlich fest und präsentieren Sie anschließend vor der Klasse!

W 6.24: Unterhaltsanspruch C

Die 19-jährige HAK-Absolventin Nina möchte gerne studieren. Ihre Eltern sind dagegen, da sie der Meinung sind, Nina solle lieber arbeiten gehen. Kann Nina von ihren Eltern trotzdem finanzielle Unterstützung für ihr Studium verlangen?

W 6.25: Lebensgemeinschaft D

Diskutieren Sie folgende Aussage: „Die Hausfrau in einer Lebensgemeinschaft ist entweder sehr mutig oder sehr naiv." Halten Sie die Ergebnisse schriftlich fest und präsentieren Sie vor der Klasse!

W 6.26: Partnerschaftsvertrag E

Überlegen Sie, wie man den sozial schwächeren Partner in einer Lebensgemeinschaft durch einen sogenannten „Partnerschaftsvertrag" absichern könnte! Welche für eine Ehe geltenden Rechtsfolgen können jedoch nicht erzielt werden?

SbX
W 6.27–W 6.29 mit automatischer Aufgabenkontrolle ID: 0633

Weitere Aufgaben im SbX

W 6.27: Onlinetest C

Bearbeiten Sie den Test zu den Themen Geburt, Adoption, Verlobung und Scheidung.

W 6.28: Familienrecht C

Bearbeiten Sie den Test zum Familienrecht.

W 6.29: Unterhalt C

Ordnen Sie die Fallbeispiele richtig zu.

SbX
Aufgabenblatt W 6.30 ID: 0633

W 6.30: Unterhalt C

Bearbeiten Sie die Aufgabe zum Thema „Unterhalt" mithilfe des Internets.

Ein kurzer Kompetenz-Check, bevor's weitergeht!

Kompetenz-Check

	☺	😐	☹
Ich kann erklären, wie die Vaterschaft bei Kindern unverheirateter Eltern festgestellt werden kann.			
Ich kann darstellen, welchen Namen Kinder verheirateter und Kinder unverheirateter Eltern erhalten.			
Ich kann beurteilen, ob die Rechtsposition von Kindern unverheirateter Eltern jener verheirateter Eltern entspricht und wo es Unterschiede gibt.			
Ich kann darstellen, an wen und wie lange Kinder einen Unterhaltsanspruch haben.			
Ich kenne die Regelung des Sorgerechts sowohl für Kinder verheirateter Eltern als auch für Kinder unverheirateter Eltern.			
Ich kann die wesentlichen Unterschiede zwischen Stief-, Adoptiv- und Pflegekindern beschreiben.			
Ich kann erklären, welche Voraussetzungen für die Eheschließung vorliegen müssen und wann eine Eheschließung unwirksam ist.			
Ich kann die wesentlichen Rechte und Pflichten der Ehe sowie die Auswirkungen der Eheschließung wiedergeben. Ich kann die Unterschiede zwischen einer einvernehmlichen Scheidung und einem Scheidungsprozess benennen.			
Ich kann erklären, welche Gründe zur Scheidung führen können und welche Folgen sich aus einer Scheidung ergeben.			
Ich kann erläutern, wer nach einer Scheidung Unterhaltsansprüche hat.			
Ich kann beschreiben, wie das Vermögen der Ehepartner bei der Scheidung aufgeteilt wird.			
Ich kann wichtige Unterschiede zwischen einer Ehe und einer Lebensgemeinschaft, besonders bei Tod eines Partners und bei Trennung, nennen.			
Ich kann erklären, wie das Sorgerecht für Kinder nach der Scheidung geregelt ist.			
Ich kann beschreiben, was eine eingetragene Partnerschaft ist, und deren wesentliche Regeln erläutern.			
Ich kenne die Unterschiede zwischen einer eingetragenen Partnerschaft und einer Ehe.			

Lerneinheit 4
Erbrecht

SbX
Alle SbX-Inhalte zu dieser Lerneinheit finden Sie unter der ID: 0640.

Viele Menschen arbeiten ein Leben lang und schaffen sich Vermögenswerte an. Sie möchten natürlich, dass eine Person ihr „Lebenswerk" übernimmt, die es zu schätzen weiß und die damit umgehen kann. Um Streitigkeiten zu vemeiden, sollte man bereits zu Lebzeiten regeln, was einmal mit dem eigenen Vermögen geschehen soll.

Obwohl jede/r mit dem Tod irgendwann zu tun haben wird, verschieben viele Menschen das Thema „Erbschaft" häufig auf später. Durch eine klare, gerechte und umsichtige Regelung des eigenen Erbes kann man gut vorsorgen. Damit verhindert man, dass es zu jahrelangen Familienstreitigkeiten kommt.

Vielleicht arbeiten Sie nach der Matura in einer Rechtsanwaltskanzlei oder einem Notariat, vielleicht finden Sie eine Anstellung bei einer Bank. In diesen Branchen können Sie auch beruflich mit erbrechtlichen Fragen in Berührung kommen.

Lernen & Üben

SbX ID: 0641

BEGRIFFE DES ERBRECHTS

- **ETWAS ERBEN**: Recht, einen Teil oder den gesamten Nachlass nach dem Tod der verstorbenen Person in Besitz zu nehmen
- **VERSTORBENE PERSON**: hinterlässt die Verlassenschaft
- **VERLASSENSCHAFT**: die Gesamtheit der Vermögensrechte und der Verbindlichkeiten der verstorbenen Person
- **ERBSCHAFT**: Rechte und Pflichten, die auf den Erben übergehen
- **VERMÄCHTNISNEHMER BZW. VERMÄCHTNISNEHMERIN**: hat Anspruch auf einzelne Sachen des Erbes
- **ERBE BZW. ERBIN**: Person, die das Vermögen oder einen Teil davon übernimmt

SbX
Sie finden eine Zuordnungsübung zum Thema „Erben" unter der ID: 0641.

SbX
Weiterführende Links zum Thema Todesfall und Verlassenschaft finden Sie unter der ID: 0641.

1 Was kann vererbt werden und wer kann erben?

Auch die Schulden und Verpflichtungen der verstorbenen Person gehören zur Verlassenschaft.

Seit vielen Jahren sagt meine Tante immer wieder, wenn sie einmal stirbt, werde sie mir etwas hinterlassen. Was kann sie mir denn alles vererben?

Was kann vererbt werden?

Zur **Verlassenschaft** gehören
- Geld und Vermögenswerte, wie Sparguthaben, Wertpapiere und Liegenschaften
- Schulden und Verpflichtungen

der verstorbenen Person.

Nicht vererblich sind höchstpersönliche Rechte und Pflichten des Verstorbenen (z. B. akademische Titel, Berufsbezeichnungen und Auszeichnungen, eine Leibrente, eine Geldstrafe).

Antwort: Da auch Schulden und Verpflichtungen vererbt werden, sollte unbedingt geklärt werden, ob und in welcher Höhe Schulden vorhanden sind. Erst dann soll man eine Erbschaft annehmen (siehe Erbserklärung, S. 246).

Eine **Lebensversicherung** ist eine Möglichkeit, einer einzelnen Person Geld zukommen zu lassen, ohne dass die Erben daran teilhaben können. Bei einer Lebensversicherung steht die Versicherungsleistung der Person zu, die in der Polizze als begünstigt eingetragen wurde. Ist keine begünstigte Person genannt, fällt die Versicherung in den Nachlass.

Wie kann man etwas erben und wer kann erben?

Um Erbe/Erbin zu werden, muss man zur Erbschaft „berufen sein". Das bedeutet, es muss ein rechtlicher Berufungsgrund zur Erbschaft vorliegen.

Berufungsgründe zur Erbschaft

BERUFUNGSGRÜNDE ZUR ERBSCHAFT

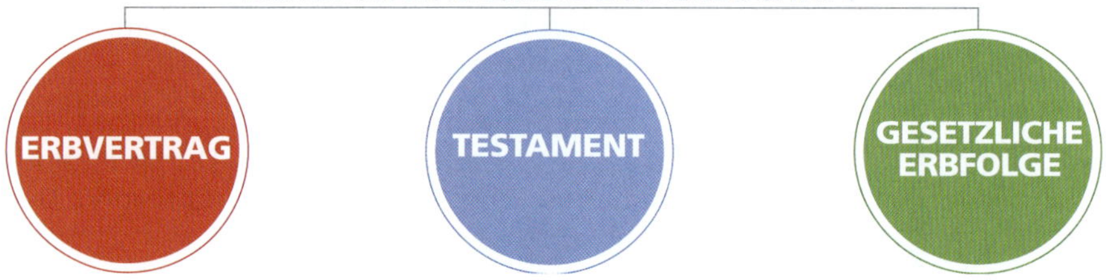

Der Erbvertrag ist der stärkste Berufungsgrund, das Testament ist der zweitstärkste. Gibt es weder Erbvertrag noch Testament, kommt die gesetzliche Erbfolge zur Anwendung.

Erben kann nur eine Person, die **erbfähig** ist. Erbfähig ist grundsätzlich jeder Mensch, und auch juristische Personen sind erbfähig. Erbfähig ist, wer **rechtsfähig** und **erbwürdig** ist.

Die **Erbunwürdigkeit** schließt die unwürdige Person auch vom Pflichtteil aus. Sie wirkt von Gesetzes wegen und bedarf keines Aktes des Erblassers bzw. der Erblasserin. Sie kann durch Verzeihen aufgehoben werden.

Erbunwürdig sind Personen, die

- gegen die verstorbene Person oder die Verlassenschaft eine gerichtlich strafbare Handlung begangen haben, die mit mehr als einjähriger Freiheitsstrafe bedroht ist und nur vorsätzlich begangen werden kann,
- einen Angriff auf den letzten Willen des Erblassers begangen haben (z. B. Testamentsfälschung),
- absichtlich versucht haben, den letzten Willen der verstorbenen Person zu verhindern oder sie zu einem Testament zu zwingen,
- der verstorbenen Person schweres seelisches Leid zugefügt haben (z. B. Psychoterror),
- ihre sich aus der Eltern-Kind-Beziehung ergebenden Pflichten grob vernachlässigt haben,
- gegen den/die Ehegatten/Ehegattin, eingetragene/n Partner/in oder Lebensgefährten/Lebensgefährtin oder deren Verwandte in gerader Linie eine gerichtlich strafbare Handlung begangen haben, die vorsätzlich begangen wurde und mit mehr als einjähriger Freiheitsstrafe bedroht ist.

Im Gegensatz zur **Erbsentschlagung** (siehe später) ist der **Erbverzicht** ein zweiseitiges Rechtsgeschäft.

Erbverzicht: Eine Person kann im **Voraus** auf ein künftiges Erbrecht vertraglich verzichten. Dieser Verzicht bedarf des Notariatsaktes. Er schließt den Pflichtteilsverzicht mit ein und erfasst auch die Nachkommen.

2 Testament

Jede Person darf grundsätzlich frei darüber entscheiden, was nach ihrem Tod mit ihrem Vermögen geschehen soll.

In einem **Testament** kann man die eigenen Kinder, den/die Ehepartner/in, die besten Freunde, aber auch wohltätige Organisationen zu Erben einsetzen. Eine Person, die ein Testament schreibt, darf nach **eigenem Gutdünken** ihren letzten Willen verfassen. Ist das Testament aber **ungültig** oder wurde gar kein Testament errichtet, geht alles an die gesetzlichen Erben. Wenn eine einzige Formvorschrift nicht eingehalten wurde, ist das ganze Testament ungültig. Daher sollte man die **strengen Formvorschriften** genau einhalten.

Jedes Testament muss eine **Erbseinsetzung** enthalten. Das bedeutet, dass mindestens eine oder mehrere Erbberechtigte bestimmt werden müssen, die den ganzen Nachlass oder quotenmäßige Anteile davon erhalten sollen.

Wer kann ein Testament verfassen? (= Testierfähigkeit)	Wer kann kein Testament verfassen? (= Testierunfähigkeit)
• jede Person über 18 Jahren, die im Vollbesitz ihrer Verstandeskraft ist • Personen zwischen 14 und 18 Jahren können ein Testament rechtsgültig nur in einem Notariat oder vor Gericht errichten.	• Kinder unter 14 Jahren • Personen, die (gerade) nicht im Vollbesitz ihrer geistigen Kräfte sind (z. B. Volltrunkene, Personen unter Drogeneinfluss, sinnesverwirrte Personen)

Der letzte Wille muss bestimmt, mit Überlegung, ernst sowie frei von Drohung, List und wesentlichem Irrtum erklärt werden.

> Meine Tante hat gestern beim Abendessen mit Freunden beiläufig gesagt, dass ein bestimmtes Tierschutzheim einmal ihr Haus und ihre Ersparnisse erhalten solle. Denn ich hätte mich in den letzten Monaten viel zu wenig um sie gekümmert. Dadurch würde nach ihrem Tod auch gut für ihren Hund Flocki gesorgt werden.

Antwort: Wenn Marcos Tante das bei einem Abendessen nur so beiläufig gesagt hat, wird hier wahrscheinlich die Testierabsicht fehlen, da der letzte Wille ja bestimmt mit Überlegung und ernst erklärt werden muss.

Testamentsformen

TESTAMENTSFORMEN

Das **öffentliche Testament** kann in einem Notariat oder vor einem Gericht sowohl mündlich wie auch schriftlich errichtet werden. Als Zeugen müssen zusätzlich zu Notar/in oder Richter/in noch zwei weitere Personen das Testament unterschreiben.

Ein Erbe/Eine Erbin oder Vermächtnisnehmer/in ist für die ihm/ihr zugedachte Zuwendung kein fähiger Zeuge/keine fähige Zeugin, ebenso wenig wie ihre/seine nahen Angehörigen.

Formen des privaten Testaments:

Eigenhändiges Testament	Fremdhändiges Testament	Nottestament
• Die testierende Person muss den **gesamten Text** handschriftlich schreiben und eigenhändig unterschreiben. • Es sind keine Zeugen erforderlich.	Testierende Person schreibt dieses mit PC oder Schreibmaschine oder lässt es von einer anderen Person schreiben.	Im Katastrophenfall, bei einem Unfall oder einer Situation, in der Lebensgefahr besteht, kann man ein • mündliches Nottestament oder • schriftliches Nottestament machen.
Die Unterschrift sollte mit Vor- und Zunamen erfolgen.	Testierende Person muss es selbst unterschreiben. Er/Sie muss auch noch **eigenhändig geschrieben** einen Zusatz verfassen, dass die Urkunde seinen/ihren letzten Willen enthält (z. B. „Mein letzter Wille", „Das ist mein letzter Wille").	• Zwei Zeugen sind notwendig. • Das Nottestament kann auch durch mündige Minderjährige bezeugt werden (ab 14 Jahre).
Die Angabe des Datums ist anzuraten.	Drei gleichzeitig anwesende fähige Zeugen müssen es ebenfalls unterschreiben, mit dem Zusatz „als Testamentszeuge". Die Identität der Zeugen muss aus der Urkunde hervorgehen.	Dieses Testament hat nur drei Monate nach Wegfall der Gefahr Gültigkeit.

Fähige Testamentszeugen bzw. -zeuginnen sind:
- mindestens 18 Jahre alt (bei Nottestament auch 14- bis 17-Jährige)
- im Vollbesitz ihrer geistigen Kräfte
- müssen die Sprache der letztwillig verfügenden Person verstehen
- dürfen nicht verwandt oder verschwägert sein mit im Testament genannten Erben
- dürfen keine Dienstnehmer bedachter Personen sein

Die **Zeugen** müssen zusätzlich noch die Sprache des Erblassers verstehen und dürfen nicht in dem Testament bedacht werden.

Antwort: Wenn Marcos Tante das nur mündlich gesagt hat, wird es wahrscheinlich nicht gelten, da die Voraussetzungen in Marcos Erzählungen nicht erfüllt sind (keine unmittelbare Lebensgefahr, keine zwei nicht erbberechtigten Zeugen anwesend). Dass Marco einen bestimmten Geldbetrag erhalten soll, müsste daher in ihrem handschriftlichen Testament stehen, um rechtsgültig zu sein. Das handschriftliche Testament ist gültig, wenn die Tante die Absicht hatte, ihr Testament zu schreiben, den ganzen Text mit der Hand geschrieben hat und es unterschrieben hat.

Beispiele für einfache Testamente

Mein Freund Albrecht fährt beruflich so viel mit dem Auto. Gestern hat er nach einer gefährlichen Situation gesagt, er möchte ein Testament schreiben. Geht das so einfach?

Beispiel für ein eigenhändiges Testament

bedachte Person: bedeutet, dass die Person aus dem Erbe etwas erhält

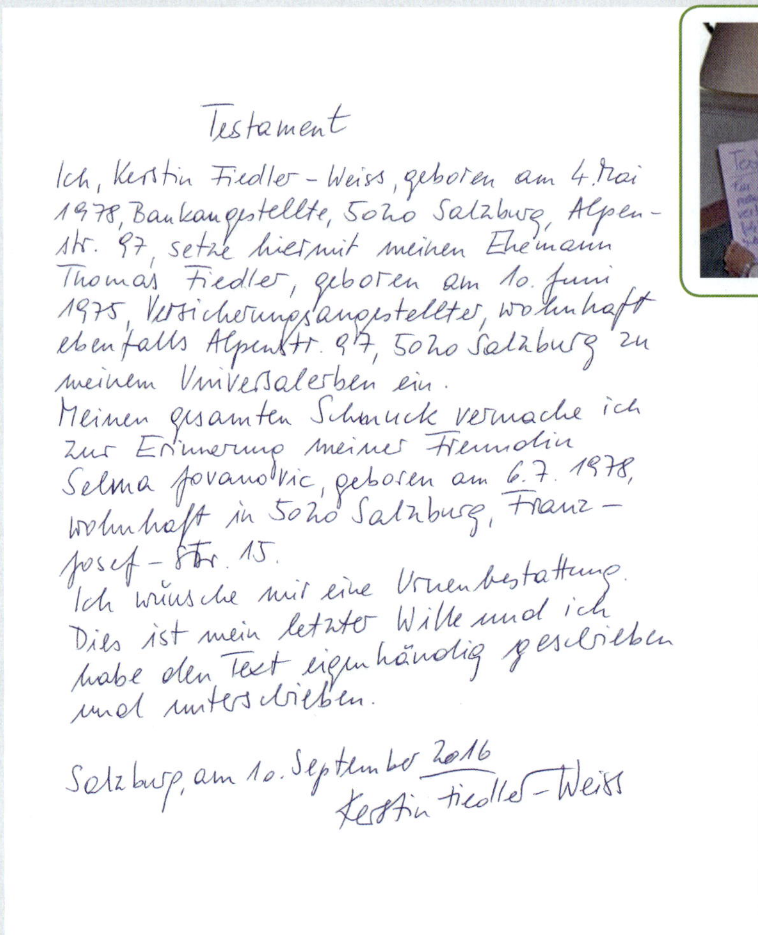

Testament

Ich, Kerstin Fiedler-Weiss, geboren am 4. Mai 1978, Bankangestellte, 5020 Salzburg, Alpenstr. 97, setze hiermit meinen Ehemann Thomas Fiedler, geboren am 10. Juni 1975, Versicherungsangestellter, wohnhaft ebenfalls Alpenstr. 97, 5020 Salzburg zu meinem Universalerben ein.

Meinen gesamten Schmuck vermache ich zur Erinnerung meiner Freundin Selma Jovanovic, geboren am 6.7.1978, wohnhaft in 5020 Salzburg, Franz-Josef-Str. 15.

Ich wünsche mir eine Urnenbestattung.

Dies ist mein letzter Wille und ich habe den Text eigenhändig geschrieben und unterschrieben.

Salzburg, am 10. September 2016

Kerstin Fiedler-Weiss

SbX
Zuordnungsübung zum Testament ID: 0641

Antwort: Möchte Albrecht ein einfaches Testament erstellen, so ist das möglich, wenn er genau auf die Formvorschriften achtet.

Wollen Sie ganz sichergehen, dass Ihr Vermögen auch wirklich der Person zukommt, an die Sie denken, oder handelt es sich um schwierigere Rechtsverhältnisse, empfiehlt sich die fachkundige Beratung von einem/einer Notar/in oder eines Rechtsanwalts bzw. einer Rechtsanwältin.

Beispiel für ein mündliches Testament:

Beispiel

Der bei einem Autounfall schwer verletzte Fahrer erklärt vor der Notärztin und dem Sanitäter, dass es sein letzter Wille sei, dass seine langjährige Lebensgefährtin seine Alleinerbin sein solle. Glücklicherweise überlebt er trotz der schweren Verletzungen die nächsten drei Monate. Damit wird sein mündliches Testament durch den Zeitablauf ungültig.

Beispiel für ein fremdhändiges Testament

Beispiel

Testament

Linz, am 10. September 2018

Ich, Sebastian Aumüller, geboren am 17. November 1960, wohnhaft in Goethestr. 20, 4020 Linz, setze meine Lebensgefährtin Frau Martina Keplinger, geboren am 11. Juli 1962, wohnhaft ebenfalls in Goethestr. 20, 4020 Linz zu meiner Universalerbin ein.

Meiner Tochter aus erster Ehe, Laura Aumüller, geboren am 3. Jänner 1985, wohnhaft Auerspergstr. 3, 4020 Linz und meinem Sohn Lorenz Keplinger, geboren am 4. April 2001, wohnhaft Goethestr. 20, 4020 Linz vermache ich je € 50.000.–.

Mein Mountainbike vermache ich meinem Freund Roland Schwarzinger, geboren am 4. Dezember 1970.

Diese Urkunde enthält meinen letzten Willen.
Sebastian Aumüller

Christina Dufner als ersuchte Testamentszeugin, geb. am 2.4.1960, Rilkestraße 10, 4020 Linz

Alexandra Fröhlich – als ersuchte Testamentszeugin geb. am 10.9.1971, Paris-Lodron-Str. 8a, 5020 Salzburg

Martin Lorentschik als ersuchter Testamentszeuge, geb. am 8.3.1950, Schrannengasse 5, 5020 Sbg

Weitere Tipps zum Thema Erbrecht finden Sie unter: **www.help.gv.at, www.trauerhilfe.at, www.notar.at**

Ein Testament kann zu Hause aufbewahrt werden, das ist praktisch und kostenlos. Es kann aber auch gegen eine geringe Gebühr in einem Notariat oder in einer Rechtsanwaltskanzlei hinterlegt werden. Die Hinterlegung in einem Notariat verschafft große Sicherheit und Garantien: Der Inhalt des Testaments bleibt geheim, es kann nicht verschwinden und nicht gefälscht werden.

Alle bei Notaren deponierten Testamente werden automatisch im Zentralen **Testamentsregister** gespeichert. Im Sterbefall fragt der/die zuständige Notar/in bei diesem Register an. Es wird die Auskunft erteilt, wo das Testament hinterlegt ist und er/sie kann es sich schicken lassen.

Widerruf eines Testaments

Kann Albrecht, wenn er ein Testament geschrieben hat, es sich dann noch einmal anders überlegen?

Ein **Testament** kann **jederzeit widerrufen** werden,

- indem man ein **neues Testament** mit anderem Inhalt erstellt oder
- indem man das **Testament** durch einen schriftlichen Widerruf für ungültig erklärt oder
- das **alte Testament** einfach **vernichtet.**

Wer ein Testament erstellt hat, braucht daher nicht zu befürchten, dass er/sie sich vielleicht zu früh in Bezug auf die Vermögensnachfolge festgelegt hat.

Antwort: Ja, Albrecht kann es sich jederzeit anders überlegen, er braucht nur das alte Testament zu vernichten, ein neues zu schreiben oder das alte Testament durch einen schriftlichen Widerruf für ungültig zu erklären.

3 Erbvertrag und Schenkung auf den Todesfall

Für den letzten Willen stellt das Recht auch andere Möglichkeiten bereit.

Können Albrecht und ich auch einen Erbvertrag abschließen?

Vorsicht vor einem Erbvertrag: Er kann nur mehr im Einvernehmen aufgelöst werden. Sollte z. B. die Ehe später geschieden werden, kann das zu Problemen führen!

Erbvertrag

Einen Erbvertrag können nur Ehegatten, eingetragene Partner/innen sowie Personen, die sich verlobt oder die eingetragene Partnerschaft versprochen haben, schließen.

Im **Erbvertrag** setzt entweder

- ein/e Ehepartner/in oder eingetragene/r Partner/in den/die anderen zum Universalerben ein oder
- es setzen beide einander gegenseitig zu ihren Universalerben ein.

In einem Erbvertrag darf aber **maximal über drei Viertel** des gesamten Vermögens verfügt werden. Der Erbvertrag bedarf zu seiner Rechtsgültigkeit eines **Notariatsaktes.**

Antwort: Da Katharina und Albrecht weder verlobt noch verheiratet sind, können sie derzeit noch keinen Erbvertrag errichten.

Achtung: Wenn man sich kein Widerrufsrecht vertraglich vorbehalten hat, ist für eine einseitige Rückgängigmachung die Zustimmung der beschenkten Person notwendig.

Schenkung auf den Todesfall

Hier legt sich der/die Schenkende noch **zu Lebzeiten** fest, wem er/sie eine bestimmte Sache im Ablebensfall schenken will. Diese ist notariatsaktpflichtig.

4 Gesetzliche Erbfolge

Wenn es in einem Todesfall weder einen Erbvertrag noch ein Testament gibt, dann tritt die gesetzliche Erbfolge ein.

Wer würde im Falle eines tödlichen Unfalls von Albrecht erben, wenn er noch kein Testament gemacht hat?

Sinn der gesetzlichen Erbfolge ist es, die engsten Angehörigen zu versorgen. Erbberechtigt sind die **Blutsverwandten** und der/die **Ehepartner/in** sowie der/die **eingetragene Partner/in.** Auch uneheliche Kinder und Wahlkinder (= Adoptivkinder) sind erbberechtigt.

Liniensystem

Liniensystem

Die erbberechtigten Blutsverwandten kommen nach dem sogenannten **Liniensystem** zum Zug:

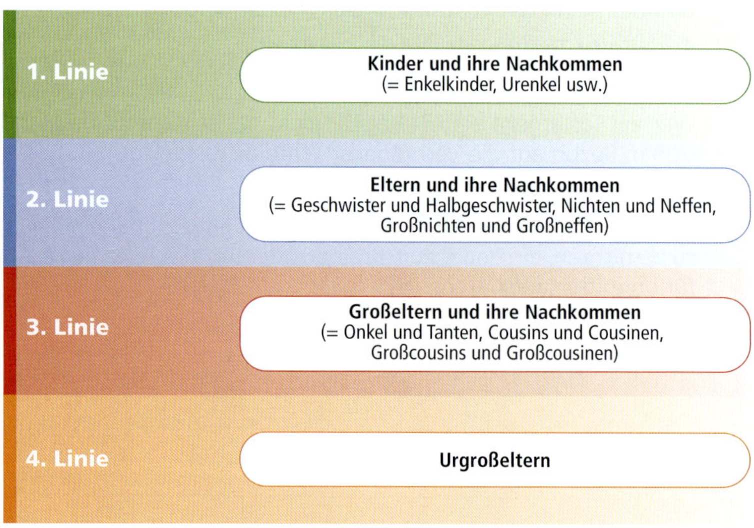

Hat die verstorbene Person also z.B. Kinder, schließen sie die entferntere Linie aus.

- **Grundsatz:** Sind mehrere Linien vorhanden, so schließt die nähere Linie die entferntere Linie vom Erbe aus!
- Innerhalb einer Linie wird die Erbschaft unter den Erbberechtigten nach Köpfen aufgeteilt: Sind z. B. drei Kinder da, erhält jedes ein Drittel.

Antwort: Ohne Testament und Erbvertrag würde bei einem Unfall Albrechts die gesetzliche Erbfolge zur Anwendung kommen. Wenn seine Eltern am Leben sind, sind diese nach dem Liniensystem seine nächsten Angehörigen, sie würden das Erbe je zur Hälfte erhalten.

Ist eine erbberechtigte Person bereits vorverstorben, wird ihr Erbteil auf ihre Nachkommen verteilt (= Repräsentationsrecht).

Beispiel

Wenn das Erbe auf die Nachkommen verteilt wird, nennt man dies das **Eintrittsrecht** der Nachkommen oder das **Repräsentationsrecht.**

Katharinas Verwandtschaft

Der Onkel von Katharina, Michael Baumann, ist vor einem Monat verstorben. Er hinterlässt drei Kinder.

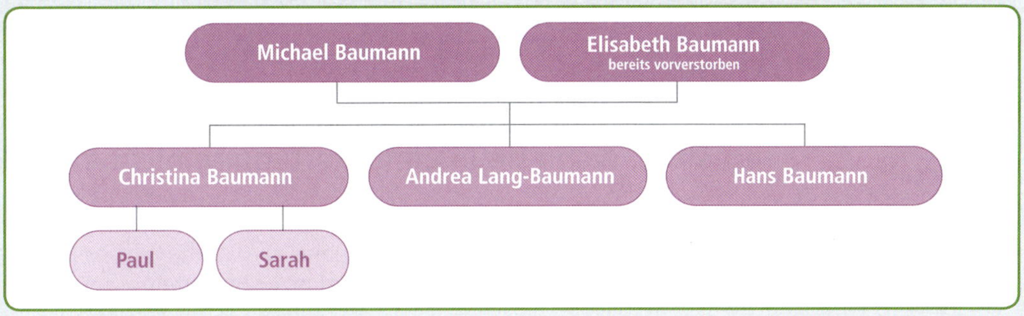

SbX

Zuordnungsübung zur gesetzlichen Erbfolge ID: 0641

Christina hat selbst zwei Kinder, Andrea ist kinderlos und verheiratet, Hans ist ledig und hat keine Kinder.

- Leben die drei Kinder zum Zeitpunkt des Todes ihres Vaters, erbt jedes ein Drittel des Nachlasses.
- Ist Christina bereits vor ihrem Vater verstorben, wird ihr Drittel auf ihre beiden Kindern nach Köpfen aufgeteilt: Jedes erhält ein Sechstel.

Gesetzliches Erbrecht der Ehegattin bzw. des Ehegatten und des/der eingetragenen Partners/Partnerin

Wie wäre die rechtliche Situation, wenn Albrecht und ich schon verheiratet wären?

Ehegatten oder **eingetragene/r Partner/innen** erben:

neben der 1. Linie:	neben den Eltern:	in den übrigen Fällen:
ein Drittel	zwei Drittel	den gesamten Nachlass
Wenn Kinder und/oder Enkelkinder vorhanden sind, erbt der Ehegatte bzw. die Ehegattin ein Drittel.	Wenn die Eltern noch leben, erbt der Ehegatte bzw. die Ehegattin zwei Drittel.	Ein Ehegatte bzw. eine Ehegattin erbt beispielsweise neben Geschwistern alles.

Zusätzlich erhalten Ehegatten/Ehegattinnen oder eingetragene Partner/innen den **gesetzlichen Voraus:**

- alle beweglichen Sachen, die zum Haushalt gehören (z. B. Auto, Möbel, Geschirr, Teppiche, Elektrogeräte usw.)
- das Recht, in der Ehe- oder Partnerschafts-Wohnung mietfrei bis zum eigenen Tod zu leben, wenn es sich um eine Eigentumswohnung oder ein Haus handelt, das an andere Personen vererbt wurde.

Antwort: Sind Albrecht und Katharina schon verheiratet, bekommt Katharina, wenn Albrecht keine Kinder hat, es kein Testament und keinen Erbvertrag gibt, zwei Drittel des Erbes. Ein Drittel erhalten Albrechts Eltern gemeinsam, d. h., jeder bekommt ein Sechstel.

SbX
Stellen Sie sich einem Quiz mit fünf Fragen zur gesetzlichen Erbfolge. ID: 0641

Wird eine Ehe oder eingetragene Parterschaft aufgelöst, so erlischt damit das gesetzliche Erbrecht des/der Ehepartners/-partnerin und das Recht auf den gesetzlichen Voraus.

Außerordentliches Erbrecht des Lebensgefährten/der Lebensgefährtin

Gibt es keine gesetzlichen Erben, die die Verlassenschaft erhalten, so fällt dem Lebensgefährten/der Lebensgefährtin der verstorbenen Person die gesamte Erbschaft zu, wenn er/sie mindestens die letzten drei Jahre vor dem Tod der verstorbenen Person im gemeinsamen Haushalt gelebt hat.

Dem Lebensgefährten/Der Lebensgefährtin der verstorbenen Person steht der gesetzliche Voraus zu, wenn er/sie mit der Person als deren Lebensgefährte/Lebensgefährtin zumindest in den letzten 3 Jahren im gemeinsamen Haushalt gelebt hat. Zusätzlich ist Voraussetzung, dass die verstorbene Person weder verheiratet war noch in einer eingetragenen Partnerschaft gelebt hat.

5 Pflichtteil

Pflichtteilsberechtigte müssen auch dann etwas vom Nachlass erhalten, wenn sie in einer Verfügung nicht erwähnt wurden.

Jede Person ist in ihrer Entscheidung grundsätzlich frei, wem sie wie viel und was vererben möchte. Nur in Bezug auf bestimmte nahe Verwandte gibt es hier Einschränkungen, da ihnen ein gewisser Mindestanteil zukommen muss (= Pflichtteil).

Wer sind pflichtteilsberechtigte Personen?

- die **Ehegattin**/der **Ehegatte** und **eingetragene Partnerin**
- die **Nachkommen:** Kinder (ehelich wie unehelich geborene), Adoptivkinder, Enkel/innen.

Die **Höhe des Pflichtteils** ist abhängig von der Höhe des gesetzlichen Erbteils.

Ehegatten und Nachkommen (Kinder, Enkel/innen usw.) erhalten die **Hälfte** dessen, was sie gesetzlich erhalten hätten.

SbX
Zuordnungsübung zum Pflichtteil ID: 0641

Der Pflichtteil

Grundsätzlich hat eine pflichtteilsberechtigte Person Anspruch auf einen Geldbetrag. Die verstorbene Person kann aber durch letztwillige Verfügung den Pflichtteil auch auf andere Art und Weise hinterlassen, z.B. durch ein Fruchtgenussrecht.

Bereits erhaltene Zuwendungen (z. B. größerer Geldbetrag für Starthilfe in die berufliche Existenzgründung, Aussteuer u. Ä.) oder Vorschüsse auf den Pflichtteil werden vom Pflichtteil von Nachkommen abgezogen.

Der Pflichtteil kann von der pflichtteilsberechtigten Person erst ein Jahr nach dem Tod des/der Verstorbenen gefordert werden. Eine Stundung oder Zahlung in Teilbeträgen kann in einer letztwilligen Verfügung auf max. 5 Jahre verfügt werden.

Beispiel

Die Mutter eines Mitschülers von Marco, Frau Petra Steiner, verstirbt bei einer Operation. Sie hinterlässt ihren Gatten und zwei Kinder. Testamentarisch hat sie ihren Gatten zum Alleinerben eingesetzt. Die beiden Kinder haben Anspruch auf den Pflichtteil. Nach der gesetzlichen Erbfolge hätte Herr Steiner ein Drittel erhalten, die beiden Kinder ebenfalls je ein Drittel. Ihr Pflichtteilsanspruch davon ist die Hälfte → also ein Sechstel pro Kind. Herr Steiner erhält daher die verbleibenden zwei Drittel des Nachlasses.

Herabsetzung des Pflichtteils auf die Hälfte

Wenn der Erblasser **zu keiner Zeit** oder zumindest längere Zeit vor dem Tod mit dem Pflichtteilsberechtigten in einem familientypischen Naheverhältnis stand, kann er im Testament den **Pflichtteil** auf die **Hälfte herabsetzen.**

Pflegevermächtnis

Die **Voraussetzungen** des Pflegevermächtnisses sind:

- Eine der verstorbenen nahestehende Person,
- die diese in den letzten drei Jahren vor ihrem Tod
- mindestens sechs Monate
- in einem nicht bloß geringfügigen Ausmaß gepflegt hat (nachweislich mehr als 20 Stunden pro Monat)

hat Anspruch auf ein **gesetzliches Vermächtnis.**

Anspruchsberechtigte Personen des gesetzlichen Vermächtnisses sind:

- die **gesetzlichen Erbe**n der verstorbenen Person sowie **deren Ehegatten, eingetragene Partner, Lebensgefährten und Kinder** und
- **der/die Lebensgefährte/in** der verstorbenen Person und **deren/dessen Kinder.**

Keinen Anspruch auf dieses gesetzliche Vermächtnis hätte die pflegende Person, wenn für die Pflegeleistung bereits eine Zuwendung gemacht wurde oder dafür ein Entgelt mit der verstorbenen Person vereinbart wurde. Das Vermächtnis entsteht auch dann nicht, wenn Zuwendungen durch Dritte oder der öffentlichen Hand (z. B. erhöhte Familienbeihilfe, die der pflegenden Person zugekommen ist) gemacht wurden.

Auch wenn für die Pflege ausdrücklich die Unentgeltlichkeit zwischen verstorbener und pflegender Person vereinbart wurde, entsteht kein Pflegevermächtnis.

6 Enterbung

Die gänzliche Entziehung des Pflichtteils durch letztwillige Verfügung kann nur dann erfolgen, wenn einer der Enterbungsgründe vorliegt.

Mein Vater mag Albrecht gar nicht. Ich habe Angst, dass er mich enterbt, wenn ich ihn heirate. Kann er das tun?

Eine **Enterbung** ist nur wirksam, wenn **einer der folgenden Gründe** gegeben ist:

- wenn er/sie zu einer lebenslangen oder mehr als 20-jährigen Freiheitsstrafe verurteilt wurde
- wenn er/sie die familienrechtlichen Beistandspflichten grob vernachlässigt hat (Z. B. ein Ehegatte steht dem anderen bei schwerer Krankheit und Operation nicht bei.)
- wenn er/sie gegen die verstorbene Person, deren Ehegatten/Ehegattin, eingetragene/n Partner/in oder andere nahestehenden Personen eine Vorsatzstraftat begangen hat, die mit mehr als einjähriger Freiheitsstrafe bedroht ist (z. B. Mordversuch, schwere Körperverletzung)
- wenn er/sie absichtlich versucht hat, dem Erblasser bzw. der Erblasserin ein falsches Testament unterzuschieben oder an einer Testamentserrichtung zu hindern oder zur Abfassung eines Testaments zu zwingen
- der verstorbenen Person schweres seelisches Leid zugefügt hat, z.B. Psychoterror oder wiederholte Beschimpfungen

Antwort: Nein, jemanden zu heiraten, der Angehörigen nicht sympathisch ist, ist kein gesetzlicher Enterbungsgrund. Katharinas Vater kann also seine Tochter nicht enterben, weil sie Albrecht heiratet. Wenn er diesen Satz ins Testament schreibt, wird er bei der Auslegung des Testaments so interpretiert, als hätte er sie auf den Pflichtteil gesetzt.

7 Das Verlassenschaftsverfahren

Niemand darf eine Erbschaft eigenmächtig in Besitz nehmen.

Darf ich in die Wohnung meiner verstorbenen Tante gehen und mir das zustehende Geld holen? Ich brauche das Geld dringend.

Stellt sich heraus, dass gar kein Nachlass oder fast nichts vorhanden ist (z. B. nur Kleidung und einfache Möbel) oder der Wert der Verlassenschaft unter € 5.000,– liegt, kommt es zu keiner Verlassenschaftsabhandlung. Das nennt man **Unterbleiben der Abhandlung.** Die Erben nehmen sich, was ihnen zusteht.

Das von der verstorbenen Person hinterlassene Vermögen darf **erst nach Durchführung eines gerichtlichen Verlassenschaftsverfahrens** in Besitz genommen werden.

GANG DES VERLASSENSCHAFTSVERFAHREN

Der Todesfall muss dem zuständigen Standesamt angezeigt werden.

↓

Dieses übermittelt die Sterbeurkunde an das zuständige Bezirksgericht.

↓

Das Gericht beauftragt das zuständige Notariat mit der Durchührung des Verlassenschaftsverfahrens.

↓

Das Notariat ermittelt die Hinterbliebenen, die persönlichen und finanziellen Verhältnisse der verstorbenen Person und ob ein Testament vorhanden ist.

Um das Erbe zu erhalten, muss jeder Erbe bzw. jede Erbin im Notariat eine **Erb(antritts)erklärung** abgeben. Hier gibt es folgende Möglichkeiten:

unbedingte Erbserklärung	bedingte Erbserklärung
Hier haftet der Erbe/die Erbin für alle Schulden in **unbeschränkter Höhe mit seinem/ihrem Vermögen!**	Der Erbe/Die Erbin haftet hier für die Schulden nur **bis zur Höhe der Nachlassaktiva.**
Es ist einfacher und kostengünstiger abzuwickeln, da kein Inventar erstellt werden muss.	Es muss ein Inventar errichtet werden → das kostet Zeit und Geld.

Beispiel

Sandra, eine Bürokollegin von Katharina, und ihr Bruder Michael sind je zur Hälfte Erben ihres Vaters. Die Verlassenschaftsaktiva machen 100.000 € aus. Der Vater hat die letzten drei Jahre im Pflegeheim verbracht und hier sind noch 180.000 € an Pflegeheimkosten offen. Sandra und Michael geben daher nur eine bedingte Erbantrittserklärung ab. Sie müssen dem Pflegeheim nur je 50.000 € bezahlen, da sie nur bis zur Höhe der Aktiva haften.

Wenn nur Schulden oder überwiegend Schulden hinterlassen werden, ist es besser, das Erbe auszuschlagen.

Man kann das Erbe auch ausschlagen **(= Erbsentschlagung).** Das ist eine Erklärung gegenüber dem Bezirksgericht, dass man die Erbschaft nicht annimmt. Dann erbt man nichts und haftet aber auch für nichts.

Aneignung durch den Bund: Wenn es keine erbberechtigten Personen gibt oder niemand das Erbe antritt, fällt der Nachlass dem Staat zu.

Einantwortung:

Das Bezirksgericht erlässt als Abschluss die **Einantwortungsurkunde.** Mit ihr wird der Erbe/die Erbin **rechtmäßige/r Eigentümer/in** der Erbschaft.

Antwort: Nein, Marco darf nicht einfach in die Wohnung gehen und sich das Geld holen. Er muss das Verlassenschaftsverfahren abwarten.

Verjährungsfristen im Erbrecht:

Es besteht eine

- **kenntnisabhängige** kurze Frist von **3 Jahren** und eine
- **kenntnisunabhängige** Frist von **30 Jahren.**

kenntnisabhängig bedeutet: Kenntnis über das Bestehen des Anspruchs

8 Grunderwerbsteuer für Übertragung von Immobilien

Auch Sterben (und Schenken) kostet oft Geld.

Seit dem 1.1.2016 gilt für alle Übertragungen (entgeltlich oder unentgeltlich) von Immobilien **innerhalb der Familie,** also auch für das Vererben, folgender Grunderwerbsteuersatz:

Grundstückswert in €	Steuersatz
für die ersten 250.000,–	0,5 %
für die nächsten 150.000,–	2,0 %
darüber hinaus	3,5 %

Zur Familie zählen:

- Ehegatten oder eingetragene Partner während aufrechter Ehe (Partnerschaft) oder im Zusammenhang mit der Auflösung der Ehe (Partnerschaft),
- Lebensgefährten, sofern die Lebensgefährten einen gemeinsamen Hauptwohnsitz haben oder hatten,
- Verwandte oder Verschwägerte in gerader Linie (z.B. Kinder, Schwiegerkinder, Schwiegereltern),
- Stief-, Wahl- oder Pflegekinder oder deren Kinder, Ehegatten oder eingetragene Partner,
- Geschwister, Nichten oder Neffen der übertragenden Person.

Beispiel

Marcos Tante möchte Marco ihre 120 m² große Eigentumswohnung in Salzburg vererben. Der Grundstückswert, also der Wert der Eigentumswohnung, beträgt € 420.000. Die Grunderwerbsteuer wird wie folgt berechnet:

Grundstückswert	€ 420.000,–
0,5 % von 250.000,–	= € 1.250,–
2 % von 150.000,–	= € 3.000,–
3,5 % von 20.000,–	= € 700,–
anfallende Grunderwerbsteuer	**= € 4.950,–**

Sichern & Merken

SbX ID: 0642

Nachlass – Der **Nachlass** besteht aus dem Geld und den Vermögenswerten, den Schulden und Verpflichtungen der verstorbenen Person.

Testierfähigkeit – Ist die Fähigkeit, rechtsgültig ein Testament zu errichten.

Testamentsformen – Es gibt **öffentliche** und **private Testamente.** Bei den **privaten Testamenten** unterscheidet man das eigenhändige, das fremdhändige und das Nottestament.

Erbvertrag – Der **Erbvertrag** ist ein notarieller Vertrag zwischen zwei Ehepartnern, Verlobten oder eingetragenen Partnerinnen/Partnern.

gesetzliche Erbfolge – Die **gesetzliche Erbfolge** tritt ein, wenn weder Erbvertrag noch Testament vorliegen, und sie bestimmt sich nach dem Liniensystem.

Ehegattenerbrecht – **Ehegatten** oder **eingetragene Partner/innen** erben ein Drittel, zwei Drittel oder alles, abhängig davon, welche nahen Verwandten noch ein gesetzliches Erbrecht haben.

Pflichtteil Der **Pflichtteil** ist ein Mindestanteil am Nachlass.

Enterbung **Enterbung** ist nur bei Vorliegen von gesetzlich genau festgelegten Gründen möglich.

Einantwortung Die **Einantwortung** ist ein Gerichtsbeschluss, mit dem der Erbe/die Erbin das Eigentum am Nachlass erhält.

SbX ID: 0642 **Im SbX finden Sie eine Bildschirmpräsentation mit den Grafiken dieser Lerneinheit.**

Wissen & Können

SbX ID: 0643

A B C D E

W 6.31: Fallbeispiel D

„In 10 Jahren ..."

Stellen Sie sich Ihre Lebenssituation in 10 Jahren vor und gehen Sie dabei unter anderem von folgenden Annahmen aus:

Sie stehen voll im Berufsleben und wohnen mit einer Lebensgefährtin bzw. einem Lebensgefährten in einer glücklichen eheähnlichen Lebensgemeinschaft zusammen. Sie haben ein gemeinsames Kind. Heiraten wollen Sie beide derzeit nicht, da Sie die Anschauung vertreten, dass Sie einander lieben und Sie für Ihr Glück und Ihre Beziehung keinen Trauschein benötigen.

Die gemütliche Wohnung, in der Sie zu dritt leben, haben Sie allein vor Eingehen der Lebensgemeinschaft als Mieter/in gemietet. Ihr/e Lebensgefährte/-gefährtin hat vor der Karenzzeit ebenfalls sein/ihr Einkommen in die Einrichtung investiert und die Wohnung (mit Ihnen gemeinsam) zu einem großen Teil zu dem gemacht, was sie jetzt ist – gemütlich und wohnlich.

Ihre Eltern leben beide und erfreuen sich bester Gesundheit.

a) Erörtern Sie die rechtliche Situation bei einem plötzlichen Ableben Ihrerseits (z. B. bei einem Autounfall).
b) Planen Sie vor und erstellen Sie ein eigenhändiges Testament für diese Situation. (Bei Fragen zur Formulierung wenden Sie sich an Ihre Lehrerin bzw. Ihren Lehrer.)

W 6.32: Erbin bzw. Erbe B

Beschreiben Sie, welche Möglichkeiten es gibt, Erbe bzw. Erbin zu werden.

W 6.33: Privates Testament B

a) Unterscheiden Sie die Formen des privaten Testaments.
b) Benennen Sie die dabei jeweils zu beachtenden Formerfordernisse.

W 6.34: Erbvertrag C

Katharina und Albrecht möchten einen Erbvertrag abschließen. Planen Sie mit den beiden die dafür nötigen Erfordernisse.

W 6.35: Gesetzliches Erbe B

a) Erklären Sie einem Freund oder einer Freundin das gesetzliche Erbrecht naher Angehöriger und Ehegatten.
b) Erläutern Sie das Pflichtteilsrecht, die pflichtteilsberechtigten Personen und ihre Ansprüche.

W 6.36: Testament D

Nach dem Tod unseres Vaters fand man zwei Testamente auf. In dem älteren Testament hat Vater seine zweite Ehefrau, unsere Stiefmutter, als Alleinerbin eingesetzt.

Das zweite Testament hat er drei Jahre später geschrieben. In diesem steht, dass es sein letzter Wille sei, dass seine beiden Kinder – ich und meine Schwester – je zur Hälfte erben sollen.

Erläutern Sie die rechtliche Situation.

W 6.37: Erbteil D

Frau Buchner hinterlässt ihren Ehemann und ihre Kinder Ruth und Arthur. Im aufgefundenen Testament setzt sie ihren Gatten als Universalerben ein. Berechnen Sie den Erbteil des Gatten und den der Kinder.

W 6.38: Fallbeispiel: „Fragen an den Notar/die Notarin" D

In meiner Jugend habe ich zwei Jahre in Australien gelebt. Dort habe ich mich in eine Australierin verliebt. Mit ihr habe ich ein uneheliches Kind, eine Tochter namens Pauline.

Ich bin vor ihrer Geburt zurück nach Österreich gezogen, weil die Beziehung in die Brüche ging. Die Vaterschaft habe ich anerkannt und ich zahle monatlich Unterhalt.

Paulines Mutter hat aus Kränkung und Wut darüber, dass ich Australien verlassen habe, jeden Kontakt zwischen mir und Pauline verhindert. Ich habe sie noch nie gesehen oder gesprochen. Kann ich Pauline enterben oder ihren Pflichtteil verringern?

W 6.39: Unterschlagung D

Ein Neffe versteckt ein Testament, weil er hofft, dass ein älteres Testament günstiger für ihn ausfällt. Erst als das ältere Testament aufgefunden wird und nicht günstiger ist, legt er das versteckte Testament vor. Erläutern Sie die Rechtslage.

SbX
W 6.40–W 6.42
mit automatischer Aufgabenkontrolle
ID: 0643

Weitere Aufgaben im SbX

W 6.40: Begriffe des Erbrechts C

Lösen Sie ein Kreuzworträtsel zu Begriffen der Lerneinheit.

W 6.41: Erbrecht D

Bearbeiten Sie den Test zu verschiedenen Bereichen des Erbrechts.

W 6.42: Erbrecht C

Stellen Sie sich einem Quiz mit fünf Fragen.

Ein kurzer Kompetenz-Check, bevor's weitergeht!

Kompetenz-Check

	☺	😐	☹
Ich kann die Voraussetzungen für gültige Privattestamente erklären.			
Ich kann ein einfaches eigenhändiges Testament erstellen.			
Ich kann den Erbvertrag erläutern.			
Ich kann das Liniensystem erklären.			
Ich kann das gesetzliche Erbrecht von Ehegatten und eingetragenen Partnerinnen und Partnern berechnen.			
Ich kann den Gang eines Verlassenschaftsverfahrens skizzieren.			
Ich kann zwischen bedingter und unbedingter Erbserklärung unterscheiden.			
Ich kann für eine Immobilie die anfallende Grunderwerbsteuer berechnen.			

Lerneinheit 5

Sachenrecht

SbX
Alle SbX-Inhalte zu dieser Lerneinheit finden Sie unter der ID: 0650.

Die Vorschriften des Sachenrechtes regeln die Rechtsbeziehungen zwischen Personen und Sachen, d.h. wem Dinge gehören und welche Rechte an Sachen bestehen können. Das wichtigste Sachenrecht ist das Eigentum.

In den meisten Demokratien gehört das Recht auf Eigentum zu den Grundrechten, wobei jedoch gesetzliche Eingriffe im Interesse der Öffentlichkeit oder der Nachbarn zulässig sind. Wirtschaftliche Bedeutung haben auch die Regeln des Eigentumsüberganges oder die Möglichkeit der Verwendung von Sachen als Sicherheit für Kredite.

Lernen & Üben

SbX ID: 0651

A B C D E

1 Grundbegriffe

Es ist für die meisten sehr wichtig, dass es klare gesetzliche Vorschriften gibt, was wem gehört und wer darüber verfügen darf.

Rechtsquellen: ABGB, Wohnungseigentumsgesetz 2002, Baurechtsgesetz

Einige Sachenrechte werden auch als **„dingliche Rechte"** bezeichnet, da sie einer Person die Herrschaft über „Dinge" verschaffen.

Andere Rechte können an Sachen nicht begründet werden („numerus clausus" des Sachenrechts im Gegensatz zur Vertragsfreiheit im Schuldrecht).

Es gibt folgende **Arten von Rechten** an Sachen:

- Besitz
- Eigentum
- Pfandrecht
- Dienstbarkeit und Reallast
- Baurecht

Diese Rechte sind mittels Eigentums- oder Besitzstörungsklage **absolut,** d.h. gegenüber jedermann durchsetzbar. Daher muss für jeden erkennbar sein, wem eine Sache gehört.

SbX
Eine Bildschirmpräsentation zu den Arten von Rechten an Sachen finden Sie unter der ID: 0651.

Durch das **Strafrecht** werden Rechte an Sachen geschützt (z.B. Verbot von Vermögensdelikten wie Sachbeschädigung, Diebstahl, Raub, Veruntreuung etc.).

Im Gegensatz dazu besteht im Bereich des **Schuldrechtes** für vertragliche Beziehungen zwischen verschiedenen Personen **kein strafrechtlicher Schutz;** der Gläubiger kann seinen Anspruch nur gegenüber dem Schuldner durchsetzen.

Beispiele

Wer eine Geldtasche stiehlt, muss mit polizeilicher Verfolgung und gerichtlicher Bestrafung rechnen.

Wenn eine Kundin den Bankkredit aufgrund einer später eingetretenen unverschuldeten Bonitätsverschlechterung nicht mehr zurückzahlen kann, wird sie deshalb nicht polizeilich verfolgt und bestraft. Die Bank muss die Kundin klagen und ihr Vermögen gerichtlich verwerten lassen.

2 Definition und Einteilung der Sachen

Für verschiedene Gruppen gelten unterschiedliche Vorschriften.

Das **ABGB definiert Sachen** nach dem **Ausschlussprinzip:** Alles, was keine Person ist und zum Gebrauch der Menschen dient, wird als **Sache** bezeichnet.

Tierquälerei oder die Tötung ohne vernünftigen Grund sind verboten. Es gibt Vorschriften für die Tierhaltung sowie weitere Schutzbestimmungen für Tiere.

Tiere sind keine Sachen, werden jedoch rechtlich teilweise so behandelt (man kann sie z. B. kaufen und verkaufen). Sie sind durch das **Tierschutzgesetz** geschützt.

Arten von Sachen

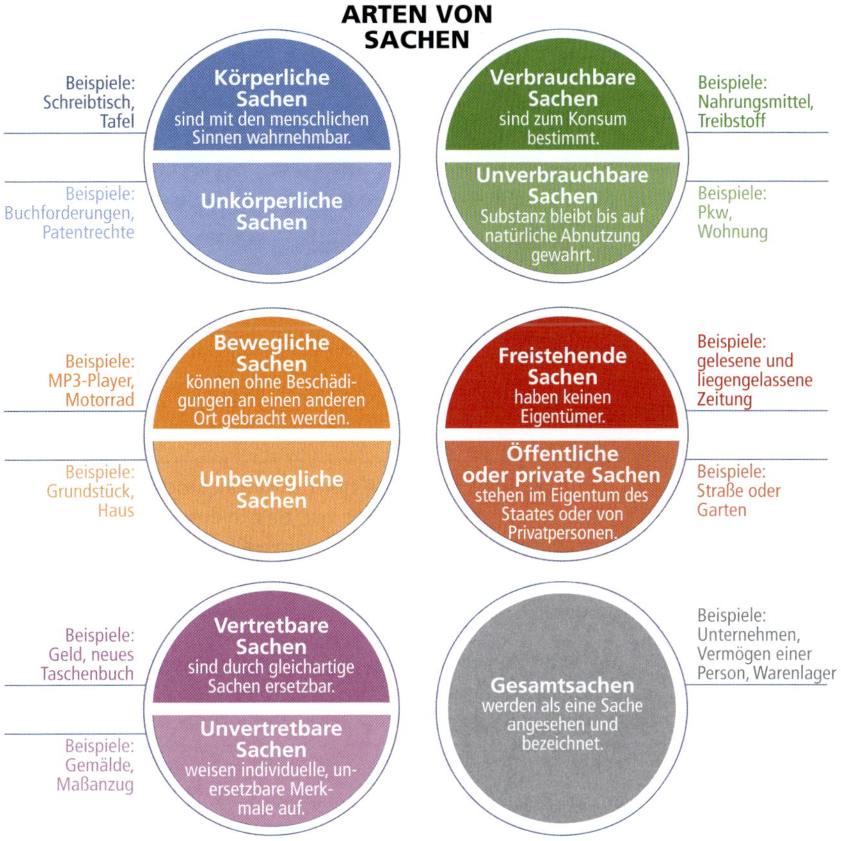

Unbewegliche Sachen werden auch als **Liegenschaften** oder **Immobilien** bezeichnet.

Einige unkörperliche Sachen nennt man auch **Immaterialgüter** (Urheber- oder Patentrechte etc.).

Übungsbeispiel

Ü 6.23: Dringliche Rechte B

Welche der folgenden Verträge verschaffen dingliche Rechte an Sachen? Kreuzen Sie die richtigen Lösungen an und nennen Sie die Art des dinglichen Rechts!

☐ Kaufvertrag

☐ Mietvertrag

☐ Wohnrechtseinräumung für die Eltern

Ü 6.24: Einteilung der Sachen B

Ordnen Sie den folgenden Begriffen möglichst viele Arten von Sachen zu!

☐ Lizenzrecht

☐ Eigentumswohnung

☐ Himbeereis

☐ Bundesstraße

3 Definition wichtiger Sachenrechte

Ist die Geschäftsinhaberin die Besitzerin oder die Eigentümerin? Besteht ein rechtlicher Unterschied?

Der Begriff „Besitz" wird im allgemeinen Sprachgebrauch oft mit den rechtlichen Fachausdrücken „Eigentum" oder „Innehabung" verwechselt. Wer diejenige Person meint, der eine Sache gehört, verwendet rechtlich korrekt den Begriff „Eigentümer/in". Besitzer sind z. B. Mieter oder Pächter.

Sachenrechte – Definition

Immer dann, wenn man seine Sachen selbst nutzt, ist man **gleichzeitig Eigentümer und Besitzer.** Wenn man seine Sachen vermietet, verpachtet oder unter Eigentumsvorbehalt verkauft, fallen diese Rollen verschiedenen Personen zu.

DEFINITION WICHTIGER SACHENRECHTE

EIGENTUM	BESITZ	INNEHABUNG
absolutes, umfassendstes Recht Der Eigentümer/Die Eigentümerin kann nach Belieben über eine Sache verfügen (benutzen, vermieten, verkaufen, verschenken etc.).	die tatsächliche Verfügungsgewalt über eine Sache, die ich länger behalten will Beispiel: Mieten einer Wohnung	kurzfristige Verfügung über eine Sache, die ich nicht behalten will Beispiel: kurze Benützung eines Leuchtstifts zum Markieren eines Begriffs und anschließende Rückgabe

Besitzschutz

Wir wohnen in einer Eigentumswohnung, zu der ein Parkplatz vor dem Haus gehört. Immer wieder kommt es vor, dass fremde Autos auf diesem Stellplatz geparkt werden, obwohl ein Schild mit dem Hinweis auf Privatbesitz angebracht wurde. Wie kann man sich dagegen wehren?

Neulich habe ich mein Auto verbotenerweise einen ganzen Tag lang auf einem Firmenparkplatz abgestellt. Gestern erhielt ich mit der Post ein Schreiben des Bezirksgerichtes mit der Ladung zu einer Gerichtsverhandlung zugestellt. Was soll ich tun?

Wenn derartige Schilder von Parkenden missachtet werden, kann eine Besitzstörungsklage eingeleitet werden.

Es gehört zu den Rechten eines Besitzers, seinen Besitz zu schützen. Bei einem **eigenmächtigen unbefugten Eingriff** steht ein vereinfachtes, besonders schnelles gerichtliches Verfahren zur Verfügung: das **Besitzstörungsverfahren** mit dem Ziel der **Wiederherstellung des vorigen Zustandes** und Verbot künftiger Störungen bei Wiederholungsgefahr. Eine Besitzstörungsklage muss innerhalb von 30 Tagen eingebracht werden. Eventuelle Schadenersatzansprüche aufgrund der Besitzstörung werden in einem **eigenen Zivilprozess** eingeklagt.

Wenn behördliche Hilfe zu spät käme, kann der Besitz mit **angemessener Gewalt** selbst verteidigt werden.

Beispiel für angemessene Gewalt: Wenn der Zufahrtsweg für Rettung und Feuerwehr versperrt wird, droht unwiederbringlicher Schaden, daher können parkende Autos abgeschleppt werden.

Übungsbeispiel

Ü 6.25: Besitzschutz C

Ist der Text auf dem obigen Schild juristisch korrekt?

Antwort: Marcos Eltern sind Eigentümer und Besitzer des Parkplatzes vor dem Haus. Sie können innerhalb von 30 Tagen bei Gericht eine Besitzstörungsklage einbringen. Dazu müssen sie Beweise sammeln, z. B. Fotos, Aussagen der Nachbarn.

Antwort: Katharina hat durch das rechtswidrige Parken auf dem Firmenparkplatz eine Besitzstörung begangen und sollte sich nun rasch um Schadensbegrenzung bemühen. Dazu nimmt sie am besten Kontakt mit dem Unternehmer bzw. der Unternehmerin oder dessen Rechtsvertreter auf und versucht, die Angelegenheit zu regeln, ohne dass es zu einem (teuren) Gerichtsverfahren kommt.

4 Eigentum
Wann bin ich Eigentümer/in einer Sache und was bedeutet das?

Der Eigentümer hat das absolute und umfassendste Recht an einer Sache und kann nach Belieben darüber verfügen. Er muss allerdings auch Rücksicht auf die Interessen der Allgemeinheit und auf das friedliche Zusammenleben mit den Nachbarn nehmen.

Wie kann ich Eigentümer/in werden?

Arten des Eigentumserwerbs

ARTEN DES EIGENTUMSERWERBS

In den meisten Fällen erhält man das Eigentum durch **Übertragung vom bisherigen Eigentümer,** z. B. beim Kauf. Es wird ein Vertrag abgeschlossen und der Eigentumsübergang muss für andere erkennbar sein.

Voraussetzungen für den Eigentumserwerb

Der Käufer einer Ware wird mit Abschluss des Kaufvertrags und Übergabe **sofort Eigentümer,** auch wenn erst später bezahlt wird.

VORAUSSETZUNGEN FÜR DEN EIGENTUMSERWERB

Erst wenn **Titel und Modus erfüllt** sind, wird man **Eigentümer** der Sache. Die vollständige Bezahlung ist nicht erforderlich.

Eigentumsvorbehalt

„Die Ware bleibt bis zur vollständigen Bezahlung **Eigentum des Verkäufers.**"

Diese Vereinbarung muss bereits bei Vertragsabschluss getroffen werden und ist oft in AGB enthalten.

Bei Warenverkäufen auf Kredit entsteht bekanntlich das Ausfallsrisiko für den Verkäufer: Gerät der Käufer in Zahlungsverzug oder wird er zwischen Übergabe und vereinbartem Zahlungszeitpunkt zahlungsunfähig (insolvent), erhält der Verkäufer meist nur einen geringen Teil des Kaufpreises (die Konkursquote). Die Ware kann nicht mehr zurückgefordert werden, da das Eigentum bereits auf den Käufer übergegangen ist.

Zur **Absicherung gegen Zahlungsausfall** wird daher bei Kreditverkäufen oft ein **Eigentumsvorbehalt** vereinbart. Der Käufer erhält die Ware auch ohne Bezahlung sofort und kann sie benutzen, wird jedoch erst mit vollständiger Zahlung des Kaufpreises Eigentümer. Ohne Zustimmung des Eigentümers darf die Ware auch nicht weiterverkauft werden. **Vorteil für den Verkäufer:** Er bleibt Eigentümer der Ware und kann sie bei Zahlungsverzug oder Konkurs des Käufers zurückverlangen.

Eigentumsübergang

EIGENTUMSÜBERGANG

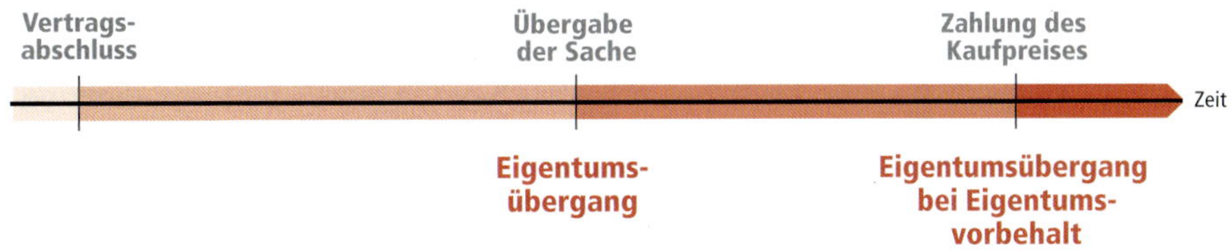

Übungbeispiele

Ü 6.26: Eigentümerschaft nach Kauf B

Sie kaufen in einem Möbelhaus eine Wohnzimmereinrichtung und vereinbaren als Zahlungsziel drei Monate nach Übergabe. Wann sind Sie Eigentümerin bzw. Eigentümer der Möbel? Kreuzen Sie die richtige Lösung an!

- ☐ wenn der Kaufvertrag unterschrieben wurde
- ☐ nach Unterschrift des Kaufvertrags und Abholung der Möbel
- ☐ nach vollständiger Bezahlung der Möbel

Ü 6.27: Eigentumsvorbehalt B

Beim Kauf der Wohnzimmereinrichtung **(Ü 6.26)** wird im Vertrag ein Eigentumsvorbehalt vereinbart. Wann sind Sie nun Eigentümer der Möbel?

Arten des ursprünglichen Eigentumserwerbs

Ursprünglicher Eigentumserwerb

FÄLLE VON URSPRÜNGLICHEM EIGENTUMSERWERB

Wer sich nicht an die Fundregeln hält, begeht eine **strafbare Handlung** (Unterschlagung). **www.fundamt.gv.at**

Schatzfunde von geschichtlicher, künstlerischer oder kultureller Bedeutung müssen behördlich angezeigt werden.

Wer Sachen findet, die mehr als € 10,– wert oder für den Eigentümer besonders wichtig sind, muss den Fund sofort bei der Fundbehörde (Gemeinde, Magistrat) anzeigen und die gefundene Sache abgeben. Es besteht ein Anspruch auf Finderlohn. Wenn sich niemand meldet, wird der Finder nach einem Jahr Eigentümer.

Schatzfund: Entdeckt man Geld, Schmuck oder andere Kostbarkeiten, deren Eigentümer wegen der langen inzwischen vergangenen Zeit nicht mehr ermittelt werden kann, gehört die Hälfte des Schatzes dem Finder, die andere Hälfte dem Grundeigentümer.

Beispiele

Ein gutgläubiger Erwerb ist nur möglich, wenn der Erwerber für die Sache bezahlt hat.

Gutgläubiger Erwerb

- Katharina ersteigert im Dorotheum eine Halskette. Sie erwirbt Eigentum, unabhängig davon, ob das Dorotheum Eigentümer bzw. verfügungsberechtigt war.
- Marco kauft in einem Jeans-Shop (mit Gewerbeberechtigung) ein T-Shirt. Er wird Eigentümer, obwohl der Betreiber des Jeans-Shops die T-Shirts illegal auf einem Schwarzmarkt beschafft hat.
- Marco leiht Andreas sein Handy, der es einem gutgläubigen Bekannten verkauft. Der Bekannte wird Eigentümer, da Marco das Handy Andreas anvertraut hat.

Als Eigentümer/in verhindert man die **Ersitzung** eines Geh- und Fahrrechtes durch Errichtung eines Zaunes oder Aufstellen eines Schildes „Privatweg".

Ersitzung: Besitzt man eine Sache für längere Zeit, kann man unter gewissen Voraussetzungen deren Eigentümer werden. Nur redliche, echte und rechtmäßige Besitzer können eine bewegliche Sache nach drei Jahren ersitzen. Eigentum und Dienstbarkeiten an unbeweglichen Sachen können nach 30 Jahren ersessen werden.

Arten des Eigentums

Da ich nun schon einige Ersparnisse habe und mich meine Eltern dabei auch finanziell unterstützen, möchte ich gerne eine Eigentumswohnung mit Autoabstellplatz kaufen. Welche Rechte und Pflichten habe ich als Wohnungseigentümerin?

Arten des Eigentums

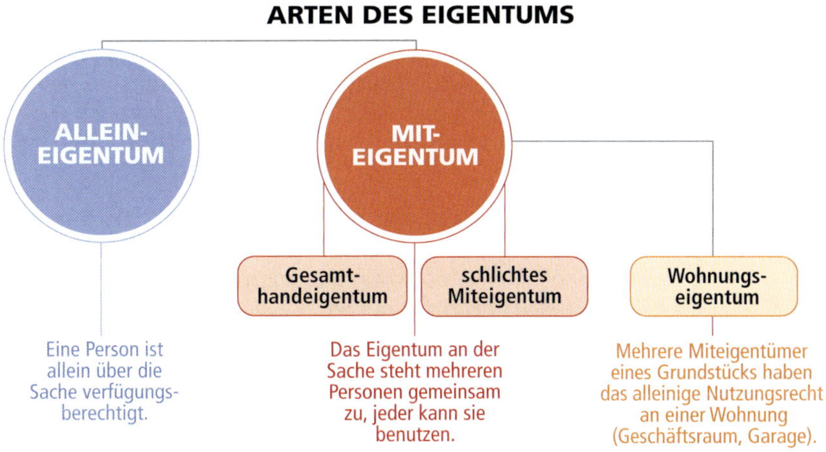

Alleineigentum

Der Alleineigentümer kann alle Entscheidungen über die Sache selbst treffen, z. B. über Verkauf, Belastung, Umbau eines Hauses.

„Schlichtes" Miteigentum

Eine Sache kann auch mehreren Personen gemeinsam gehören. Das Eigentumsrecht ist dann nach Bruchteilen aufgeteilt.

Beispiele

- Drei Geschwister erben ein Haus. Sie werden zu je einem Drittel Miteigentümer.
- Ehepartner kaufen gemeinsam ein Grundstück. Sie werden je zur Hälfte Eigentümer.

Beispiel: Ein Haus gehört zwei Schwestern. Die beiden vereinbaren, dass die eine Schwester im Erdgeschoß, die andere im ersten Stock wohnen soll.

Wenn Häuser im Miteigentum von mehreren Parteien bewohnt werden, ist der Abschluss einer schriftlichen Benützungsvereinbarung empfehlenswert.

Jeder Miteigentümer kann über seinen Anteil allein verfügen und ihn auch ohne Störung der anderen Miteigentümer benutzen. Zur **Verwaltung** sind alle Miteigentümer gemeinsam berechtigt und verpflichtet.

- Über Maßnahmen der **ordentlichen Verwaltung** zur notwendigen Erhaltung wird mit **Mehrheitsbeschluss** entschieden. Solche Maßnahmen sind z. B. Dachreparaturen oder Fassadenerhaltung; ein Fenstertausch jedoch nur, wenn die Fenster alt und nicht mehr reparierbar sind.

Beispiel

Notwendige Erhaltungsarbeiten an der Fassade eines Hauses können von zwei der drei Miteigentümer beschlossen werden – die Kosten dafür tragen alle verhältnismäßig.

- Für Maßnahmen der **außerordentlichen Verwaltung (wichtige Veränderungen)** ist ein **einstimmiger Beschluss** aller Miteigentümer nötig. Wenn nicht alle Miteigentümer zustimmen, regelt das ABGB die weitere Vorgangsweise zum Schutz der Überstimmten mit der Möglichkeit zur gerichtlichen Entscheidung.

Beispiel

Zwei von drei Miteigentümerinnen wollen das gemeinsame Haus ausbauen. Die dritte ist dagegen und will ihren Anteil auch nicht abgeben. Sie kann eine gerichtliche Entscheidung verlangen.

Gesamthandeigentum

Keiner der Miteigentümer darf über seinen Anteil allein verfügen, nur alle gemeinsam können die Sache z. B. verkaufen oder verpfänden. Beispiel: Vermögen der OG.

Eine **Eigentumswohnung** kann auch von zwei Personen je zur Hälfte erworben werden (Eigentümerpartnerschaft).

Wohnungseigentum

Das Wohnungseigentum ist eine **Sonderform des Miteigentums.** Dabei haben mehrere Miteigentümer eines Grundstückes jeweils das **ausschließliche Nutzungsrecht** an einer Wohnung oder sonstigen Räumlichkeit. Dieses Recht wird auch im **Grundbuch** eingetragen. Bestimmte Teile der Liegenschaft dienen der **allgemeinen Benützung.**

Beispiel

Ein Wohnungseigentümer hat das ausschließliche Nutzungsrecht an der Wohnung Top 1 im Erdgeschoß mit Gartenfläche, Kellerabteil und Tiefgaragenplatz. Er darf die Allgemeinflächen der Anlage wie Kinderspielplatz, Fahrradkeller und Trockenraum gemeinsam mit den übrigen Wohnungseigentümern nützen.

Die rechtliche Form des Wohnungseigentums bietet gegenüber dem („schlichten") Miteigentum viele **Vorteile,** z. B. verpflichtender Vertrag über die Anteile und Kostentragung, klare gesetzliche Regelungen der Rechte und Pflichten aller Miteigentümer in einem eigenen Gesetz, dem Wohnungseigentumsgesetz (WEG 2002) u. a. Deshalb wird für die meisten Neubauten mit mehreren Wohnungen diese Form gewählt und auch viele „schlichte" Miteigentümer beschließen nachträglich die Änderung zum Wohnungseigentum.

Die Nutzwertberechnung nennt man auch **„Parifizierung".**

Über die Hälfte aller Wohnungen in Häusern mit drei und mehr Wohnungen in Österreich sind Eigentumswohnungen.

Zur Begründung von Wohnungseigentum schließen alle Miteigentümer einen schriftlichen **Vertrag** ab, wobei der Erwerb eines **Mindestanteiles** erforderlich ist. Aufgrund des Gutachtens eines Ziviltechnikers, Bau- oder Immobiliensachverständigen werden die **Nutzwerte** der einzelnen Wohnungen festgelegt. Der Nutzwert ergibt sich im Wesentlichen aus der Nutzfläche einer Wohnung mit Zu- und Abschlägen und ist für die **Aufteilung der Kosten** maßgeblich.

Alle Wohnungseigentümer zahlen **anteilsmäßig die Kosten** für die Nutzung und Verwaltung der Anlage, wie Betriebskosten, Kosten der Erhaltung und notwendigen Renovierung. Dafür muss eine **Rücklage** gebildet werden. Entscheidungen über Erhaltungs- und Verbesserungsarbeiten werden mit Mehrheitsbeschluss getroffen.

Die **Wohnungseigentumsgemeinschaft** bestellt oft eine **Hausverwaltung,** die sich um die notwendigen Arbeiten kümmert und die Rücklagen für Erhaltungs- und Verbesserungsarbeiten von den Miteigentümern einfordert.

Antwort: Als Wohnungseigentümerin ist Katharina Miteigentümerin des Grundstückes, auf dem sich die Wohnanlage befindet. Es steht ihr das alleinige Nutzungsrecht an ihrer Wohnung samt Stellplatz zu. Die anfallenden Kosten der Wohnanlage wie Hausverwaltung, Betriebskosten, Renovierung etc. werden zwischen den Wohnungseigentümern anteilsmäßig aufgeteilt. Katharina muss auch ihren Anteil an den Rücklagen für Erhaltungs- und Verbesserungsarbeiten leisten. Wichtige Entscheidungen werden von der Mehrheit der Miteigentümer bei einer Hausversammlung oder schriftlich getroffen.

Übungbeispiele

Ü 6.28: Arten des Eigentums C

Zwei befreundete Ehepaare kaufen gemeinsam ein Haus mit zwei Wohnungen, eine im Erdgeschoß und eine im ersten Stock. Welche Aussage/n ist/sind richtig?

- ☐ Ohne weitere Vereinbarung wird jede/r zu ¼ Miteigentümer.
- ☐ Für Erhaltungsarbeiten müssen alle vier Eigentümer ihre Zustimmung erteilen.

Ü 6.29: Arten des Eigentums B

Was würden Sie den Käufern von **Ü 6.28** empfehlen, um Streitigkeiten bei der gemeinsamen Nutzung des Hauses zu vermeiden?

Eigentumsbeschränkungen

Beispiele: Enteignung für Straßen- und Schienenbau, zur Errichtung von Lawinenschutzeinrichtungen u. a.

Es gibt eine Reihe von gesetzlichen Vorschriften, welche die Nutzung des Eigentums beschränken. Im äußersten Fall kann das Eigentum vom Staat sogar entzogen werden: Wenn öffentlicher Bedarf gegeben ist und keine andere Möglichkeit besteht, kann der Staat gegen angemessene Entschädigung eine **Enteignung** vornehmen.

Wegen verschiedener Interessen können auch **Konflikte über die Bodennutzung** entstehen, z. B. zwischen Grundeigentümern und Gemeinde, Betrieben und deren Nachbarn, Errichtern von Einkaufszentren und Kleingewerbetreibenden, Golfplatzbetreibern und Erholungssuchenden u. v. m.

Eigentumsbeschränkungen

Rechtliche Grundlagen: Grundbuchsgesetz, Raumordnungs-, Grundverkehrs-, Naturschutzgesetz sowie Bauordnung des jeweiligen Bundeslandes, Denkmalschutzgesetz

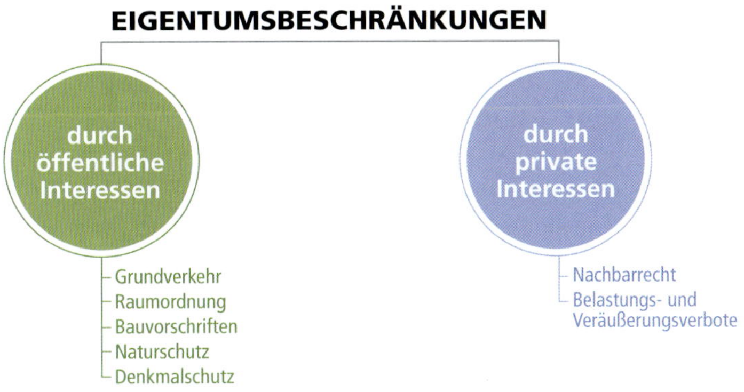

Eigentumsbeschränkungen im öffentlichen Interesse

Grundverkehr:

Die grundverkehrsrechtlichen Vorschriften für Ausländer gelten für EU-Bürger nur beschränkt, da innerhalb des **EU-Raumes** die Niederlassungs- und Kapitalverkehrsfreiheit sowie das freie Aufenthaltsrecht gelten.

Die jeweiligen **Grundverkehrsgesetze der einzelnen Bundesländer** enthalten **Vorschriften für den Kauf und Verkauf von Grundstücken** (und den Erwerb anderer Rechte daran), insbesondere durch Ausländer. Jedes Geschäft über ein Grundstück muss der **Grundverkehrsbehörde** (Bezirkshauptmannschaft oder Magistrat) gemeldet und darf erst nach Prüfung im Grundbuch eingetragen werden. Für land- und forstwirtschaftliche Grundstücke gelten z. B. nach dem Tiroler Grundverkehrsgesetz besondere Auflagen. Zur Vermeidung von Grundstücksspekulationen dürfen z. B. Ausländer in Tirol nur beschränkt Freizeitwohnsitze erwerben.

Raumordnung:

Grund und Boden und damit Siedlungsraum für Menschen, betriebliche Gründe und landwirtschaftliche Flächen sind **knapp und nicht vermehrbar.** Daher muss dafür gesorgt werden, dass das vorhandene Land **sinnvoll bebaut** wird.

Ziel der Raumordnung ist die **planmäßige und vorausschauende Gesamtgestaltung eines bestimmten Gebietes,** z. B. eines Bundeslandes oder einer Gemeinde. Es sollen Flächen für Wohnbau und betriebliche Zwecke gesichert und zusammenhängende unverbaute Flächen freigehalten werden. Dafür gibt es **Raumordnungsprogramme** der Landesregierungen für ein ganzes Bundesland und örtliche **Raumordnungskonzepte** sowie **Flächenwidmungs- und Bebauungspläne** für eine Gemeinde.

Beispiel: Ein Wohnhaus kann nur auf einem Grundstück mit Widmung als **Wohn- oder Mischgebiet** gebaut werden.

Im **Flächenwidmungsplan** wird für alle Grundflächen einer Gemeinde die **Nutzungsart (Widmung)** festgelegt. Darüber entscheidet der Gemeinderat mit einer Verordnung, die öffentlich bekanntgemacht wird und bei der Gemeinde einsehbar ist. Die Nutzung soll möglichst bodensparend und zweckmäßig sein. Schutzmaßnahmen gegen Naturgefahren wie Überschwemmungen oder Lawinen müssen getroffen werden.

Mögliche Grundstückswidmungen: Wohn-, Gewerbe- und Industrie- sowie Mischgebiet, Freiland, Sonderflächen z. B. für Einkaufszentren, Vorbehaltsflächen für öffentliche Gebäude und Verkehrsflächen u. a.

Ziele von Bauvorschriften: Brand- und Umweltschutz, Energiesparen, Schutz des Nachbarrechts, Einhaltung des Flächenwidmungs- und Bebauungsplanes der Gemeinde

Bauvorschriften:

Bei Errichtung oder Umbau eines Gebäudes müssen die Regeln der **Bauordnung des jeweiligen Bundeslandes** eingehalten werden. Für ein Bauvorhaben muss vor Beginn bei der Gemeinde unter Vorlage von schriftlichen Bauplänen eine Bewilligung beantragt werden. Eine **Baubewilligung** wird nur unter folgenden Voraussetzungen erteilt:

- Zufahrt über eine öffentliche Straße
- Anschluss an die Wasser- und Energieversorgung sowie Abwasserentsorgung
- Zufahrtsmöglichkeit für Rettungsfahrzeuge
- keine Gefährdung durch Naturgefahren
- Einhaltung von Mindestabständen zu Straßen und Nachbargrundstücken sowie der maximalen Bauhöhe

Beispiele für Interessenabwägungen: Errichtung oder Ausbau von Gletscherschigebieten, Hubschrauberlandungen zu kommerziellen Zwecken im alpinen Gelände, Bau von Wasserkraftwerken in Landschaftsschutzgebieten

Naturschutz:

Durch die Naturschutzgesetze der Bundesländer soll die **Natur als Lebensgrundlage des Menschen** erhalten und gepflegt werden. Das Tiroler Naturschutzgesetz schützt z. B. Gewässer, Auwälder, Feuchtgebiete, Gletscher, bestimmte Pflanzenarten und Pilze, bestimmte Tier- und Vogelarten, Mineralien, Fossilien und Naturhöhlen. Die Bebauung und Nutzung dieser Gebiete darf nur mit einer **naturschutzrechtlichen Bewilligung** erfolgen. Bei der Entscheidung über eine solche Bewilligung muss die Behörde eine Interessenabwägung durchführen – meist stehen öffentliche und/oder wirtschaftliche Interessen dem Naturschutz entgegen.

Beispiele für Gebäude unter Denkmalschutz: Wiener Ringstraße, Schloss Belvedere, Gasthaus Kornmesser in Bregenz, Apotheke Obernberg a. I., Haus „Im Puls" in Neusiedl. Wenn der Eigentümer z. B. das Gasthaus Kornmesser umbauen will, benötigt er dafür eine denkmalschutzrechtliche Bewilligung.

Denkmalschutz:

Bauwerke und Gegenstände von **geschichtlicher, künstlerischer oder sonstiger kultureller Bedeutung** sollen durch das Denkmalschutzgesetz vor Zerstörung, Veränderung oder Verbringung ins Ausland geschützt werden. Jede bauliche Veränderung eines denkmalgeschützten Gebäudes bedarf der **Bewilligung durch das Bundesdenkmalamt.**

Beispiel: Das denkmalgeschützte Gasthaus Kornmesser, Bregenz

Eigentumsbeschränkungen durch private Interessen

Nachbarrecht:

- Verbot schädigender Einwirkungen **(Immissionen)** auf das Nachbargrundstück, z. B. durch Abwasser, Rauch, Geruch, Geräusche sowie
- Verbot des **Entzuges von Licht und Luft** durch Bäume und andere Pflanzen des Nachbarn.

Recht auf Licht: Wurzeln oder Äste des Nachbargrundstückes , die auf das eigene Grundstück ragen oder wachsen, müssen fachgerecht zurückgeschnitten werden. Die Kosten dafür trägt der/die Beeinträchtigte.

Unmittelbare Ableitung (z. B. von Regenwasser, Jauche) auf das Nachbargrundstück ist verboten. Andere Einwirkungen sind unzulässig, wenn sie die **ortsüblichen Verhältnisse** übersteigen und die ortsübliche Nutzung des Grundstückes wesentlich beeinträchtigen. Der beeinträchtigte Nachbar hat Anspruch auf **Unterlassung, Beseitigung und Schadenersatz.**

Wegen lichtraubender Bäume und Hecken kann die Nachbarin bzw. der Nachbar zivilrechtlich geklagt werden, allerdings erst nach Einschaltung einer Schlichtungsstelle (z. B. die Landwirtschaftskammer oder einer Mediation der Notariats- oder Anwaltskammer).

Beispiele

„Überhangsrecht" bei Bäumen an Grundstücksgrenzen: Die über dem eigenen Luftraum hängenden Äste können fachgerecht und schonend geschnitten und die überhängenden Früchte geerntet werden.

- Die hohen Bäume und Sträucher auf dem Nachbargrundstück nehmen so viel Sonne, dass im eigenen Garten der Boden vermoost und in der Wohnung selbst bei strahlendem Sonnenschein die elektrische Beleuchtung eingeschaltet werden muss. Die Bäume und Sträucher müssen zurückgeschnitten werden.
- Der Oberste Gerichtshof hat in einem Nachbarschaftsstreit wegen einer streunenden Katze entschieden, dass das Herumschweifen von Katzen auf Fremdgrund ortsüblich sei, solange nicht der Substanzwert der Liegenschaft gefährdet werde. Kater „Helli" aus Kolsass (Tirol) hatte die Kaninchen des Nachbarn bedroht und sogar zwei Tiere getötet, wofür die Besitzer auch zu Schadenersatz verurteilt wurden. Laut OGH müsse jedoch der Kaninchenhalter selbst für deren Sicherheit sorgen, da diese nicht nur durch Katzen, sondern auch durch Greifvögel oder Füchse bedroht seien. Kater „Helli" jedenfalls sei der Auslauf nicht zu verwehren. In einem zweiten „Katzenurteil" des LG Innsbruck wurde die Klage eines Landwirtes gegen seine Nachbarin und Katzenbesitzerin in zweiter Instanz abgewiesen. Seine im Freien gelagerten Siloheuballen seien durch das Hinaufspringen der Katzen beschädigt worden. Das Gericht stellte jedoch fest, dass „ortsübliche Freigängerkatzen hier ein übliches Verhalten setzen würden".

Belastungs- und Veräußerungsverbote:

Wenn ein solches Verbot besteht, darf ein Eigentümer die Sache zwar nach Belieben benützen, sie jedoch ohne Zustimmung des Berechtigten zu dessen Lebzeiten **nicht verkaufen oder als Pfand einsetzen.**

Beispiel

Eltern schenken ihren Kindern ein Haus, wollen jedoch nicht, dass diese das Haus verkaufen oder verpfänden. Es wird ein Belastungs- und Veräußerungsverbot zugunsten der Eltern in den Schenkungsvertrag aufgenommen.

Obligatorische Wirkung: Verkauf oder Belastung sind gültig, bewirken jedoch eine Schadenersatzpflicht gegenüber dem/der Verbotsverpflichteten.

Belastungs- und Veräußerungsverbote von Grundstücken und Gebäuden zugunsten von nahen Familienmitgliedern können ins **Grundbuch** eingetragen werden. Sie wirken dann **absolut,** d. h., dass Verkauf oder Belastung **ungültig** sind. Wird das Belastungs- und Veräußerungsverbot zwar vertraglich vereinbart, jedoch nicht im Grundbuch eingetragen, hat es nur eine **obligatorische** Wirkung.

Beispiel Fortsetzung

Wurde das Belastungs- und Veräußerungsverbot zugunsten der Eltern im Grundbuch eingetragen, ist ein Kaufvertrag ungültig und kann nicht durchgeführt werden. Ohne Grundbuchseintragung ist ein Kaufvertrag gültig, die Kinder müssen den Eltern jedoch Schadenersatz leisten.

Bei Inanspruchnahme der **staatlichen Wohnbauförderung** gilt ein Belastungs- und Veräußerungsverbot für die geförderte Immobilie.

5 Grundbuch

Im Grundbuch sind Daten wie Größe, Eigentumsverhältnisse und Belastungen aller Grundstücke in öffentlich zugänglich.

Erst mit der Eintragung im Grundbuch wird man Eigentümer eines Grundstückes.

Das Grundbuch trägt wesentlich zur Rechtssicherheit beim Kauf und Verkauf eines Grundstückes bei, da Interessenten eine verlässliche Informationsgrundlage zur Verfügung steht. Auch das Einsetzen eines Grundstückes als Pfand zur Erlangung eines Kredites wird dadurch wesentlich erleichtert und abgesichert.

Das **Grundbuch** ist eine **öffentlich zugängliche, elektronische Datenbank,** in der die wesentlichen Informationen über **alle Grundstücke in Österreich** eingetragen sind.

Einen kostenpflichtigen Grundbuchauszug erhält man direkt beim zuständigen **Bezirksgericht** oder über einen (kostenpflichtigen) Internet-Anschluss, den alle Notare und viele Rechtsanwälte oder Banken eingerichtet haben.

Aufbau:

Das Grundbuch besteht aus:

- dem **Hauptbuch** (der elektronischen Datenbank mit den wesentlichen Grundstücksdaten) und
- der **Urkundensammlung** (Aufbewahrung aller Kauf- und sonstigen Verträge, welche die jeweiligen Grundstücke betreffen)
- sowie **Hilfseinrichtungen** wie Landkarten, Eigentümer-, Grundstücks- und Straßenverzeichnisse.

Jede Grundbuchseinlage hat eine eigene **Einlagezahl (EZ)** und ist wie folgt gegliedert:

A-Blatt (Gutbestandsblatt)	B-Blatt (Eigentumsblatt)	C-Blatt (Lastenblatt)
Informationen über das Grundstück z. B. Adresse, Größe, Benützungsart (A1), Rechte des Grundstückes an anderen Grundstücken (A2)	**Informationen über den/die Eigentümer** z. B. Namen und Anteile der Eigentümer, evtl. Beschränkungen (wie Minderjährigkeit), Wohnungseigentum	**Belastungen des Grundstückes** wie Pfandrechte, Dienstbarkeiten, Veräußerungs- und Belastungsverbote, Vorkaufsrechte

Beispiel

Das Grundbuch wurde früher als gebundenes Buch geführt. Dabei gab es für jede Grundbuchseinlage drei Blätter. Deren Bezeichnungen haben sich erhalten:

Im **A-Blatt (Gutbestandsblatt)** ist u. a. zu finden:
- Adresse
- Kulturart (z. B. Acker, Wiese, Baufläche)
- mit der Liegenschaft verbundene Rechte (z. B. Dienstbarkeit)
- bestimmte Beschränkungen (z. B. Wasserschutzgebiet)

Das **B-Blatt (Eigentumsblatt)** enthält:
- Name und Adresse des bzw. der Eigentümer/s
- Eigentumsanteile
- persönliche Beschränkungen des Eigentümers (z. B. Minderjährigkeit, Konkurs)

Im **C-Blatt (Lastenblatt)** werden u. a. eingetragen:
- Hypotheken
- Belastungs- und Veräußerungsverbote
- Dienstbarkeiten

Grundbuchauszug

```
GRUNDBUCH 81102 Amras                                   EINLAGEZAHL  1011
BEZIRKSGERICHT Innsbruck
************************************************** ABFRAGEDATUM  2018-07-19
Letzte TZ  9553/2006
WOHNUNGSEIGENTUM
************************************* A1 **********************************
   GST-NR  G BA (NUTZUNG)          FLÄCHE  GST-ADRESSE
  1633/1     GST-Fläche       *       943
             Baufl.(Gebäude)          286
             Baufl.(begrünt)          657  Gerhart-Hauptmann-Straße 26
************************************* A2 **********************************
   1  a 154/1965 Grunddienstbarkeit des Geh- und Fahrweges auf Gst 137/3 in
        EZ 965 für Gst 1633/1

   2  a 4126/1981 Grunddienstbarkeit der Durchleitung und Erhaltung von
        Ver- und Entsorgungsleitungen jeglicher Art auf einem 1 m breiten
        Streifen entlang der östlichen Grundgrenze auf Gst 1633/2 in EZ 851
        für Gst 1633/1
************************************* B ***********************************
   29 ANTEIL: 123/1830
     Kogler   Anton
     GEB: 1941-05-10 ADR: Bahnhofstr. 34   6020
      a 4948/1981 Wohnungseigentum an W 13
      b 10537/2003 Kaufvertrag 2003-09-11 Eigentumsrecht
      c 10537/2003 Verbindung gem § 12 Abs 1 WEG 1975

  30 ANTEIL: 123/1830
     Kogler   Anna
     GEB: 1939-07-01 ADR: Bahnhofstr. 34   6020
      a 4948/1981 Wohnungseigentum an W 13
      b 10537/2003 Kaufvertrag 2003-09-11 Eigentumsrecht
      c 10537/2003 Verbindung gem § 12 Abs 1 WEG 1975

************************************* C**********************************

  1   a 4762/2003 Schuldschein 2003-05-12
          PFANDRECHT                                       EUR 28.000,--
          0,5 % Z, 5 % VuZZ, NGS 2.800,-- für
          Land Tirol
  2   a 4762/2003
          VERÄUSSERUNGSVERBOT für Land Tirol
  3   a 4762/2003
          VORKAUFSRECHT für Land Tirol

  4   a 72/2004 Pfandurkunde 2004-06-25
          PFANDRECHT                          Höchstbetrag  EUR 120.000,--
          für Bank für Tirol und Vorarlberg Aktiengesellschaft

********************************** HINWEIS ********************************
           Eintragungen ohne Währungsbezeichnung sind Beträge in ATS
GEBÜHR: EUR   1,09 ****** 2017-07-19 13:49,51847 XK ********** ZEILEN:  39
```

Übungsbeispiel

Ü 6.30: Grundbuchauszug A

a) Wofür benötigt man einen Grundbuchauszug?

b) Wie bekommt man ihn?

Wichtige Prinzipien des Grundbuchrechts

WICHTIGE PRINZIPIEN DES GRUNDBUCHRECHTS

- **EINTRAGUNGSPRINZIP**: Rechte an Grundstücken gelten nur dann, wenn sie im Grundbuch eingetragen sind (= Modus).
- **ÖFFENTLICHKEITSPRINZIP** (Publizitätsprinzip): Jede/r kann sich im Grundbuch über Rechte an Liegenschaften informieren und gegen Bezahlung einen Ausdruck erhalten.
- **VERTRAUENSPRINZIP**: Jede/r kann auf die Richtigkeit der Grundbuchseintragungen vertrauen.
- **PRIORITÄTSPRINZIP**: Wer zeitlich früher einen Grundbuchsantrag stellt, dessen Recht wird als Erstes eingetragen und ist stärker als die danach eingetragenen.
- **ANTRAGSPRINZIP**: Eintragungen im Grundbuch werden grundsätzlich nur auf Antrag der Berechtigten durchgeführt.

Praktische Hinweise für den Kauf und Verkauf von Immobilien

Ich habe über ein Zeitungsinserat eine geeignete und günstig gelegene Eigentumswohnung gefunden, die mir gefällt und deren Preis angemessen ist. Die Verkäuferin will in eine größere Wohnung umziehen. Worauf muss ich beim Kauf achten?

Antwort: Vor Abschluss des Kaufvertrags sollte jedenfalls ein aktueller Grundbuchauszug eingeholt werden. Damit kann Katharina Folgendes überprüfen:

- ob die Verkäuferin wirklich die Eigentümerin der Wohnung ist
- ob das Grundstück mit Pfandrechten belastet ist, die vor dem Kauf gelöscht oder von Katharina übernommen werden müssen
- ob sonstige Belastungen wie Dienstbarkeiten aufscheinen, die den Wert der Immobilie mindern könnten

Die Abwicklung eines Immobilien-Kaufvertrags kann mehrere Monate in Anspruch nehmen. Katharina will den Kaufpreis erst dann bezahlen, wenn sie im Grundbuch als Eigentümerin eingetragen ist. Die Verkäuferin möchte jedoch sichergehen, dass sie den Kaufpreis auch erhalten wird. Zur Absicherung ist es daher empfehlenswert, einen Treuhandvertrag mit einem Notar oder Rechtsanwalt abzuschließen. Dann wird der Kaufpreis auf ein Treuhandkonto überwiesen. Der Treuhänder darf das Geld erst dann an die Verkäuferin weiterleiten, wenn die Grundbuchseintragung erfolgt ist.

Katharina muss zusätzlich zum Kaufpreis mit bis zu 10 % an **Nebenkosten** rechnen: Grunderwerbsteuer (3,5 %), Maklerprovision (bei Inanspruchnahme eines Immobilienmaklers), Kosten für Vertragserrichtung und Treuhandschaft sowie Unterschriftenbeglaubigung, Gebühr für Eintragung im Grundbuch (1,1 %).

Für den Bau oder Kauf von Eigentumswohnungen oder Eigenheimen gibt es in Österreich **staatliche Unterstützung** im Rahmen der Wohnbauförderung.

Zu Katharinas Absicherung während der Kaufverhandlungen und Vertragsabwicklung kann die Verkäuferin auch einen Rangordnungsbescheid über die beabsichtigte Veräußerung beantragen und diesen an Katharina oder den Treuhänder übergeben. Damit wird der grundbücherliche Rang (der „Platz der künftigen Eigentümerin im Grundbuch") ein Jahr lang „besetzt" und Katharina ist sicher, dass ihr kein anderer Käufer zuvorkommen kann. Es wird nämlich auf diesem Grundbuchsrang nur diejenige Person eingetragen, welche den Bescheid vorlegt.

Beim Kauf einer neu errichteten Eigentumswohnung von einem sogenannten Bauträger schützt den Käufer das Bauträgervertragsgesetz, z.B. müssen Zahlungen nur entsprechend dem Baufortschritt an einen Treuhänder geleistet werden.

6 Pfandrecht

Zusätzliche Sicherheit für den Gläubiger bei Bonitätsverschlechterung oder Insolvenz des Schuldners und Verminderung des Ausfallsrisikos

Für die Finanzierung meiner Eigentumswohnung benötige ich neben meinen Ersparnissen und finanzieller Unterstützung meiner Eltern noch zusätzliche Geldmittel. Die Bank empfiehlt mir einen langfristigen Hypothekarkredit. Was bedeutet das?

Bewegliche Sachen müssen dem Pfandgläubiger übergeben werden. Der Pfandgläubiger muss die Sache sorgfältig verwahren und darf sie nicht benutzen. Das Pfandrecht an einer unbeweglichen Sache nennt man **Hypothek.** Diese muss ins Grundbuch eingetragen werden (C-Blatt).

Das **Pfandrecht** ist das Recht eines Gläubigers, den **Erlös aus dem Verkauf oder der Versteigerung der verpfändeten Sache** zu erhalten, wenn seine Forderung nicht pünktlich erfüllt wird.

Was ein Schuldner verpfänden kann

EIN SCHULDNER KANN VERPFÄNDEN

Beispiele: Sparbücher, Schmuck, Kunstgegenstände

Beispiele: Grundstücke, Eigentumswohnung

Beispiele: Wertpapierdepots, Buchforderungen, Lizenzen

Arten von Pfandrechten

- Der häufigste Fall ist die **vertragliche Bestellung eines Pfandrechtes,** z. B. im Kreditvertrag. Wie beim Eigentumserwerb sind dafür **Titel** (Pfandvertrag) und **Modus** (Übergabe bei beweglichen Sachen, Eintragung im Grundbuch bei Immobilien) erforderlich.
- In manchen Fällen steht einem Gläubiger ein **Pfandrecht von Gesetzes wegen** zu: z. B. Pfandrecht des Vermieters an den eingebrachten Sachen des Mieters zur Sicherung von Mietzinsrückständen.
- Im Exekutionsverfahren kommt es zur **gerichtlichen Pfändung,** wenn ein Schuldner nicht freiwillig bezahlt.

Gesetzliches Pfandrecht des Spediteurs, Frachtführers, Lagerhalters und Kommissionärs gemäß UGB.

Verwertung der Pfandsache

Wird die Schuld bei Fälligkeit nicht bezahlt, kann die Pfandsache versteigert oder verkauft werden. Aus dem Erlös wird die offene Forderung samt Verwertungskosten abgedeckt. Ein eventueller Mehrerlös gehört dem Schuldner.

- Zur Verwertung von verpfändeten **Immobilien** (Häusern, Grundstücken, Eigentumswohnungen) muss der Pfandgläubiger eine **zivilrechtliche Klage** einbringen. Nach Vorliegen eines rechtskräftigen **Urteiles** wird die Liegenschaft im Exekutionsverfahren durch das Gericht **versteigert.** Der Versteigerungserlös wird wie folgt aufgeteilt: Nach Abzug der Kosten des Versteigerungsverfahrens (Gericht, Schätzgutachten …) werden die offenen Forderungen der Pfandgläubiger in der Reihenfolge des Eintrags im Grundbuch (C-Blatt) abgedeckt. Einen etwaigen Rest erhält die Schuldnerin bzw. der Schuldner.
- Bei **beweglichen Sachen** ist neben der gerichtlichen Versteigerung auch eine **außergerichtliche Pfandverwertung** möglich. Zunächst muss der Verkauf angedroht werden. Wird die Forderung innerhalb eines Monats immer noch nicht bezahlt, kann die Sache öffentlich von einem dazu berechtigten Unternehmen versteigert werden. Waren mit Börse- oder Marktpreis können auch frei verkauft werden.

Beispiel: Banken können verpfändete Wertpapiere zum Börsenpreis verkaufen oder verpfändete Sparbücher auflösen und damit einen offenen Kredit abdecken.

Nach vertragsgemäßer Bezahlung **erlischt** das Pfandrecht, und der Schuldner hat Anspruch auf **Rückgabe der Pfandsache** oder **Löschung der Hypothek im Grundbuch.**

Antwort: Bei einem Hypothekarkredit verlangt die Bank die Einräumung eines Pfandrechtes an der zu finanzierenden Eigentumswohnung. Dazu unterschreibt Katharina einen Pfandvertrag (oft im Kreditvertrag enthalten) und die Hypothek wird im Grundbuch (C-Blatt) eingetragen. Wenn Katharina den Kredit nicht mehr zurückzahlen kann, hat die Bank das Recht, die Wohnung nach Vorliegen eines rechtskräftigen Urteiles gerichtlich versteigern zu lassen. Aus dem Erlös wird der Kredit abgedeckt.

Übungsbeispiel

Ü 6.31: Hypothek B

Was ist erforderlich, damit eine Hypothek wirksam begründet wird?

☐ Unterschrift auf dem Pfandvertrag

☐ Hinterlegung des Pfandvertrags bei der Bank

☐ unterschriebener Pfandvertrag und Eintrag im Grundbuch

7 Dienstbarkeiten (Servituten) und Reallasten

Muss der Eigentümer eines Grundstückes die Nutzung durch andere dulden?

Eine **Dienstbarkeit** verschafft ein **beschränktes Nutzungsrecht an einer fremden Sache.** Der jeweilige Eigentümer muss zugunsten eines anderen etwas **dulden oder unterlassen.**

Arten der Dienstbarkeiten

ARTEN DER DIENSTBARKEITEN

Praktische Fälle

Die Abwasserbeseitigung für ein neues Bauprojekt über das örtliche Kanalnetz kann nur über das Nachbargrundstück erfolgen. Es wird – gegen Bezahlung – vertraglich ein Leitungsrecht zugunsten des jeweiligen Eigentümers eingeräumt und im Grundbuch eingetragen **(Grunddienstbarkeit).**

Die Eltern schenken ihren Kindern ein Haus, wollen aber noch darin wohnen. Es wird ein **Wohnrecht** zu ihren Gunsten im Grundbuch eingetragen. Die Eltern können im Haus wohnen, solange sie leben. Wenn sich die Eltern bei der Schenkung ein **Fruchtgenussrecht** einräumen lassen, können sie nicht nur selbst darin wohnen, sondern das Haus auch vermieten und die Mieterträge („Früchte der Wohnung") kassieren **(persönliche Dienstbarkeit).**

Beispiele für ersessene Dienstbarkeiten: Geh- und Fahrwege, Schiabfahrten, Fischereirechte

Dienstbarkeiten werden im **Grundbuch** im C-Blatt des belasteten (= dienenden) Grundstückes und im A2-Blatt des herrschenden Grundstückes eingetragen.

Dienstbarkeiten wie Geh- und Fahrrechte können auch **durch langjährige Ausübung ersessen werden** (siehe Abschnitt Ersitzung).

Reallasten

Reallasten sollen vor allem im ländlichen Bereich die Übergeber eines Bauernhofes durch Geld- oder Naturalleistungen der Übernehmer absichern **(Ausgedinge).**

Beispiel

Eltern übergeben ihren Kindern den Bauernhof mit der Verpflichtung, ihnen monatlich Lebensmittel, Holz und Taschengeld zur Verfügung zu stellen.

8 Baurecht
Alternative zum Grundstückskauf

Bei großen Bauvorhaben wie der Errichtung von Einkaufszentren oder auch Krankenhäusern wird immer öfter das benötigte Grundstück nicht gekauft, sondern die Errichtergesellschaft lässt sich vom Eigentümer ein Baurecht einräumen.

Das Baurechtsgesetz definiert das **Baurecht** als das dingliche, veräußerliche und vererbliche Recht, auf oder unter der Bodenfläche eines **fremden Grundstücks** ein Bauwerk zu haben.

Vorteile eines Baurechtes: Der Bauberechtigte erspart sich die Anschaffungskosten für den Grund – der Baurechtsbesteller muss das Eigentum am Grundstück nicht aufgeben.

Das Baurecht kann für einen **Zeitraum von 10 bis 100 Jahren** eingeräumt werden und wird im Grundbuch eingetragen. Während der Laufzeit hat der Bauberechtigte einen **Baurechtszins** zu entrichten. Ohne weitere Vereinbarung gehört das Bauwerk nach Vertragsablauf dem Grundeigentümer, der eine Entschädigung von einem Viertel des vorhandenen Bauwertes bezahlen muss.

Sichern & Merken

SbX ID: 0652

Sachenrecht
Sachenrechte verschaffen einer Person die Herrschaft über Dinge und sind gegenüber jedem durchsetzbar.

Arten von Sachenrechten
Eigentum, Besitz, Pfandrecht, Dienstbarkeit und Reallast, Baurecht

Publizität
Die Zugehörigkeit einer Sache muss für jeden erkennbar sein – bei beweglichen Sachen durch den Besitz, bei unbeweglichen Sachen durch Eintragung ins Grundbuch.

Einteilung der Sachen
- körperliche/unkörperliche Sachen
- bewegliche/unbewegliche Sachen
- vertretbare/unvertretbare Sachen
- verbrauchbare/unverbrauchbare Sachen
- freistehende/öffentliche oder private Sachen
- Gesamtsachen

Besitz
Verfügungsgewalt über eine Sache mit dem Willen, diese für eine bestimmte Zeit zu behalten

Besitzschutz
Besitzstörungsklage – Selbstschutz nur, wenn behördliche Hilfe zu spät käme und unwiederbringlicher Schaden droht

Eigentum
absolutes und umfassendstes Recht an einer Sache

Eigentumserwerb
- Hauptfall: abgeleiteter Erwerb durch Übertragung vom Voreigentümer (Beispiel: Kauf) oder
- ausnahmsweise: ursprünglicher Erwerb durch Aneignung, Fund, Schatzfund, Erwerb durch guten Glauben, Ersitzung

Voraussetzungen für den Eigentumserwerb
Titel (gültiger Vertrag) und **Modus** (Übergabe bei beweglichen Sachen oder Grundbuchseintrag bei Immobilien)

Eigentumsvorbehalt
Vereinbarung bei Kreditverkäufen, dass das Eigentum an einer Sache trotz Übergabe erst bei vollständiger Bezahlung auf den Erwerber übergeht – dient zur Absicherung der Kaufpreisforderung z. B. bei Insolvenz des Käufers

Arten des Eigentums
Alleineigentum, Miteigentum, Wohnungseigentum

Wohnungseigentum	● Miteigentum am Grundstück und ausschließliches Nutzungsrecht an einer Wohnung ● anteilsmäßige Kostenteilung ● Entscheidungen mit Mehrheitsbeschluss
Grundbuch	öffentlich zugängliche Datenbank mit Informationen über alle Grundstücke in Österreich, bestehend aus **Hauptbuch** und **Urkundensammlung**
Gliederung einer Einlagezahl	**A-Blatt:** Informationen über das Grundstück **B-Blatt:** Informationen über den/die Eigentümer **C-Blatt:** Belastungen des Grundstückes
Grundbuchsprinzipien	● Eintragungsprinzip ● Öffentlichkeitsprinzip ● Vertrauensprinzip ● Prioritätsprinzip ● Antragsprinzip
praktische Hinweise für den Immobilienkauf	Einholung eines aktuellen Grundbuchsauszuges, Prüfung der Belastungen, Abschluss eines Treuhandvertrags, Rangordnungsbescheid, Kalkulation der Nebenkosten, Schutz durch Bauträgervertragsgesetz, Wohnbauförderung
Pfandrecht	Recht des Gläubigers auf Erlös der verpfändeten Sache zur Abdeckung der Forderung bei Zahlungsausfall (Sicherheit)
Hypothek	Pfandrecht an einer unbeweglichen Sache
Erwerb des Pfandrechts	**Titel** (Pfandvertrag) und **Modus** (Übergabe bei beweglichen Sachen, Grundbuchseintrag bei Immobilien)
Arten des Pfandrechts	● vertragliches Pfandrecht ● gesetzliches Pfandrecht ● gerichtliches Pfandrecht
verpflichtende gerichtliche Verwertung von unbeweglichen Pfandsachen	Zahlungsverzug → Klage → Urteil → Exekution durch gerichtliche Pfändung → Versteigerung → Abdeckung der Forderung samt Verfahrenskosten aus Versteigerungserlös
mögliche außergerichtliche Verwertung von beweglichen Pfandsachen	● Androhung des Verkaufes, nach einem Monat öffentliche Versteigerung durch befugtes Unternehmen ● freier Verkauf bei Waren mit Börse- oder Marktpreis
Dienstbarkeit (Servitut)	Recht auf beschränkte Nutzung fremder Sachen bzw. Pflicht zur Duldung oder Unterlassung
Arten von Dienstbarkeiten	● Grunddienstbarkeiten – Beispiel: Wegerecht ● persönliche Dienstbarkeiten – Beispiel: Wohnrecht
Reallasten	Recht auf wiederkehrende Leistungen durch Grundstückseigentümer/in – Beispiel: Ausgedinge
Baurecht	dingliches, veräußerliches und vererbliches Recht, auf oder unter der Bodenfläche eines fremden Grundstückes ein Bauwerk zu haben
SbX **ID: 0652**	**Im SbX finden Sie eine Bildschirmpräsentation mit den Grafiken dieser Lerneinheit.**

Wissen & Können

SbX ID: 0653

A B C D E

W 6.43: Besitz B

Wie kann ich meinen Besitz gegen unbefugte Eingriffe verteidigen?

W 6.44: Fund B

a) Was ist zu tun, wenn man ein Handy auf der Straße findet?

b) Mit welchen Konsequenzen hat ein unredlicher Finder bzw. eine unredliche Finderin zu rechnen?

W 6.45: Ersitzung C

Was könnten Fälle von „Ersitzung" sein? Kreuzen Sie die richtige/n Lösung/en an!

- ☐ Man streitet sich jahrelang mit seinem Nachbarn um einen Weg, dieser gibt schlussendlich auf.
- ☐ Man benützt viele Jahre lang einen Weg über das Nachbargrundstück.
- ☐ Der Tourismusverband gibt jahrelang Karten mit Wanderwegen über ein Grundstück heraus. Diese Wege werden von Wanderern benützt.

W 6.46: Eigentumsvorbehalt B

Erklären Sie, warum bei Kreditverkäufen oft ein Eigentumsvorbehalt vereinbart wird.

W 6.47: Wohnungseigentum A

Stellen Sie dar, wie die Kosten für eine Anlage im Wohnungseigentum aufgeteilt werden.

W 6.48: Kosten für Wohnhaussanierung C

Sie sind Wohnungseigentümer/in und finden, dass die Fassade des Hauses unbedingt saniert werden sollte. Was tun Sie? Wer bezahlt die Sanierung?

W 6.49: Flächenwidmungsplan A

Beschreiben Sie, was man unter einem „Flächenwidmungsplan" versteht.

W 6.50: Eigentumsbeschränkungen C

Sie möchten ein Grundstück zur Errichtung eines Einfamilienhauses kaufen. Nennen Sie Regelungen, die Sie einhalten müssen und die Sie evtl. in Ihrem Vorhaben einschränken könnten!

W 6.51: Rechte des Nachbarn B

Sie sind Eigentümer bzw. Eigentümerin eines Einfamilienhauses mit Garten. Welche Rechte haben Ihre Nachbarn Ihnen gegenüber?

W 6.52: Grundbuch C

Ordnen Sie die folgenden Begriffe den einzelnen Teilen des Grundbuches zu!

Begriff	A-Blatt	B-Blatt	C-Blatt
Hypothek			
Name des Eigentümers			
Geh- und Fahrrecht der Nachbarn			
Art, wie das Grundstück erworben wurde			
Grundstücksgröße			
Vorkaufsrecht im Rahmen der Wohnbauförderung			

W 6.53: Prioritätsprinzip C

Erklären Sie, warum das Prioritätsprinzip des Grundbuchs für einen Gläubiger so bedeutsam ist.

W 6.54: Pfandrecht B

Welchen Vorteil bringt ein Pfandrecht für einen Gläubiger bzw. eine Gläubigerin?

W 6.55: Dienstbarkeit – Reallasten B

Nennen Sie jeweils ein Beispiel für den Unterschied zwischen Dienstbarkeiten und Reallasten.

W 6.56: Fallbeispiel C

Nach einigen Jahren erfolgreicher Berufstätigkeit sind Ihre Ersparnisse angewachsen und Sie wollen ein Grundstück zum Bau eines Einfamilienhauses erwerben. Aufgrund eines Zeitungsinserates haben Sie mit dem Verkäufer eines gut geeigneten Grundstückes Verhandlungen aufgenommen und man ist sich über den Preis des laut Aussage des Verkäufers unbelasteten Grundstückes einig. Zur Absicherung möchten Sie vor Abschluss des Kaufvertrags alle rechtlich relevanten Tatsachen abklären.

a) Wie werden Sie Eigentümerin bzw. Eigentümer des Grundstückes? Beschreiben Sie die Vorgangsweise und den Eigentumsübergang! Welche Vorsichtsmaßnahme ist empfehlenswert? Warum wird manchmal darauf verzichtet?
b) Was sollte vor dem Kauf abgeklärt werden?
c) Welche Belastungen oder sonstigen Nachteile für den Käufer könnten vorliegen?
d) Wo erhalten Sie diese Informationen?
e) Welche Kosten fallen zusätzlich zum Kaufpreis noch an?
f) Welche staatliche Unterstützung könnte beantragt werden?
g) Zur Finanzierung benötigen Sie einen Bankkredit mit hypothekarischer Sicherstellung. Welchen Vorteil bringt die Hypothek für die Bank? Welche Konsequenzen hat es, wenn Sie den Kredit nicht zurückzahlen können?

SbX
W 6.57–W 6.62
mit automatischer Aufgabenkontrolle
ID: 0653

Weitere Aufgaben im SbX

W 6.57: Arten von Sachen B

Ordnen Sie zu, um welche Arten von Sachen es sich jeweils handelt.

W 6.58: Eigentum B

Bearbeiten Sie den Test zu den Themen Eigentum und Besitzstörung.

W 6.59: Eigentumserwerb B

Ordnen Sie die Beispiele richtig zu.

W 6.60: Formen des Eigentums B

Ordnen Sie die Beispiele richtig zu.

W 6.61: Sachenrecht – Grundbuch B

Lösen Sie ein Kreuzworträtsel zu Begriffen rund um das Grundbuch.

SbX
Arbeitsblatt
ID: 0653

W 6.62: Grundbuchauszug C

Füllen Sie das Arbeitsblatt zum Grundbuchauszug auf S. 261 aus.

Ein kurzer Kompetenz-Check, bevor's weitergeht!

Kompetenz-Check

	☺	😐	☹
Ich kann die fünf dinglichen Rechte nennen.			
Ich kann den Unterschied zwischen Eigentum, Besitz und Innehabung erklären.			
Ich kann darstellen, wie ich mich gegen Besitzstörungen wehren kann.			
Ich kann erklären, wie das Eigentum an beweglichen und unbeweglichen Sachen übertragen wird.			
Ich kann verschiedene Arten des Eigentums unterscheiden.			
Ich kann die rechtliche Form des Wohnungseigentums beschreiben.			
Ich kann erklären, welche Informationen im Grundbuch stehen und wo ich einen Grundbuchsauszug beschaffen kann.			
Ich kann die Vorteile eines Pfandrechts und die Vorgangsweise zur Verwertung der Pfandsache bei Verzug des Schuldners beschreiben.			
Ich kann den Begriff „Dienstbarkeit" erklären und zwei Arten mit je einem Beispiel nennen.			
Ich kann darstellen, was ein Baurecht ist.			

Lerneinheit 6

Rechtsgeschäfte – Schuldrecht

SbX
Alle SbX-Inhalte zu dieser Lerneinheit finden Sie unter der ID: 0660.

Jeden Tag haben wir alle mit dem Schuldrecht zu tun. Wenn sich Marco am Buffet eine Jause kauft oder im Internet eine CD bestellt, schließt er einen Kaufvertrag ab. Wenn er mit dem Bus zur Schule fährt, ist das ein Beförderungsvertrag. Wenn Katharina sich verpflichtet, in einem Unternehmen zu arbeiten, geht sie einen Arbeitsvertrag ein.

Wenn Sie später in einem Unternehmen arbeiten, werden Sie einerseits selbst einen Dienstvertrag mit diesem Unternehmen abgeschlossen haben, anderseits werden Sie wahrscheinlich für das Unternehmen eine Vielzahl von Verträgen eingehen. Gut, wenn man sich hier auskennt.

Lernen & Üben

SbX ID: 0661

1 Grundlagen der Vertragserrichtung

Verträge bewirken, dass zwischen den beteiligten Personen Rechte und Pflichten entstehen.

> Wenn ich mir im Supermarkt eine Packung Nüsse aus dem Regal nehme, zur Kasse gehe, sie auf das Förderband lege und dafür € 2,99 bezahle, ist dann ein Vertrag zustande gekommen? Ich habe ja nichts gesagt und nichts unterschrieben.

An einem Vertrag sind immer mindestens zwei Personen (= **Vertragsparteien**) beteiligt:

- Eine Person soll die **Leistung erbringen**, das ist der/die **Schuldner/in**,
- eine Person soll die **Leistung erhalten**, das ist der/die **Gläubiger/in**.

Vertragsparteien

Das **Schuldrecht** regelt die Rechte und Pflichten von Personen, die sich zu einer Leistung einer anderen Person gegenüber verpflichten, d. h. eine Verbindlichkeit eingehen.

Was zu leisten ist bzw. wie die Leistung erbracht werden soll, kann zwischen den beiden Vertragsparteien **frei vereinbart** werden.

Vertragsinhalt

Die Vereinbarungen dürfen nur nicht gegen die Gesetze oder die guten Sitten verstoßen.

Wenn der Vertrag jedoch **keine** Regelungen enthält, kommen die **gesetzlichen Regelungen** zur Anwendung.

VERTRAGSINHALT

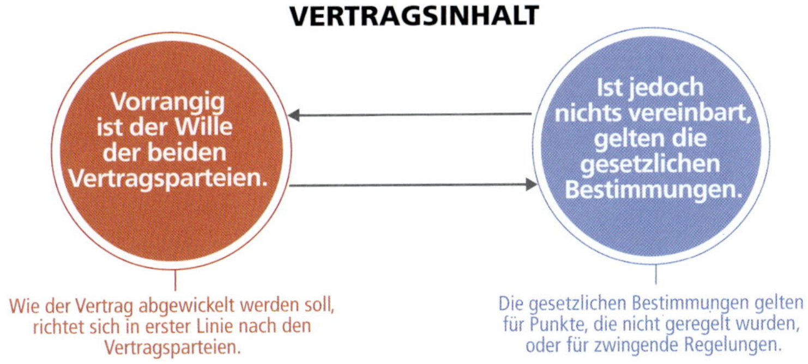

- Die Leistung, die geschuldet wird, kann in
  - einem **Tun** (z. B. in der Errichtung eines Fertighauses) oder
  - einem **Unterlassen** (z. B. im Dulden, dass jemand ein Geh- und Fahrtrecht über das eigene Grundstück hat)

  bestehen.
- Das Schuldrecht ist ein **relatives Recht,** denn **nur von der Schuldnerin bzw. vom Schuldner alleine** kann die Gläubigerin bzw. der Gläubiger verlangen, dass er/sie seine/ihre Verbindlichkeit erfüllt.

Arten von Schuldverhältnissen

ARTEN VON SCHULDVERHÄLTNISSEN

Arten von Rechtsgeschäften

Einseitiges Rechtsgeschäft	Zweiseitiges Rechtsgeschäft
Eine Seite ist nur Schuldner, die andere nur Gläubiger.	Beide Seiten sind Schuldner und Gläubiger zugleich.
Beispiel: „Wer mir meine entlaufene Katze Schnurli wiederbringt, erhält von mir 120 €!“ (In der juristischen Fachsprache nennt man das „Auslobung“.)	Die meisten Verträge sind zweiseitige Rechtsgeschäfte, z. B. ● der Kaufvertrag, ● der Darlehensvertrag, ● der Dienstvertrag, ● der Mietvertrag.

Beispiel für einen Vertragsabschluss durch schlüssige Handlung: Jemand geht in eine Trafik, in der viele andere Kunden warten. Da er nicht warten möchte, nimmt er eine Zeitung vom Stoß und legt das Geld dafür neben den Trafikanten. Sieht der Trafikant dies und unternimmt nichts dagegen, so akzeptiert er dieses Verhalten und es kommt ein Kaufvertrag durch **schlüssige Handlung** zustande.

In der Fachsprache nennt man „schlüssig“ auch „konkludent“.

Wie kommt ein Vertrag zustande?

Ein Vertrag kommt durch **übereinstimmende Willenserklärung** von mindestens zwei Personen zustande. Dies gilt prinzipiell für alle Formen von Verträgen, wie z. B. den Kaufvertrag, den Kreditvertrag, den Mietvertrag, den Schenkungsvertrag.

Ein Vertrag wird geschlossen, indem eine Person ein **Angebot** macht und eine zweite Person dieses Angebot **annimmt (= Annahme).**

Angebot	Annahme
= die Erklärung eines der beiden Partner, einen Vertrag zu den im Angebot angeführten Bedingungen abschließen zu wollen.	= die Zustimmung der anderen Vertragspartei, den so angebotenen Vertrag – ohne Änderungen – eingehen zu wollen.

Das Angebot muss vom Inhalt her **eindeutig bestimmt und rechtlich verbindlich** sein. Es muss der Wille, sich binden zu wollen, zum Ausdruck kommen.

Erstellung eines Angebots

ERSTELLUNG EINES ANGEBOTES

- SCHRIFTLICH
- MÜNDLICH
- SCHLÜSSIG = OHNE WORTE

Erfüllungsort, Erfüllungszeit und Erfüllungsweise

Die beiden Vertragsparteien können Erfüllungsort, -zeit und -weise **vertraglich regeln.** Wurde aber **nichts vereinbart,** so gilt folgende gesetzliche Regelung:

Erfüllungsort, Erfüllungszeit und Erfüllungsweise

- **ERFÜLLUNGSORT** – Wo muss der Vertrag erfüllt werden?
  → Der Wohnsitz oder der Ort der Geschäftsniederlassung des Schuldners ist Erfüllungsort, wenn nichts anderes vereinbart.
- **ERFÜLLUNGSZEIT** – Wann muss der Vertrag erfüllt werden?
  → Ist nichts vereinbart, kann der Gläubiger die Leistung sofort verlangen.
- **ERFÜLLUNGSART** – Wie muss der Vertrag erfüllt werden?
  → Wenn nichts anderes vereinbart ist, müssen die Parteien ihre Leistungen Zug um Zug austauschen.

Antwort: Ja, Katharina hat im Supermarkt einen Vertrag abgeschlossen, nämlich einen Kaufvertrag über eine Packung Nüsse. Wenn Katharina die Packung auf das Förderband legt, ist das ein schlüssiges oder konkludentes Angebot. Die Kassierin bzw. der Kassier hat den Preis eingetippt. Das Angebot wurde damit von ihr/ihm angenommen. Katharina hat bezahlt. Es handelt sich um übereinstimmende Willenserklärungen – hier durch schlüssige Handlungen.

Der Kaufvertrag wurde danach Zug um Zug erfüllt: Nusspackung gegen Geld.

2 Voraussetzungen gültiger Rechtsgeschäfte

Damit Rechtsgeschäfte gültig zustande kommen, müssen bestimmte Bedingungen erfüllt sein.

Ich möchte heuer in den Ferien in einem Unternehmen arbeiten, Geld verdienen und Erfahrungen sammeln. Leider bin ich noch nicht 18. Darf ich den Vertrag alleine unterschreiben? Oder müssen meine Eltern zustimmen?

Voraussetzungen für ein gültiges Rechtsgeschäft

VORAUSSETZUNGEN FÜR EIN GÜLTIGES RECHTSGESCHÄFT

- **GESCHÄFTSFÄHIGKEIT DER BETEILIGTEN** – Die Geschäftsfähigkeit hängt von Alter und Geisteszustand ab.
- **ÜBEREINSTIMMENDE WILLENSERKLÄRUNG** – Vertrag muss ernstlich gewollt sein, nicht irrtümlich oder erzwungen.
- **MÖGLICHKEIT UND ERLAUBTHEIT** – Vertrag darf nicht gegen ein Gesetz oder gegen die guten Sitten verstoßen.
- **EINHALTUNG VON FORMVORSCHRIFTEN** – grundsätzlich Formfreiheit, aber Schriftlichkeit oder Notariatsakt für bestimmte Geschäfte zur Rechtsgültigkeit notwendig

- **Geschäftsfähigkeit**

  Nur eine geschäftsfähige Person kann einen gültigen Geschäftswillen äußern. Die Geschäftsfähigkeit ist abhängig vom **Alter und vom Geisteszustand.** Zum Beispiel sind Kinder und Jugendliche nur beschränkt geschäftsfähig. → siehe Personenrecht Seite 214.

Antwort: Marco ist noch nicht 18. Das bedeutet, er ist noch nicht in allen rechtlichen Angelegenheiten berechtigt, sich alleine zu verpflichten. Er hat noch nicht die volle Geschäftsfähigkeit erreicht. Einen Dienstvertrag (ausgenommen Lehrvertrag) darf man aber schon ab dem vollendeten 14. Lebensjahr allein unterschreiben. 14- bis 18-Jährigen ist es nämlich gesetzlich erlaubt, sich vertraglich zu Dienstleistungen zu verpflichten.

- **Übereinstimmung der Willenserklärungen**

> Ich kaufte mir in einem Secondhand-Geschäft zwei T-Shirts, eine Hose und ein Sommerkleid. Die Kleidungsstücke waren mit Preisen versehen. Die Verkäuferin rechnete alles zusammen und stellte eine Rechnung über € 60,– aus. Ich hatte vorher schon die Preise addiert und wusste, dass der Preis eigentlich € 80,– sein müsste. Ich freute mich über das „Schnäppchen" und verließ das Geschäft. Nach 100 m kam mir die Verkäuferin nachgelaufen und sagte, sie hätte sich leider geirrt. Der Preis betrage € 80,–. Wäre das Rechtsgeschäft mit einem Preis von € 60,– gültig zustande gekommen oder war es korrekt, dass ich € 20,– aufzahlen musste?

Die Willenserklärung muss **ernst** gemeint und frei von **Irrtum** und **Zwang** entstanden sein.

Damit ein wesentlicher Geschäfts- oder Erklärungsirrtum zur Auflösung des Vertrags berechtigt, muss der Irrtum

- dem Vertragspartner aus den Umständen heraus offenbar **auffallen** oder
- durch den Vertragspartner **veranlasst** werden oder
- rechtzeitig **aufgeklärt** werden.

Antwort: Im Beispiel kann Katharina nicht entgegnen, dass sie die Kleidungsstücke gerade eben um € 60,– gekauft hat. Denn die Verkäuferin hat sich beim Zusammenrechnen **geirrt.** Sie wird diesen Irrtum erfolgreich durchsetzen können, denn der Irrtum ist Katharina ja aufgefallen und die Verkäuferin hat ihn auch rechtzeitig aufgeklärt.

Die **„guten Sitten"** umfassen das Moral- und Anstandsgefühl der moralisch und gerecht denkenden Menschen in einer Gesellschaft. Sie entsprechen damit der herrschenden Rechts- und Sozialmoral in einem Staat. Man könnte sie auch den „Geist einer Rechtsordnung" nennen.

Den Rückgriff auf die „guten Sitten" zu machen ist notwendig, weil der Gesetzgeber nicht alles regeln kann.

Beispiele für Monopolbetriebe: öffentliche Betriebe, die mit Wasser, Kanal oder Verkehr versorgen, oder öffentliche Bibliotheken.

Beispiel: Nach dem Nahversorgungsgesetz müssen gewerbliche Letztverkäufer an Verbraucher Waren in einer Menge abgeben, wie diese üblicherweise abgegeben werden.

- **Möglichkeit und Erlaubtheit**

  Das Rechtsgeschäft muss möglich und erlaubt sein. Das bedeutet, dass es nicht gegen die Gesetze oder die „guten Sitten" verstoßen darf.

- **Form**

  Manchmal wird die Einhaltung einer bestimmten – schriftlichen – Form (z. B. Notariatsakt) verlangt, damit das Rechtsgeschäft gültig ist.

  Grundsätzlich gilt der **Grundsatz der Formfreiheit,** das bedeutet, dass auch **mündlich geschlossene** Kaufverträge **gültig** sind.

- Im Schuldrecht gibt es daneben auch noch das **Prinzip der Abschlussfreiheit.** Das bedeutet, es steht jedem Einzelnen frei zu entscheiden, **ob und mit wem** er/sie einen Vertrag schließen will – und mit wem nicht.

  Von diesem Grundsatz gibt es eine wichtige Ausnahme: den **Kontrahierungs- oder Abschlusszwang.** Darunter versteht man die Verpflichtung, dass ein Vertrag **abgeschlossen** werden **muss.** Diese Verpflichtung zum Vertragsabschluss besteht aber nur ausnahmsweise:

  - für **Monopolbetriebe** (insbesondere, wenn diese die Einzelperson mit lebenswichtigen Gütern oder Dienstleistungen versorgen) und
  - aufgrund **besonderer gesetzlicher Anordnung,** z. B. nach dem Nahversorgungsgesetz.

  Ein weiterer Grundsatz ist jener der **Gestaltungsfreiheit.** Das bedeutet, dass die Vertragsparteien nicht an die im Gesetz vorgesehenen Vertragstypen gebunden sind. Sie können **auch neue Vertragstypen** entwickeln. So ist z. B. der Leasingvertrag entstanden, der Teile des Kauf- und des Mietvertrags enthält.

3 Mittel zur Vertragsabsicherung

Wodurch kann eine Vertragspartei erreichen, dass die andere Partei den Vertrag auch einhält?

Mein Freund Albrecht und ich wollen uns in zwei Jahren eine größere Wohnung kaufen, vielleicht in der neuen Siedlung, die in unserer Nähe entstehen soll! Das kostet sicher viel – und was ist, wenn die Wohnung dann nicht zum vereinbarten Zeitpunkt fertig ist?

Albrecht hat gestern bei einem Möbelgeschäft einen herrlich bequemen Fernsehsessel gesehen. Rasch entschlossen unterschreibt er den Kaufvertrag, da er sich so ein schönes Stück schon lange gewünscht hat. Zu Hause überprüft er seinen Kontostand und stellt fest, dass er sich das Möbel derzeit gar nicht leisten kann. Heute ist er wieder ins Möbelgeschäft gegangen und wollte den Vertrag rückgängig machen. Der Händler erklärte, dass dies nicht möglich sei, da der Sessel bereits in Deutschland bestellt wurde. Nur gegen Bezahlung eines Stornobetrages von 30 % könne der Vertrag gelöst werden.

Verträge muss man einhalten! Diese einfache Regel gilt für beide Vertragsparteien.

Um die vereinbarungsgemäße **Vertragserfüllung besser abzusichern,** kann man sich folgender Mittel bedienen:

Reugeld

Das **Reugeld** wird auch als „Stornogebühr" bezeichnet.

Durch die Zahlung eines im Vorhinein festgelegten Geldbetrages kann man sich von der Vertragsverpflichtung befreien und **vom Vertrag zurücktreten.**

Vertrags- oder Konventionalstrafe

Wird der Vertrag nicht oder schlecht erfüllt, muss der Schuldner eine vereinbarte Vertragsstrafe bezahlen. Sie ist eine **Vorweg-Pauschalierung des Schadens** wegen

- Nichterfüllung,
- Verzugs oder
- Schlechterfüllung.

Die **Bürgschaft** kommt sehr häufig bei Kreditverträgen vor. Banken verlangen oft den Beitritt eines Bürgen/einer Bürgin.

Schriftform bedeutet, dass der Bürge/die Bürgin **persönlich unterschreiben** muss. Eine Übermittlung der Unterschrift per Fax oder eine sichere digitale Signatur reicht nicht aus.

Eine Bürgschaft sollte sehr **gut überlegt** sein, denn man unterschreibt, für etwas zu zahlen, von dem man NICHTS hat!

Bürgschaft

Eine dritte Person (= Bürge/Bürgin) verpflichtet sich, die Schuld zu erfüllen, wenn der **eigentliche Schuldner diese nicht erfüllt.**

Beim Bürgschaftsvertrag handelt es sich für den Bürgen um einen **sehr riskanten Vertrag,** deshalb verlangt das Gesetz für die Bürgschaft die **Schriftform,** um die bürgende Person zu **warnen.**

Es gibt **drei Arten der Bürgschaft:**

- **„Ausfalls- oder Schadlosbürgschaft":**
  Die bürgende Person kann erst nach **zwangsweiser Exekution** des Hauptschuldners zur Zahlung herangezogen werden.
- **„Einfache Bürgschaft":**
  Die bürgende Person kann i. d. R. vom Gläubiger erst **nach erfolgloser Mahnung** des Hauptschuldners zur Zahlung herangezogen werden.
- **„Solidarische Bürgschaft" (= Bürge- und Zahler-Haftung):**
  Hier kann die bürgende Person **ohne jede Mahnung** zur Zahlung herangezogen werden. Selbst wenn der Hauptschuldner zahlen könnte und wollte, kann vom „Bürgen und Zahler" der Betrag verlangt werden.

Garantie

Garantien werden meist für Verträge mit hohen Summen abgeschlossen.

Garantien finden sich häufig als **Bankgarantie:** Eine Bank verpflichtet sich,

- bei Eintritt eines bestimmten Ereignisses
- eine bestimmte Summe Geldes
- an eine begünstigte Person auszuzahlen.

Die Bankgarantie wird z. B. häufig bei der Errichtung von Einfamilienhäusern als Sicherstellung dafür verwendet, dass der geschuldete Werklohn für die Errichtung des Hauses auch tatsächlich bezahlt wird.

Blankowechsel = ein Wechsel, bei dem der Betrag frei bleibt, er kann später eingesetzt werden. Blankowechsel sind risikoreich, daher nur bei Bankgeschäften unterschreiben, sonst ist davon abzuraten.

Wechsel

Ein Wechsel ist ein **Wertpapier,** in dem sich der Wechselschuldner zur Zahlung eines bestimmten Geldbetrages an den Inhaber des Wechsels verpflichtet. Der Wechsel wird meistens ausgestellt, um eine Forderung sicherzustellen. Der Vorteil eines Wechsels liegt darin, dass die Geldforderung aus dem Wechsel mit einem **vereinfachten, schnelleren Gerichtsverfahren** durchgesetzt werden kann.

Beispiel

Marcos Cousin, Clemens Messner, schließt mit seiner Hausbank einen Kreditvertrag über € 30.000,–. Die Bank verlangt zur Sicherstellung der Forderung, dass Clemens einen Blankowechsel unterzeichnet.

Pfandrecht

Kreditverträge werden häufig mit Pfandrechten besichert. Dabei übergibt der Kreditnehmer der Bank eine Sache, damit sich die Bank aus der Sache befriedigen kann, sollte der Kredit nicht zurückgezahlt werden können.

Zum **Pfandrecht** siehe auch Lerneinheit Sachenrecht (Seite 264).

Antwort: Damit die Wohnung wirklich zum vereinbarten Termin bezugsfertig ist, wäre es sehr empfehlenswert, ein Mittel der Vertragsabsicherung vertraglich zu vereinbaren: z. B. eine Konventionalstrafe von € 150,– für jeden Tag des Verzugs.

Wenn Albrecht vom Vertrag mit dem Fernsehsessel zurücktreten will, ohne dass ein gesetzlicher oder vertraglicher Rücktrittsgrund vorliegt, dann muss der Händler seine Zustimmung zur Vertragsauflösung geben. Dies tut er in unserem Beispiel nur gegen Zahlung einer Stornogebühr. Der Händler kann also die Zahlung einer Stornogebühr verlangen, nur ist die Stornogebühr von 30 % hier überhöht.

Eine überhöhte Stornogebühr darf vom Richter **gemäßigt** werden. Im **Allgemeinen** ist ein Storno von über 20 % als überhöht anzusehen. Bei **Reiserücktritten** sind aber Stornogebühren weit über 20 % üblich.

4 Gewährleistung

Gewährleistung ist das Einstehen-Müssen von Verkäufern für mangelhafte Produkte.

Gewährleistung und Garantie

Ich habe mir bei einem Elektrofachgeschäft einen Bluetooth-Lautsprecher gekauft. Nach drei Wochen hat er sich nicht mehr verbinden lassen. Was kann ich tun? Ist das ein Recht aus Gewährleistung oder aus Garantie?

Die **Gewährleistung** ist **gesetzlich geregelt.**

Die **Garantie** hingegen ist eine **freiwillige Zusage.** Diese freiwillige, vertragliche Zusage kann entweder

- die verkaufende Person oder
- oder der Hersteller machen.

Die genauen Inhalte der Garantieerklärung sind gesetzlich nicht vorgegeben, ihre Einzelheiten richten sich nach der Vereinbarung.

Beispiel für eine Garantie: Der Hersteller garantiert der kaufenden Person, dass innerhalb von 36 Monaten – ab dem Zeitpunkt des Kaufes – keine Fehler an der Sache auftreten.

Anspruch auf Gewährleistung besteht nur, wenn der Erwerber die Sache **gegen Entgelt** erworben hat (z. B. Kauf, Tausch, Miete). Keinen Anspruch auf Gewährleistung gibt es z. B. bei Schenkungen.

Die Rechte aus der Gewährleistung gelten auch für entgeltliche Geschäfte zwischen **zwei Privatpersonen** (z. B. beim Kauf eines Gebrauchtwagens).

SbX

Weiterführende Links zu den Themen Gewährleistung und Garantie finden Sie unter der ID: 0661.

Was versteht man unter einem Mangel, für den Gewähr zu leisten ist?

Ein Verkäufer muss dafür einstehen, dass die Sache

- die **ausdrücklich vereinbarten** (z. B. durch Beschreibung, Muster oder Probe) oder
- die im **Verkehr gewöhnlich vorausgesetzten Eigenschaften**

aufweist.

Wenn die Sache auch **nur eine der zugesicherten oder gewöhnlich vorausgesetzten Eigenschaften nicht aufweist,** dann liegt ein **Mangel** vor. Die Sache muss diesen Mangel zum **Zeitpunkt der Übergabe** haben.

Beispiel

Ein neuer Pkw ist mangelhaft, wenn sein Motor nicht funktioniert (= gewöhnlich vorausgesetzte Eigenschaft).

Wurde z. B. ausdrücklich zugesichert, dass ein Ford Mustang eine Höchstgeschwindigkeit von 200 km/h erreicht, ist es schon ein Mangel, wenn dieser Mustang tatsächlich nur 180 km/h fährt (= ausdrücklich vereinbarte Eigenschaft).

Antwort: Die gewöhnlich vorausgesetzten Eigenschaften müssen nicht vereinbart sein. Bei einem DVD-Rekorder geht man davon aus, dass er sich programmieren lässt. Es handelt sich daher hier um einen Mangel, für den der Händler einzustehen hat. Das ist ein Fall von Gewährleistung.

Der Mangel ist vom Käufer innerhalb der Gewährleistungsfrist dem Verkäufer anzuzeigen bzw. gerichtlich geltend zu machen. Der Gewährleistungsanspruch ist **unabhängig** davon, ob den Verkäufer ein **Verschulden** trifft.

Mängel hingegen, die beim Übergeben der Ware **deutlich zu sehen** und erkennbar sind, können **nicht reklamiert** werden. Hier wird angenommen, dass dieser Mangel in Kauf genommen wurde.

Beispiel

Katharina kauft in einem Secondhandshop für Bücher ein gebrauchtes Buch um € 1,99. Auf der Titelseite des Buches ist ein kleiner Fleck deutlich sichtbar. Sie kauft das Buch trotzdem. Später kann sie den Fleck nicht als Mangel für Gewährleistungsansprüche geltend machen.

Auch für Mängel, die durch **Abnutzung oder durch Beschädigung** entstehen, kann man den Verkäufer **nicht heranziehen.**

Beispiel

Ein Dampfbügeleisen ist verkalkt. Das ist ein Fehler, der wahrscheinlich erst nach der Übergabe durch die Verwendung von kalkhältigem Wasser verursacht wurde. Er fällt unter Gebrauchs- und Abnutzungserscheinungen. Man kann daher den Verkäufer im Rahmen der Gewährleistung nicht für den Fehler heranziehen.

Gewährleistungsansprüche und ihre Durchsetzung

Ich bin gestern ins Elektrogeschäft gegangen, um den Mangel an dem DVD-Rekorder zu reklamieren. Der Elektrohändler hat mir gesagt, ich müsse mich an die Herstellerfirma des Rekorders, die Firma „Medea", wenden. Stimmt das?

Der Vertragspartner muss bei entgeltlichen Geschäften für eine mangelfreie Sache sorgen. Den Anspruch auf Gewährleistung muss man **seinem Vertragspartner** gegenüber geltend machen, im Normalfall also einem Händler gegenüber.

Antwort: Marco hat richtig gehandelt, als er zum Elektrohändler gegangen ist. Der Händler kann Marco nicht einfach an die Herstellerfirma „Medea" verweisen, er muss sich selbst um die Reklamation des Mangels kümmern.

Verbesserung und Austausch nennt man in der Fachsprache die **„primären Gewährleistungsbehelfe"**. Damit wird ausgedrückt, dass Verbesserung und Austausch **Vorrang** vor den anderen Behelfen haben. Der Verkäufer soll eine „zweite Chance" bekommen, den **vertragsgemäßen Zustand** herzustellen.

Worauf hat man Anspruch?

Wer etwas kauft, das mangelhaft ist, hat das Recht zu verlangen, dass die Sache

- einer **Verbesserung** unterzogen wird (z. B. Reparatur des DVD-Rekorders)
- oder **ausgetauscht** wird.

Der Käufer hat ein **Wahlrecht** zwischen Verbesserung und Austausch. Der Verkäufer kann dieser Wahl allerdings entgegenhalten, dass

- die Verbesserung oder der Austausch **unmöglich** ist oder
- das Gewählte – im Vergleich zum anderen Mittel – für ihn mit einem unverhältnismäßig **hohen (Kosten-)Aufwand** verbunden wäre.

Beispiel

Verbesserung oder Austausch müssen innerhalb einer **angemessenen Frist** und mit möglichst **wenigen Unannehmlichkeiten** für den Käufer erfolgen.

Wenn Marco einen neuen DVD-Rekorder haben möchte (= Austausch), der Händler den Fehler aber viel kostengünstiger durch eine Reparatur (= Verbesserung) einwandfrei beheben kann, wird der Händler einwenden, dass dies für ihn mit **unverhältnismäßigen Kosten** verbunden sei.

Ist für den Händler die Reparatur hingegen **unmöglich** oder **unverhältnismäßig teurer,** wird er dies einwenden und den Austausch des DVD-Rekorders vorschlagen.

Die Reparatur muss innerhalb der Gewährleistungsfrist **kostenlos** erfolgen. Wenn der Gewährleistungsanspruch durch Austausch oder Verbesserung der Sache erfüllt wurde, so beginnt mit dem Zeitpunkt der Übergabe der reparierten oder der neuen Sache die Gewährleistungsfrist neu zu laufen – dieses Mal nur für den reparierten oder ausgetauschten Teil.

Grundsätzlich muss die Gewährleistung an dem Ort erbracht werden, wo der Vertrag erfüllt wurde. Den mangelhaften DVD-Rekorder im Beispiel hat man im Geschäft gekauft, man wird ihn zur Reparatur daher in das Geschäft zurückbringen müssen.

Preisminderung und Wandlung nennt man in der Fachsprache die **„sekundären Gewährleistungsbehelfe"**. Diese kommen nur **auf zweiter Ebene** zur Anwendung, d. h. wenn die primären Behelfe z. B. unmöglich oder mit unverhältnismäßig hohem Aufwand für den Verkäufer verbunden sind.

Rückabwicklung heißt, dass **das Geld zurückgegeben** werden muss. Einen Gutschein muss man nicht akzeptieren!

Wenn weder Verbesserung noch Austausch infrage kommen, z. B. weil beides nicht möglich ist oder für den Händler mit einem unverhältnismäßig hohen Aufwand verbunden wäre, dann hat der Käufer Anspruch auf:

- **Preisminderung** bzw.
- **auf Wandlung (= Rückabwicklung),** wenn der Mangel kein geringfügiger ist. Hier muss die Ware zurückgegeben werden, aber auch das Geld muss rückerstattet werden. Dadurch wird der Vertrag aufgehoben.

Auch bei diesen beiden Gewährleistungsbehelfen hat der Gewährleistungsberechtigte wieder das **Wahlrecht** zwischen Preisminderung oder Wandlung. Das Recht auf Wandlung hat man allerdings nur dann, wenn der Mangel **nicht geringfügig ist.**

Die rechtlichen Folgen der Gewährleistung treten nicht von selbst mit Vorhandensein des Mangels ein, man muss sie vielmehr **gerichtlich** geltend machen. Nur wenn die beiden Vertragsparteien sich **einigen,** macht dies die Durchsetzung bei Gericht **überflüssig.**

Wie lange können Gewährleistungsansprüche geltend gemacht werden?

Und was können wir tun, wenn in unserer teuren Eigentumswohnung nachträglich Mängel auftreten?

Das Gesetz regelt die Frist, innerhalb der Gewährleistungsansprüche geltend gemacht werden können.

Fristen zur Geltendmachung der Gewährleistung

FRISTEN ZUR GELTENDMACHUNG DER GEWÄHRLEISTUNG

FÜR BEWEGLICHE SACHEN	FÜR UNBEWEGLICHE SACHEN
2 JAHRE	3 JAHRE

Gewährleistungsansprüche können nur innerhalb der **gesetzlich vorgesehenen Fristen** geltend gemacht werden:

Gewährleistung für bewegliche Sachen

GEWÄHRLEISTUNG FÜR BEWEGLICHE SACHEN

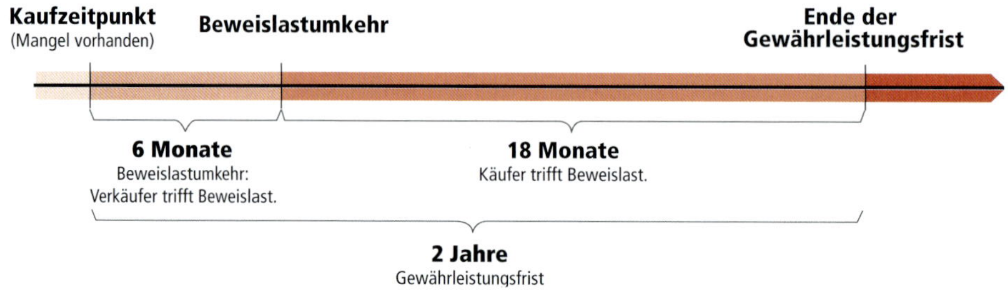

Diese Regelung gilt nicht, wenn das Gerät z. B. Beschädigungen aufweist, die nahelegen, dass die Sache zu Boden gefallen ist. Dann ist der Verkäufer von der Beweislast befreit.

Verjährung heißt, dass man sein Recht nicht mehr bei Gericht einklagen kann.

Innerhalb der **ersten sechs Monate** liegt die **Beweislast** beim **Verkäufer,** d. h., er muss beweisen, dass die Sache zum Zeitpunkt der Übergabe mangelfrei war.

Die restlichen 18 Monate ist die Beweislast genau umgekehrt geregelt wie vorher: Nun muss der **Käufer beweisen,** dass der Mangel im Zeitpunkt der Übergabe bereits vorhanden war.

Innerhalb dieser Fristen muss die Klage eingebracht werden, sonst ist das Recht **verjährt.**

Wenn sowohl der Verkäufer als auch der Käufer **Unternehmer** sind, dann muss der Käufer die Ware nach dem **Erhalt** auf **Mängel untersuchen.** Allfällige Mängel muss er dem Lieferanten innerhalb einer angemessenen Frist mitteilen (angemessen sind ca. zwei Wochen). Wenn der Käufer dies unterlässt, hat er **keine Ansprüche** aus Gewährleistung oder Schadenersatz.

Der gänzliche Ausschluss der Gewährleistung in AGB (= Allgemeinen Geschäftsbedingungen) ist sittenwidrig.

Verkürzung der Frist:

Wenn es sich um einen Kauf einer gebrauchten beweglichen Sache handelt, kann die Gewährleistungsfrist auf ein Jahr herabgesetzt werden. Diese Verkürzung muss aber **ausdrücklich** zwischen Verkäufer und Käufer vereinbart werden.

Tipp: Wenn Sie eine Rechnung haben, hilft Ihnen dies sehr bei der Geltendmachung der Gewährleistungsansprüche. Es ist daher empfehlenswert, sich Rechnungen über größere Beträge zwei bzw. drei Jahre aufzuheben!

Antwort: Für Mängel in einer Wohnung (= eine unbewegliche Sache) beträgt die Gewährleistungsfrist drei Jahre. Alle Mängel, die innerhalb der ersten drei Jahre auftreten, müssen Katharina und Albrecht festhalten. Es empfiehlt sich, die Mängel schriftlich und eingeschrieben sobald als möglich zu melden. Dann müssen die Mängel gratis behoben werden.

5 Besonderer Teil des Schuldrechts – die Vertragsarten

Einige Vertragstypen sind im ABGB geregelt.

SbX
Weiterführende Links zu den Vertragsarten finden Sie unter der ID: 0661.

Es gibt **viele verschiedene Vertragstypen.** Nach dem Prinzip der Gestaltungsfreiheit kann man auch neue Vertragstypen schaffen – der Leasingvertrag ist z. B. so entstanden. Im folgenden Teil werden nur die wichtigsten **im ABGB geregelten Vertragstypen** besprochen.

Kaufvertrag

Kaufvertrag

Der Kaufvertrag kommt dadurch zustande, dass sich die beiden Vertragsparteien über **Ware** und **Preis** einigen.

Der Verkäufer verpflichtet sich zur **Übertragung von Besitz** und **Eigentum.** Der Käufer zahlt dafür den vereinbarten **Preis.**

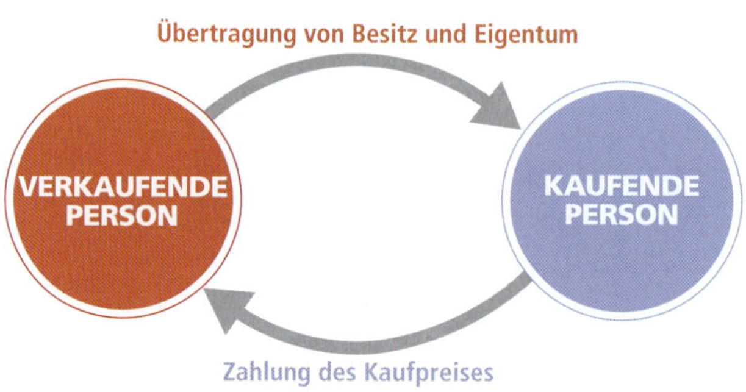

Mindestbestandteile eines Kaufvertrags:

Durch einen Kaufvertrag wird die Übergabe einer Ware gegen Bezahlung einer bestimmten Summe Geldes vereinbart. Deshalb müssen folgende Punkte festgelegt werden:

- welche Ware verkauft werden soll **(Qualität)**
- wie viel davon **(Anzahl, Menge, Quantität)**
- welcher **Preis** dafür zu bezahlen ist
- zwischen **welchen Personen** dieser Vertrag abgeschlossen wird

Tausch

Beim **Tausch** verpflichten sich zwei Parteien, eine Sache gegen eine andere zu tauschen.

Da Geld auch als Sache gilt, ist der Kaufvertrag eine besondere Art des Tausches. Daher gelten für Kaufvertrag und Tausch die gleichen Regelungen.

Schenkung

Beim Schenkungsvertrag überlässt eine Person einer anderen **unentgeltlich** eine Sache. Die beschenkte Person muss der Schenkung zustimmen, denn niemand muss sich eine Sache aufdrängen lassen.

Damit man sich ein Schenkungsversprechen gut überlegt, verlangt das Gesetz den Notariatsakt (= Warnzweck).

Wenn die geschenkte Sache **nicht sofort übergeben** wird, so ist diese „Schenkung ohne wirkliche Übergabe" **notariatsaktpflichtig,** damit sie gültig ist.

Grob undankbar verhält sich die beschenkte Person, wenn sie z. B. die schenkende Person in ihrer Ehre oder am Körper verletzt.

Eine Schenkung darf nur widerrufen werden, wenn

- der Beschenkte sich zum Schenkenden **grob undankbar** verhält,
- es zu **Dürftigkeit** kommt (der Schenkende wird so arm, dass er nicht mehr selbst den Unterhalt bestreiten kann),
- die **Verkürzung des Pflichtteils** droht. (Hiermit soll verhindert werden, dass der Erblasser pflichtteilsberechtigten Personen ihren Anspruch dadurch wegnimmt, dass er vor seinem Tod schon alles verschenkt.)

Verwahrungsvertrag

Wer eine fremde Sache in **Verwahrung** nimmt, hat die Sache so sorgfältig aufzubewahren, dass sie nicht verlorengehen kann und auch keinen Schaden erleidet. Die hinterlegende Person muss dafür ein Entgelt zahlen.

Dies gilt nicht für Restaurants und Kaffeehäuser.

Gastwirte, die Fremde **beherbergen,** haben für eingebrachte Sachen zu haften. Eingebracht sind Sachen, wenn sie Personen des Beherbergungsunternehmens **übergeben** oder an einen dazu **bestimmten Ort gebracht** wurden. Die Haftung für Geld, Wertpapiere und „Kostbarkeiten" ist mit € 550,– begrenzt, es sei denn, die beherbergende Person übernimmt wissentlich wertvollere Gegenstände zur Aufbewahrung.

Leihe und Bittleihe

Bei **Leihe oder Bittleihe** überlässt eine Person einer anderen **unentgeltlich** eine unverbrauchbare Sache.

Die **Bittleihe** nennt man in der Fachsprache auch „Prekarium".

Ist die verleihende Person **jederzeit** berechtigt, die Sache zurückzufordern, handelt es sich um eine **Bittleihe.**

Darlehen

Vertretbare Sachen können jederzeit durch gleichartige ersetzt werden, z. B. ein Kilo Staubzucker durch ein anderes Kilo Staubzucker.

Beim **Darlehen** überlässt eine Person einer anderen vertretbare Sachen. Diese gehen in das **Eigentum** des Darlehensnehmers über. Die empfangende Person hat **dieselbe Menge, Gattung und Güte zurückzuerstatten.**

Ein Darlehen kann entgeltlich oder unentgeltlich sein. Ein vereinbartes Entgelt nennt man **Zinsen.**

Werkvertrag

Beispiel

Katharina und Albrecht haben sich drei Jahre nach ihrer Hochzeit ein Grundstück gekauft. Nach umfangreichen Besichtigungen und Besprechungen mit Architektinnen und Architekten entscheiden sie sich für das Fertigteilhaus „My castle" der Firma „Flott und Cosy Errichtungs GmbH".

Die Errichtung des Fertigteilhauses beruht auf einem **Werkvertrag,** denn hier schuldet der Werkunternehmer einen bestimmten **Erfolg,** nämlich, dass das Fertigteilhaus vollständig errichtet wird.

Sichern & Merken

SbX ID: 0662

Schuldrecht

Das **Schuldrecht** ist ein **relatives Recht,** es kann nur dem Vertragspartner gegenüber durchgesetzt werden.

Arten von Schuldrechtverhältnissen

- **Dauerschuldverhältnis:** Ein länger andauerndes Verhalten wird geschuldet, z. B. Dienstvertrag.
- **Zielschuldverhältnis:** Ist auf eine einmalige Leistung gerichtet, z. B. Kaufvertrag.

Arten von Rechtsgeschäften

- einseitiges Rechtsgeschäft
- zweiseitiges Rechtsgeschäft

Wie kommt ein Vertrag zustande?

Zustandekommen eines Vertrags: durch Angebot und Annahme, d. h. übereinstimmende Willenserklärungen

Voraussetzungen für gültige Rechtsgeschäfte

- Geschäftsfähigkeit
- Übereinstimmung der Willenserklärung
- Möglichkeit und Erlaubtheit
- Einhaltung der Formvorschriften

Mittel zur Vertragsabsicherung

- Reugeld
- Vertrags- oder Konventionalstrafe
- Bürgschaft
- Garantie
- Wechsel
- Pfandrecht

Gewährleistung

Gewährleistung ist das gesetzliche Einstehen-Müssen von Verkäufern für mangelhafte Produkte. Die Rechte aus der Gewährleistung gelten auch zwischen zwei Privatpersonen. Es muss sich um einen entgeltlichen Vertrag handeln.

Garantie

Die **Garantie** hingegen ist eine **freiwillige Zusage.** Diese kann entweder die verkaufende Person machen oder meist gibt sie der Hersteller.

Gewährleistungsansprüche

- Verbesserung
- Austausch
- Preisminderung
- Wandlung

Gewährleistungsfristen

Die **Gewährleistungsfristen** betragen

- für bewegliche Sachen: 2 Jahre,
- für unbewegliche Sachen: 3 Jahre.

SbX ID: 0662

Im SbX finden Sie eine Bildschirmpräsentation mit den Grafiken dieser Lerneinheit.

Wissen & Können

SbX ID: 0663

A B C D E

W 6.63: Zustandekommen eines Rechtsgeschäfts A

Erläutern Sie, welche Voraussetzungen erfüllt sein müssen, damit ein Rechtsgeschäft gültig zustande kommt.

SbX W 6.64 mit automatischer Aufgabenkontrolle ID: 0663

W 6.64: Richtig oder falsch? C

Kennzeichnen Sie, ob die Aussagen richtig oder falsch sind, und begründen Sie Ihre Antwort:

Aussage	Richtig/ Falsch	Begründung
Ein Vertrag kommt durch zwei übereinstimmende Willenserklärungen zustande.		
Auch wenn man zur Willenserklärung gezwungen wurde, ist der Vertrag gültig.		
Werden Sachen im Internet angeboten, müssen diese jeder/jedem, der/die sie bestellt, geliefert werden.		
Wo die Ware zu übergeben ist, kann frei vereinbart werden.		

W 6.65: Grundsätze für Rechtsgeschäfte B

Erklären Sie, was die folgenden Grundsätze bedeuten:

- Grundsatz der Formfreiheit
- Grundsatz der Abschlussfreiheit
- Grundsatz der Gestaltungsfreiheit

W 6.66: Bürgschaft B

Erklären Sie einem Freund oder einer Freundin die drei unterschiedlichen Arten der Bürgschaft.

W 6.67: Wechsel C

Erklären Sie die Rechtsnatur des Wechsels und seine Vorteile.

W 6.68: Gewährleistung – Garantie B

Unterscheiden Sie zwischen Gewährleistung und Garantie.

W 6.69: Mängel B

Erklären Sie, für welche Mängel eine verkaufende Person haften muss.

SbX
W 6.70
mit automatischer Aufgabenkontrolle
ID: 0663

W 6.70: Gewährleistung B

Kennzeichnen Sie, ob die Aussagen richtig oder falsch sind, und begründen Sie Ihre Antwort:

Aussage	Richtig/ Falsch	Begründung
Für jede neue Sache muss die verkaufende Person Gewähr leisten.		
Die Gewährleistungsfrist für bewegliche Sachen beträgt ein halbes Jahr.		
Gewährleistungsansprüche hat man nur, wenn man eine Sache von einem Unternehmer gekauft hat.		

W 6.71: Gewährleistungsfristen B

Unterscheiden Sie die Ihnen bekannten Gewährleistungsfristen.

W 6.72: Vertragserfüllung C

Erläutern Sie, wie ein Vertrag erfüllt werden muss, wenn in Bezug auf Ort, Zeit und Art vertraglich nichts vereinbart wurde.

W 6.73: Vertragsabsicherung B

Nennen Sie drei Arten der Vertragsabsicherung und erklären Sie diese.

W 6.74: Prinzip der Abschlussfreiheit C

Das Prinzip der Abschlussfreiheit im Schuldrecht heißt, dass sich ein Unternehmer prinzipiell aussuchen darf, ob er mit einem Kunden einen Vertrag abschließen möchte oder nicht.

☐ Richtig ☐ Falsch, weil

W 6.75: Kaufvertrag C

In einem Kaufvertrag wurde nichts vereinbart, wie der Vertrag zu erfüllen sei. Erklären Sie die rechtliche Situation.

W 6.76: Kreditvertrag C

Katharina schließt mit der Bank ihres Vertrauens einen Kreditvertrag über € 35.000,– ab. Die Bank verlangt, dass sie einen Wechsel als Sicherstellung unterschreibt. Erläutern Sie die entstehenden Vorteile für die Bank.

W 6.77: Fall zu Gewährleistung D

Katharinas Kollegin, Sabine Mayrhuber, kauft sich in einem exklusiven Schuhgeschäft ein paar hochelegante, sehr teure Abendpumps. Beim zweiten Mal Tragen bricht bei einem Schuh der Absatz ab. Empört bringt sie die Schuhe zurück und verlangt die Rückgabe des Kaufpreises.

Erörtern Sie die rechtliche Lage.

W 6.78: Gewährleistungsansprüche D

Eine Mitschülerin von Marco, Angela Gojkovic, kauft sich von ihren Ersparnissen ein iPad. Nach drei Wochen ist das Gerät trotz sorgsamen, normalen Gebrauchs defekt. Der Preis des iPads war € 450,–. Die Reparatur würde € 500,– kosten.

Beraten Sie Angela in Bezug auf ihre Gewährleistungsansprüche.

W 6.79: Fall zu Werkvertrag mit Mangel D

Frau Manuela Breitwieser möchte ihre Wohnung ausmalen lassen. Sie erteilt einem Malerbetrieb den Auftrag zum Ausmalen.

a) Erläutern Sie die gesetzliche Regelung der Fälligkeit der Zahlung.
b) 9 Wochen nachdem der Maler seine Arbeit beendet hat, blättert die Farbe von der Wand ab. Beraten Sie Frau Breitwieser hinsichtlich ihrer rechtlichen Möglichkeiten.

W 6.80: Bürgschaft D

Herr Franz Gebetshammer verspricht mündlich, dass er für Herrn Siegfried Mayrl als Bürge und Zahler haftet. Herr Mayrl ist am Tag der Fälligkeit nicht auffindbar. Daher wendet sich der Gläubiger an Herrn Gebetshammer. Dieser verweigert jedoch die Zahlung mit dem Hinweis, dass der Gläubiger nicht versucht hätte, den fälligen Betrag beim Schuldner, Herrn Mayrl, einzutreiben. Außerdem hafte er, Herr Gebetshammer, ja nur für die Hälfte der Schuld.

a) Prüfen Sie, ob eine gültige Bürgschaft vorliegt. Begründen Sie Ihre Ansicht.

b) Beziehen Sie Stellung zu den Einwänden von Herrn Gebetshammer (unter der Voraussetzung, dass die Bürgschaft gültig ist).

W 6.81: Fall zur Vertragsabsicherung D

Frau Eva-Maria Mühlberger, die Eigentümerin des Gasthofs „Zur kühlen Luft", lässt die Geschäftsräumlichkeiten umbauen und gleichzeitig renovieren. Beraten Sie Frau Mühlberger über ihre Möglichkeiten, ihr Unternehmen davor zu bewahren, dass es Schaden erleidet, sollte die Baufirma nicht rechtzeitig fertig werden.

SbX
W 6.82– W 6.88
mit automatischer Aufgabenkontrolle
ID: 0663

Weitere Aufgaben im SbX

W 6.82: Grundlagen der Vertragserrichtung C

Vervollständigen Sie die Übersicht zu den Grundlagen der Vertragserrichtung.

W 6.83: Voraussetzungen gültiger Rechtsgeschäfte B

Lösen Sie ein Kreuzworträtsel zum Thema „Voraussetzungen gültiger Rechtsgeschäfte".

W 6.84: Die Vertragsarten C

Lösen Sie ein Kreuzworträtsel zum Thema „Die Vertragsarten".

W 6.85: Vertragsarten C

Stellen Sie sich einem Quiz mit fünf Fragen zum Thema „Vertragsarten".

W 6.86: Gewährleistung C

Vervollständigen Sie die Übersicht zur Gewährleistung.

W 6.87: Mittel zur Vertragsabsicherung C

Lösen Sie ein Kreuzworträtsel zum Thema „Mittel zur Vertragsabsicherung".

W 6.88: Schuldrecht C

Stellen Sie sich einem zusammenfassenden Quiz mit fünf Fragen.

Ein kurzer Kompetenz-Check, bevor's weitergeht!

Kompetenz-Check

	☺	😐	☹
Ich kann erklären, welche Bedingungen erfüllt sein müssen, damit ein Vertrag rechtsgültig zustande kommt.			
Ich kenne die gesetzlichen Bestimmungen für Erfüllungsort, Erfüllungszeit und Erfüllungsart.			
Ich kann die verschiedenen Arten der Vertragsabsicherung aufzählen und beschreiben.			
Ich kann zwischen primären und sekundären Gewährleistungsbehelfen unterscheiden.			
Ich kann die Fristen für die Geltendmachung der Gewährleistungsbehelfe erklären.			

Lerneinheit 7

Schadenersatzrecht

SbX
Alle SbX-Inhalte zu dieser Lerneinheit finden Sie unter der ID: 0670.

Im Laufe unseres Lebens kann es immer wieder passieren, dass wir privat oder im betrieblichen Bereich Schäden erleiden müssen oder auch anderen Schäden zufügen – z.B. im Straßenverkehr, bei Sport- und Freizeitaktivitäten, bei handwerklichen Tätigkeiten oder der Erbringung von Dienstleistungen wie Bankgeschäften oder Bilanzbuchhaltung.

Dann stellt sich die Frage, ob, von wem und wie viel Schadenersatz ein Geschädigter oder eine Geschädigte bekommen kann. Dazu werden oft jahrelange, teure Prozesse geführt. Das Schadenersatzrecht spielt in der Praxis eine äußerst wichtige Rolle: Mehr als die Hälfte aller Privatrechtsfälle betreffen Schadenersatzthemen.

Lernen & Üben

SbX ID: 0671

A B C D E

1 Voraussetzungen für einen Schadenersatzanspruch

Nicht jeder Schaden muss ersetzt werden, oft sind erlittene Schäden auch selbst zu tragen.

Rechtsquellen: ABGB, Dienstnehmerhaftpflichtgesetz (DNHG), Eisenbahn- und Kraftfahrzeughaftpflichtgesetz (EKHG), Amtshaftungsgesetz (AHG), Produkthaftungsgesetz (PHG)

„Jedermann ist berechtigt, vom Schädiger den Ersatz des Schadens, den dieser aus Verschulden zugefügt hat, zu fordern ...“

Dieser Grundsatz des § 1295 ABGB soll einerseits zum Ausgleich für erlittene Schäden führen. Andererseits soll die drohende Pflicht zum Schadenersatz ein Anreiz zur Schadensvermeidung durch sorgfältiges Verhalten sein.

Beim Fußballspielen im Garten habe ich versehentlich das Fenster eines Nachbarhauses getroffen, die Scheibe ist zerbrochen. Muss ich den Schaden ersetzen?

Damit ein Schadenersatzanspruch besteht, müssen folgende Voraussetzungen vorliegen, die grundsätzlich vom Geschädigten **bewiesen** werden müssen:

Voraussetzungen für einen Schadenersatzanspruch

VORAUSSETZUNGEN FÜR EINEN SCHADENERSATZANSPRUCH

Ein Schaden kann auch durch eigene Handlungen oder durch höhere Gewalt (z.B. Naturkatastrophen) entstanden sein. Einen zufälligen Schaden trägt der Eigentümer bzw. die Eigentümerin.

Die Pflicht, einen Anspruch vor Gericht beweisen zu müssen, stellt für den Geschädigten einen oft prozessentscheidenden Aufwand dar („Beweislast“).

Beispiele für Rechtswidrigkeit

StGB = Strafgesetzbuch

- Verstoß gegen ein Gesetz:
  Bei einer Rauferei bricht einer dem anderen die Nase: Körperverletzung ist nach § 83 StGB verboten und strafbar (Verstoß gegen ein Gesetz). Das Opfer hat Anspruch auf Heilungskosten, Verdienstentgang und Schmerzensgeld.
- Verstoß gegen einen Vertrag:
  Wenn sich eine Schifahrerin auf der Piste an einer ungesicherten Liftstütze verletzt, wurde gegen eine vertragliche Pflicht verstoßen. Mit dem Verkauf von Liftkarten entsteht die Pflicht zur Pistensicherung. Die Schifahrerin hat ebenfalls Anspruch auf Schadenersatz.

Notwehr ist auch bei strafbaren Handlungen ein Rechtfertigungsgrund.

Rechtfertigungsgrund Notwehr:

In Ausnahmefällen entsteht trotz rechtswidrigen Verhaltens keine Schadenersatzpflicht, z. B. wenn ein Schaden **in Notwehr** zugefügt wurde. Notwehr liegt vor, wenn ein gegenwärtiger oder drohender Angriff auf eigene oder fremde Rechtsgüter **im erforderlichen Ausmaß** abgewehrt wird.

Beispiel

Jemand wird überfallen, wehrt sich mit einem Pfefferspray und verletzt damit den Angreifer.

- Verschulden

Das kausale und rechtswidrige Verhalten muss dem Schädiger auch **persönlich vorwerfbar** sein, d. h., er hätte es vermeiden sollen und auch vermeiden können.

Arten des Verschuldens

Die **Art des Verschuldens** entscheidet über die Höhe der Schadenersatzpflicht.

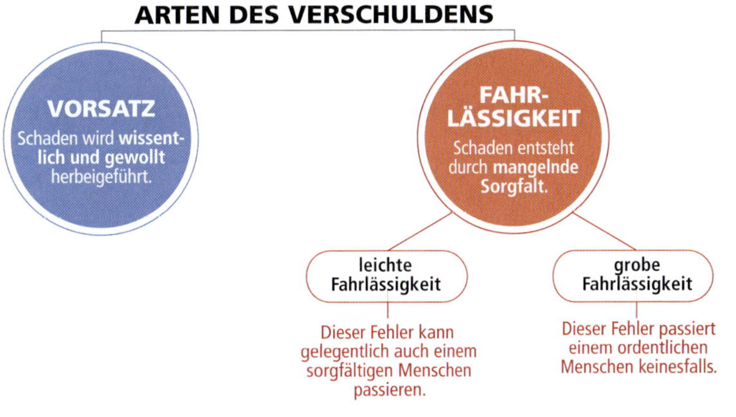

Beispiele

Grundsätzlich ist man ab dem vollendeten 14. Lebensjahr für sein Handeln verantwortlich und schadenersatzpflichtig.

Vorsätzlich herbeigeführte Schäden

- Randalierer schlagen bei einer Demo Schaufenster ein.
- Bei einer Auseinandersetzung in einer Disco verletzt ein Besucher einen anderen mit einer abgeschlagenen Bierflasche schwer.

Beurteilung der Fahrlässigkeit:

Hier wird auf die **jeweils üblichen Sorgfaltspflichten der Berufsgruppen** abgestellt (die Sorgfaltspflichten eines Buchhalters, einer Bankangestellten, eines Baggerfahrers, einer Ärztin).

Beispiel

Ein sorgfältiger Berg- und Schiführer fährt nicht bei schlechten Witterungsverhältnissen und Lawinenwarnstufe vier in einen über 35 Grad steilen Hang ein.

Die **Abgrenzung zwischen leichter und grober Fahrlässigkeit** ist in der Praxis sehr schwierig.

Beispiele

Fahrlässiges Handeln im Straßenverkehr

- leichte Fahrlässigkeit: geringe Geschwindigkeitsübertretung bei guten Fahr- und Sichtverhältnissen
- grobe Fahrlässigkeit: Fahren im betrunkenen Zustand, Überfahren einer roten Ampel

Möglicherweise ist der Schaden durch die Privat-Haftpflichtversicherung in der Haushaltsversicherung von Marcos Eltern gedeckt.

Antwort: Marco muss die zerbrochene Fensterscheibe ersetzen.

Voraussetzungen:
- Schaden (Glasbruch)
- Kausalität (Ohne Marcos Schuss wäre die Scheibe nicht zerbrochen.)
- Rechtswidrigkeit (Beschädigung von fremdem Eigentum)
- Verschulden (Fahrlässigkeit)

Übungbeispiele

SbX **Ü 6.32 mit automatischer Aufgabenkontrolle ID: 0671**

Ü 6.32: Schadenersatzanspruch B

Welche Voraussetzungen müssen für einen Schadenersatzanspruch vorliegen? Kreuzen Sie die richtige/n Lösung/en an!

☐ Die Handlung muss ursächlich für den Schaden sein.
☐ Der Schaden muss aus Rücksichtslosigkeit zugefügt worden sein.
☐ Die Handlung muss gegen ein Gesetz verstoßen.
☐ Es muss schon ein schwerwiegender Fehler passiert sein.

Ü 6.33: Verschuldensformen C

Kennzeichnen Sie die folgenden Verschuldensformen mit **V** für **Vorsatz, LF** für **leichte Fahrlässigkeit** und **GF** für **grobe Fahrlässigkeit!**

	Unfall beim Autofahren mit Sommerreifen bei winterlichen Fahrverhältnissen
	Verwüstung von Blumenbeeten und Ausreißen von Verkehrsschildern
	Streifen des Nachbar-Pkw beim langsamem Rückwärts-Einparken
	Verletzung eines Fußgängers bei nächtlichem Rollerfahren ohne Licht

2 Art und Umfang des Schadenersatzes

Die Pflicht zum Schadenersatz trifft den Schädiger oft härter als eine strafrechtliche Verurteilung.

Beispiel: Auf einer Baustelle wird ein Kran beschädigt. Schaden am Kran = positiver Schaden; Ertrag aus dem zukünftigen Einsatz des Kranes = entgangener Gewinn

Häufig bewirkt eine rechtswidrige Handlung sowohl strafrechtliche Folgen als auch die Pflicht, den entstandenen Schaden zu ersetzen. Dabei können die Schadenersatzzahlungen wesentlich höher sein als eine eventuelle Geldstrafe, z. B. für eine schwere Körperverletzung mit bleibenden Schäden bei einer Rauferei.

Arten von Schäden

ARTEN VON SCHÄDEN

Der ursprüngliche Zustand ist vom Schädiger wiederherzustellen **(Naturalrestitution).** Ist dies nicht möglich, ist als Ersatz eine Geldzahlung zu leisten.

Unfall- und Haftpflichtversicherungen decken die wichtigsten Bereiche von Schadenersatzforderungen ab.

Umfang der Ersatzpflicht

Die **Höhe des Schadenersatzes** hängt bei **Vermögensschäden** vom **Verschulden** ab:
- bei **leichter Fahrlässigkeit** ist weniger zu ersetzen: (nur) der positive Schaden
- bei **grober Fahrlässigkeit** der Schaden und der entgangene Gewinn
- bei **Vorsatz** zusätzlich noch der Wert der besonderen Vorliebe, z. B. Beschädigung von Sammlerobjekten wie Oldtimern

Verunstaltungsentschädigung: Ersatz für bleibende, auffällige Verunstaltungen (z. B. große Narbe im Gesicht)

SbX

Als Orientierungshilfen für den Ersatz von ideellen Schäden dient z. B. eine Aufstellung von Schmerzengeldsätzen (ID: 0671).

Schadenersatz für verletzte Tiere: Pflicht zum Ersatz der (versuchten) Heilungskosten, auch wenn sie den Wert des Tieres übersteigen, wenn ein verständiger Tierhalter diese Kosten auch aufgewendet hätte.

Bei **Personenschäden** bestehen folgende Ansprüche (unabhängig vom Grad des Verschuldens):

- Heilungskosten
- Verdienstentgang
- Schmerzengeld
- Verunstaltungsentschädigung

Im Fall von **bleibenden Schäden** besteht ein Anspruch auf eine **Rente.** Bei **Tod** haben die **Unterhaltsberechtigten** einen **Rentenanspruch.**

Ideelle Schäden sind nicht in Geld messbar und werden nur in **Ausnahmefällen** ersetzt: **Schmerzengeld** für erlittene Körperverletzung, Trauerschmerzengeld wegen des Verlustes naher Angehöriger („Schockschaden"), Ersatz für entgangene Urlaubsfreude. In solchen Fällen wird die erlittene seelische Beeinträchtigung von einem gerichtlich beeideten medizinischen Sachverständigen beurteilt. Das Gutachten dient als Grundlage für die freiwillige Zahlung oder den gerichtlichen Zuspruch von pauschalen Schadenersatzbeträgen.

Mitverschulden des Geschädigten

Eigene Fehler des bzw. der Geschädigten führen zu einer anteilsmäßigen Minderung des Schadenersatzanspruches

Beispiel

Bei Nichtanlegen des Sicherheitsgurtes oder Fehlen eines Sturzhelmes kann der Schmerzengeldanspruch eines Verletzten gemindert werden.

Schadensminderungspflicht

Ein Geschädigter muss sich um Schadensverhinderung oder -begrenzung bemühen, sonst sind seine Ansprüche vermindert (z. B. ärztliche Behandlung nach einer Verletzung).

Haftung mehrerer Schädiger

Regress = Rückgriff eines ersatzweise haftenden Schuldners auf die anderen Schuldner

Wurde der Schaden durch mehrere Personen **vorsätzlich** herbeigeführt, haften diese **solidarisch.** Bei **fahrlässiger Schädigung** haftet jeder für seinen **Anteil.** Hat einer den ganzen Schaden ersetzt, steht ihm ein **Regressanspruch** gegen die Mithaftenden zu.

Verjährung

Wird der Schaden erst später entdeckt oder dauert die Klärung der Ursache länger, beginnt die Verjährungsfrist erst ab Kenntnis von Schaden und Schädiger zu laufen.

Schadenersatzansprüche **verjähren** drei Jahre nach Eintritt des Schadens (wenn der Schädiger bekannt ist), danach können sie nicht mehr eingeklagt werden.

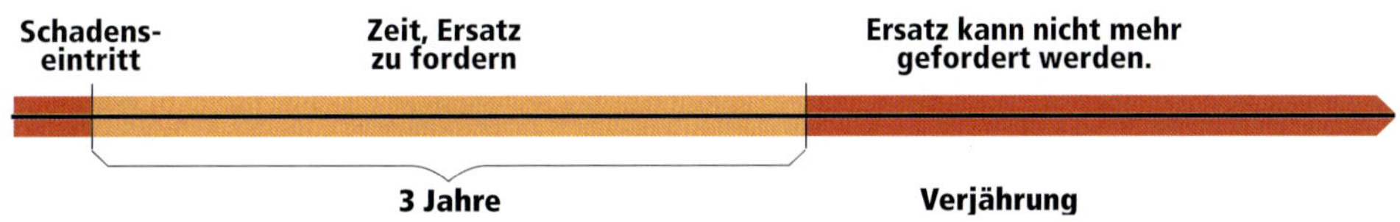

Übungsbeispiel

Ü 6.34: Schadenersatz B

Kennzeichnen Sie die folgenden Aussagen mit **R** für **richtig** und **F** für **falsch!**

	Je schwerer das Verschulden, desto mehr muss ersetzt werden.
	Der entgangene Gewinn ist nur bei Vorsatz zu ersetzen.
	Bei Körperverletzung steht immer ein Verdienstentgang zu.
	Eigenes Verschulden des Geschädigten wird nicht berücksichtigt.
	Wenn mehrere Täter jemand vorsätzlich am Körper verletzen, muss jeder von ihnen den gesamten Schaden zahlen.
	Schadenersatzforderungen können zeitlich unbegrenzt geltend gemacht werden.

3 Haftung für fremdes Verschulden

Kunden, die durch das Verhalten eines Mitarbeiters geschädigt wurden, haben (auch) einen Schadenersatzanspruch gegenüber dem Unternehmen als Arbeitgeber.

Oft hat man bei der Vertragsabwicklung Kontakt zu mehreren Personen: neben dem Eigentümer des Unternehmens dessen Angestellte, Lehrlinge, Subunternehmer oder Beauftragte. Im Schadensfall ist es schwierig oder unmöglich, den Verantwortlichen ausfindig zu machen.

Beispiel: Ein Bauunternehmen haftet für Schäden, die sein Baggerfahrer an einem Stromkabel verursacht.

Zur Veranlagung meiner Ersparnisse halte ich ein Wertpapierdepot bei der Anlage-Bank AG. Neulich habe ich meinem Kundenbetreuer einen limitierten Kaufauftrag für Aktien erteilt. Der Kaufabrechnung musste ich jedoch entnehmen, dass die Aktien zu einem über dem Limit liegenden Kurs gekauft wurden. Wer ersetzt mir die Differenz?

Haftung für Erfüllungsgehilfen

Ein Vertragspartner haftet für das Verschulden von **allen Personen, die ihn bei der Vertragserfüllung unterstützen** (= Erfüllungsgehilfen). Kunden sollen durch den Einsatz von Subunternehmern oder Gehilfen nicht schlechter gestellt werden.

Wenn bei der Vertragsabwicklung ein Schaden entsteht, kann man sich **direkt an den Unternehmer** (je nach Rechtsform) wenden.

Antwort: Katharina kann die Kursdifferenz von der Anlage-Bank AG (vertreten durch die Vorstände bzw. Geschäftsstellenleiter) zurückfordern.

Besorgungsgehilfenhaftung: Hier besteht kein Vertrag zwischen Unternehmer und Geschädigtem. Der Unternehmer haftet für Schäden von Dritten nur, wenn der Gehilfe untüchtig (z. B. ohne Ausbildung) oder wissentlich gefährlich ist (z. B. Vorstrafen wegen Einbruch oder Gewalttätigkeit).

Beispiel

Ein Tischlerlehrling beschädigt auf dem Weg zu einem Kunden mit der mitgebrachten Leiter die Eingangstür eines Nachbarn des Kunden. Der Unternehmer haftet nur, wenn der Lehrling untüchtig war. Der Lehrling haftet nach allgemeinen schadenersatzrechtlichen Bestimmungen.

Haftung von Dienstnehmern

Die **Haftungsbeschränkung für Dienstnehmer** wird mit der stärkeren wirtschaftlichen Position des Dienstgebers begründet (siehe Kapitel Arbeitsrecht).

Muss mein Anlageberater, der das Limit falsch eingegeben hat, der Bank den bezahlten Schaden ersetzen?

Wenn Dienstnehmer bei der Arbeit dem Dienstgeber oder Kunden Schaden zufügen, müssen sie diesen bei „entschuldbaren Fehlleistungen" gar nicht, bei leichter Fahrlässigkeit nur teilweise ersetzen.

Antwort: Ob der Anlageberater der Bank den Schaden ersetzen muss, hängt von seinem Verschulden ab. Bei einer entschuldbaren Fehlleistung (z. B. bei wenig Berufserfahrung, Übernahme eines neuen Aufgabengebietes, Überlastung) muss die Bank den Schaden selbst tragen.

Die meisten Haushaltsversicherungen beinhalten eine Haftpflichtversicherung für die im gemeinsamen Haushalt wohnenden Kinder.

Haftung von Aufsichtspersonen

Aufsichtspflichtige Personen wie Eltern, Lehrer oder Pfleger haften für Schäden, welche die anvertrauten Kinder, Schüler oder Kranken verursachen. Diese Haftung besteht jedoch nur dann, wenn sie die **zumutbare Aufsichtspflicht** verletzt haben. Was in der konkreten Situation zumutbar ist, wird im Einzelfall beurteilt (abhängig von: Alter des Kindes, Gefährlichkeit der Tätigkeit, Zahl der zu beaufsichtigenden Kinder etc.).

Beispiel Ein vierjähriges Kind spielt allein auf der öffentlichen Straße vor dem Grundstück der Eltern und zerkratzt mit einem Stein ein abgestelltes Auto. Laut Gerichtsentscheidung haftet die Mutter wegen Verletzung der Aufsichtspflicht.

Amtshaftung

Bund, Länder, Gemeinden und sonstige Körperschaften des öffentlichen Rechts haften für Schäden, die ihre Beamten und Vertragsbediensteten (Organe) **in Vollziehung der Gesetze** jemandem schuldhaft zugefügt haben.

Beispiel Der Bund haftet für Schäden von Unbeteiligten, die bei einem Polizeieinsatz entstehen.

Haftung des Wohnungsinhabers

Der **Wohnungsinhaber** haftet für Schäden durch

- Herabfallen einer gefährlich aufgehängten oder aufgestellten Sache
- Herauswerfen oder Herausgießen aus einer Wohnung.

Beispiel Partygäste werfen Flaschen vom Balkon der Wohnung, diese treffen einen Passanten auf dem Gehsteig. Es haftet der Eigentümer, Mieter oder der Benützer der Wohnung, in der die Party veranstaltet wurde.

4 Verkehrssicherungspflicht

Wer eine Gefahrenquelle schafft, muss sich im Rahmen des Zumutbaren darum kümmern, dass Dritte dadurch nicht gefährdet werden.

„Die allgemeine Verkehrssicherungspflicht verlangt Sicherungsmaßnahmen zum Schutz aller Personen, deren Rechtsgüter durch die Schaffung einer Gefahrenlage verletzt werden können. Wie weit diese Pflicht geht, hängt auch davon ab, ob die Verkehrsteilnehmer selbst vorhandene Gefahren erkennen und ihnen begegnen können. Der konkrete Inhalt einer Verkehrssicherungspflicht kann immer nur von Fall zu Fall bestimmt werden." *(Auszug aus Urteilen des OGH)*

Die Verkehrssicherungspflicht eines Hauseigentümers gilt beispielsweise auch für Zugangswege, Stiegen, Gänge, Aufzüge, Spielplätze. Allerdings muss ein Hauseigentümer nur jene Vorkehrungen treffen, die „vernünftigerweise nach den Umständen von ihm erwartet werden können".

Beispiel Ein Kleinkind zog in einem Modegeschäft an einem glitzernden Gürtel an einem Kleiderständer, dieser fiel auf das Kind und verletzte es am Auge schwer. Das Gericht stellte eine Verletzung der Verkehrssicherungspflicht fest, da ein Kleiderständer, der bereits durch ein Kind zum Umfallen gebracht werden kann, nicht geeignet für einen Verkaufsraum ist. Kunden dürfen darauf vertrauen, dass solche Gefahrenquellen beseitigt werden.

Die Verkehrssicherungspflichten sollen grundsätzlich nur jene Personen schützen, die sich erlaubterweise im Gefahrenbereich aufhalten, und nicht solche, die sich unbefugt in den Gefahrenbereich begeben. Unter besonderen Voraussetzungen kann die Haftung aber auch für unbefugt eindringende Personen gelten: wenn eine unerwartete oder große Gefährdung droht oder die Möglichkeit besteht, dass Personen versehentlich in einen Gefahrenbereich gelangen oder dass Kinder oder andere nicht einsichtsfähige Personen gefährdet werden.

Beispiele Ein Hauseigentümer haftet dem gestürzten Zeitungszusteller. Ein Geschäftsinhaber muss Gefahren für Kundinnen und Kunden beim Betreten oder Verlassen seines Geschäftslokales beseitigen oder sie zu warnen.

5 Haftung für gefährliche Sachen

Manche Tätigkeiten sind zwar erlaubt, aber es können dadurch Gefahren für andere entstehen.

In bestimmten Fällen gibt es eine gesetzlich geregelte Haftung des Verantwortlichen – unabhängig vom Verschulden. Dadurch soll die Allgemeinheit vor Gefahren geschützt werden, die z. B. beim Betrieb von Kraftfahrzeugen entstehen.

Haftung für den Zustand eines Bauwerks

Der Besitzer eines Gebäudes oder Gebäudeteiles (Gerüst, Zaun, Tor, Baum) haftet für Schäden durch Einsturz oder Ablösung.

Beispiel

Ein Gartentor wird durch einen Windstoß aufgerissen, dadurch wird ein Pkw beschädigt. Es haftet der Besitzer des Hauses.

Wege müssen durch den Halter im Winter geräumt und gestreut werden.

Haftung für den Zustand eines Wegs

Der Halter eines Weges haftet den Benützern für Schäden durch den mangelhaften Zustand des Weges – jedoch nur bei **grober Fahrlässigkeit.**

Beispiel

Ein Passant rutscht vor dem Eingang eines Geschäftes auf dem eisglatten Weg aus und verletzt sich. Es haftet der Besitzer des Geschäftes.

Hunde müssen je nach Situation und Gefährlichkeit angeleint werden und einen Maulkorb tragen.

Haftung für Tiere

Wird durch ein Tier ein Schaden verursacht, haftet

- wer es angetrieben, gereizt oder nachlässig verwahrt hat,
- der Tierhalter, wenn er nicht für die sorgfältige Verwahrung oder Beaufsichtigung gesorgt hat

Beispiele

Ein Hundehalter haftet, wenn er den Hund jemandem anvertraut, der ihn nicht halten kann, und deswegen ein Radfahrer zu Sturz kommt.

Eine Pferdehalterin haftet, wenn die Pferde wegen eines zu niedrigen Zaunes auf die Straße laufen und dort einen Autounfall verursachen.

Haftung für Eisenbahnen und Kraftfahrzeuge

Meine Freundin Sophie hat mir neulich ihr Auto geliehen. Unglücklicherweise habe ich damit beim Einparken ein anderes Auto beschädigt. Am Pkw von Sophie ist dabei kein Schaden entstanden. Wer zahlt die Reparatur?

Halter ist die Person, welche das Fahrzeug auf eigene Kosten benützt und über dessen Verwendung bestimmt. Zum Schutz von Kfz-Halter und -Opfer besteht die gesetzliche Pflicht zum Abschluss einer Haftpflichtversicherung.

Für **Schäden aus Unfällen am Schilift** kann eine verschuldensunabhängige Haftung der Betreibergesellschaft bestehen, z. B. wenn die Betriebsvorschriften nicht eingehalten werden oder der Lift bei einer gefährlichen Situation nicht sofort abgestellt wird.

Für Unfälle beim Betrieb von Pkws, Lkws, Motorrädern etc. haftet der **Fahrzeughalter.** Diese Kfz müssen eine Geschwindigkeit von mind. 10 km/h erreichen können.

Die Haftung ist **verschuldensunabhängig (Gefährdungshaftung)** und kann bei schweren Verkehrsunfällen zu hohen Schadenersatzzahlungen führen. Daneben besteht noch die Haftung des Lenkers bzw. der Lenkerin bei Verschulden.

Weitere Fälle der **Gefährdungshaftung:**

- für den Betrieb von Eisenbahnen, Seilbahnen, Sessel- und Schleppliften
- Unfälle beim Betrieb von Luftfahrzeugen
- für Atomanlagen
- für Stromleitungen
- für Schäden durch Arbeiten mit gentechnisch veränderten Organismen

subsidiär = nachrangig

Antwort: Für den Schaden am geparkten Pkw haftet in erster Linie die gesetzliche Haftpflichtversicherung von Sophie, der Halterin des Fahrzeugs. Die Versicherungsprämie wird aufgrund des Bonus-Malus-Systems steigen. (Subsidiär würde auch Katharina haften, da sie den Unfall verursacht und verschuldet hat.)

Haftung der Gastwirte für eingebrachte Sachen

Beherbergungsbetriebe und Betreiber von Badeanstalten und Garagen haften als **Verwahrer** für die von den Gästen übergebenen oder an den angewiesenen Ort gebrachten Sachen.

Es besteht eine **Haftungsobergrenze** von € 1.100,– (für Geld und Wertsachen von € 550,–).

6 Produkthaftung

Wer haftet, wenn jemand durch ein mangelhaftes Produkt geschädigt wird?

Die **Produkthaftung** umfasst nur Schäden an anderen Sachen.

Mängel an Produkten werden durch Gewährleistungs- und eventuelle Garantieansprüche behoben. Durch fehlerhafte Produkte können jedoch auch Schäden an Personen und anderen Sachen entstehen. Besonders bei ausländischen Produkten ist es oft schwierig, die Verantwortlichen dafür zu belangen.

Das **Produkthaftungsgesetz (PHG)** legt eine **verschuldensunabhängige Haftung** des Herstellers für Personen- und Sachschäden **durch** fehlerhafte Produkte fest.

Beispiel

Die schadhafte Pumpe einer Heizungsanlage verursacht einen Wasserschaden im Nachbarraum. Der Hersteller haftet nach dem PHG für den Ersatz des Wasserschadens. Die Pumpe muss im Rahmen der Gewährleistung innerhalb der gesetzlichen Frist repariert oder ausgetauscht werden.

Hersteller und Importeure sind verpflichtet, als Vorsorge für eventuelle Schadenersatzansprüche eine Versicherung abzuschließen oder Rücklagen zu bilden.

Als Hersteller gilt:

- der Produzent des End- oder eines Teilproduktes
- wer seinen Namen oder Marke auf dem Produkt anbringt
- wer das Produkt in den Europäischen Wirtschaftsraum einführt (Importeur)
- der Händler, wenn die vorgenannten Hersteller nicht feststellbar sind

Haftung

- Mehrere Unternehmen oder Personen haften solidarisch, haben jedoch **wechselseitige Regressansprüche.**
- Bei **Sachschäden** besteht die Haftung nur gegenüber Konsumenten mit einem Selbstbehalt von € 500,–.
- **Personenschäden** sind unbegrenzt zu ersetzen.

Verjährung

Wie alle Schadenersatzansprüche verjähren Forderungen nach dem Produkthaftungsgesetz innerhalb von drei Jahren ab Schadenseintritt oder ab Kenntnis von Schaden und Schädiger. Zehn Jahre, nachdem dieses Produkt das Werk verlassen hat, erlischt die Haftung.

Übungsbeispiel

Ü 6.35: Produkthaftung C

Welche der folgenden Schäden werden aufgrund der Produkthaftung nach dem PHG ersetzt? Kreuzen Sie die richtige Lösung an!

- ☐ Bei der Explosion eines schadhaften Druckkochtopfes wird der Koch verletzt.
- ☐ Das neu gekaufte Smartphone ist defekt.
- ☐ Eine fehlerhafte Lampe bringt die Sicherungen zum Durchschmelzen und beschädigt den Sicherungskasten sowie die Holzverkleidung.

Sichern & Merken

SbX ID: 0672

Ziele des Schadenersatzrechts	• Ausgleichsfunktion • Anreiz zur Schadensvermeidung
Voraussetzungen für einen Schadenersatzanspruch	• Eintritt des Schadens • Verursachung (Kausalität) • Rechtswidrigkeit • Verschulden
Höhe des Schadenersatzes	Abhängig vom Verschulden: • **leichte Fahrlässigkeit:** positiver Schaden • **grobe Fahrlässigkeit:** positiver Schaden und entgangener Gewinn • **Vorsatz:** zusätzlich Wert der besonderen Vorliebe
Ansprüche bei Personenschäden	• Heilungskosten • Verdienstentgang • Schmerzengeld • Verunstaltungsentschädigung • Rente bei bleibenden Schäden • Rente für Unterhaltsberechtigte bei Tod
ideelle Schäden	Schadenersatz nur in Ausnahmefällen; Beispiele: Schmerzengeld, Trauerschmerzengeld, Ersatz für entgangene Urlaubsfreude
Mitverschulden des Geschädigten	Eine **Mitschuld des Geschädigten** führt zur Minderung des Schadenersatzanspruches.
Schadensminderungspflicht	Geschädigte müssen zur **Schadensbegrenzung** beitragen, sonst erhalten sie weniger Schadenersatz.
Verjährung	Drei Jahre nach Eintritt des Schadens und Kenntnis des Schädigers **verjährt** der **Schadenersatzanspruch.**
Haftung für fremdes Verschulden	• **Haftung für Erfüllungsgehilfen:** Unternehmer haftet für alle Personen, die ihm bei der Vertragserfüllung unterstützen. • **Haftung von Aufsichtspersonen:** Diese haften bei Verletzung der zumutbaren Aufsichtspflicht. • **Amtshaftung:** Staat haftet für Schäden durch Organe bei Gesetzesvollziehung. • **Haftung des Wohnungsinhabers:** Wohnungsinhaber haftet für Schäden durch Herabfallen
Haftung für gefährliche Sachen	• Haftung für den Zustand eines Bauwerkes • Haftung für den Zustand eines Weges • Haftung für Tiere • Haftung für Kraftfahrzeuge • Haftung der Gastwirte für eingebrachte Sachen
Produkthaftung	Verschuldensunabhängige Haftung des Herstellers für Schäden **durch** fehlerhafte Produkte
SbX ID: 0672	**Im SbX finden Sie eine Bildschirmpräsentation mit den Grafiken dieser Lerneinheit.**

Wissen & Können

SbX ID: 0673

A B C D E

W 6.89: Schadenersatzanspruch C

> Innsbruck: Ein junger Mann aus Landeck traute seinen Ohren nicht. € 7.200,– unbedingte Geldstrafe und fünf Monate bedingte Haft fasste er am Landesgericht für schwere Körperverletzung aus. Der Vorbestrafte hatte bei einer Disco-Schubserei ein Whisky-Glas abgeschlagen und einen Besucher attackiert. Resultat: Zwei durchtrennte Handsehnen. „Für eine so massive Verletzung muss man auch die Folgen tragen“, so die Richterin.
> Quelle: Auszug aus der Tiroler Tageszeitung.

a) Beschreiben Sie anhand dieses Falles den Unterschied zwischen Strafrecht und Zivilrecht (Schadenersatzrecht)!

b) Prüfen Sie, ob die Voraussetzungen für einen Schadenersatzanspruch vorliegen!

c) Was kann der verletzte Disco-Besucher verlangen?

d) Wie lange kann der Verletzte mit seinen Schadenersatzforderungen warten?

W 6.90: Schadenersatzanspruch C

> Lienz. Ein Tag auf der Piste hatte böse Folgen für eine junge Snowboarderin: Sie geriet auf einem Skiweg am Lienzer Zettersfeld mit der Spitze ihres Boards unter den Begrenzungszaun am Pistenrand, prallte gegen einen Zaunsteher und rutschte kopfüber durch eine Lücke, die zwischen der Schneefläche und dem Fangnetz entstanden war. Die Folgen: ein gebrochener Oberschenkel, eine Operation, zwei Wochen Krankenhaus, Physiotherapie und eine erneute Operation. Der Weg zur Genesung war teils mit Kosten verbunden.
> Quelle: Auszug aus der Tiroler Tageszeitung.

a) Prüfen Sie, ob die Voraussetzungen für einen Schadenersatzanspruch vorliegen!

b) Was kann die verletzte Snowboarderin verlangen?

W 6.91: Haftung für andere B

Wie nennt man die Möglichkeit eines Kunden, sich wegen Schadenersatz bei der Vertragsabwicklung durch einen Subunternehmer an den Unternehmer zu wenden?

W 6.92: Haftung von Aufsichtspersonen B

Erklären Sie, wann Aufsichtspersonen für Schäden durch die ihnen Anvertrauten haften.

W 6.93: Haftung für fremdes Verschulden C

Ist der oft zu findende Hinweis „Eltern haften für ihre Kinder“ richtig? Begründen Sie Ihre Meinung!

W 6.94: Haftung für gefährliche Sachen A

Erläutern Sie, wer für Schäden haftet, die durch Tiere angerichtet werden.

W 6.95: Gefährdungshaftung A

Erklären Sie, wer für Schäden durch Autounfälle haftet.

W 6.96: Haftpflichtversicherung C

Begründen Sie, warum für den Betrieb eines Kfz eine gesetzliche Haftpflichtversicherung vorgesehen ist. Beschreiben Sie die Haftungsregeln!

W 6.97: Haftungsart C

Die Gabel des neuen Mountainbikes (Kauf im Sportgeschäft) bricht, dabei verletzt sich der Radfahrer schwer. Welche Ansprüche können gegen wen erhoben werden?

W 6.98: Fallbeispiele für Schadenersatz D

Sammeln Sie Tageszeitungen der letzten Woche und bringen Sie diese in den Unterricht mit! Suchen Sie gruppenweise nach Beispielen für Schadenersatzfälle!

Berichten Sie der Klasse folgendermaßen:

- Kurzfassung des Sachverhaltes
- Prüfung der Voraussetzungen für einen Schadenersatzanspruch
- Beschreibung der Ansprüche

SbX
W 6.99
mit automatischer Aufgabenkontrolle
ID: 0673

Weitere Aufgabe im SbX

W 6.99: Schadenersatzrecht B

Lösen Sie ein Kreuzworträtsel zum Thema „Schadenersatz".

Ein kurzer Kompetenz-Check, bevor's weitergeht!

Kompetenz-Check

	☺	😐	☹
Ich kann erklären, unter welchen Voraussetzungen ein Schadenersatzanspruch besteht.			
Ich kann den Zusammenhang zwischen Verschulden und Höhe des Schadenersatzes bei Vermögensschäden darstellen.			
Ich kann vorsätzlich und fahrlässig herbeigeführte Schäden abgrenzen.			
Ich kann erläutern, welche Ansprüche Geschädigte bei Personenschäden oder Tod haben.			
Ich kenne die Fälle einer Haftung für das Verschulden fremder Personen.			
Ich kann drei Arten der Haftung für gefährliche Sachen beschreiben.			
Ich kann den Begriff „Produkthaftung" erläutern.			
Ich kann erklären, welche Ansprüche aus Produkthaftung entstehen und wer dafür haftet.			

Lerneinheit 8
Konsumentenschutz

SbX
Alle SbX-Inhalte zu dieser Lerneinheit finden Sie unter der ID: 0680.

Rechtsquellen: KSchG, TNG 2011, FernFinG, FAGG, VKrG

Durch die Regeln des Konsumentenschutzes sollen die meist wirtschaftlich schwächeren und oft unerfahrenen Verbraucher/innen vor einer Übervorteilung durch Unternehmen geschützt werden. Massenverträge mit Verbraucherfallen im Kleingedruckten, unverständliche und konsumentenfeindliche AGB, Kostenfallen im Internet etc. – das sind Themen, mit denen sich Konsumentenschutzverbände befassen.

Neben vielen anderen gesetzlichen Bestimmungen soll der Verbraucherschutz vor allem durch das Konsumentenschutzgesetz gewährleistet werden.

Lernen & Üben

SbX ID: 0681

A B C D E

1 Verbrauchergeschäft
Für welche Verträge gilt das Konsumentenschutzrecht? Welche Gesetze gibt es dafür?

Der **Konsumentenschutz** gilt nicht für Geschäfte zwischen Unternehmern und nicht für Geschäfte von Verbrauchern untereinander.

> Ich würde gerne ein Auto kaufen. Ich habe mich schon bei mehreren Autohändlern erkundigt und lese auch jedes Wochenende Inserate in den Tageszeitungen. Bestehen rechtliche Unterschiede zwischen einem Kauf beim Händler und bei einer Privatperson?

Die Regelungen des Konsumentenschutzes gelten für **Geschäfte zwischen Unternehmern und Verbrauchern.** Es handelt sich um **zwingende Rechtsvorschriften.** Abweichende, für Verbraucher nachteilige Verträge oder Bedingungen sind daher **unwirksam.** Der Verbraucherschutz ist vor allem in folgenden Gesetzen geregelt: Konsumentenschutzgesetz (KSchG), Verbraucherkreditgesetz (VKrG), Fern-Finanzdienstleistungs-Gesetz (FernFinG), Fern- und Auswärtsgeschäfte-Gesetz (FAGG).

Antwort: Wenn Katharina das Auto bei einem Händler kauft, gelten für sie die Schutzvorschriften des KSchG. Der Kaufvertrag mit einer Privatperson hingegen fällt unter die allgemeinen Vorschriften des ABGB.

Konsumentenschutz

BUNDESMINISTERIUM FÜR ARBEIT, SOZIALES UND KONSUMENTENSCHUTZ sozial MINISTERIUM

Das Konsumentenschutzgesetz wurde bei seinem Inkrafttreten vor 30 Jahren auch als „Gesetz gegen das Kleingedruckte" bezeichnet. Heute gibt es sogar ein Ministerium für Konsumentenschutz (BMASK – Bundesministerium für Arbeit, Soziales und Konsumentenschutz).

Übungsbeispiel

SbX
Ü 6.36
mit automatischer Aufgabenkontrolle
ID: 0681

Ü 6.36: Andwendbarkeit des Konsumentenschutzrechts B

In welchen Fällen ist das Konsumentenschutzrecht anwendbar? Kreuzen Sie die richtige/n Antwort/en an!

☐ Sie kaufen einen Fernseher in einem Fachgeschäft.
☐ Sie kaufen ein Handy von einem Freund.
☐ Ein Unternehmen bestellt Waren.
☐ Ein Rechtsanwalt kauft für seine Familie eine Eigentumswohnung.

2 Allgemeine Informationspflichten des Unternehmers

Nur vollständig informierte Kundinnen und Kunden können die für sie richtigen Kaufentscheidungen treffen.

Die Informationspflicht gem. § 5a KSchG gilt nicht für Geschäfte des täglichen Lebens mit sofortiger Erfüllung. Für Fernabsatz- und Auswärtsgeschäfte gelten besondere Informationspflichten (siehe Punkt 4).

Verbraucher müssen vor dem Vertragsabschluss u. a. folgende wichtige Informationen klar und verständlich erhalten:

- die wesentlichen Eigenschaften der Ware oder Dienstleistung
- Name, Firma, Telefonnummer und Niederlassungsanschrift des Unternehmers
- Gesamtpreis der Ware oder Dienstleistung einschließlich aller Steuern und Abgaben
- Zahlungs-, Liefer- und Leistungsbedingungen sowie Liefer- und Leistungszeitraum
- Vertragslaufzeit und Bedingungen für die Vertragskündigung

3 Wichtige Rücktrittsrechte

Konsumentinnen und Konsumenten können in bestimmten Fällen von Verträgen zurücktreten.

lat. „pacta sunt servanda" = dt. „Verträge sind einzuhalten"

Ein allgemeiner Rechtsgrundsatz ist die Vertragstreue. Jeder gültig abgeschlossene Vertrag muss eingehalten werden, auch wenn man es sich am nächsten Tag anders überlegt oder die Ware anderswo billiger sieht. Konsumenten haben die Möglichkeit, unter bestimmten Voraussetzungen von diesem Grundsatz abzuweichen und vom Vertrag zurückzutreten.

Rücktrittsrechte für Konsumenten

EINIGE WICHTIGE RÜCKTRITTSRECHTE FÜR KONSUMENTEN

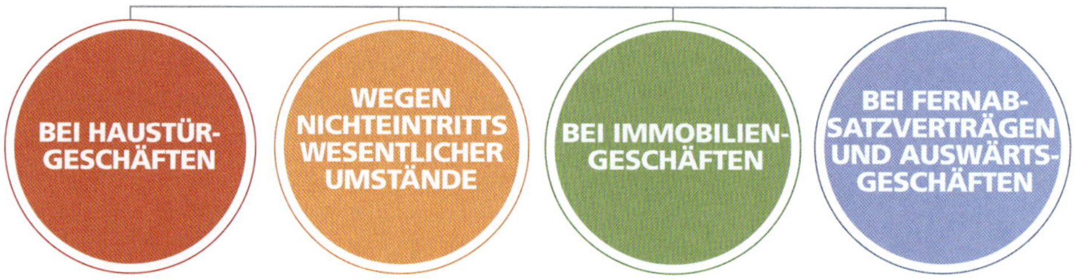

Rücktrittsrecht bei Haustürgeschäften gemäß KSchG

Das Rücktrittsrecht für Haustürgeschäfte ist nur dann anzuwenden, wenn die Spezialregeln für Fernabsatz- und Auswärtsgeschäfte nicht greifen (siehe Punkt 4).

Geht eine Verbraucherin oder ein Verbraucher in ein Geschäft, um dort etwas zu kaufen, stand vorher ausreichend Zeit zur Überlegung und Prüfung von Konkurrenzangeboten zur Verfügung. Bei Haustürgeschäften kann es zu übereilten oder unüberlegten Kaufentscheidungen kommen.

Voraussetzungen für ein Rücktrittsrecht bei Haustürgeschäften			
Vertragsabschluss	außerhalb der Geschäftsräume in körperlicher Anwesenheit des Unternehmers	im Geschäftsraum ● nach Werbefahrt ● nach persönlichem Ansprechen auf der Straße	körperliche Abwesenheit des Unternehmers, aber Verbraucher wurde vom Unternehmer zum Vertragsabschluss im Fernabsatz gedrängt (Überrumpelung, Druck)
Beispiel	Abschluss eines Vertrags bei einem überraschenden Besuch des Vertreters eines bisher unbekannten Unternehmens	Abschluss eines Handy-Vertrags, nachdem man auf der Straße angesprochen wurde	Beim Gratisshooting einer Modelagentur werden Formulare verteilt, die nach Eignungsbestätigung an die Agentur gemailt werden sollen.

Wer persönlich, telefonisch, per SMS oder E-Mail zum Kauf eines Produktes oder zur Inanspruchnahme einer Dienstleistung bewogen wird, kann ohne Angabe von Gründen binnen 14 Tagen vom schriftlich oder mündlich geschlossenen Vertrag zurücktreten.

Bei Urkundenübergabe vor Vertragsabschluss oder Warenübergabe beginnt die Frist erst mit Warenübergabe oder Vertragsabschluss.

Rücktrittsfrist

Verbraucher können innerhalb von **14 Tagen** ohne Angabe von Gründen zurücktreten. Die Rücktrittserklärung muss spätestens am letzten Tag der Frist abgesendet oder ausgesprochen werden. Schriftlichkeit ist nicht erforderlich, aber die Beweislast für die Rechtzeitigkeit liegt bei den Verbrauchern. Daher ist ein schriftlicher Rücktritt mit eingeschriebenem Brief empfehlenswert.

Die Frist beginnt mit **Ausfolgung einer Rücktrittsurkunde** (Rücktrittsformular mit Namen des Unternehmens, Gegenstand des Vertrags und Belehrung über das Rücktrittsrecht, die Frist und Vorgangsweise).

Ohne Ausfolgung der Rücktrittsurkunde verlängert sich die Frist um zwölf Monate. Wird die Rücktrittsurkunde innerhalb von zwölf Monaten nach Vertragsabschluss ausgefolgt, endet die Frist 14 Tage nach Erhalt der Urkunde.

Rücktrittsrecht wegen Nichteintritts wesentlicher Umstände

Voraussetzungen

Oft wird ein Vertrag deswegen abgeschlossen, weil der Unternehmer bei den Vertragsverhandlungen **besondere Vorteile** in Aussicht stellt (z. B. Steuervorteile, öffentliche Förderungen, Aussicht auf einen Kredit).

Wenn solche vom Unternehmer als wahrscheinlich dargestellte, für den Vertragsabschluss maßgebliche Umstände **danach nicht eintreten,** besteht bis auf wenige Ausnahmen ein Rücktrittsrecht.

Frist

Die **Frist von einer Woche** beginnt, wenn der Nichteintritt für die Konsumentin oder den Konsumenten erkennbar ist und er über das Rücktrittsrecht schriftlich informiert wurde. Es erlischt spätestens einen Monat nach der vollständigen Vertragserfüllung.

Beispiel

Beim Kauf einer Eigentumswohnung wird vom Verkäufer zugesagt, dass alle baulichen Voraussetzungen für die Gewährung der staatlichen Wohnbauförderung vorliegen. Deswegen wählt die Käuferin die Wohnung aus mehreren Angeboten aus. Nach Vertragsabschluss stellt sich heraus, dass ohne Verschulden der Käuferin keine Wohnbauförderung gewährt wird. Es besteht ein Rücktrittsrecht. Wurde die Käuferin darüber schriftlich belehrt, muss sie innerhalb einer Woche ab Ablehnung der Wohnbauförderung schriftlich vom Vertrag zurücktreten. Ohne Rücktrittsbelehrung besteht das Rücktrittsrecht bis 1 Monat nach Übergabe der Wohnung.

Rücktrittsrecht bei Immobiliengeschäften

Voraussetzungen

Wurde ein Kauf- oder Mietvertrag über ein Grundstück, Haus oder eine Eigentumswohnung für den eigenen Gebrauch **am Tag der erstmaligen Besichtigung** abgeschlossen, besteht ein Rücktrittsrecht.

Trotz eines schriftlichen Vertrags kann u. U. ein Rücktrittsrecht bestehen.

Frist

Der Rücktritt ist bei schriftlicher Rücktrittsbelehrung innerhalb **einer Woche** nach Vertragsabschluss möglich. Das Recht erlischt einen Monat nach der erstmaligen Besichtigung.

4 Vorschriften für Fernabsatz- und Auswärtsgeschäfte

Erweiterter Konsumentenschutz für Geschäfte ohne persönlichen Kontakt, z. B. Online-Verträge, Versandhandel, Verträge per E-Mail

SbX

Eine Bildschirmpräsentation zum Thema „Fernabsatz" finden Sie unter der ID: 0681.

Für bestimmte Geschäfte schreibt das Fern- und Auswärtsgeschäfte-Gesetz (FAGG) besondere Regelungen zum Verbraucherschutz vor. Dieser besondere Schutz für Konsumentinnen und Konsumenten besteht vor allem in **erweiterten Informationspflichten** für Unternehmer und einem **Rücktrittsrecht** für Verbraucher.

Dauerhafte Datenträger sind CD-ROMs oder E-Mails nach vorheriger Bekanntgabe einer aktiven Mailadresse.

Das FAGG gilt z.B. nicht für geringe Geschäfte (unter € 50,–), soziale und Gesundheitsdienstleistungen, Glücksspiele, Finanzdienstleistungen (hier gilt das VKrG), unbewegliche Sachen, Bauen und Vermieten von Wohnraum, Warenautomaten, Personenbeförderung, Pauschalreisen.

Anwendungsbereich

Das FAGG gilt für:

Fernabsatzverträge	Auswärtsgeschäfte
● Vertragsabschluss, ohne dass sich die Vertragspartner persönlich gegenüberstehen ● Vertragsabschluss im Rahmen eines für den Fernabsatz organisierten Vertriebssystems (z. B. Webshop) ● Vertragsabschluss ausschließlich unter Verwendung von Fernkommunikationsmitteln (Internet, Katalog, Prospekt, Telefon, Fax, Teleshopping)	● Unternehmer und Verbraucher sind anwesend, Abschluss oder Angebot des Verbrauchers außerhalb der Geschäftsräume ● Vertragsabschluss im Unternehmen nach Ansprechen durch Unternehmer außerhalb der Geschäftsräume ● Vertragsabschluss im Fernabsatz nach Ansprechen durch Unternehmer außerhalb der Geschäftsräume ● Abschluss auf einer Werbefahrt

Inhalt

Informationspflichten der Unternehmen

Verbraucherinnen und Verbraucher müssen **vor Vertragsabschluss** u. a. folgende wichtige Informationen **klar und verständlich** erhalten:

Zum Unternehmen:

- **Identität** des Unternehmens (Namen oder Firma)
- **Kontaktdaten** (Telefonnummer sowie die Anschrift) des Unternehmens

Wird über die Versand- und Nebenkosten nicht korrekt informiert, hat sie der Verbraucher nicht zu tragen.

Zur Ware/Dienstleistung:

- die **wesentlichen Merkmale** der Waren oder Dienstleistungen
- **Gesamtpreis** inkl. aller Nebenkosten wie Steuern, Abgaben, Liefer- und Versandkosten (wenn nicht möglich: Art der Preisberechnung) – Unklarheiten gehen zulasten des Unternehmens
- bei **unbefristeten oder Abonnementverträgen** die Gesamtkosten oder die Kosten pro Monat (wenn nicht möglich: Art der Preisberechnung)
- **Kosten** der für den Vertragsabschluss genutzten **Fernkommunikationstechnik,** wenn sie den Grundtarif übersteigen (kostenpflichtige Mehrwertnummern)
- **Funktionsweise digitaler Inhalte,** technischer Schutzmaßnahmen, Kompatibilität mit Hard- und Software
- Hinweis auf allfällige **Garantien** und deren Bedingungen

Wird über die Widerrufs-/Rücktrittsmöglichkeit nicht korrekt informiert, verlängert sich ein bestehendes Rücktrittsrecht von 14 Kalendertagen um 12 Monate. Wird die Information später nachgeholt, so endet die Rücktrittsfrist 14 Tage nach diesem Zeitpunkt.

Wird über die Tragung der Rücksendekosten nicht korrekt informiert, hat der Verbraucher die Rücksendekosten nicht zu tragen.

Zu den Allgemeinen Bedingungen:

- **Laufzeit des Vertrags** oder die Kündigungsbedingungen, **Mindestdauer** der Verpflichtungen
- Zahlungs-, Liefer- und **Leistungsbedingungen, Lieferzeitraum**
- Pflicht zur Leistung einer **Kaution** oder anderer finanzieller Sicherheiten
- Hinweis auf das Bestehen des gesetzlichen **Gewährleistungsrechts**

Zu Beschwerden:

- gegebenenfalls Hinweis auf Bestehen, Bedingungen und Leistungen eines **Kundendiensts nach dem Verkauf**
- **Kontaktdaten** für Beschwerden (wenn ein Verfahren beim Unternehmer vorgesehen ist)
- Zugang zu einem **außergerichtlichen Beschwerde- oder Schiedsgerichtsverfahren,** wenn solche Möglichkeiten bestehen
- gegebenenfalls Hinweis auf **Verhaltenskodizes,** wenn der Unternehmer einem solchen unterliegt

Zum Widerruf/Rücktritt:

- Information über ein **bestehendes Rücktrittsrecht,** dessen Bedingungen und Vorgangsweise – dafür muss ein Muster-Widerrufsformular bereitgestellt werden
- Hinweis, dass der Verbraucher im Widerrufsfall/Rücktrittsfall die **Kosten für die Rücksendung** der Waren zu tragen hat

Nach Vertragsabschluss müssen Verbraucher eine Vertragsausfertigung schriftlich oder auf einem dauerhaften Datenträger erhalten. **Dauerhafte Datenträger** sind CD-ROMs oder E-Mails nach vorheriger Bekanntgabe einer aktiven Mailadresse.

Für einige Verträge gelten noch folgende Besonderheiten:

- Bei **elektronisch abgeschlossenen Verträgen** muss vor dem Abschluss der Bestellung der Hinweis „zahlungspflichtig bestellen" angebracht sein. Weiters müssen Informationen über Lieferbeschränkungen und akzeptierte Zahlungsmittel erkennbar sein.
- Bei **telefonisch geschlossenen Verträgen** muss am Gesprächsbeginn der Name des Unternehmens und der Zweck des Gespräches offengelegt werden. Telefonisch abgeschlossene Verträge über Dienstleistungen **gelten erst dann,** wenn der Verbraucher eine Vertragsbestätigung auf einem dauerhaften Datenträger erhält und dem Unternehmer daraufhin eine schriftliche **Annahmeerklärung** auf einem dauerhaften Datenträger übermittelt.
- Telefonische Verträge im **Zusammenhang mit einer Gewinnzusage** und einer **Lotto-Tipp-Dienstleistung** sind nichtig. Selbst wenn die Anbieter Leistungen erbringen, können sie keine Gegenleistung (Zahlung, Kauf etc.) verlangen. Bereits überwiesenes Geld kann zurückgefordert werden.

Rücktrittsrecht

Verbraucher können **innerhalb von 14 Tagen** ohne Angabe von Gründen **vom Vertrag zurücktreten.**

Kein Rücktrittsrecht besteht u. a.:

- wenn der Verbraucher im Wissen um den Verlust des Rücktrittsrechts ausdrücklich die sofortige Dienstleistung verlangt hat und der Unternehmer vor Ablauf der Frist vollständig geleistet hat
- bei Waren und Dienstleistungen mit schwankenden Preisen am Kapitalmarkt ohne Einfluss des Unternehmers
- bei speziell nach Kundenangaben gefertigten Waren
- bei leicht verderblichen Waren oder Waren mit nahem Verfallsdatum
- aus Gesundheits- oder Hygienegründen versiegelte, vom Verbraucher ausgepackte Waren
- bei Ton- oder Datenträgern und Software, die entsiegelt wurde
- bei Zeitungen und Zeitschriften (ausgen. Abonnement-Verträge)
- bei Hauszustellung von Lebensmitteln und Freizeitdienstleistungen
- bei öffentlichen Versteigerungen (gilt nicht für private Online-Versteigerungen wie z.B. ebay)

Liegt ein Ausnahmefall vor, kann noch ein Rücktrittsrecht für Haustürgeschäfte nach dem KSchG (siehe Punkt 2) bestehen.

Frist und Form des Rücktritts

Die Frist beginnt bei Kaufverträgen mit der Lieferung, bei Dienstleistungsverträgen mit dem Tag des Vertragsabschlusses. Der Rücktritt ist rechtzeitig, wenn er am letzten Tag der Frist erklärt wird, und kann in beliebiger Form erfolgen. Allerdings müssen Verbraucher im Streitfall den rechtzeitigen Rücktritt beweisen.

Ohne Information über das Rücktrittsrecht verlängert sich die Frist um zwölf Monate. Wird die Rücktrittinformation innerhalb von zwölf Monaten nach Vertragsabschluss ausgefolgt, endet die Frist 14 Tage nach Erhalt der Information.

Vereinfacht gesagt: Wer persönlich, telefonisch, per SMS oder Mail zum Kauf eines Produktes oder zur Inanspruchnahme einer Dienstleistung bewogen wird, kann ohne Angabe von Gründen binnen 14 Tagen vom schriftlich oder mündlich geschlossenen Vertrag zurücktreten.

Rechtsfolgen des Rücktritts

- **Verbraucher:** Rückstellung der Ware innerhalb von 14 Tagen ab Rücktrittserklärung auf eigene Kosten (außer der Unternehmer zahlt die Rücksendekosten freiwillig oder hat nicht über diese Kosten informiert oder hat die Ware geliefert und diese kann nicht per Post zurückgesandt werden) und evtl. Zahlung einer Wertminderung (wenn diese nicht auf die notwendige Prüfung der Ware zurückzuführen ist)
- **Unternehmer:** Rückzahlung aller geleisteten Beträge innerhalb von 14 Tagen ab Erhalt der Rücktrittserklärung

Übungsbeispiel

SbX
Ü 6.37 mit automatischer Aufgabenkontrolle
ID: 0681

Ü 6.37: Rücktrittsrecht B

In welchen Fällen steht ein Rücktrittsrecht zu? Kreuzen Sie die richtige/n Antwort/en an!

- ☐ Katharina kauft ein Kosmetikset auf einer Werbefahrt.
- ☐ Ihre Eltern kaufen eine Musterküche auf der Innsbrucker Herbstmesse.
- ☐ Nach dem Abschluss einer Versicherung stellt sich heraus, dass die zugesagte Steuerbefreiung nicht vorliegt.
- ☐ Sie kaufen eine CD über das Internet (CD wurde ausgepackt).

Konsumentenschutzeinrichtungen für Internetgeschäfte

Man hört so oft von betrügerischen Geschäftspraktiken durch Webshops. Ich möchte jedoch trotzdem weiterhin über das Internet einkaufen. Wie kann ich sichergehen, dass es sich um einen seriösen Geschäftspartner handelt?

Das **Gütezeichen** ist Teil des europaweiten Euro-Label-Systems für sicheres Einkaufen im Internet.

Gütezeichen für Webshops

Um seriöse Internetshops, die sich bestimmten Qualitätskriterien unterworfen haben, erkennen zu können, wurde das **E-Commerce-Gütezeichen** geschaffen. Das Siegel wird von einer neutralen Vergabestelle verliehen. Unternehmen, die dieses Zeichen führen, müssen sich verpflichten, die gesetzlichen Vorgaben genauestens einzuhalten, sich korrekt und kundenfreundlich zu verhalten und sich im Falle eines Streites einer Schlichtungsstelle zu unterwerfen. Bei Verstoß gegen diese Vorgaben droht eine Vertragsstrafe bzw. der Entzug des Gütesiegels.

www.ombudsmann.at

Internet-Ombudsmann

Diese Einrichtung ist eine unabhängige Beratungsstelle und bietet eine rasche und unbürokratische Möglichkeit der Streitschlichtung zwischen Webshops und ihren Kunden. Auf der Website findet man aktuelle Fälle und eine Watchlist der „schwarzen Schafe" im Internet. Die Leistungen des Internet-Ombudsmannes sind gratis.

Antwort: Katharina sollte als kritische Konsumentin nur bei Webshops mit dem E-Commerce-Gütezeichen kaufen. Im Streitfall kann sich Katharina zunächst an den Internet-Ombudsmann wegen einer außergerichtlichen Lösung wenden.

Übungsbeispiel

Ü 6.38: Konsumentenschutzeinrichtungen für Internetgeschäfte C

Besuchen Sie die Websites „E-Commerce-Gütezeichen" und „Internet-Ombudsmann". Fassen Sie wichtige Ratschläge für Konsumenten zusammen! Beschreiben Sie die Konsequenzen bei Regelungsverstößen! Studieren Sie die Watchlist!

5 Kostenvoranschläge

Können sich Konsumentinnen und Konsumenten auf die Angaben in Kostenvoranschlägen verlassen?

Manchmal ist es wichtig, die genauen Kosten einer Dienstleistung vor Auftragserteilung zu erfahren, z. B. für die Entscheidung „Reparatur oder Neukauf". Dann holt man einen Kostenvoranschlag ein.

SbX
Ein Beispiel für einen Kostenvoranschlag finden Sie unter der ID: 0681.

Kostenvoranschläge gegenüber Konsumenten sind grundsätzlich

- **verbindlich** und
- **kostenlos.**

Das bedeutet, dass eine Konsumentin oder ein Konsument keinen höheren als den bekanntgegebenen Preis bezahlen muss und für die Erstellung des Kostenvoranschlages keine Gebühr verlangt werden darf, außer es wurde vorher darauf hingewiesen.

Beispiele für unverbindliche Kostenvoranschläge: „unverbindlicher Preis“, „Zirka-Preis“, „abgerechnet wird nach tatsächlichem Aufwand“

Ausnahme: Wenn im Kostenvoranschlag auf die **Unverbindlichkeit** hingewiesen wurde, darf der Preis um 10 bis 15 Prozent überschritten werden, wenn dies gerechtfertigt und unvermeidlich ist. Bei höheren Überschreitungen muss der Konsument vorher über den Mehrpreis informiert werden. Er kann dann die Mehrkosten akzeptieren oder ablehnen.

Beispiel

Der Kostenvoranschlag für die Errichtung einer Garage für ein Einfamilienhaus lautet: „Preis € 8.400,– inkl. USt., abgerechnet wird nach tatsächlichem Materialverbrauch und Arbeitsstunden“. Der Preis darf max. € 9.660,– betragen, wenn die Überschreitung gerechtfertigt ist.

Übungsbeispiel

SbX Ü 6.39 mit automatischer Aufgabenkontrolle ID: 0681

Ü 6.39: Kostenvoranschlag B

Welche Aussagen über Kostenvoranschläge für Verbraucher/innen treffen zu? Kreuzen Sie die richtige/n Antwort/en an!

- ☐ Kostenvoranschläge dürfen grundsätzlich um 10 bis 15 % überschritten werden.
- ☐ Bei umfangreichen Kostenvoranschlägen darf eine Gebühr verlangt werden.
- ☐ Unverbindliche Kostenvoranschläge müssen nicht eingehalten werden.
- ☐ Kostenvoranschläge sind grundsätzlich gratis.

6 Unzulässige Vertragsbestandteile

Hand aufs Herz: Wer liest sich AGB wirklich durch?

Allgemeine Geschäftsbedingungen

In den Allgemeinen Geschäftsbedingungen (AGB) und Musterverträgen legen die Unternehmen die Bedingungen fest, unter denen sie mit ihren Kundinnen bzw. Kunden Verträge abschließen wollen, z.B. Liefer- und Zahlungsbedingungen, Kündigungsmöglichkeiten, Haftung oder Möglichkeit zu Preisänderungen. Dabei versuchen sie oft, die eigene Rechtsposition so günstig wie möglich zu gestalten.

Um Vertragsbestandteil zu werden, müssen die allgemeinen Geschäftsbedingungen zwischen Unternehmer/in und Konsument/in vereinbart werden.

ALLGEMEINE GESCHÄFTSBEDINGUNGEN

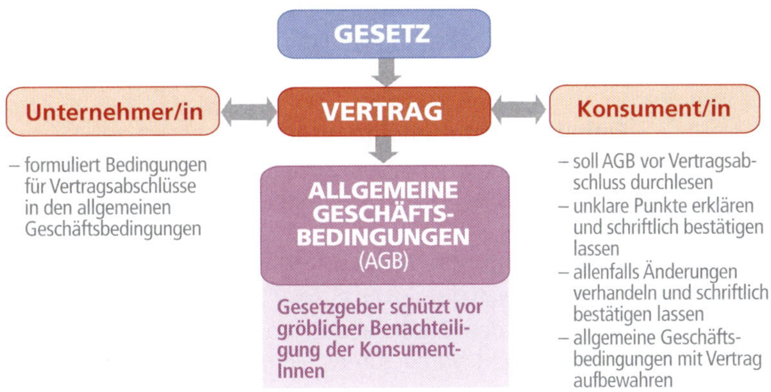

Es reicht aus, wenn das Unternehmen erklärt, den Vertrag nur zu seinen Bedingungen abzuschließen und diese den Konsumentinnen und Konsumenten zugänglich sind, zum Beispiel durch Aufdruck auf der Rückseite des Vertragsformulars oder auch durch bloßen Aushang im Geschäftslokal.

Die wenigsten Konsumentinnen und Konsumenten lesen jedoch alle Bestimmungen, bevor sie einen Vertrag abschließen. Daher sieht das KSchG die **Unwirksamkeit von versteckten, gröblich benachteiligenden oder sonst gegen ein Gesetz oder die guten Sitten verstoßenden Bedingungen** vor. Diese werden nicht Vertragsbestandteil.

§ 6 KSchG enthält fünfzehn absolut ungültige Vertragsbestimmungen.

Das Konsumentenschutzgesetz enthält einen Katalog absolut unzulässiger Bedingungen, z. B.:

- genereller Haftungsausschluss für leichte Fahrlässigkeit
- einseitige Preiserhöhungen ohne sachliche Rechtfertigung
- Stillschweigen gilt als Vertragserklärung (nur ausnahmsweise)
- Verbraucher/in trägt eine Beweislast, die sie/er gesetzlich nicht hätte

Beispiel

Wenn zum Beispiel in den AGB unter „Gewährleistung" eine Preiserhöhungsklausel enthalten ist, so gilt diese als versteckt und ist nicht gültig. Steht dieselbe Klausel aber z.B. unter „Preisanpassungen", so ist sie nicht mehr überraschend.

Einige Vertragsklauseln gelten nur dann, wenn sie **einzeln ausverhandelt** wurden:

- Möglichkeit zum jederzeitigen Rücktritt vom Vertrag für den Unternehmer ohne sachliche Begründung
- einseitige Vertragsänderungen durch den Unternehmer (außer sie sind geringfügig und sachlich gerechtfertigt)

Allgemeine Geschäftsbedingungen und Musterverträge müssen **generell klar und verständlich** abgefasst sein.

7 Gewährleistung

In AGB findet sich folgende Bestimmung: „Die Gewährleistung wird ausgeschlossen." Ist dies zulässig?

Ausnahme: Verkürzung der Gewährleistungsfrist auf 1 Jahr bei gebrauchten beweglichen Sachen (Sonderregelung für Kfz)

Gewährleistungsansprüche können in Verbraucherverträgen nicht ausgeschlossen oder beschränkt werden.

Die Mängelbehebung muss am Übergabeort erfolgen – bei sperrigen oder eingebauten Sachen am Ort, wo sich die mangelhafte Sache gewöhnlich befindet.

8 Weitere wichtige Schutzbestimmungen

Das Konsumentenschutzrecht schützt Verbraucherinnen und Verbraucher in weiteren Fällen.

Gerichtliches Mäßigungsrecht bei Bürgschaften

Bürgschaftsverpflichtungen können in bestimmten Fällen vom Gericht betraglich verringert oder ganz erlassen werden.

Wichtig ist bei längerfristigen Verträgen die **Einhaltung der Kündigungsfrist.** Wenn diese nicht genau bekannt ist, kündigt man am besten „zum nächstmöglichen Termin".

Einhaltung von Gewinnzusagen

Wenn ein Unternehmer durch Zusendungen an Verbraucher den Eindruck eines Gewinnes erweckt, muss der Gewinn geleistet werden – und kann auch eingeklagt werden.

Stillschweigende Vertragsverlängerungen

Längerfristige Verträge (z.B. über die Benützung von Fitnessstudios oder Zeitschriftenabos) werden oft mit dem Zusatz abgeschlossen, dass sich der Vertrag um eine bestimmte Zeit verlängert, wenn er nicht vorher unter Einhaltung einer Frist gekündigt wird. Eine solche automatische Verlängerung ist nur dann zulässig, wenn der Konsument vor Beginn der Frist noch einmal gesondert darauf hingewiesen wird.

Beispiel

„Dieser Vertrag verlängert sich um ein weiteres Jahr, wenn er nicht einen Monat vor Ablauf gekündigt wird."

Lieferfrist bei Verträgen über Waren

Unternehmer haben Waren (bewegliche körperliche Sachen) – wenn nichts anderes vereinbart wurde – **unverzüglich,** jedoch **spätestens innerhalb von 30 Tagen,** bereitzustellen oder wenn vereinbart zu liefern.

Sonderbestimmungen für bestimmte Vertragsarten

Für Abzahlungsgeschäfte, Makler- und Reiseveranstaltungsverträge sowie Verträge mit Betreibern von Alten- und Pflegeheimen gibt es weitere Schutzvorschriften für Konsumenten.

Gerichtsstand

Verbraucherinnen und Verbraucher können nur an ihrem Wohnsitz oder Arbeitsort geklagt werden.

9 Verbandsklage

Der einzelne Konsument verfügt oft nicht über das nötige Wissen oder die erforderlichen Mittel, um seinen Anspruch vor Gericht durchsetzen zu können.

Oft ist die Durchsetzung des Anspruches das größte Problem: Der Gegner ist übermächtig, ein Prozess riskant und teuer …

Wenn ein Unternehmen unzulässige Vertragsbedingungen verwendet oder gegen andere Bestimmungen des KSchG verstößt, können für den betroffenen Verbraucher auch **folgende Verbände** vor Gericht **klagen:**

- Arbeiterkammer, Verein für Konsumenteninformation (VKI), ÖGB
- Landwirtschafts-, Landarbeiter- und Wirtschaftskammer
- Österreichischer Seniorenrat

Dies bringt für den **Konsumenten** folgende **Vorteile:**

- Beratung durch Fachleute
- Übernahme des Prozessrisikos und der Prozesskosten
- gerichtliche Klärung von Rechtsfragen, die viele betreffen (z. B. Ungültigkeit von verbraucherfeindlichen AGBs, Rückzahlungsverpflichtungen von Banken wegen überhöhter Zinsen)

Beispiel

Der VKI ging gegen mehrere Klauseln in den AGB für E-Banking einer österreichischen Bank vor. Es ging dabei um unangemessene Sorgfaltspflichten der Kundinnen und Kunden, mit denen die Bank versuchte, das Risiko bei Datenmissbrauch auf die Konsumentinnen und Konsumenten abzuwälzen. Der OGH erklärte die meisten der angefochtenen Klauseln für gesetzwidrig, z.B. eine Klausel, wonach die Kundinnen und Kunden spätestens nach zwei Monaten selbständig ihre PIN ändern müssen.

10 Wichtige Verbraucherschutz-Einrichtungen

Wo können Konsumenten Beratung und Unterstützung erhalten?

Das monatliche Grundentgelt meines Handy-Vertrages wurde um € 3,– erhöht. Bei Durchsicht meines Vertrages habe ich eine Klausel in den Allgemeinen Geschäftsbedingungen zur Preiserhöhung entdeckt. Muss ich jetzt mehr zahlen?

SbX

Unter der ID: 0681 finden Sie eine Linkliste zum Konsumentenschutz.

Diese und viele andere Fragen von Konsumentinnen und Konsumenten werden von **Verbraucherschutzverbänden** beantwortet. Es werden auch Produkte getestet, unseriöse Praktiken öffentlich bekanntgemacht, Informationsbroschüren gratis zur Verfügung gestellt etc. Weiters wird Hilfe bei der außergerichtlichen Durchsetzung von Ansprüchen geboten – Unternehmen reagieren oft anders auf ein Schreiben der Arbeiterkammer oder des VKI …

Folgende Einrichtungen unterstützen und beraten in konsumentenschutzrechtlichen Angelegenheiten:

- Verein für Konsumenteninformation **www.konsument.at**
- Arbeiterkammer **www.arbeiterkammer.at**
- Österreichischer Gewerkschaftsbund **www.oegb.at**
- Mietervereinigung **www.mietervereinigung.at**
- Interessenverband für Anleger **www.iva.or.at**

Antwort: Marco sollte sich an den VKI oder die AK wenden. Diese Einrichtungen stellen Beratung oder Musterbriefe zur Verfügung. In Marcos Fall hat der VKI bereits ein Urteil des OLG Wien erwirkt. Die für eine Preiserhöhung maßgeblichen Umstände müssen sachlich gerechtfertigt, im Vertrag eindeutig umschrieben und vom Willen des Unternehmers unabhängig sein. Die vom Handy-Anbieter verwendete Vertragsklausel ermöglichte eine uneingeschränkte einseitige Änderung der Preise. Sie verstößt daher gegen die Verbraucherschutzbestimmungen.

Schlichtungsstellen

Schlichtungsstellen sind Einrichtungen zur **außergerichtlichen Streitbeilegung,** die meist in einem einfachen, ohne große Förmlichkeiten geführten Verfahren **Empfehlungen zur Lösung von Streitfällen** treffen. Die Entscheidungen der Schlichtungsstellen sind für die Beteiligten rechtlich nicht bindend. Aufgrund des Alternative-Streitbeilegung-Gesetzes (AStG) gibt es in Österreich für fast alle Streitigkeiten, die aus dem Vertrag mit einem Unternehmen resultieren, eine zuständige Stelle zur alternativen Streitbeilegung (AS-Stelle).

Schlichtungsstellen für Konsumentinnen und Konsumenten:

- **E-Control:** für Beschwerden im Gas- und Stromsektor
- **Rundfunk und Telekom Regulierungs-GmbH (RTR):** Streitigkeiten mit Anbietern von Telefondiensten und Mobilfunk, Internetbetreibern sowie Anbietern von Kabel-TV und Programm-Abos
- **Post-RTR:** spezielle Sparte der RTR für Streitfälle mit Postdiensten (verlorene oder beschädigte Pakete oder Briefe)
- **Agentur für Passagier- und Fahrgastrechte – apf:** Verspätungen oder Ausfall von Reisen per Bahn, Bus, Schiff oder Flugzeug
- **Bankenschlichtung Österreich:** Streitfragen über Kredite, Spareinlagen, Kündigungen von Konten oder Investmentgeschäfte
- **Ombudsstelle Fertighaus:** Differenzen zwischen Produzenten und Käufern von Fertighäusern
- **Schlichtung für Verbrauchergeschäfte:** allgemeine Verbraucherschlichtungsstelle

11 Regeln für Verbraucherkredite

Bessere Übersicht bei Krediten und spezieller Konsumentenschutz

Mit dem Verbraucherkreditgesetz (VKrG) wurde eine EU-Richtlinie in nationales Recht umgesetzt.

Durch einheitliche Richtlinien für Kreditvergaben an Verbraucher in allen EU-Staaten sollen Konsumenten Kreditangebote leichter überblicken und vergleichen können. Banken müssen bei der Kreditvergabe an Verbraucher/innen einheitliche Konsumentenschutzbestimmungen einhalten.

Ich möchte eine Eigentumswohnung kaufen. Dafür brauche ich neben meinen Ersparnissen noch einen Kredit und ich habe mich bereits bei zwei Banken darüber informiert. Welche Regeln gelten für die Kreditvergabe?

Das VKrG gilt auch für Kontoüberziehungen, Zahlungsaufschübe, entgeltliche Ratenvereinbarungen, Abzahlungsgeschäfte, Stundungen und Verbraucherleasing-Verträge.

Anwendungsbereich

Für **Kreditverträge zwischen Unternehmern und Verbrauchern** gilt das Verbraucherkreditgesetz, das die Rechte der Verbraucher gegenüber den Kreditgebern stärken soll. Wie das Konsumentenschutzgesetz enthält das Verbraucherkreditgesetz **zwingende Bestimmungen.**

Antwort: Für einen Kredit, den Katharina bei einer Bank aufnimmt, gilt das Verbraucherkreditgesetz, das die Rechte von Katharina als Konsumentin gegenüber der Bank regelt. Banken müssen Kreditangebote einheitlich und für Konsumenten verständlich gestalten, sodass Katharina mehrere Angebote gut vergleichen kann.

Verbraucherkreditgesetz – Inhalt

VERBRAUCHERKREDITGESETZ – INHALT

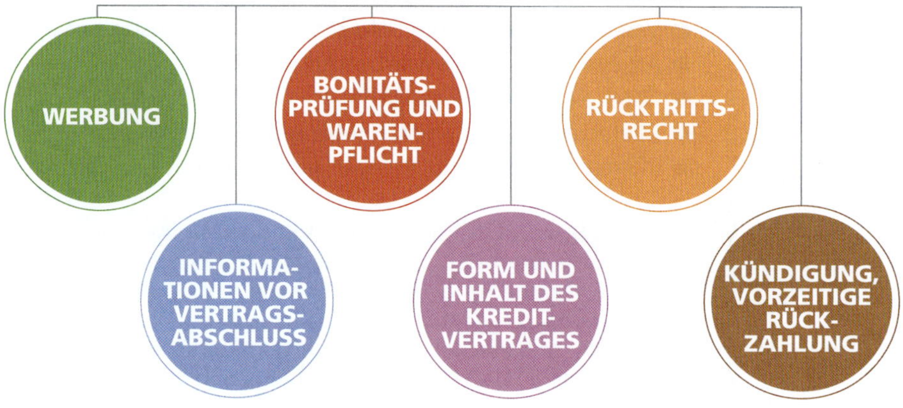

Wesentliche Bestimmungen

Werbung:

Standardinformationen im Sinne de VKrG sind: Zinssatz, Gesamtkosten, Gesamtkreditbetrag, effektiver Jahreszins, Laufzeit, der zu zahlende Gesamtbetrag u. a.

Prospekte und andere Formen der Werbung mit Angabe von Zinssätzen oder sonstigen Kreditkosten müssen klar, prägnant, auffallend und anhand eines repräsentativen Beispiels wichtige Standardinformationen enthalten.

Informationen vor Vertragsabschluss:

Die wichtigsten Vertragspunkte (lt. VKrG sind es 19) müssen den Kreditnehmern vor Vertragsabschluss schriftlich bekanntgegeben werden, u. a. Identität und Anschrift des Kreditgebers und eines beteiligten Kreditvermittlers, Art und Laufzeit des Kredits, Zinssatz samt Indizes oder Referenzzinssätzen, Bedingungen für eine Zinserhöhung, effektiver Jahreszins, Gesamtbetrag, Kosten, Tilgungsmodalitäten, Verzugszinsen und -folgen, Informationen über Rücktrittsrecht, vorzeitige Rückzahlung und eine etwaige Entschädigung.

Zinserhöhungen während der Laufzeit sind nur dann wirksam, wenn die Kreditnehmer darüber vorher informiert werden.

Diese Informationen müssen auf einem einheitlichen Formular übergeben werden, damit ein Vergleich verschiedener Angebote leichter möglich ist.

Bonitätsprüfung und Warnpflicht:

Das VKrG schreibt eine Bonitätsprüfung – auch mithilfe von Datenbanken – vor. Sollte diese Zweifel an der Rückzahlungsfähigkeit ergeben, müssen Kreditnehmer darauf hingewiesen werden.

Bei Krediten mit Tilgungsträgern und Fremdwährungskrediten müssen im Vertrag zusätzliche Risikoinformationen enthalten sein.

Regeln für Form und Inhalt des Kreditvertrags:

Kreditverträge sind grundsätzlich schriftlich auszufertigen und müssen 22 wichtige Vertragspunkte enthalten.

Rücktrittsrecht:

Wie bei allen fristgebundenen Rücktrittserklärungen ist die Form des eingeschriebenen Briefes zu empfehlen.

Verbraucher können vom Kreditvertrag innerhalb von 14 Tagen ab Vertragsabschluss ohne Angabe von Gründen zurücktreten. Erhält man die gesetzlichen Informationen erst später, beginnt die Frist erst mit diesem Tag. Die schriftliche Rücktrittserklärung muss innerhalb der Frist abgesendet werden. Bei Hypothekarkrediten besteht kein Rücktrittsrecht.

Kündigung/vorzeitige Rückzahlung:

Diese Entschädigung wird in Bankenkreisen auch Vorfälligkeitsschaden genannt.

Kreditnehmer können den Kreditbetrag jederzeit ganz oder teilweise zurückzahlen. In diesem Fall ist der Kreditgeber berechtigt, hiefür eine gesetzlich geregelte Entschädigung zu verlangen. Auch eine Kündigung ist möglich.

Bei **Zahlungsrückständen** darf der gesamte noch aushaftende Betrag nur unter **folgenden Voraussetzungen** verlangt werden:

- Der Konsument ist mit einer Rate mindestens 6 Wochen in Verzug.
- Eine Mahnung mit Androhung des Terminsverlustes und Nachfristsetzung von 2 Wochen war erfolglos.
- Die Vorgangsweise war vertraglich vereinbart und der Kreditgeber hat die eigene Leistung vollständig erbracht.

Banken verwenden in Kreditverträgen oft eine „Terminsverlust-Klausel".

Folgen bei Verstößen gegen das VKrG:

Fehlende Vertragsbestandteile werden teilweise gesetzlich ersetzt, für andere Gesetzesverletzungen sind Verwaltungsstrafen vorgesehen.

Übungsbeispiel

Ü 6.40: Verbraucherkreditgesetz B

Welche Ziele sollen durch das Verbraucherkreditgesetz erreicht werden? Kreuzen Sie die richtige/n Antwort/en an!

☐ Banken dürfen keine Fremdwährungskredite vergeben.
☐ Verbraucher sollen Kreditangebote besser vergleichen können.
☐ Banken müssen bei der Kreditvergabe bestimmte Vorschriften einhalten.

Sichern & Merken

SbX ID: 0682

Verbrauchergeschäft	Die **Konsumentenschutzregeln** gelten für Geschäfte zwischen **Unternehmern** und **Verbrauchern.**
allgemeine Informationspflichten des Unternehmers	Verbraucherinnen und Verbraucher müssen vor Vertragsabschluss die **wesentlichen Informationen** klar und verständlich erhalten.
wichtige Rücktrittsrechte	In folgenden Fällen steht Konsumentinnen und Konsumenten trotz des Rechtsgrundsatzes der Vertragstreue ein **Rücktrittsrecht** zu: • bei Haustürgeschäften • wenn vom Unternehmer als wahrscheinlich dargestellte wesentliche Umstände nicht eintreten • bei Fernabsatzverträgen und Auswärtsgeschäften • bei Immobiliengeschäften
Regeln FAGG	Weitere **Schutzbestimmungen** für Fernabsatzverträge und Auswärtsgeschäfte • Zusätzliche Informationspflichten der Unternehmen (wesentliche Informationen über Unternehmen und Ware, Liefer- und Zahlungsbedingungen, Gesamtbruttopreis, Rücktrittsrecht, Beschwerdestelle, Kundendienst, Garantiebedingungen, Mindestlaufzeit des Vertrags ...) mit Muster-Widerrufsformular • Rücktrittsrecht innerhalb von 14 Tagen ohne Angabe von Gründen
Konsumentenschutz-Einrichtungen	• **E-Commerce-Gütezeichen für Webshops:** Gütesiegel einer neutralen Vergabestelle für seriöse und kundenfreundliche Unternehmen • **Internet-Ombudsmann:** unabhängige Beratungs- und Schlichtungsstelle, Watchlist der „schwarzen Schafe" im Internet
Kostenvoranschläge	**Kostenvoranschläge** sind für Verbraucher grundsätzlich **verbindlich** und **kostenlos.**
unzulässige Vertragsbestandteile	Grob benachteiligende, ungewöhnliche oder überraschende Bestimmungen in Musterverträgen oder AGB sind unwirksam. **AGB** müssen **klar** und **verständlich** sein.
Gewährleistung	**Gewährleistungsansprüche** von Verbrauchern können vertraglich nicht beschränkt werden (Ausnahme für gebrauchte Waren). Es gelten Sonderbestimmungen für den Ort der Mängelbehebung.
weitere wichtige Schutzbestimmungen	• Die Einhaltung von Gewinnzusagen kann eingeklagt werden. • Stillschweigende Vertragsverlängerungen sind nur bei gesondertem Hinweis auf den Beginn der Kündigungsfrist möglich. • Für Verbraucher ist der Gerichtsstand immer der Wohnsitz oder Arbeitsort.
Verbandsklage	Für Konsumenten können auch Arbeiterkammer, VKI oder ÖGB vor Gericht klagen **(Verbandsklage). Vorteile:** kosten- und risikolos, gerichtliche Klärung von Fragen, die viele Verbraucher betreffen
wichtige Verbraucherschutz-Einrichtungen	**Beratung und Unterstützung für Verbraucher bei:** • Verein für Konsumenteninformation (VKI) • Arbeiterkammer (AK) • Österreichischer Gewerkschaftsbund (ÖGB) usw.

Verbraucherkreditgesetz (VKrG)

Gesetz, das zum Schutz von Verbrauchern zwingende Regelungen für Kreditverträge vorsieht

- Vorschriften betreffend die Werbung für Kredite
- vorvertragliche Informationspflichten
- Bonitätsprüfung und Warnpflicht
- Regeln für Form und Inhalt des Kreditvertrags
- Rücktrittsrecht für Verbraucher
- Kündigungsmöglichkeit und vorzeitige Rückzahlung

Terminsverlust

Bei **Ratenverzug** darf der gesamte aushaftende Betrag nur unter gewissen Voraussetzungen eingefordert werden.

SbX
ID: 0682

Im SbX finden Sie eine Bildschirmpräsentation mit den Grafiken dieser Lerneinheit.

Wissen & Können

SbX ID: 0683

A B C D E

W 6.100: Kostenvoranschläge C

Katharina hat sich mittlerweile bei einem Autohändler einen Gebrauchtwagen gekauft und damit leider einen selbst verschuldeten Unfall verursacht. Sie möchte vor der Reparatur wissen, wie hoch die Rechnung sein wird. Dazu holt sie einen schriftlichen Kostenvoranschlag ein, in dem der Preis mit **„€ 450,– inkl. USt"** angegeben wird. Bei Abholung bekommt sie eine Rechnung über € 570,–.

a) Muss Katharina die Differenz bezahlen? Begründen Sie Ihre Meinung und beschreiben Sie die anwendbaren Rechtsvorschriften!

b) Es gibt wegen der Mehrkosten Schwierigkeiten mit der Autowerkstätte. Wo kann Katharina Beratung und Hilfe bekommen?

W 6.101: Rücktrittsrechte D

Katharinas Eltern wurden in ihrer Wohnung überraschend von einem Vertreter der Firma Franz Weinfuchs GmbH besucht, der sie davon überzeugte, dass sie eine neue Sicherheitstür für die Wohnung bräuchten. Sie unterschrieben einen Bestellschein für die Tür und überwiesen € 1.500 als Anzahlung. Der Gesamtrechnungsbetrag würde € 3.000 Euro ausmachen. Der Vertreter unterzeichnete den Bestellschein ebenfalls und gab Katharinas Eltern eine Durchschrift.

Der Liefer- und Montagetermin war in ungefähr acht Wochen vorgesehen. Knapp vor dem Liefertermin erfuhren Katharinas Eltern von schlechten Erfahrungen mit der Firma Weinfuchs und bezweifelten nun auch die Preiswürdigkeit der Tür. Bei Durchsicht des Bestellscheins fanden sie dort zwar die Bestimmung, dass bei Maßanfertigungen ein Rücktritt nicht möglich sei, sonst aber keinerlei Hinweise auf ein allfälliges Rücktrittsrecht nach dem Konsumentenschutzgesetz.

Beurteilen Sie, ob ein Rücktritt noch möglich ist. Kann die Firma Weinfuchs Stornogebühr verlangen?

W 6.102: Unzulässige Vertragsbestandteile C

Marcos Eltern bekommen nun schon die dritte Mitteilung, dass die Bank die Zinsen ihres Kredites für die Wohnzimmereinrichtung erhöht hat, obwohl sie als volkswirtschaftlich Interessierte wissen, dass das allgemeine Zinsniveau gleichgeblieben ist. Sie lesen daraufhin die allgemeinen Geschäftsbedingungen durch und entdecken eine Bestimmung, welche die Bank berechtigt, die Zinsen nach eigenem Ermessen zu erhöhen.

a) Ist dies zulässig? Begründen Sie Ihre Meinung!

b) Nach langen Verhandlungen wollen Marcos Eltern die zuviel bezahlten Zinsen von der Bank einklagen. Wer kann sie unterstützen? Welche Vorteile bringt das?

W 6.103: Unzulässige Vertragsbestandteile C

Suchen Sie zu Hause bei Ihren eigenen Verträgen (Jugendkonto, Handy, Fitnessstudio, Computer, Unterhaltungselektronik) nach AGBs oder bitten Sie Ihre Eltern darum! Bringen Sie die AGBs in den Unterricht mit, bilden Sie Gruppen und begutachten Sie diese. Finden Sie Beispiele für mögliche Verstöße gegen das KSchG!

Halten Sie Ihre Ergebnisse schriftlich fest und berichten Sie der Klasse!

W 6.104: Fernabsatz-Regelungen A

a) Für welche Verträge gelten die Regelungen des FAGG? Nennen Sie Beispiele!

b) Nennen Sie die wichtigsten Schutzbestimmungen für Konsumentinnen und Konsumenten bei Fernabsatz- und Auswärtsgeschäften!

W 6.105: E-Commerce A

Beschreiben Sie, welche besonderen Konsumentenschutzeinrichtungen für E-Commerce es in Österreich gibt und was diese bieten.

W 6.106: Unzulässige Vertragsbestandteile A

Unter welchen Voraussetzungen sind Bestimmungen in Musterverträgen oder AGBs für Verbraucher/innen unwirksam?

W 6.107: Kündigungsfrist A

Unter welcher Voraussetzung ist eine stillschweigende Vertragsverlängerung bei Nichteinhaltung einer Kündigungsfrist zulässig?

W 6.108: Verbandsklage A

Erklären Sie, was man unter einer „Verbandsklage" versteht.

W 6.109: Regeln für Verbraucherkredite A

Nennen Sie mindestens fünf Informationen, die Banken an Verbraucher vor dem Abschluss eines Kreditvertrags geben müssen!

W 6.110: Regeln für Verbraucherkredite A

Erklären Sie, was man unter „Terminsverlust" versteht.

W 6.111: Regeln für Verbraucherkredite B

Stellen Sie sich vor, Sie sind Kreditsachbearbeiter/in in einer Bank und sollen eine Liste mit gesetzlich vorgeschriebenen Inhalten einer Informationsbroschüre für Konsumentenkredite einerseits und eine Liste mit Inhalten von Konsumentenkreditverträgen andererseits erstellen! Suchen Sie dafür im Internet den Text des Verbraucherkreditgesetzes! Lesen Sie die Paragraphen „Vorvertragliche Informationspflichten" und „Zwingende Angaben in Kreditverträgen" und erstellen Sie die Listen!

W 6.112: Regeln für Verbraucherkredite C

Sie haben am 30.5.2011 einen Kredit mit einer Laufzeit von 15 Jahren aufgenommen. Aufgrund einer Erbschaft wollen Sie den Kredit nun zurückzahlen, um Zinsen zu sparen. Ist dies möglich? Was könnte die Bank verlangen?

SbX
Ü 6.113
mit automatischer Aufgabenkontrolle
ID: 0683

Weitere Aufgaben im SbX

W 6.113: Konsumentenschutzrecht B

Bearbeiten Sie den Test zum Konsumentenschutzrecht.

W 6.114: Konsumentenschutz C

Füllen Sie das Arbeitsblatt zum Konsumentenschutz aus.

Ein kurzer Kompetenz-Check, bevor's weitergeht!

Kompetenz-Check

	☺	😐	☹
Ich kann beschreiben, wann das Konsumentenschutzgesetz anwendbar ist, und kann mindestens vier Besonderheiten der Konsumentenschutzregeln erklären.			
Ich kann zwei wichtige Konsumentenschutz-Vorschriften für Fernabsatz- und Auswärtsgeschäfte erklären.			
Ich kann vier Beispiele für unwirksame Vertragsklauseln in Allgemeinen Geschäftsbedingungen und Musterverträgen nennen und weiß, wie diese korrekt formuliert sein müssen.			
Ich kann mindestens drei wichtige Verbraucherschutz- Einrichtungen nennen.			
Ich kann erläutern, welche Vorteile die Verbandsklage bietet.			
Ich kann darstellen, was das Verbraucherkreditgesetz bewirken soll und kann mindestens vier Regelungsbereiche aufzählen.			

Lerneinheit 9
Mietrecht

SbX
Alle SbX-Inhalte zu dieser Lerneinheit finden Sie unter der ID: 0690.

Wohnen ist ein menschliches Grundbedürfnis. Wenn sich junge Leute auf eigene Füße stellen wollen, beginnt meist die Suche nach einer Wohnung. Oft ist der erste Schritt zur Selbständigkeit ein Mietvertrag über die eigenen vier Wände.

Die Schaffung und Absicherung des Wohnraumes begleitet uns das ganze Leben.

Lernen & Üben

SbX ID: 0691

1 Abgrenzung der Miete von anderen Formen des Wohnens
Was ist die geeignete Form des Wohnens, die meinen Bedürfnissen und finanziellen Möglichkeiten am besten entspricht?

Die Möglichkeit, ein Haus oder eine Wohnung benützen zu können, kann in verschiedenen rechtlichen Formen eingeräumt werden. Je nach räumlichem oder zeitlichem Bedarf und finanziellen Mitteln bieten sich verschiedene Formen des Wohnens an:

> Ich lebe gerne bei meinen Eltern, aber irgendwann möchte ich eine eigene Wohnung haben. Ich habe natürlich noch nicht so viel gespart. Außerdem möchte ich beruflich vielleicht für einige Zeit ins Ausland. Was ist in diesem Fall für mich das Richtige?

Rechtsquellen: ABGB, Mietrechtsgesetz (MRG), Wohnungsgemeinnützigkeitsgesetz (WGG)

Eigentum

Wenn man Eigentümer eines Hauses oder einer Wohnung ist, kann man entweder selbst darin wohnen oder die Räume vermieten. Wie in Lerneinheit 5 (Sachenrecht) dargestellt, gibt es die Formen des **Allein-, Mit- oder Wohnungseigentums.**

Miete

Das **vertragliche Recht,** ein Mietobjekt für eine bestimmte Zeit (oder unbefristet) gegen Bezahlung zu benützen, nennt man **Miete.**

SbX
Eine Bildschirmpräsentation zu den rechtlichen Formen des Wohnens finden Sie unter der ID: 0691.

Gemeinnützige Bauvereinigungen können auch in Form von Kapitalgesellschaften organisiert sein.

Haupt- und Untermiete

Wird der Mietvertrag mit dem Eigentümer abgeschlossen, liegt **Hauptmiete** vor. Gibt der Mieter das Mietrecht teilweise oder zur Gänze an andere Mieter weiter, nennt man diese Personen **Untermieter.**

„Genossenschaftswohnung"

Eine meist kostengünstige Möglichkeit zur Miete einer Wohnung bietet der Abschluss eines Nutzungsvertrags mit einer **gemeinnützigen Bauvereinigung.** Oft ist bei Beginn des Mietverhältnisses eine Einmalzahlung zu leisten. Dieser „Finanzierungsbeitrag" wird bei Beendigung des Mietverhältnisses unter Berücksichtigung einer Abschreibung zurückbezahlt.

Gemeindewohnung

Gemeinden stellen ihren Bürgerinnen und Bürgern oft Mietwohnungen zu günstigen Konditionen zur Verfügung („Startwohnungen"). Die Mieter müssen dabei von den Gemeinden festgesetzte Bedingungen erfüllen (Einkommenshöchstgrenzen, Mindestdauer des Wohnsitzes in der Gemeinde).

Wohngemeinschaft

Wenn mehrere nicht verwandte Personen – z. B. Studierende während der Studienzeit – gemeinsam eine Wohnung benützen, spricht man von Wohngemeinschaft („WG"). Oft findet ein Student oder eine Studentin eine geeignete Wohnung, schließt den Mietvertrag ab und gibt die restlichen Zimmer in Untermiete an andere Studierende weiter. Es können aber auch alle Mitglieder der Wohngemeinschaft Mieter/innen sein und den Vertrag unterschreiben. Oder es wird über jedes Zimmer ein eigener Mietvertrag abgeschlossen. Wenn alle Mitglieder der „WG" den Mietvertrag unterschrieben haben, sind sie unabhängig voneinander zur Benützung berechtigt.

Wenn der/die Hauptmieter/in aus der „WG" auszieht, kann dies auch für die Untermieterinnen und Untermieter das Ende des Mietvertrags bedeuten.

(Studenten-)Wohnheim

Viele Studierende wohnen während des Studiums in einem Studentenheim. In diesem Fall wird mit der Heimleitung ein eigener Vertrag über die Nutzung des Zimmers und der Gemeinschaftsräume abgeschlossen.

Mietkauf

Beispiele für Gemeinnützige Bauvereinigungen: Neue Heimat Tirol, TIGEWOSI, Wohnungseigentum (WE), GEWOG, Heimstätte

Manche Projekte von gemeinnützigen Bauvereinigungen enthalten auch Wohnungen zum „Mietkauf". Dabei haben die Mieter das Recht zur Benützung der Wohnung und können diese nach einigen Jahren Miete (meistens 10) zu einem gesetzlich geregelten Fixpreis kaufen. Damit fällt der hohe Anschaffungspreis zu Beginn des Mietverhältnisses weg und die Mieter haben ausreichend Überlegungszeit für den Kauf.

Antwort: Marco könnte eine Wohnung mieten. Dann kann er die Wohnung sofort ohne hohe Anschaffungskosten nutzen. Wenn er ins Ausland gehen will, kann er den Mietvertrag kündigen. Daneben kann Marco weiter für den späteren Kauf einer eigenen Wohnung sparen. Er könnte auch eine Wohnung mit Bankfinanzierung kaufen und bei einem Auslandsaufenthalt vermieten.

2 Mietrechtsgesetz

Nicht jeder kann sich eine eigene Wohnung kaufen. Viele sind auf die gemietete Wohnung angewiesen.

Wie das KSchG ist das MRG ein **Schutzgesetz** – zugunsten der meist wirtschaftlich schwächeren Mieter.

Mieterinnen und Mieter sind meist wirtschaftlich schwächer als ihre Vertragspartner und stehen bei Verlust der Wohnung oft „auf der Straße". Deshalb enthält das Mietrechtsgesetz (MRG) viele Schutzvorschriften für Mieter.

Miet- und Pachtverträge werden auch als **„Bestandverträge"** bezeichnet, Mieter auch als „Bestandnehmer".

Ziele des Mietrechtsgesetzes

Mieter sollen vor allem durch folgende Bestimmungen **geschützt werden:**

- Einschränkung der Kündigungsmöglichkeit durch den Vermieter **(Kündigungsschutz)**
- Festlegung von **Mietzinsobergrenzen**
- Regelung von **Betriebskosten, Erhaltungs- und Verbesserungsarbeiten, Investitionskostenersatz**

Mit einem Pachtvertrag wird eine Sache zum Gebrauch **und zur Nutzung** überlassen (Beispiele: Gasthof, Unternehmen).

Die Vorschriften des MRG sind einseitig **zwingend.** Enthält ein Mietvertrag abweichende Klauseln, sind diese **ungültig,** der Rest des Vertrags bleibt jedoch aufrecht.

Geltungsbereich

Das MRG ist ein **Spezialgesetz für die Miete von Wohnungen und anderen Räumlichkeiten** wie Geschäftsräumen, mitgemieteten Gärten, Garagen etc. Es ist jedoch **nicht auf alle Mietverträge anwendbar.** Wo das MRG nicht gilt, greifen die Regelungen des Allgemeinen Bürgerlichen Gesetzbuches (ABGB) – subsidiäre Anwendung.

Das MRG wurde schon oft geändert (novelliert).

Mietverträge unterliegen mit wenigen Ausnahmen der zum Zeitpunkt des Vertragsabschlusses gültigen Fassung des MRG bzw. ABGB.

Beispiel: Mietvertrag wurde 2001 abgeschlossen – es gilt die damalige Rechtslage.

Zur rechtlichen Beurteilung eines Mietvertrags muss daher zuerst geklärt werden, ob das MRG gilt. Hier gibt es folgende Möglichkeiten:

Anwendungsbereich des Mietrechtsgesetzes (MRG)		
Vollanwendungsbereich (alle Regeln des MRG gelten) für	**Teilanwendungsbereich** (nur Teile des MRG gelten) für	**MRG gilt nicht** für
● **Altbauwohnungen** (Baubewilligung vor 1945/1953) ● **geförderte Neubauten** (Baubewilligung nach 1953)	● frei finanzierte Neubauwohnungen (Baubewilligung nach 1953) ● **Eigentumswohnungen** ● ausgebaute Dachböden (teilweise)	● **Einfamilienhäuser** ● **Wohnungen in Ein- und Zweifamilienhäusern** ● Hotels, Lagerhäuser, Heime, Dienstwohnungen u. a.
stärkster gesetzlicher Mieterschutz	nur **eingeschränkter Schutz** durch MRG (z. B. Befristungsregeln, Kündigungsschutz, Eintrittsrecht)	**kein Mieterschutz** durch MRG
meist Wohnungen im Stadtbereich („Mieterschutzwohnungen", „Zinshäuser")	Wohnungen im Stadt- und Landbereich	meist Häuser und Wohnungen im ländlichen Bereich

3 Wichtige Bestandteile eines Mietvertrags

Der Abschluss eines Mietvertrags kann zu unliebsamen und teuren Überraschungen führen. Außerdem gibt es noch Nebenkosten.

Mit Abschluss eines Mietvertrags gehen sowohl Mieter als auch Vermieter Verpflichtungen ein. Die mietrechtlichen Vorschriften sind kompliziert und ständigen Änderungen unterworfen. Daher sollte man sich vor Abschluss eines Mietvertrags rechtlich beraten lassen.

DIE MIETER VEREINIGUNG FAIR WOHNEN

Beratungsstellen: Mietervereinigung, Mieterschutzverband, Arbeiterkammer, Rechtsanwalt

Vertragspartner

Wollen mehrere Personen eine Wohnung gemeinsam mieten (z. B. Lebensgefährten), sollten alle als Mieterinnen und Mieter in den Vertrag aufgenommen werden. Mehrere Eigentümer müssen gemeinsam als Vermieter auftreten.

Es wäre wohl am besten, eines Tages einen unbefristeten Mietvertrag abzuschließen. Was passiert aber, wenn ich die Miete nicht mehr bezahlen kann? Und wie kann ich den Vertrag beenden, wenn ich beruflich ins Ausland gehen will?

Dauer des Mietvertrags

Ein Mietvertrag kann auf eine bestimmte Dauer oder auf unbestimmte Zeit abgeschlossen werden **(befristetes oder unbefristetes Mietverhältnis)**. Hier zunächst eine Übersicht:

Wenn ein befristeter Mietvertrag nach Ablauf nicht vertraglich verlängert oder aufgelöst wird, geht dieser in einen auf drei Jahre befristeten Mietvertrag über. Wird der Mietvertrag nach Ablauf dieser drei Jahre neuerlich nicht vertraglich verlängert oder aufgelöst, gilt er auf unbestimmte Zeit verlängert.

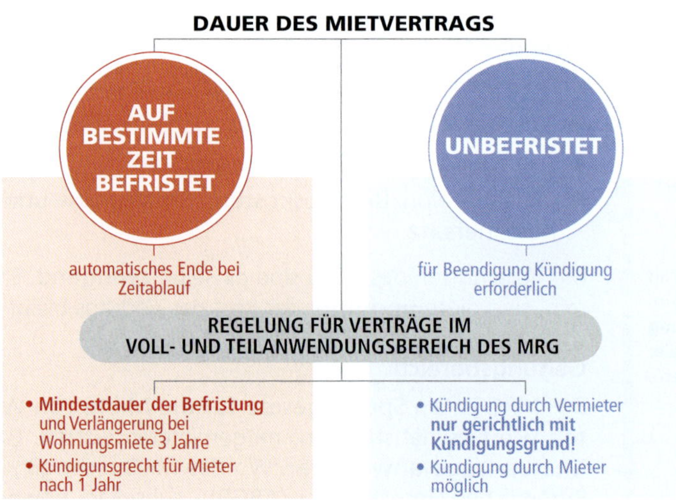

Wichtig: Werden die Befristungsregeln des MRG nicht eingehalten, entsteht ein unbefristeter Mietvertrag. Beispiel: Ein Mietvertrag mit einer Laufzeit von zwei Jahren ist unzulässig – es entsteht ein unbefristeter Mietvertrag.

- Ein befristeter Mietvertrag **endet automatisch** mit Ablauf der vereinbarten Zeit. Nach dem MRG muss die **Mindestdauer** für Mietwohnungen und jede Verlängerung **drei Jahre** betragen. Der Mieter bzw. die Mieterin kann jedoch nach Ablauf eines Jahres unter Einhaltung einer dreimonatigen Frist kündigen.
- Ein unbefristeter Mietvertrag muss zur Beendigung **gekündigt** werden. Der **Vermieter** kann nach MRG **nur bei Vorliegen eines Kündigungsgrundes** und **über das Bezirksgericht** kündigen. Es gibt folgende Kündigungsgründe:
  - Mietzinsrückstand
  - erheblich nachteiliger Gebrauch des Mietgegenstandes
  - rücksichtsloses oder strafbares Verhalten gegenüber anderen Hausbewohnern
  - gänzliche Weitergabe der Wohnung (Untervermietung)
  - Tod des Mieters bzw. der Mieterin ohne Eintrittsberechtigte (siehe Input 4)
  - Leerstehen der Wohnung
  - dringender Eigenbedarf des Vermieters oder seiner Kinder oder Enkel, gegebenenfalls mit Ersatzbeschaffung
  - wichtige, im Mietvertrag schriftlich vereinbarte Gründe

Beispiele für Kündigungsgründe: Die Wohnung wird vernachlässigt und dadurch beeinträchtigt oder verwüstet, grob ungehöriges Verhalten oder Straftaten gegen Mitbewohner/innen des Hauses.

Der Mieter muss trotz Mahnung mindestens **acht Tage im Rückstand** sein. Die Kündigung kann abgewendet werden, wenn den Mieter kein grobes Verschulden am Zahlungsrückstand trifft und er den Rückstand bis zum Ende der Gerichtsverhandlung in erster Instanz abdeckt – die Kosten (Gerichtskosten, Mahnspesen etc.) müssen allerdings ersetzt werden.

Aus anderen Gründen kann ein unbefristetes Mietverhältnis vom Vermieter **nicht gekündigt** werden!

Mieterinnen und **Mieter** können einen unbefristeten Mietvertrag schriftlich unter Einhaltung einer **Frist von einem Monat zum Monatsletzten** kündigen.

Andere Fristen können im Vertrag vereinbart werden.

Beispiel

Die Kündigung eines unbefristeten Mietvertrags muss dem Vermieter spätestens am 31.5. zugehen, dann wird der Vertrag am 30.6. beendet.

Antwort: Wenn Marco mit den Mietzahlungen in Rückstand gerät, kann der Vermieter auch einen unbefristeten Vertrag nach dem MRG kündigen. In diesem Fall besteht kein Kündigungsschutz, da die Nichtzahlung der Miete eine wesentliche Vertragsverletzung darstellt. Marco kann den unbefristeten Mietvertrag jederzeit unter Einhaltung der Monatsfrist zum Monatsletzten kündigen.

Regelung des Mietzinses

Ein weiterer wesentlicher Bestandteil eines Mietvertrags ist der Mietzins, der sich wie folgt zusammensetzt:

Bestandteile des Mietzinses:

- Hauptmietzins („die Miete") – auch Nettomietzins genannt
- evtl. Mietzins für mitvermietete Möbel
- Umsatzsteuer (10 % für Wohnräume)
- Betriebskosten inkl. USt wie Wasser-, Kanal-, Müllgebühren, Versicherungskosten, Kosten für Allgemeinflächen, Kosten der Hausverwaltung
- Anteil an besonderen Aufwendungen wie z. B. für einen Lift

Die Summe der Bestandteile inkl. USt nennt man auch **Bruttomietzins.**

„Miete € 600,– **warm**" bedeutet Mietzins inkl. Heizkosten.

Höhe des Mietzinses

Wucherzins: Der Vermieter muss einen auffallend überhöhten Mietzins fordern und eine Zwangslage oder die Unerfahrenheit oder Gemütserregung des Mieters ausnützen.

Verkürzung über die Hälfte: Der verlangte Mietzins muss mehr als das Doppelte der ortsüblichen Miete betragen.

Der **Richtwerthauptmietzins** wird je Bundesland für eine „mietrechtliche Normwohnung" festgelegt.

Ausstattungskategorien: A (Wohnung mit mind. 30 m² Nutzfläche + Küche, WC, Bad, Heizung, Warmwasser) bis D (Wohnung ohne WC und Wasseranschluss)

- Für **Altbau- und geförderte Neubauwohnungen** (Vollanwendungsbereich des MRG) bestehen gesetzlich vorgeschriebene **Höchstmietpreise.** Diese werden je nach Lage, Ausstattung oder Erhaltungszustand der Wohnung als **angemessener Mietzins bzw. Kategorie- oder Richtwerthauptmietzins** festgesetzt und dürfen nicht überschritten werden.
- Bei allen anderen Mietobjekten kann der Vermieter das verlangen, was Mieter bereit sind zu zahlen (Grenze: Wucher).

Wertsicherung:

Besonders bei längerfristigen Mietverträgen wird die Höhe des Mietzinses an die Geldwertentwicklung (meist Inflation) angepasst. Wenn sich der Verbraucherpreisindex erhöht, muss auch mehr Miete bezahlt werden. Der Verbraucherpreisindex wird von der Statistik Austria erhoben.

Beispiel

Beispiel für eine Wertsicherungsklausel: „Der Hauptmietzins wird wertgesichert vereinbart. Basis ist der VPI 2015 im Monat des Vertragsabschlusses. Bei Indexveränderungen von mehr als 5 % wird der Hauptmietzins angepasst."

Nach einer höchstgerichtlichen Entscheidung ist ein generelles Verbot der Tierhaltung in einem Mietvertrag unzulässig, jedoch kann die Haltung bestimmter Tiere wie Hunde oder Katzen verboten werden. Wenn im Mietvertrag nichts vereinbart wurde, ist die artgerechte Haltung von wohnungsüblichen Haustieren wie Zwergkaninchen, Meerschweinchen oder auch Katzen erlaubt.

Was muss ich bei Abschluss des Mietvertrags beachten? Gibt es noch zusätzliche Kosten?

Übergabe des Mietobjektes

Das Mietobjekt muss vom Vermieter in gutem und brauchbarem Zustand übergeben werden. Die Mitbenützung von allgemeinen Teilen des Hauses muss möglich sein.

Erhaltung des Mietobjektes

Während der Dauer des Mietvertrags muss das Mietobjekt samt Heizung, Fenstern, Böden, Elektrogeräten etc. in gutem Zustand erhalten werden. Die Regelung dieser **Instandhaltungspflicht** ist daher ein wichtiger Punkt jedes Mietvertrags. Wer ist dafür zuständig?

Instandhaltungspflicht

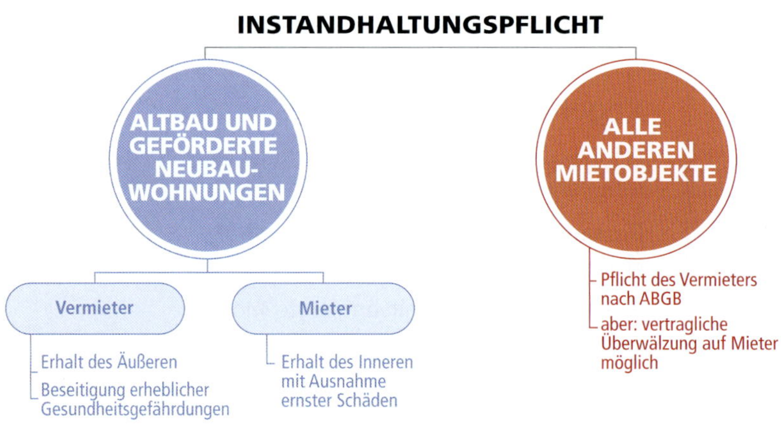

- Für **Altbauwohnungen und staatlich geförderte Neubauwohnungen** (Vollanwendungsbereich des MRG) ist die Erhaltung **gesetzlich zwingend** zwischen Vermieter und Mieter **aufgeteilt:**
  - Der **Vermieter** muss das **„Äußere des Hauses"** erhalten und **erhebliche Gesundheitsgefahren** beseitigen, z. B. Beispiel: Erneuerung von Leitungen im Außenbereich oder von Fenstern, Austausch gesundheitsgefährdender Bleirohre, Beseitigung massiver Schimmelbildung oder von Feuchtigkeitsschäden (oft durch die Gebäudeversicherung gedeckt).
  - Der **Mieter** muss das **„Innere der Wohnung"** samt Leitungen und sanitären Anlagen erhalten, sodass Vermieter und Nachbarn nicht geschädigt werden.
  - **Vermieter/innen** sind auch zur Erhaltung von mitvermieteten Heizthermen, mitvermieteten Warmwasserboilern und sonstigen mitvermieteten Wärmebereitungsgeräten verpflichtet.
- Bei allen anderen Mietobjekten ist laut ABGB grundsätzlich der/die **Vermieter/in** für die Erhaltung zuständig. Diese Pflicht wird im Vertrag oft auf den/die **Mieter/in** übertragen. Bei Mietverträgen zwischen gewerblichen Vermietern und Verbrauchern verbietet jedoch das Konsumentenschutzgesetz die generelle Überwälzung der Erhaltungspflicht auf Mieter/innen. Eine generelle Überwälzung der Instandhaltungspflicht auf die Mieter/innen wird auch als gröbliche Benachteiligung gem. § 879 ABGB beurteilt.

Veränderungen durch den Mieter und Investitionskostenersatz

Bauliche Veränderungen am Mietobjekt dürfen **nur mit Zustimmung des Vermieters** vorgenommen werden.

Beispiel: Eine Mieterin hat eine Zentralheizung einbauen lassen. Sie hat bei Vertragsbeendigung gem. MRG einen Anspruch auf Ersatz der Kosten abzüglich Abschreibung.

Wesentliche, auch für Nachmieter nützliche **Verbesserungen** können unter bestimmten Bedingungen auch ohne Zustimmung erfolgen. Dafür steht bei Beendigung des Vertrags ein **Aufwandersatz** (vermindert um eine jährliche Abschreibung) zu. Dieser Investitionskostenersatz muss **innerhalb von 14 Tagen** nach Auflösung, Kündigung oder Auszug schriftlich unter Vorlage von Rechnungen eingefordert werden (Beispiel: Einbau von Heizungs- und Sanitäranlagen, Austausch schadhafter Heizthermen und Warmwasserboiler).

Diese Regelung gilt jedoch **nur für Altbauwohnungen und staatlich geförderte Neubauwohnungen.** Für alle anderen Mietobjekte wird ein Aufwandersatz oft vertraglich ausgeschlossen. Bei erheblicher Benachteiligung des Mieters kann eine solche Klausel jedoch unzulässig sein.

Nebenkosten bei Vertragsabschluss

Die **Kaution** darf max. 6 Monatsmieten betragen und wird dem Vermieter in bar oder als Sparbuch übergeben. Barkautionen müssen verzinst angelegt werden. Nach Vertragsende haben Mieter/innen Anspruch auf die Rückgabe der Kaution samt Zinsen.

Bei Abschluss eines Mietvertrags fallen folgende **Kosten** an:

- **Provision** (bei Inanspruchnahme eines Immobilienmaklers): Die maximale Höhe der Maklerprovision beträgt bei unbefristeten oder auf mehrere Jahre befristeten Mietverträgen **2 Monatsmietzinse,** bei bis 3 Jahre befristeten Mietverträgen **1 Monatsmietzins.**
- **evtl. Kosten für die Vertragserrichtung** (z. B. durch eine Rechtsanwältin)
- **Mietvertragsgebühr** an das Finanzamt (außer bei Mietverträgen über Wohnräume)

Meist wird die Hinterlegung einer **Kaution** durch den Mieter verlangt. Sie dient zur Sicherstellung für Beschädigungen am Mietobjekt oder Mietzinsrückstände und beträgt zwei bis drei Bruttomonatsmieten.

Verbotene Ablösen:

Zahlungen des Mieters an Vormieter, Vermieter oder Dritte ohne entsprechende Gegenleistung sind unzulässig und können zurückgefordert werden. Dies gilt nur bei Altbauwohnungen und staatlich geförderten Neubauwohnungen.

Rückgabe des Mietobjekts

Das Mietobjekt muss in demselben Zustand übergeben werden, wie es übernommen wurde. Die normale Abnützung durch den Gebrauch wird durch die Miete abgedeckt. Darüber hinausgehende Schäden müssen behoben werden oder der Vermieter kann die Kaution in der erforderlichen Höhe einbehalten.

Ausmalen der Wohnung vor der Rückgabe: Wenn im Vertrag dazu nichts vereinbart wurde, gibt es eine Ausmalverpflichtung nur dann, wenn die Wände über die normale Abnützung hinaus beansprucht wurden (z. B. bei einer dunklen Farbe der Wände). Steht eine Klausel im Mietvertrag, ist zu prüfen, ob diese rechtswirksam formuliert wurde – viele Klauseln in diesem Bereich sind rechtsunwirksam. Bei einer vertraglich vereinbarten Ausmalverpflichtung kann eine Verweigerung des Ausmalens jedoch dazu führen, dass der Vermieter die Kaution kürzt und letztlich ein Streit darum entsteht.

Beratung über die Pflichten bei der Rückgabe eines Mietobjekts bieten AK, VKI oder die Mietervereinigung.

Antwort: Praktische Tipps für den Abschluss eines Mietvertrags

Vor dem Abschluss:

- Mietvertrag immer schriftlich abschließen (mündliche Verträge sind zwar gültig, jedoch schwer beweisbar)
- Vertrag genau durchlesen, besonders Klauseln betreffend die Überwälzung der Instandhaltungspflicht auf den Mieter bzw. die Mieterin
- Wenn Geräte wie Boiler, Durchlauferhitzer etc. sehr alt oder in schlechtem Zustand sind, sollte für den Fall der notwendigen Neuanschaffung zumindest eine Kostenteilung vereinbart werden. (Ausnahme: Vollanwendungsbereich MRG)
- Eine Kaution schriftlich vereinbaren, Zahlung bestätigen lassen
- Rechtsberatung in Anspruch nehmen (z. B. AK)

Bei der Wohnungsübernahme:

- Dokumentation des Zustandes, damit später keine Probleme bei der Herausgabe der Kaution entstehen können: datierte Fotos – besonders von Mängeln, beidseitig unterschriebenes Übernahmeprotokoll mit Mängeln oder zumindest eigenes Gedächtnisprotokoll, Mitnahme von Zeugen

Bei der Wohnungsübergabe:

- eventuelle Schäden selbst beheben oder beheben lassen
- Termin nicht am letzten Tag vereinbaren – dann besteht noch die Möglichkeit, auf Beanstandungen des Vermieters zu reagieren
- Kaution inkl. Zinsen zurückfordern

4 Eintrittsrechte naher Angehöriger in den Mietvertrag

Können Familienmitglieder in der Wohnung bleiben, wenn der Mieter auszieht oder verstirbt?

Das MRG schützt auch das Wohnbedürfnis von nahen Angehörigen bei Auszug oder Tod des Hauptmieters.

> Seit ihrer Geburt wohnt meine beste Freundin mit ihren Eltern in einer gemieteten Altbauwohnung zu einem günstigen Mietzins. Nun haben sich die Eltern eine Eigentumswohnung gekauft. Meine Freundin würde jedoch gerne in der Wohnung bleiben. Dann braucht sie keine neue Wohnung zu suchen und umzuziehen. Ist das möglich?

Die Eintrittsrechte gelten nur **für Mietverträge im Bereich des MRG.** Alle sonstigen Verträge können bei Tod des Mieters bzw. der Mieterin vom Vermieter gekündigt werden.

Weitergabe des Mietrechts unter Lebenden

Wenn der Hauptmieter die Wohnung verlässt, können Familienmitglieder unter gewissen Umständen in den Mietvertrag eintreten. Dies betrifft vor allem Ehepartner und Kinder, die mindestens zwei Jahre gemeinsam mit dem Hauptmieter bzw. mit der Hauptmieterin in der Wohnung gelebt haben müssen. Lebensgefährten haben kein solches Eintrittsrecht.

Antwort: Auf diesen Mietvertrag ist das MRG voll anwendbar (Altbauwohnung). Die Freundin erfüllt die Frist für den gemeinsamen Wohnsitz. Sie kann in den Mietvertrag zu gleichen Bedingungen eintreten und weiter dort wohnen.

Eintrittsrecht im Todesfall

Bei Tod des Hauptmieters haben im gemeinsamen Haushalt lebende Familienmitglieder (auch Lebensgefährten) ebenfalls das Recht, in den Mietvertrag einzutreten. Diese führen den Vertrag zu gleichen Bedingungen fort.

Sichern & Merken

SbX ID: 0692

rechtliche Formen des Wohnens	• Eigentum • Miete • Mietkauf
Definition von Miete	**Miete** = Benützung eines Mietobjektes gegen Bezahlung **Hauptmiete** = Mietvertrag mit dem Eigentümer **Untermiete** = Mietvertrag mit einem Mieter
Mietrechtsgesetz (MRG)	Spezialgesetz für die Miete von Wohnungen und anderen Räumen (zwingende Schutzbestimmungen)

Wichtigste Schutzbestimmungen des MRG:
- Kündigungsschutz
- Mietzinsobergrenzen
- Regelung von Betriebskosten
- Instandhaltung
- Investitionskostenersatz

Geltungsbereich des MRG: Vollanwendungsbereich nur für Altbau- und geförderte Neubauwohnungen, sonst nur teilweise oder gar nicht anwendbar

befristeter Mietvertrag
automatischer Ablauf nach bestimmter Zeit, Mindestdauer drei Jahre, Kündigungsrecht des Mieters nach einem Jahr

unbefristeter Mietvertrag
Vermieter kann den Vertrag nur mit Kündigungsgrund beenden, Mieter kann unter Einhaltung einer Frist kündigen

Kündigungsgründe
wesentliche Vertragsverletzungen durch den Mieter (Mietzinsrückstand, nachteiliger Gebrauch, rücksichtsloses oder strafbares Verhalten gegenüber Hausbewohnern, gänzliche Untervermietung), Tod ohne Eintrittsberechtigte, Eigenbedarf

Bestandteile des Mietzinses
- Hauptmietzins
- Umsatzsteuer
- Betriebskosten
- Anteil an besonderen Aufwendungen

Höhe des Mietzinses
Mietzinsobergrenzen für Altbau- und geförderte Neubauwohnungen (Richtwerte, Ausstattungskategorien), sonst frei vereinbar

Wertsicherung
Anpassung der Miete an den **Verbraucherpreisindex**

Instandhaltungspflicht
Aufteilung bei Altbau- und geförderten Neubauwohnungen:
- **Vermieter** ist für das Äußere des Hauses und erhebliche Gesundheitsgefahren zuständig
- **Mieter** muss das Innere der Wohnung samt Leitungen und Sanitäranlagen erhalten (ausgenommen ernste Schäden des Hauses)

Alle anderen Mietobjekte: grundsätzlich Vermieter, jedoch oft vertragliche Überwälzung auf Mieter

Nebenkosten
Nebenkosten bei Vertragsabschluss: Mietvertragsgebühr, evtl. Maklerprovision oder Vertragserrichtungskosten

praktische Hinweise für den Vertragsabschluss
- schriftlicher Mietvertrag
- Achtung auf Instandhaltungspflicht
- Dokumentation bei Wohnungsübernahme
- Zahlungsbestätigung für Kaution – Rechtsberatung empfehlenswert!

Eintrittsrechte nach MRG
Bei Auszug oder Tod des Hauptmieters können länger im gemeinsamen Haushalt lebende Familienmitglieder in den Mietvertrag zu gleichen Bedingungen eintreten.

SbX
ID: 0692

Im SbX finden Sie eine Bildschirmpräsentation mit den Grafiken dieser Lerneinheit.

Wissen & Können

SbX ID: 0693

W 6.115: Mietrechtsgesetz B

Erklären Sie, warum das Mietrechtsgesetz einseitig zwingende Bestimmungen enthält!

W 6.116: Mietrechtsgesetz B

Erklären Sie die subsidiäre Anwendung des ABGB auf Mietverträge!

W 6.117: Mietrechtsgesetz B

Gilt das MRG für alle Mietverträge?

W 6.118: Mietrechtsgesetz B

MieterInnen welcher Wohnungen sind am besten gesetzlich geschützt?

A B C D E

W 6.119: Miete und Mietrechtsgesetz B

Vervollständigen Sie folgende Sätze!

a) Wer eine Wohnung mietet, darf sie

b) Ein/e Hauptmieter/in schließt den Mietvertrag mit ab, ein/e Untermieter/in mit

c) Beim Mietkauf haben die Mieter/innen das Recht,

d) Die zwingenden Regeln des Mietrechtsgesetzes können durch eine Klausel im Mietvertrag abgeändert werden.

SbX
W 6.120 mit automatischer Aufgabenkontrolle ID: 0693

W 6.120: Erhaltung, Investitionen, Eintrittsrechte B

Kreuzen Sie die richtige/n Aussagen an! Falsche Aussagen stellen Sie bitte richtig.

☐ Bei Altbauwohnungen muss der Vermieter für alle Instandhaltungsarbeiten sorgen.

☐ Die Mieter von Eigentumswohnungen sind für die Erhaltung des Wohnungsinneren zuständig.

☐ Für wesentliche, nützliche Verbesserungen steht dem Mieter ein Aufwandersatz zu.

☐ Bei Tod des Mieters hat die Familie des Mieters das Recht, die Wohnung zu übernehmen und dort einzuziehen.

W 6.121: Mietvertrag C

Wie können sich Vermieter/innen bei langfristigen Mietverträgen gegen die Geldentwertung absichern?

W 6.122: Mietvertrag B

Wie können sich Vermieter gegen Mietrückstände und Beschädigungen am Mietobjekt absichern?

W 6.123: Dauer des Mietvertrages, Mietzins B

Vervollständigen Sie folgenden Text!

Der Abschluss eines Mietvertrags auf ein Jahr ist nach MRG . Ein solcher Vertrag gilt als . Ein unbefristeter Mietvertrag kann vom Vermieter nur gekündigt werden, wenn ______. Mieter/innen können einen unbefristeten Mietvertrag jedoch ______ kündigen. Der Bruttomietzins besteht aus: ______, ______, ______, ______. Die Höhe des Mietzinses kann bei allen Mietobjekten außer ______ frei vereinbart werden.

W 6.124: Dauer des Mietvertrages C

Katharina möchte eine Wohnung mieten. Der Vermieter bietet ihr einen Vertrag auf 3 Jahre an. Katharina möchte sich jedoch nicht so lange binden, da sie sich selbst in ca. 2 Jahren eine Wohnung kaufen will. Soll sie den Vertrag unterschreiben?

W 6.125: Unbefristeter Mietvertrag C

Marcos Eltern wollen eine Eigentumswohnung vermieten, bis Marco nach Matura und Wehrdienst selbst darin wohnen kann. Der Mieter möchte am liebsten einen unbefristeten Mietvertrag. Sollen Sie diesen Vertrag eingehen?

W 6.126: Mietzins C

Katharina hat den Mietvertrag für die Wohnung unterschrieben. Da erzählt ihr eine Bekannte, dass die vereinbarte Miete zu hoch sei und nicht dem Richtwertmietzins entspreche. Hat sie recht?

W 6.127: Investitionen C

Katharina wohnt nun schon seit 1 ½ Jahren in der gemieteten Wohnung. Die Gasheizung wird defekt und ein neues Gerät muss angeschafft werden. Kann Katharina die Bezahlung von ihrem Vermieter verlangen?

W 6.128: Investitionen C

Katharina hat die Gasheizung bezahlt. Nach 2 Jahren kündigt sie den Mietvertrag und zieht aus. Kann sie noch etwas für ihre Aufwendungen vom Vermieter fordern?

SbX
W 6.129, W 6.130 mit automatischer Aufgabenkontrolle
ID: 0693

Weitere Aufgaben im SbX

W 6.129: Mietrechtsgesetz (MRG) C

Bearbeiten Sie einen Test zu den Zielen des MRG.

W 6.130: Mietrecht – Überblick B

Lösen Sie ein Kreuzworträtsel zum Thema Mietrecht.

Ein kurzer Kompetenz-Check, bevor's weitergeht!

Kompetenz-Check

	☺	😐	☹
Ich kann die rechtlichen Unterschiede zwischen einer Wohnung im Eigentum und einer Mietwohnung erklären.			
Ich kann die Bedeutung des Mietrechtsgesetzes als zwingendes Schutzgesetz darstellen sowie die Regelungen, durch welche Mieterinnen und Mieter geschützt werden sollen.			
Ich kann erläutern, welche Regelungen es für die Dauer eines Mietvertrages gibt.			
Ich kann die Bestandteile des Mietzinses und die Regelungen betreffend dessen Höhe wiedergeben.			
Ich kann erklären, warum bei langfristigen Mietverträgen eine Wertsicherungsklausel vereinbart wird.			
Ich kann die wichtigsten Nebenkosten bei Abschluss eines Mietvertrages nennen.			

7 CYBER LAW

Worum geht's in diesem Kapitel?

Katharina wurde beauftragt, den Internetauftritt des Unternehmens und den Newsletter neu zu gestalten. Privat kauft sie gerne online ein: Kleidung, Schuhe, Taschen, aber auch Bücher und DVDs – und ihre nächste Urlaubsreise bucht sie über Internet. Manchmal würde sie die bestellten Sachen gerne zurücksenden. Sie bezahlt ihre Rechnungen mit Online-Banking und hat schon von Internet-Betrug gehört. Da möchte sie sich gerne absichern.

Marco postet täglich in mehreren sozialen Netzwerken und tauscht Fotos mit seinen Freunden aus. Von Zeit zu Zeit erhält er Mitteilungen, dass er sich mit Datenschutzbestimmungen einverstanden erklären soll. Er klickt die Einverständniserklärungen zwar an, würde aber doch gerne mehr über den Schutz seiner Daten wissen.

Das Internet ist kein rechtsfreier Raum: Es gibt europäische und österreichische Vorschriften, die Geschäfte im Internet regeln. Die wichtigsten davon werden hier behandelt:

Datenschutz: Wie sind meine Daten geschützt – im Internet oder auch sonst? Wohin kann ich mich bei Datenschutz-Verletzungen wenden?

Recht im Internet: Welche Gesetze gelten für Online-Geschäfte und was enthalten sie? Wie bekomme ich eine Domain? Was muss im Impressum stehen?

Wenn Sie dieses Kapitel bearbeitet haben,

- können Sie erklären, unter welchen Voraussetzungen Daten verwendet und weitergegeben werden dürfen,
- können Sie die Regelungsbereiche des E-Commerce-Gesetzes nennen,
- können Sie beschreiben, welche Informationen auf Websites mit Bestellfunktionen enthalten sein müssen.

In diesem Kapitel erwerben Sie Kompetenzen zu folgender Bildungs- und Lehraufgabe:

„Die Schülerinnen und Schüler können die Bereiche Datenschutz, Persönlichkeitsrechte, Urheber- und Strafrecht im Zusammenhang mit sozialen Netzwerken in Beziehung setzen und ihr eigenes Nutzerverhalten kritisch analysieren sowie rechtliche Risiken erkennen."

A B C D E

In diesem Kapitel finden Sie Übungsaufgaben, Fallbeispiele und Wiederholungsfragen zur Kompetenzüberprüfung auf den Handlungsebenen A Wiedergeben, B Verstehen, C Anwenden, und D Analysieren & Interpretieren.

Dieses Kapitel umfasst folgende Lerneinheiten:

Lerneinheit 1

Datenschutzrecht

SbX
Alle SbX-Inhalte zu dieser Lerneinheit finden Sie unter der ID: 0710.

„Kampf um den lukrativen Datenschatz", „Mit Daten lässt sich viel Geld verdienen", „Daten sind die künftige Währung", „Wer die Kontrolle über das Datenmanagement hat, wird der König sein", „Google zapft neue Daten-Schätze an", „Pharma-Riesen buhlen um Big Data aus Patienten-Alltag", „Facebook testet Gesichtserkennung in Europa", „Regierung beschließt Bundestrojaner", „Hacker schürfen Kryptogeld", „Studie belegt: User wissen nicht, was Facebook mit ihnen tut", „Ortung im Supermarkt: Wie Händler Smartphones für Werbung nutzen", „Facebook bittet Nutzer um Nacktfotos, um die Verbreitung von Racheporno zu stoppen" – solche Schlagzeilen lesen wir immer wieder.

Viele stellen sich die Frage: Was darf mit meinen Daten passieren, nachdem ich sie weitergegeben habe? Datenschutz ist notwendig, damit unsere Privatsphäre gewahrt bleibt. Gut, dass es das Datenschutzgesetz gibt.

Lernen & Üben

SbX ID: 0711

A B C D E

1 Grundrecht auf Datenschutz

Der Schutz personenbezogener Daten ist durch das Datenschutzgesetz und die Datenschutz-Grundverordnung der EU geregelt.

Neben dem Datenschutzgesetz (DSG) und der Datenschutz-Grundverordnung der EU enthalten auch die Europäische Menschenrechtskonvention (EMRK) und die EU-Grundrechtscharta (EU-GRCh) das Grundrecht auf Achtung des Privat- und Familienrechts mit datenschutzrechtlichen Aspekten.

Rechtsquellen:
Datenschutzgesetz (DSG)
Datenschutz-Grundverordnung (DS-GVO)
Datenschutz-AnpassungsG
Datenschutz-DeregulierungsG

Auszug aus der Verfassungsbestimmung des § 1 DSG: *„Jedermann hat, insbesondere auch im Hinblick auf die Achtung seines Privat- und Familienlebens,* ***Anspruch auf Geheimhaltung*** *der ihn betreffenden* ***personenbezogenen*** *Daten, soweit ein schutzwürdiges Interesse daran besteht. ..."*

Mit der seit 2018 gültigen DS-GVO wurden die Regelungen für die Verarbeitung von personenbezogenen Daten durch private Unternehmen und öffentliche Stellen EU-weit vereinheitlicht. Dadurch soll einerseits das Grundrecht auf Schutz personenbezogener Daten und andererseits der uneingeschränkte freie Verkehr personenbezogener Daten in der EU gewährleistet werden.

Beispiele für Verarbeitung von Daten: Erstellung und Wartung einer Mitarbeiterdatenbank oder Kundenkartei

Das Grundrecht auf Datenschutz besteht für **alle Daten unabhängig vom Datenträger:** neben elektronisch gespeicherten Informationen auch für handschriftliche sowie Bild- und Tonaufzeichnungen.

Übungsbeispiel

Ü 7.1: Grundrecht auf Datenschutz B

Erklären Sie in eigenen Worten, was das Grundrecht auf Datenschutz besagt.

2 Wichtige Begriffe des Datenschutzgesetzes

Geschützte Daten und Datenverarbeitung

Arten von Daten

Beispiele für personenbezogene Unternehmensdaten: Umsatz, Gewinn, Beschäftigte, Bilanzdaten

Durch das DSG werden nur **personenbezogene Daten** geschützt. Das sind alle Informationen, die sich auf eine identifizierte oder identifizierbare natürliche Person (sogenannte „betroffene Person") beziehen. Beispiele: Name, Adresse, Geburtsdatum, Mailadresse, IP-Adresse, Kontonummer, Kfz-Kennzeichen, Einkommen, Sozialversicherungsnummer, Interessen und Vorlieben.

Pseudonymisierte Daten wurden so verarbeitet, dass sie ohne zusätzliche Informationen nicht mehr einer bestimmten Person zugeordnet werden können. Beispiele: Namen von Kunden werden durch Zufallscodes ersetzt.

Besonderen Schutz genießen sogenannte **„sensible Daten"** von natürlichen Personen: Angaben über rassische und ethnische Herkunft, politische Meinung, Gewerkschaftszugehörigkeit, religiöse oder philosophische Überzeugung, Gesundheit, Sexualleben, genetische und biometrische Daten zur Identifizierung. Beispiele für sensible Daten: Fingerabdruck, Krankengeschichte.

Profiling

targeted advertising = zielgerichtete Werbung

Als **Profiling** wird die automatisierte Erstellung von Nutzerprofilen mit automatisch erhobenen personenbezogenen Daten zur Optimierung von Kundenangeboten bezeichnet. Beispiele: Unternehmen wie Amazon, Google oder Facebook erfassen das Nutzerverhalten (welche Seiten aufgerufen werden, welche Suchbegriffe eingegeben werden) und errechnen mit Algorithmen, welche Produkte die Besucher interessieren können (zielgerechte Werbung). Nutzer erhalten nur noch das, was sie laut den erstellten Profilen interessiert. Die Annahme, dass sich Nutzerinteressen aus dem bisherigen Verhalten mathematisch ableiten lassen, wird aber auch kritisiert.

Datenverarbeitung – Beteiligte

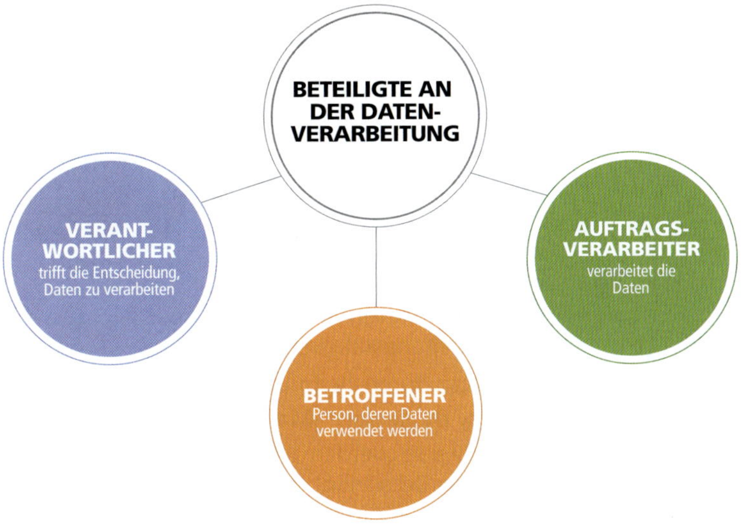

Übungsbeispiele

SbX Ü 7.2, Ü 7.3 mit automatischer Aufgabenkontrolle ID: 0711

Ü 7.2: Sensible Daten

Welche sind sensible Daten? Kreuzen Sie die richtige/n Lösung/en an!

- ☐ Mailadresse
- ☐ HIV-Infizierung
- ☐ elektronischer Fingerabdruck
- ☐ Kontonummer
- ☐ Homosexualität
- ☐ Religionsbekenntnis

Ü 7.3: Pseudonymisierte Daten

Was sind Fälle von pseudonymisierten Daten? Kreuzen Sie die richtige/n Lösung/en an!

- ☐ Künstler- oder Decknamen
- ☐ Patientennamen werden durch Zahlen ersetzt
- ☐ Klientendatei eines Rechtsanwaltes

Ü 7.4: Profiling

Wann spricht man von Profiling im Sinne des DSG? Kreuzen Sie die richtige/n Lösung/en an!

☐ Erstellung von Täterprofilen zur Verfolgung von Serienverbrechern

☐ Auswertung des Nutzerverhaltens für zielgerechte Werbung

☐ Schärfung des Unternehmensauftrittes

3 Pflichten von Unternehmen

Verantwortliche für den Datenschutz

Verantwortlicher ist derjenige, der über die Zwecke und Mittel der Verarbeitung von personenbezogenen Daten entscheidet.

Organisatorische Maßnahmen sind z. B. klare Aufgabenverteilung bei der Datenverwendung, Datenübermittlung nur an befugte Mitarbeiter, Belehrung der Mitarbeiter über die Datenschutzvorschriften, Zutritts- und Zugriffsbeschränkungen, Protokollierungs- und Dokumentationspflicht.

Verantwortliche müssen den Nachweis erbringen können, dass sämtliche Pflichten erfüllt wurden.

- **Führen eines Datenverarbeitungsverzeichnisses:** laufend aktualisiertes Verzeichnis aller Datenverarbeitungstätigkeiten
- **Datenschutz durch technische und organisatorische Sicherheitsmaßnahmen:**
  - **„privacy by design"-Maßnahmen** (Datenschutz durch Technikgestaltung): Beispielsweise werden bei der Software-Entwicklung Datenschutzmaßnahmen von Anfang an berücksichtigt (Passwortsicherung, Zugriffsbeschränkung u.a.)
  - **„privacy by default"-Maßnahmen** (datenschutzfreundliche Voreinstellungen): für Internetnutzer, die weniger technikversiert sind. „Datenschutz ab Werk": Soft- und Hardware müssen bei Auslieferung datenschutzfreundlich voreingestellt werden (Rücksicht auf „Privacy Paradox").
  - **organisatorische Maßnahmen:** z. B. Zugangskontrolle, Datenträgerkontrolle, interne Datenschutz-Leitlinien, System für den Umgang mit Datenzwischenfällen, Mitarbeiterschulungen, regelmäßige Kontrollen der Datenschutz-Compliance, Formulare für Datenschutzerklärungen, Einwilligungserklärungen, Vertraulichkeitsvereinbarungen.

Privacy Paradox: Widerspruch zwischen Bedenken bezüglich der eigenen Privatsphäre und dem tatsächlichen Online-Verhalten (User befürwortet Datenschutz und weiß gleichzeitig nicht über Privatsphäre-Einstellungen Bescheid)

- **Informationspflichten:** Verantwortliche müssen betroffenen Personen bestimmte Informationen zukommen lassen. Beispiele: Name und Kontaktdaten des Verantwortlichen, Zwecke der Datenverarbeitung, Speicherdauer.
- **Meldung von Datenschutzverletzungen:** Bei Vernichtung, Verlust, Veränderung oder unbefugtem Zugang muss eine Meldung an die Datenschutzbehörde und bei voraussichtlich hohem Risiko auch an die betroffene Person ergehen. Beispiele: Verlust eines Datenträgers mit Kundendaten, Hackerangriff

- **Bestellung eines Datenschutzbeauftragten:** Wenn die Kerntätigkeit eines Unternehmens aus der regelmäßigen und systematischen Überwachung von Personen oder Verarbeitung sensibler Daten besteht (Berufsdetektive, Krankenhäuser, Banken, Versicherungen), muss ein eigener **Datenschutzbeauftragter bestellt** werden. Aufgaben: Beratung des Unternehmens und der Beschäftigten, Überwachung der Einhaltung von Datenschutzvorschriften.
- **Datenschutz-Folgenabschätzung:** Gehen Vorgänge der Datenverarbeitung **voraussichtlich** mit einem **hohen Risiko für die Rechte und Freiheiten natürlicher Personen** einher, muss noch vor der Verarbeitung eine sogenannte „Datenschutz-Folgenabschätzung" durchgeführt werden. Beispiel: umfangreiche Verarbeitung von Gesundheitsdaten oder von Daten über strafrechtliche Verurteilungen und Straftaten. Ergibt die Datenschutz-Folgenabschätzung, dass die Verarbeitung ein hohes Risiko zur Folge hätte, muss der Verantwortliche grundsätzlich noch vor der Verarbeitung die **Datenschutzbehörde konsultieren.**

Verwenden von Daten

Das DSG bezeichnet sämtliche Schritte der Datenverarbeitung, wie Ermitteln, Erfassen, Speichern, Aufbewahren, Ordnen, Vergleichen, Verknüpfen, Vervielfältigen, Abfragen, Übermitteln, Weitergeben … als **Datenverwendung.**

Übungsbeispiel

Ü 7.5: Pflichten von Unternehmen

Geben Sie an, ob die folgenden Aussagen richtig oder falsch sind! Ist die Aussage falsch, korrigieren Sie diese!

Aussage	R/F	Korrektur
Jede Datenverarbeitung muss der Datenschutzbehörde gemeldet werden.		
Mit „Privacy by design"-Maßnahmen sollen grafisch ansprechende Werbeunterlagen für Kunden erstellt werden.		
Geringe Verluste von Kundendaten müssen nur der Unternehmensleitung gemeldet werden.		
Jedes Unternehmen muss eine/n Datenschutzbeauftragte/n beschäftigen.		
Wenn die Datenschutz-Folgenabschätzung wahrscheinlich ein hohes Risiko ergibt, müssen noch strengere Datenschutzvorkehrungen getroffen werden.		
Ein neues Betriebssystem muss vor der Auslieferung datenschutzfreundlich voreingestellt werden.		
„Privacy by default"-Maßnahmen sollen Kunden schützen, die zwar Wert auf Datenschutz legen, denen aber das technische Wissen dazu fehlt.		

4 Rechtmäßige Datenverarbeitung

Personenbezogene Daten dürfen unter bestimmten Bedingungen verwendet werden.

Daten dürfen nur bei **Vorliegen einer der folgenden Rechtsgrundlagen** verarbeitet werden:

- **Einwilligung:** Die betroffene Person hat ihre Einwilligung zu der Verarbeitung der sie betreffenden Daten gegeben. Beispiel: Zustimmung zum Erhalt eines Newsletters.
- **Vertragserfüllung:** Die Datenverarbeitung ist für die Erfüllung eines Vertrags mit der betroffenen Person erforderlich. Beispiel: Kundendatenbank eines Unternehmens.
- **Erfüllung einer rechtlichen Verpflichtung:** Die Datenverarbeitung ist zur Erfüllung einer rechtlichen Verpflichtung erforderlich, der der Verantwortliche unterliegt. Beispiele: arbeitsrechtliche Pflichten des Arbeitgebers; Verpflichtungen einer Bank aufgrund des Bankwesengesetzes.

- **Interessenabwägung:** Bei berechtigten Interessen des Verantwortlichen oder eines Dritten – die Interessen oder Grundrechte der betroffenen Person dürfen jedoch nicht überwiegen. Beispiel: Einholung einer Bonitätsauskunft durch eine Bank.
- **Schutz lebenswichtiger Interessen** der betroffenen oder einer anderen Person
- **öffentliche Interessen**

Dabei müssen die **folgenden Grundsätze** beachtet werden:

- **Rechtmäßigkeit, Verarbeitung nach Treu und Glauben, Transparenz**
  Personenbezogene Daten müssen auf rechtmäßige Weise, nach Treu und Glauben und in einer für die betroffene Person nachvollziehbaren Weise verarbeitet werden.
- **Zweckbindung**
  Datenverarbeitung nur für festgelegte, eindeutige und legitime Zwecke
- **Datensparsamkeit („Datenminimierung")**
  Beschränkung auf das für die Zwecke der Verarbeitung notwendige Maß
- **Richtigkeit**
  Personenbezogene Daten müssen sachlich richtig und auf dem neuesten Stand sein
- **Speicherbegrenzung**
  Speicherung nur so lange, wie es für die Zweckerreichung notwendig ist
- **Integrität und Vertraulichkeit**
  Schutz vor unbefugter Verarbeitung, Verlust, Zerstörung oder Beschädigung

VORAUSSETZUNGEN FÜR DIE EINWILLIGUNG DER
BETROFFENEN PERSON IN DIE DATENVERARBEITUNG

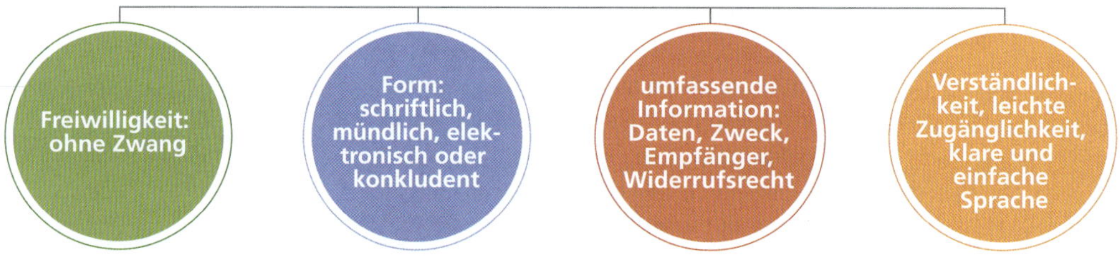

Kinder können in „Dienste der Informationsgesellschaft, die ihnen direkt angeboten werden" (z. B. Social-Media-Anbieter) mit Vollendung des 14. Lebensjahrs selbst einwilligen.

Aus Beweisgründen ist es empfehlenswert, schriftliche oder auf andere Art nachweisbare Einwilligungserklärungen einzuholen.

Für die Verarbeitung sensibler Daten ist eine **ausdrückliche Einwilligungserklärung** erforderlich. Beispiel für eine elektronisch abgegebene Einwilligungserklärung: Anklicken eines Kästchens zu einer vorformulierten Einwilligungserklärung auf einer Website. Die Einwilligung muss aktiv erfolgen: Ist ein Kästchen bereits vorangeklickt, liegt keine gültige Einwilligung vor. Keine freiwillige Einwilligung liegt vor, wenn der Vertragsabschluss von der Einwilligung zur Zusendung von Werbung abhängig gemacht wird.

Einwilligungserklärungen in AGB: Allgemeine Geschäftsbedingungen (AGB) enthalten üblicherweise viele verschiedene Bestimmungen, u. a. zu Lieferbedingungen, Gewährleistungsrechten von Kunden etc. Wenn die datenschutzrechtlich erforderliche Einwilligungserklärung in den AGB integriert ist, könnte das ein Verstoß gegen das Prinzip der Freiwilligkeit sein. Besser sind **separate Einwilligungen** der betroffenen Personen.

Beispiel

Formulierungsvorschlag einer Einwilligungserklärung der WKO:
„Der Vertragspartner stimmt zu, dass seine persönlichen Daten, nämlich … [die Datenarten genau aufzählen, z. B. „Name", „Adresse" etc.] zum Zweck der … [genaue Zweckangabe, z. B. „zur Zusendung von Werbematerial über die Produkte der Firma …"] bei der Firma NN verarbeitet werden und die Daten … [die Datenarten genau aufzählen, z. B. „Name", „Adresse" etc.] zum Zweck der … [genaue Zweckangabe, z. B. „zur zentralen Abwicklung des Kunden-Beschwerdemanagements"] an … [genaue Angabe des Übermittlungsempfängers, z. B. Name der Konzernmutter mit Anschrift] weitergegeben werden. Diese Einwilligung kann jederzeit bei … [Angabe der entsprechenden Kontaktdaten] widerrufen werden."

Neulich habe ich über einen Webshop einen MP3-Player gekauft und dabei meine E-Mail-Adresse angegeben. Seit einer Woche erhalte ich nun täglich Mails mit Angeboten über Elektronikprodukte von verschiedenen Unternehmen. Durfte der Webshop meine Daten weitergeben?

Sensible Daten – rechtmäßige Verarbeitung

Zulässige Verwendung sensibler Daten

Sensible Daten dürfen **nur** in den Fällen verwendet werden, die das Gesetz ausdrücklich vorsieht. Dies sind u. a. folgende:

FÄLLE RECHTMÄßIGER VERARBEITUNG SENSIBLER DATEN

Übungsbeispiele

SbX **Ü 7.6** **mit automatischer Aufgabenkontrolle ID: 0711**

Ü 7.6: Datenschutz C

Kreuzen Sie die richtige/n Lösung/en an!

☐ Personenbezogene Daten dürfen unter keinen Umständen weitergegeben werden.
☐ Zur Wahrung berechtigter Interessen anderer dürfen Daten übermittelt werden.
☐ Sensible Daten dürfen **nie** weitergegeben werden.
☐ Die einmal erteilte Zustimmung zur Datenverarbeitung kann nicht mehr widerrufen werden.

Ü 7.7: Einwilligungserklärung

Auf welche Art kann ein Unternehmen die Einwilligung der Kunden zur Datenverarbeitung einholen?

Ü 7.8: Verwendung von Kundendaten

Geben Sie an, ob die folgenden Aussagen richtig oder falsch sind! Ist die Aussage falsch, korrigieren Sie diese!

Aussage	R/F	Korrektur
Ein/e Unternehmer/in darf die Kundendaten an befreundete Unternehmen weitergeben.		
Wenn es die Unternehmensinteressen erfordern, können Daten von Kunden eingeholt und ausgewertet werden.		
Kundendaten dürfen so lange gespeichert werden, wie es das Unternehmen für notwendig hält.		
Einwilligungserklärungen von Kunden können am besten in die bestehenden AGBs integriert werden.		

Zur Telefon- und E-Mail-Werbung siehe auch Kapitel 4

Antwort: Die E-Mail-Adresse gehört zu den personenbezogenen Daten, die vom Schutz des DSG umfasst sind. Marco muss zunächst prüfen, ob er der Datenweitergabe zugestimmt hat. Wenn ja, kann er diese Zustimmung jederzeit widerrufen. Ohne Zustimmung hat das Unternehmen Marcos Daten widerrechtlich weitergegeben. Weiters ist Telefon- und E-Mail-Werbung ohne Zustimmung unzulässig.

5 Rechte der Betroffenen

Jede/r hat bestimmte Rechte auf Datenschutz.

Rechte auf Datenschutz

Die Auskunft kann verweigert werden, wenn eine Verletzung von Betriebs- und Geschäftsgeheimnissen droht.

Weitere Rechte: Recht auf Einschränkung der Verarbeitung, z. B. wenn die Datenrichtigkeit bestritten wird oder wenn ein Streit über die Berechtigung anhängig ist (z. B. Sperre für Nutzer, Entfernen von Website) und Recht auf Datenübertragbarkeit (Recht auf Erhalt und Übermittlung der Daten an einen anderen Verantwortlichen)

Einem **Auskunftsersuchen** ist innerhalb von einem Monat zu entsprechen. Eine Datenkopie ist kostenlos. Ein **Widerspruch** führt zu einer Beendigung der Datenverarbeitung, außer der Verantwortliche weist nach, dass die Verarbeitung aufgrund des Überwiegens seiner eigenen berechtigten Interessen zulässig oder zur Rechtsverteidigung notwendig ist. Bei Direktwerbung führt ein Widerspruch immer zur Beendigung der Datenverarbeitung.

Übungsbeispiel

Ü 7.9: Rechte der Betroffenen

a) Erklären Sie das Recht auf Löschung („Recht auf Vergessenwerden")!
b) Wann können Kunden Widerspruch gegen eine Datenverarbeitung erheben?
c) Muss ein Unternehmen bei einem Widerspruch eines Kunden die Datenverarbeitung beenden?

6 Einrichtungen zur Wahrung des Datenschutzes

Die Datenschutzbehörde sorgt für die Einhaltung des Datenschutzes in Österreich.

Die Datenschutzbehörde ist unabhängig und weisungsfrei. **www.dsb.gv.at**

Ich habe nunmehr den Webshop überprüft und meine Unterlagen durchgesehen: Daraus ist nirgends ersichtlich, dass ich der Datenweitergabe an fremde Unternehmen zugestimmt habe, auch nicht durch Anklicken im Internet. Was kann ich tun?

Schadenersatzansprüche müssen zivilrechtlich eingeklagt werden. Datenschutzverletzungen durch Unternehmen können auch als Wettbewerbsverletzung eingeklagt werden.

Kontrollbefugnisse der Datenschutzbehörde

Jede/r kann sich wegen Datenschutzverletzungen an die Datenschutzbehörde wenden. Diese hat u. a. folgende Befugnisse:

- **Überprüfung von Datenverarbeitungen:** Betreten von Räumen, Inbetriebnahme von Datenverarbeitungsanlagen, Kopieren von Datenträgern usw.
- Verhängung eines **Verbots der Datenverarbeitung oder Einschränkung**
- **Verhängung von Geldbußen** von bis zu € 20 Mio. oder bis zu 4 % des gesamten weltweit erzielten Jahresumsatzes des vorangegangenen Geschäftsjahres eines Unternehmens je nachdem, welcher Betrag höher ist (z. B. bei Verletzung der Betroffenenrechte).
  Gegen juristische Personen können Geldstrafen verhängt werden, wenn die Verletzung durch ein Organ in Führungsposition begangen wurde oder wegen mangelnder Überwachung oder Kontrolle durch eine Führungsperson (z. B. Strafe gegen das Unternehmen selbst wegen fehlendem Datenschutz-Managementsystem oder fehlender Implementierung eines Kontrollsystems).

Strafen bei Datenschutzverletzungen sollen wirksam, verhältnismäßig und abschreckend sein.

Durch das Datenschutz-Deregulierungsgesetz wurden das Prinzip „Beraten statt Strafen" und das Doppelbestrafungsverbot eingeführt
→ zuerst Verwarnung, Geldstrafen erst bei Wiederholungstätern
→ DSB darf nicht noch einmal strafen, wem bereits eine Verwaltungsstrafe verhängt wurde.

Verhängung einer Geldstrafe bis zu € 50.000 wegen Verschaffung eines vorsätzlich widerrechtlichen Zugangs zu einer Datenverarbeitung, wenn Daten vorsätzlich in Verletzung des Datengeheimnisses übermittelt werden, wenn sich jemand unter Vortäuschung, Verantwortlicher einer Hilfsorganisation im Katastrophenfall zu sein, Daten beschafft oder wenn gegen die Regeln der Bildverarbeitung verstoßen werden

Straftatbestand der Datenverarbeitung in Gewinn- oder Schädigungsabsicht: Freiheitsstrafe bis zu einem Jahr oder Geldstrafe bis zu 720 Tagessätzen

Robinson-Liste: Die Eintragung in diese Liste bewirkt, dass kein persönlich adressiertes Werbematerial versandt oder verteilt wird. Die Daten werden von der WKO an die Adressverlage und Direktwerbeunternehmen weitergeleitet, welche die Anschrift aus ihren Datenbeständen streichen. Die Telekom-Regulierungsbehörde führt eine Liste, in die sich Personen und Unternehmen kostenlos eintragen können, die keine WerbeE-Mails erhalten möchten.

Antwort: In diesem Fall kann Marco bei der Datenschutzbehörde eine Beschwerde erheben. Er sollte jedenfalls auch an alle Absender eine deutliche Mitteilung senden, dass er der Datenweitergabe und E-Mail-Werbung nicht zugestimmt hat, diese daher rechtswidrig war und dass er keine weiteren E-Mails wünscht.

Übungsbeispiel

Ü 7.10: Vollzug des Datenschutzes

Geben Sie an, ob die folgenden Aussagen richtig oder falsch sind! Ist die Aussage falsch, korrigieren Sie diese!

Aussage	R/F	Korrektur
Die zuständige Behörde für Datenschutz ist das Justizministerium.		
Die Strafen für Datenschutzverletzungen sind nicht hoch genug, um abschreckend zu wirken.		
Das Unternehmen selbst kann wegen Datenschutzverletzungen nicht bestraft werden, nur der/die Datenschutzverantwortliche.		
Die Datenschutzbehörde muss für die Untersuchung einer Datenschutzverletzung die Staatsanwaltschaft beiziehen.		

7 Bildverarbeitung – Videoüberwachung

Kameraüberwachung in Geschäften, Hotels, Unternehmen ...

Foto- und Videoaufnahmen sind unter **folgenden Voraussetzungen** zulässig:

- im lebenswichtigen Interesse einer Person
- bei Einwilligung
- wenn gesetzlich erlaubt
- wenn „überwiegende berechtigte Interessen des Verantwortlichen oder eines Dritten bestehen und die Verhältnismäßigkeit gegeben ist"

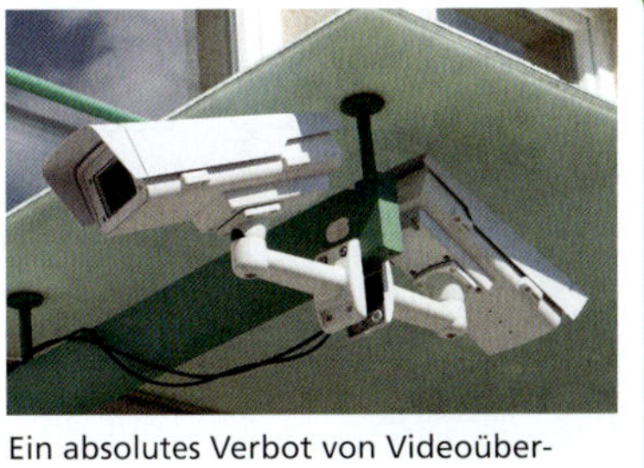

Ein absolutes Verbot von Videoüberwachung besteht z. B. zur Mitarbeiterkontrolle und in höchstpersönlichen Lebensbereichen, z. B. Toiletten.

7 Cyber Law

Jeder von einer Verarbeitung potentiell Betroffene kann vom Eigentümer oder Nutzungsberechtigten einer Liegenschaft oder eines Gebäudes, von dem aus eine solche Verarbeitung augenscheinlich ausgeht, Auskunft über die Identität des Verantwortlichen begehren.

Wer gegen die Regeln der Bildverarbeitung und Videoüberwachung verstößt, kann mit Geldstrafe bis zu € 50.000 bestraft werden.

Jedenfalls zulässig sind Aufnahmen,

- zum vorbeugenden Schutz von Personen oder Sachen auf privaten Liegenschaften (dürfen räumlich nicht über die Liegenschaft hinausreichen, mit Ausnahme einer unvermeidbaren Einbeziehung öffentlicher Verkehrsflächen)
- wenn eine besondere Gefährdung in der Vergangenheit gegeben war (z. B. Überfälle)
- von Objekten mit besonderem Gefährdungspotential (z. B. Juweliere, Banken …)
- private Aufnahmen (z. B. Urlaubsfotos)

Für Bild- und Videoaufnahmen sind **besondere Datensicherheitsmaßnahmen und Kennzeichnungen** vorgeschrieben:

- Der Zugang zur Bildaufnahme und eine nachträgliche Veränderung durch Unbefugte muss ausgeschlossen sein.
- Protokollierung jedes Verarbeitungsvorganges, außer bei Echtzeitüberwachung
- Löschung der Daten, wenn sie nicht mehr benötigt werden – eine länger als 72 Stunden andauernde Aufbewahrung muss verhältnismäßig sein und ist gesondert zu protokollieren sowie zu begründen
- Kennzeichnung der Bildaufnahme – der Verantwortliche muss eindeutig hervorgehen.

Übungsbeispiel

Ü 7.11: Videoüberwachung

Geben Sie an, ob die folgenden Aussagen richtig oder falsch sind! Ist die Aussage falsch, korrigieren Sie diese!

Aussage	R/F	Korrektur
Jede private Videoüberwachung muss von der Datenschutzbehörde genehmigt werden.		
Für eine Videoüberwachung muss die Zustimmung der Nachbarn eingeholt werden.		
Alle Bereiche eines Unternehmens dürfen videoüberwacht werden.		
Banken dürfen Videoüberwachungen einsetzen.		
Eine gesetzlich unzulässige Videoüberwachung hat keine Folgen		

Spezielle Datenschutzfälle im Internet

Besonders im Internet ist es durch verschiedene technische Entwicklungen leicht, User-Daten zu sammeln, zu verknüpfen und auszuwerten („Data Mining") – oft ohne Wissen der Betroffenen. Dies erfolgt z. B. durch Cookies, Logfiles, Web-Bugs.

Beispiel

Kameraautos machen Aufnahmen für Google Street View, aber auch für diverse Kartendienste.

Google Street View

„Google Street View" macht Straßenansichten im Internet zugänglich. Nach Anklicken des Straßenzuges auf einer Straßenkarte oder Eingabe einer Adresse in „Google Maps" erscheint eine 360-Grad-Ansicht der Örtlichkeit.

Laut Datenschutzbehörde ist **Google Street View** unter mehreren Auflagen in Österreich zulässig: Unkenntlichmachung der Gesichter und Autokennzeichen vor Veröffentlichung im Internet, Information der Öffentlichkeit. Zudem sind bei Aufnahmen von Personen in besonders sensiblen Bereichen nicht nur die Gesichter, sondern auch die Gesamtbilder der Personen unkenntlich zu machen (z. B. Eingangsbereiche von Kirchen, Gebetshäusern, Krankenhäusern, Frauenhäusern und Gefängnissen). Aufnahmen privater, für einen Spaziergänger nicht einsehbarer Immobilien, wie umzäunte Privatgärten und -höfe, sind vor Veröffentlichung unkenntlich zu machen.

www.dsb.gv.at, www.oeamtc.at

Dashcams: Auch für die in PKWs installierten Kameras gelten die Vorschriften für Bildverarbeitung. Wird eine Dashcam-Aufzeichnung ins Internet gestellt, ohne dass Personen und Fahrzeugkennzeichen unkenntlich gemacht wurden, liegt ein Verstoß gegen das Recht auf den Schutz personenbezogener Daten vor. Der Einsatz von Kameras in Autos, welche die Straße und den Verkehr zum Zwecke der Beweissicherung bei Unfällen aufnehmen, ist unzulässig.

Drohnen: Die datenschutzrechtlichen Vorschriften für die Videoüberwachung sind auch auf Drohnen anwendbar, die Personen aufnehmen. Das Ausspionieren fremder Grundstücke ist als Eingriff in die Privatsphäre Dritter verboten.

8 Datenschutz in sozialen Netzwerken

Kurz gepostet, lang bereut.

Die **„Safe-Harbor-Entscheidung"** der Europäischen Kommission besagte, dass Unternehmen personenbezogene Daten aus Europa in die USA übermitteln durften, weil dort ein ausreichendes Datenschutz-Niveau gewährleistet sei. Damit sollte der Datenaustausch zwischen der EU und den USA ermöglicht werden, obwohl u. a. aufgrund der Enthüllungen von Edward Snowden Zweifel am Schutz des Grundrechts auf Datenschutz in den USA bestanden.

www.saferinternet.at
www.staysafe.at

Vielen Jugendlichen ist nicht bewusst, dass die von ihnen auf Facebook, Twitter oder andere Netzwerke gestellten Daten von anderen eingesehen oder weitergegeben werden können. Einmal gespeicherte Texte oder Fotos bleiben im Internet verfügbar, auch wenn man diese dort nicht mehr haben will. Wenn Arbeitgeber freizügige Fotos sehen oder abfällige Äußerungen lesen, kann dies unter Umständen sogar zu Kündigungen führen.

Der Wiener Jurist und Datenschutzaktivist Max Schrems setzt sich besonders für den Datenschutz in sozialen Netzwerken ein. Auf seine Klage hin entschied der Europäische Gerichtshof, dass Facebook Daten europäischer Nutzer/innen nicht mehr aufgrund des „Safe-Harbor-Abkommens" in die USA übermitteln darf, weil die Daten dort nicht ausreichend vor dem Zugriff von Behörden und Geheimdiensten geschützt seien. Danach hat die EU mit den USA neue Regeln für den Datenaustausch vereinbart („EU-US Privacy Shield"), die jedoch wieder von Datenschützern kritisiert werden. Schrems auch hat die Datenschutz-Plattform „noyb" gegründet, um private Datenschutzklagen effektiver einbringen zu können sowie „strategische Klagen, um die Zukunft der digitalen Rechte und Freiheiten zu maximieren". Allerdings wurde in Österreich die Möglichkeit für Datenschutz-NGOs verhindert, Schadenersatzansprüche durch Gemeinschaftsklagen einzubringen.

Sichern & Merken

SbX ID: 0712

Datenschutz im Verfassungsrang	Grundrecht auf Geheimhaltung personenbezogener Daten im Datenschutzgesetz und der Datenschutz-Grundverordnung
personenbezogene Daten	Information über identifizierte oder identifizierbare Personen
pseudonymisierte Daten	wurden so verarbeitet, dass sie ohne zusätzliche Informationen nicht mehr einer bestimmten Person zugeordnet werden können
Profiling	automatisierte Erstellung von Nutzerprofilen mit automatisch erhobenen personenbezogenen Daten zur Optimierung von Kundenangeboten
sensible Daten	besonders schutzwürdige Daten wie Rasse, Religion, politische Überzeugung, Gesundheit, sexuelle Orientierung, genetische und biometrische Daten
Verantwortliche/r	trifft die Entscheidung zur Datenverarbeitung – entweder selbst oder durch Überlassung der Daten zur Verwendung durch eine/n Dritte/n (= Auftragsverarbeiter/in)
Betroffene	Personen, deren Daten verarbeitet werden
Datenverarbeitung	sämtliche Arten der Datenverwendung (Ermitteln, Erfassen, Speichern, Abfragen, Weitergeben …)

Pflichten von Unternehmen	• **Datenverarbeitungsverzeichnis:** laufend aktualisiertes Verzeichnis aller Datenverarbeitungstätigkeiten • **Datenschutz durch technische und organisatorische Sicherheitsmaßnahmen:** ○ **„privacy by design"-Maßnahmen** („Datenschutz durch Technikgestaltung") ○ **„privacy by default"-Maßnahmen** („datenschutzfreundliche Voreinstellungen") • **Informationspflichten:** Verantwortliche müssen betroffenen Personen bestimmte Informationen zukommen lassen. • **Meldung von Datenschutzverletzungen**: Meldung an Datenschutzbehörde bei Vernichtung, Verlust, Veränderung oder unbefugtem Zugang • **Datenschutzbeauftragter:** erforderlich, wenn die Kerntätigkeit eines Unternehmens aus der regelmäßigen und systematischen Überwachung von Personen oder Verarbeitung sensibler Daten besteht • **Datenschutz-Folgenabschätzung:** bei hohem Risiko für die Rechte und Freiheiten natürlicher Personen
rechtmäßige Datenverarbeitung	• mit Einwilligung der betroffenen Person • zur Vertragserfüllung • zur Erfüllung einer rechtlichen Verpflichtung • nach Interessenabwägung • zum Schutz lebenswichtiger Interessen der betroffenen oder einer anderen Person • für öffentliche Interessen
Grundsätze für die Datenverarbeitung	• Rechtmäßigkeit, Verarbeitung nach Treu und Glauben, Transparenz • Zweckbindung • Datensparsamkeit („Datenminimierung") • Richtigkeit • Speicherbegrenzung • Integrität und Vertraulichkeit
Voraussetzungen für die Einwilligung der betroffenen Person in die Datenverarbeitung	• Freiwilligkeit: ohne Zwang • Form: schriftlich, mündlich, elektronisch oder konkludent • umfassende Information: Daten, Zweck, Empfänger, Widerrufsrecht • Verständlichkeit, leichte Zugänglichkeit, klare und einfache Sprache
rechtmäßige Verarbeitung sensibler Daten	nur in den gesetzlich geregelten Fällen: eigene Veröffentlichung oder ausdrückliche Zustimmung durch Betroffene, im lebenswichtigen Interesse der betroffenen Person oder Dritten (wenn Einwilligung nicht gegeben werden kann), zur Ausübung oder Verteidigung von Rechtsansprüchen, für Zwecke der Wissenschaft und Forschung, im Arbeitsverhältnis, zur Gesundheitsvorsorge
Rechte von Betroffenen	• Recht auf Information • Recht auf Löschung (Recht auf „Vergessenwerden") • Recht auf Transparenz • Widerspruchsrecht
Einrichtungen zur Wahrung des Datenschutzes	• Beschwerdemöglichkeit an die Datenschutzbehörde • Kontrollbefugnisse der Datenschutzbehörde: Verbot oder Einschränkung der Datenverarbeitung, Geldstrafen • Straftatbestand der Datenverarbeitung in Gewinn- oder Schädigungsabsicht:
Bildverarbeitung – Videoüberwachung	zulässig im lebenswichtigen Interesse einer Person, bei Einwilligung, wenn gesetzlich erlaubt oder wenn „überwiegende berechtigte Interessen des Verantwortlichen oder eines Dritten bestehen und die Verhältnismäßigkeit gegeben ist"
SbX **ID: 0712**	**Im SbX finden Sie eine Bildschirmpräsentation mit den Grafiken dieser Lerneinheit.**

Wissen & Können

SbX ID: 0713

A B C D E

W 7.1: Datenschutzgesetz (DSG) C

Erklären Sie, was es bedeutet, dass der Datenschutz in Österreich durch ein Gesetz im Verfassungsrang geschützt wird.

W 7.2: Datenverwendung D

Sammeln Sie Beispiele für Zustimmungserklärungen zur Datenweitergabe (in Papierform oder im Internet) und diskutieren Sie diese mit Ihrer Banknachbarin/Ihrem Banknachbarn! Berichten Sie der Klasse!

W 7.3: Personenbezogene Daten D

Sind Sie der Meinung, dass Ihre personenbezogenen Daten in Österreich ausreichend geschützt sind? Sollen personenbezogene Daten im Krisenfall (z.B. Terroranschläge) weitergegeben werden dürfen?

Diskutieren Sie diese Themen sowie gerade aktuelle Problemfälle des Datenschutzes in Kleingruppen und berichten Sie der Klasse!

W 7.4: Regelungen zur Videoüberwachung D

Besuchen Sie die Website der Datenschutzbehörde **www.dsb.gv.at** und informieren Sie sich über die Regelungen zur Videoüberwachung im privaten Bereich. Erstellen Sie eine Zusammenfassung darüber!

W 7.5: Datenschutzbehörde A

Beschreiben Sie, welche Befugnisse die Datenschutzbehörde hat.

SbX
W 7.6
mit automatischer Aufgabenkontrolle
ID: 0713

Weitere Aufgabe im SbX

W 7.6: Datenschutzrecht B

Lösen Sie ein Kreuzworträtsel mit Begriffen aus dem Datenschutzrecht.

Ein kurzer Kompetenz-Check, bevor's weitergeht!

Kompetenz-Check

	☺	😐	☹
Ich kann den Rang des Datenschutzes in der österreichischen Rechtsordnung darstellen.			
Ich kenne die Rechte von betroffenen Personen.			
Ich kann erklären, welche Pflichten Unternehmer zur Erhaltung des Datenschutzes haben.			
Ich kann erläutern, unter welchen Voraussetzungen Daten verwendet und weitergegeben werden dürfen.			
Ich kann erklären, an welche Einrichtungen ich mich bei Datenschutzverletzungen wenden kann.			
Ich kann mögliche Konsequenzen bei Datenschutzverletzungen einschätzen.			

SbX
Alle SbX-Inhalte zu dieser Lerneinheit finden Sie unter der ID: 0720.

Lerneinheit 2

Recht im Internet

Das Internet – ein rechtsfreier Raum? Mit der Entwicklung des World Wide Web nicht nur als Informations- und Unterhaltungsmedium, sondern vor allem als Marketing- und Vertriebskanal zeigte sich, dass für viele Besonderheiten des Internets die bestehenden Gesetze nicht ausreichten: Vertragsabschluss über Webshops, grundsätzliches Fehlen einer Unterschrift des Vertragspartners, steigende Kriminalität im Internet („cyber crime") ... Daher wurden auf EU-Ebene und in Folge im österreichischen Recht neue Regelungen geschaffen: das E-Commerce-Gesetz, das Signaturgesetz, die Signaturverordnung, neue Strafbestimmungen u.v.m.

Lernen & Üben

SbX ID: 0721

A B C D E

1 E-Commerce-Gesetz (ECG)

Für Rechtsgeschäfte im Internet ist neben den allgemeingültigen Gesetzen (wie ABGB, UGB) das E-Commerce-Gesetz zu beachten.

Rechtsquellen:
E-Commerce-Gesetz (ECG)
E-Commerce-Richtlinie (EC-RL)

Das E-Commerce-Gesetz als Spezialgesetz soll Konsumentinnen und Konsumenten vor den besonderen Gefahren elektronischer Geschäftsabschlüsse schützen. Es werden weitere wichtige Bereiche des elektronischen Rechtsverkehrs, z.B. die Haftung von Providern und die Haftung für Links, geregelt.

Anwendungs- und Regelungsbereich

Rechtsquellen:
E-Commerce-Gesetz (ECG)
E-Commerce-Richtlinie (EC-RL)

Man unterscheidet folgende Bereiche des **E-Commerce:**
- B2B (Business-to-Business)
- B2C (Business-to-Consumer)
- B2A (Business-to-Administration, auch E-Government)

Das ECG regelt bestimmte Bereiche des elektronischen Geschäfts- und Rechtsverkehrs **(E-Commerce).** Darunter versteht man z.B. Online-Informationsangebote, Datenübermittlung, elektronischen Handel, Online-Werbung, elektronische Suchmaschinen und Datenabfragemöglichkeiten.

Zulassungsfreiheit

Für E-Commerce-Dienstleistungen genügt die übliche Gewerbeberechtigung.

Anbieter von E-Commerce-Dienstleistungen benötigen keine besondere, zusätzliche Genehmigung.

Informationspflichten

Jede geschäftliche Website muss folgende Informationen ständig, leicht und unmittelbar zugänglich bieten:

- Name oder Firma
- geografische Anschrift (Internetadresse reicht nicht)
- E-Mail-Adresse und Telefon- oder Faxnummer
- Berufsverband, dem das Unternehmen angehört, sofern vorhanden: Firmenbuchnummer und Firmenbuchgericht
- sofern vorhanden: Aufsichtsbehörde
- sofern vorhanden: Umsatzsteueridentifikationsnummer (UID)

Beispiele für Berufsverbände: Wirtschaftskammer, Kammer der Wirtschaftstreuhänder

Beispiel für eine Aufsichtsbehörde: Finanzmarktaufsicht

Eine **Verpflichtung zur Preisangabe** besteht nach ECG nicht – jedoch sehr wohl für Geschäfte mit Verbrauchern nach dem Fernabsatzgesetz. Wenn Preise angegeben sind, müssen sie leicht lesbar sein und zugeordnet werden können. Es muss auch erkennbar sein, ob es sich um Netto- oder Bruttopreise (einschließlich USt, Abgaben und Zuschläge) handelt. Weiters ist anzugeben, ob **Versandkosten** in den Preisen bereits enthalten sind bzw. welche zusätzlichen Kosten der Kunde zu tragen hat.

Websites mit Werbung

Enthält eine Website **Werbung**, dann muss erkennbar sein,

- dass es sich um Werbung handelt,
- wer Auftraggeber ist,
- gegebenenfalls: dass es sich um Zugaben, Geschenke, Preisausschreiben oder Gewinnspiele handelt – mit einfachem Zugang zu den Teilnahmebedingungen.

Werbebanner müssen optisch klar erkennbar sein und zum übrigen Seiteninhalt abgegrenzt werden.

Es sind auch die Vorschriften des UWG zu beachten.

Informationen für Vertragsabschlüsse (cyber contracts)

> Ich habe einen interessanten Webshop für Comics entdeckt und möchte gerne mehrere bestellen. Vorher will ich aber wissen, um welches Unternehmen es sich handelt und wo es seinen Sitz hat. Auf der Website ist nur ein allgemein gehaltener Schriftzug „Freddy's Comic-Corner" in einer Ecke zu sehen.

Wenn über eine Internetseite Verträge abgeschlossen werden können (Bestellfunktion), sind zusätzliche folgende Angaben **vor Vertragsabschluss** notwendig:

- Erklärung der einzelnen technischen Schritte zum Vertragsabschluss (z. B. welche Buttons angeklickt werden müssen)
- Angaben, ob der Vertrag nach Abschluss gespeichert wird und für Verbraucher zugänglich ist
- Erklärung der Korrekturmöglichkeit für Eingabefehler
- die Sprachen, in denen der Vertrag abgeschlossen werden kann

Auf **allgemeine Geschäftsbedingungen** muss deutlich hingewiesen und die Möglichkeit zur Einsichtnahme (z. B. durch Link) sowie Speicherung geboten werden.

Den Nutzern müssen vor **Vertragsabschluss** angemessene und wirksame technische Möglichkeiten zur Verfügung gestellt werden, um **Eingabefehler** zu erkennen und zu berichtigen. Unmittelbar nach Eingang der Vertragserklärung (d. h. der Bestellung) hat das Unternehmen den Eingang – i. d. R. per E-Mail – zu bestätigen.

Diese Bestimmungen sind **nur bei nicht individueller Kommunikation** anzuwenden. Dabei ist es gleichgültig, ob der Partner Unternehmer oder Konsument ist.

Hat sich der Anbieter einem Verhaltenskodex (z. B. Internet-Ombudsmann) unterworfen, dann muss er dies samt einem Zugang (Link) angeben.

Beispiele

- Eine Konsumentin sieht im Internet ein Softwareangebot und möchte diese Software bestellen. Die Seite muss sämtliche dargestellte Bestimmungen einhalten.
- Ein Konsument schreibt an ein Unternehmen eine E-Mail und bestellt ein Buch. Oben dargestellte Bestimmungen gelten nicht, da es sich um individuelle Kommunikation handelt.

Antwort: Der Webshop-Betreiber („Freddy's Comic-Corner") muss gem. ECG vor dem Vertragsabschluss alle wesentlichen Informationen über das Unternehmen, Ware und Preis zur Verfügung stellen. Tut er das nicht, droht eine Abmahnung oder Verwaltungsstrafe. Dieser Shop wird auch nicht das E-Commerce-Gütesiegel erhalten.

Haftungsregelungen

Access-Provider: Vermittlung eines Internet-Zuganges, Datenweiterleitung

Content-Provider: Bereitstellung des Inhaltes einer Website, z. B. Chat-Forum

Caching: automatische kurzzeitige Zwischenspeicherung auf Proxy-Server für schnelleren Datenzugriff und Systementlastung

Host-Provider: Speicherung von fremden Informationen im Auftrag von Nutzern (z. B. Zurverfügungstellung von Speicherplatz für Websites)

Das Internet als weltweites Kommunikationsmedium ist leider auch Ort für Kriminalität (cyber crime) und andere illegale Tätigkeiten (z. B. Wettbewerbs- und Urheberrechtsverletzungen wie Produktpiraterie oder verbotene Downloads). Das ECG regelt die **Haftung von einzelnen „Beteiligten"** wie folgt:

HAFTUNG VON PROVIDERN UND SUCHMASCHINEN

Dabei kommt es darauf an, ob die Rechtsverletzung auch für einen juristischen Laien leicht erkennbar ist.

Neben der Haftung nach dem ECG kann unter Umständen auch eine **zivilrechtliche Schadenersatzverpflichtung** bestehen.

Haftung für Links

Ich habe für den Beachvolleyball-Verein, bei dem ich Mitglied bin, eine Website gestaltet. Darauf sind mehrere Links zu anderen Vereinen und auch zur Website eines Freundes, der privat Sportartikel verkauft. Was muss ich bei der Linksetzung beachten?

Bei Kenntnis des rechtswidrigen Inhaltes nützen auch sogenannte „disclaimer" (Haftungsausschlusserklärungen) nichts.

Für elektronische Zugänge zu fremden Informationen (Links) sind Betreiber einer Website **grundsätzlich verantwortlich**, außer:

- der rechtswidrige Inhalt war nicht bekannt und auch nicht erkennbar
- der Link wurde nach Kenntnis davon sofort entfernt

Antwort: Durch die Setzung des Links wird der Verein mitverantwortlich, wenn die verwiesenen Seiten rechtswidrige Inhalte oder Tätigkeiten (z. B. Webshop ohne Gewerbeberechtigung) enthalten und dieser Umstand bekannt war oder der Link nach Kenntnis nicht sofort entfernt wurde.

Anwendbares Recht bei grenzüberschreitenden Verträgen im EU-Binnenmarkt:

- **Herkunftslandprinzip**

Grenzüberschreitende Verträge mit Unternehmen in Staaten außerhalb des EU-Binnenmarkts müssen nach den Regeln des **internationalen Privatrechts** beurteilt werden. Oft gelten zum Schutz von Verbrauchern besondere Regeln.

Grundsätzlich gilt für E-Commerce innerhalb des EU-Binnenmarkts das **Recht des Niederlassungsstaates.** Darunter versteht man jenen Staat, in dem der Anbieter seinen Sitz hat, wo die Tätigkeit ausgeübt wird (Herkunftslandprinzip). Dies gilt unabhängig davon, wo der Server steht. Von diesem Grundsatz gibt es allerdings einige Ausnahmen, z. B. zum Schutz von **Verbrauchern.**

- **Strafbestimmungen**

Bei Verstoß gegen eine dieser Verpflichtungen droht eine Verwaltungsstrafe bis zu € 3.000,–. Die Strafe entfällt, wenn der gesetzmäßige Zustand innerhalb einer von der Behörde festgesetzten Frist hergestellt wird.

Übungsbeispiel

SbX
Ü 7.13
mit automatischer Aufgabenkontrolle
ID: 0721

Ü 7.13: E-Commerce-Gesetz C

Kennzeichnen Sie die richtige/n Aussage/n!

- ☐ Ein Unternehmen, das seine Produkte künftig auch über Internet vertreiben möchte, muss eine Erweiterung der Gewerbeberechtigung beantragen.
- ☐ Versandkosten müssen auf jeder Website extra angeführt werden.
- ☐ Für Werbung auf einer Website gibt es keine besonderen Vorschriften.
- ☐ Es genügt, wenn ein Webshop auf allgemeine Geschäftsbedingungen verweist.
- ☐ Alle österreichischen Internet-Anbieter müssen sich einem Verhaltenskodex unterwerfen.

2 Sonderregeln für Online-Geschäfte von Konsumenten

Konsumenten haben beim Surfen im Web ein besonderes „Sicherheitssegel“: die Bestimmungen des Fernabsatz- und Auswärtsgeschäfte-Gesetz.

(siehe Seite 297, Konsumentenschutzrecht)

Neben den bisher dargestellten Pflichten nach dem ECG bestehen für Verbraucherverträge ohne persönlichen Kontakt vor Vertragsabschluss weitere Schutzbestimmungen.

3 Die elektronische Signatur

Ist mein Internet-Geschäftspartner wirklich die Person, die er vorgibt, zu sein?

Rechtsquellen: Signaturgesetz, Signaturverordnung, Signatur-Richtlinie der EU

Bei Geschäften im Internet gibt es im Unterschied zu „normalen“ Vertragsabschlüssen einige **Unsicherheiten:**

- kein direkter Kontakt zwischen den Vertragsparteien
- mangelnde Identifzierbarkeit des virtuellen Vertragspartners
- kein Geschäftslokal
- kein schriftlicher Vertrag mit Unterschrift

SbX **Eine Bildschirmpräsentation zu Anwendung und Vorteilen der elektronischen Signatur finden Sie unter der ID: 0721.**

Zur Lösung dieser Probleme wurde aufgrund einer EU-Richtlinie durch das Signaturgesetz die **elektronische Signatur** geschaffen. Damit soll vor allem ein **Ersatz für die Unterschrift des Vertragspartners** sowie **Sicherheit und Vertrauen bei der Datenübertragung** geschaffen werden. Die elektronische Signatur ist daher quasi die „Unterschrift per Computer“.

Definition einer digitalen Signatur: „... ein mit einem privaten Signaturschlüssel erzeugtes Siegel zu elektronischen Daten, das mithilfe eines zugehörigen öffentlichen, zertifizierten Schlüssels den Inhaber des Signaturschlüssels und die Unverfälschtheit der elektronisch übermittelten Daten erkennen lässt.“ (deutsches SigG)

Regelungsbereich des Signaturgesetzes

Das Signaturgesetz regelt:

- die Erstellung und Verwendung von elektronischen Signaturen
- Signatur- und Zertifizierungsdienste

Methoden

Durch **Verschlüsselung** und **Zertifizierung** kann sichergestellt werden, dass

- die Nachricht vom Absender stammt (Authentizität),
- die Nachricht nicht verändert wurde (Integrität),
- die Nachricht nur vom beabsichtigten Empfänger gelesen werden kann.

In der **Signaturverordnung** werden u. a. die organisatorischen und technischen Anforderungen für Zertifizierungsdiensteanbieter (ZDA) konkretisiert.

Mit einem Zertifikat wird die **Identität** einer bestimmten Person elektronisch **bestätigt.** Man unterscheidet folgende Arten von elektronischen Signaturen:

ARTEN VON ELEKTRONISCHEN SIGNATUREN

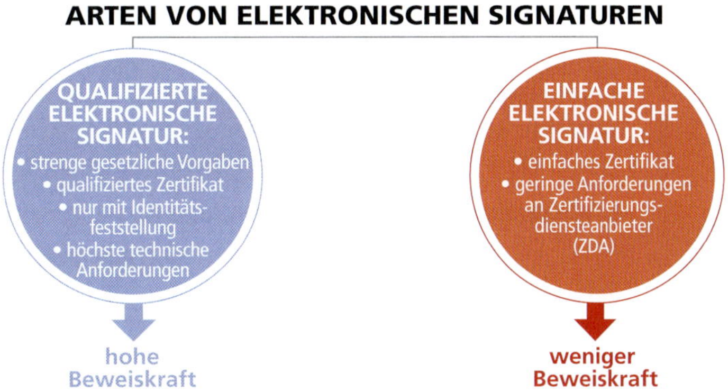

RTR

Die **Telekom-Control-Kommission** ist Aufsichtsstelle nach dem Signaturgesetz. **(www.rtr.at)**

Anwendungsmöglichkeiten und Vorteile der qualifizierten elektronischen Signatur

Durch Verwendung einer qualifizierten elektronischen Signatur wird u. a. Folgendes bewirkt:

- **Ersatz der eigenhändigen Unterschrift:**
  Wenn die Schriftlichkeit eines Vertrages bzw. die eigenhändige Unterschrift gesetzlich oder vertraglich vorgeschrieben ist, wird diese durch die qualifizierte elektronische Signatur ersetzt. Ausnahmen: z. B. Testament, Verbraucherbürgschaft – nur gültig mit sicherer elektronischer Signatur und Aufklärung durch Rechtsanwalt oder Notar

Beispiele für Formvorschriften: Rücktritt vom Haustürgeschäft, Bürgschaftserklärungen, Testamente, Notariatsakte

- **E-Commerce:**
  - sicherer Vertragsabschluss
  - einfaches Login
  - Überprüfung der Echtheit von Dokumenten
- **E-Business:**
  - E-Billing (elektronische Rechnungslegung)
  - E-Procurement (elektronische Abwicklung von Ausschreibungen)
  - Secure E-Mail: Verschlüsselung von E-Mails
  - E-SV: Abwicklung von Anträgen an die Sozialversicherung
- **E-Government (elektronische Abwicklung von Behördenwegen):**
  - elektronische Antragstellung
  - elektronische Steuererklärung
  - elektronische Zustellung von Bescheiden
  - An-, Ab- und Ummeldung von Personen, Fahrzeugen …

In manchen Staaten kann auch die Stimmabgabe bei Wahlen über Internet erfolgen **(cyber democracy)** – in Österreich derzeit noch nicht.

Qualifizierte elektronische Signatur mit dem Handy

www.help.gv.at
www.digitales.oesterreich.gv.at
www.edusig.gv.at

Durch die praktische Möglichkeit der **Handy-Signatur** kann das Mobiltelefon zum elektronischen Ausweis werden, mit dem man bei Behörden und in der Wirtschaft gültige Unterschriften online leisten kann. Dafür sind kein Kartenlesegerät und keine zusätzliche Software nötig. Schüler/innen und Lehrer/innen können die notwendige persönliche Aktivierung auch über handysig@school durchführen.

Auch die **Bürgerkarte** bietet eine elektronische Signatur. Dafür können z. B. die Bankomatkarte oder die E-Card nach Registrierung und Freischaltung verwendet werden. Ein Kartenlesegerät und eine spezielle Software sind dafür erforderlich.

> Meine Bank bietet die Freischaltung der Handy-Signatur für Online-Banking an. Was kann ich darüber hinaus noch mit der Handy-Signatur machen?

Antwort: Katharina kann die Handy-Signatur wie folgt verwenden: sicheres Log-in beim Webbanking (Ersatz für PINs und TANs), fürs Internet-Shopping, für die Arbeitnehmer-Veranlagung beim Finanzamt oder für andere Anträge bei Behörden.

4 Domain-Recht

Unter dem Domain-Namen kann man im Internet gefunden werden.

IP = internet protocol

Jedem Rechner ist im Internet eine Binärzahl (z. B. 193.80.248.12) als **IP-Adresse** zugeordnet. Da diese nicht leicht zu merken ist, weist das Domain-Name-System (DNS) der IP-Adresse eine **Buchstabenkombination** zu. Diese Buchstabenkombination wird **„Domain-Name"** genannt, kann nur einmal vergeben werden und ist zumeist „sprechend". Das heißt, sehr oft wird die Firma oder eine sonstige Unternehmensbezeichnung als Domain-Name gewählt.

Ein **Domain-Name** besteht in der Regel aus folgenden **Bestandteilen:**

Aufbau von Domain-Namen

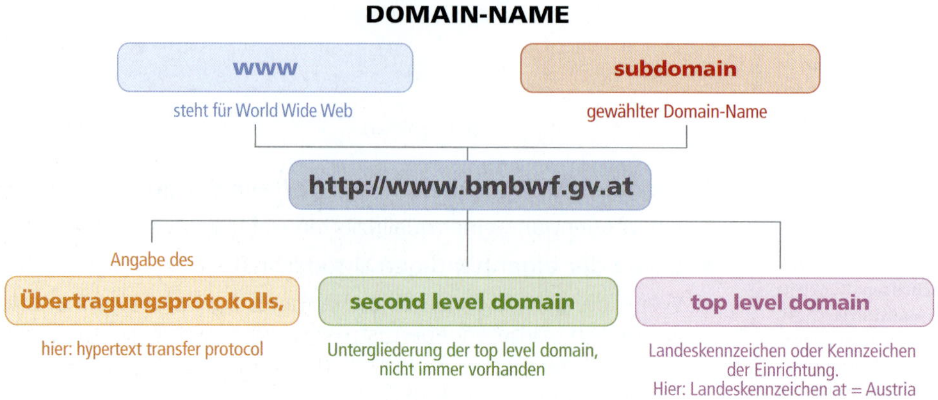

Aufbau von Domain-Namen

Bei den **Top-Level-Domains** wird unterschieden:

Top-Level-Domains	
geografische	**generische**
werden national von den Network Information Centers (nic) vergeben und beinhalten einen Ländercode	kennzeichnen bestimmte Einrichtungen
Beispiele: ● at für Österreich ● de für Deutschland ● it für Italien	Beispiele: ● com für kommerzielle Einrichtungen ● org für Organisationen ● net für Netzwerke

ICANN = Internet Corporation for Assigned Names and Numbers

Die Verwaltung der Top-Level-Domains erfolgt durch die **ICANN,** die ihren Sitz in den USA hat. Sie ist auch für die Vergabe „generischer" oder allgemeiner Domain-Namen zuständig.

www.nic.at

Für die Verwaltung der geografischen Top-Level-Domains sind nationale **Network Information Centers (nic)** zuständig, die private Organisationen sind.

Ich soll für eine Freundin eine Homepage einrichten. Da sie den Vornamen Mercedes trägt, wäre www.mercedes.at als Domain-Name gut geeignet. Allerdings gibt es Autos, die auch so heißen. Darf ich diesen Namen trotzdem nutzen?

Bei der Vergabe von Domain-Namen gilt der Grundsatz „first come first served".

Durch die Nutzung eines fremden Namens kann dem Berechtigten geschadet werden.

Domain-Name-Grabbing ist insbesondere dann rechtswidrig, wenn dadurch der Wettbewerb behindert werden soll und die Registrierung in Schädigungsabsicht erfolgt, z. B. wenn die Domain nur registriert, aber nicht benutzt wird.

Jedermann kann bei der nic gegen Bezahlung einer Gebühr einen Domain-Namen registrieren lassen. Grundsätzlich erhält derjenige den gewünschten Domain-Namen, der zuerst kommt. Ob derjenige, der einen Domain-Namen registrieren lässt, damit in das Namens- oder Kennzeichenrecht eines anderen eingreift, wird nicht geprüft.

Lässt nun eine Person einen **Domain-Namen für sich registrieren,** welcher die Firma oder eine sonstige **Unternehmensbezeichnung eines anderen Unternehmens ist,** so kann er

- den fremden Namen für eigene Geschäfte nutzen. Er beutet dadurch eine Bezeichnung aus, für die jemand anderer viel Geld und Mühe aufgewendet hat.
- dem, der die Bezeichnung zu Recht verwenden darf, schaden. Dies kann z. B. durch den Inhalt bzw. die Gestaltung der Internetseite geschehen.
- den Domain-Namen dem Unternehmen, dem dieser Name zusteht, gegen Bezahlung eines hohen Entgelts überlassen. Dies ist eine Form wirtschaftlicher Erpressung, welche „Domain-Name-Grabbing" genannt wird.

Beispiel

Häufig wird, wenn nach einem Unternehmen gesucht wird, der Name bzw. die Firma eingegeben, in der Hoffnung das entsprechende Unternehmen zu finden. Lässt nun jemand eine bekannte Firma als Domain registrieren, dann kann er auf Kosten dieses Unternehmens Geschäfte machen und dem eigentlich berechtigten Namensträger schaden.

Alle diese Formen der **unberechtigten Nutzung einer fremden Bezeichnung** sind in Österreich **verboten.** Der eigentlich Berechtigte kann gerichtlich durchsetzen, dass der unberechtigte Nutzer ihm den Domain-Namen unentgeltlich überlässt.

Eine ähnliche Regelung wurde für die Top-Level-Domain „.eu" geschaffen.

Da Gerichtsverfahren langwierig und teuer sind, hat die **ICANN** ein **Schiedsgericht** eingerichtet, das Streitigkeiten um generische Top-Level-Domain-Namen nach einheitlichen, international gültigen Regeln schlichten soll.

Namen können Firmen, Marken, Zeitschriftentitel etc. sein.

Ist ein **Name** sehr bekannt, dann kann der Anspruch auf die Domain auch gegen berechtigte Namensträger durchgesetzt werden. Ebenso können öffentliche Einrichtungen (Bundesdienststellen, Gemeinden, Tourismusverbände ...) ihre Namensrechte durchsetzen.

Antwort: Da der Name Mercedes sehr bekannt ist und in erster Linie mit Autos in Verbindung gebracht wird, kann das Unternehmen anderen verbieten, diese Bezeichnung zu nutzen. Mercedes Benz wird das Recht auf diesen Domain-Namen auch vor Gericht durchsetzen können.

Hätte Marco hingegen **www.marco.at** gewählt, hätte er keine Probleme, da es kein bekanntes Unternehmen gibt und daher das Prinzip „wer zuerst kommt, mahlt zuerst" gilt.

5 Mediengesetz

Auch elektronische Medien müssen ein Impressum haben.

> Ich habe von meinem Unternehmen den Auftrag bekommen, einen Newsletter für unsere Kunden zu gestalten. Welche Angaben über unser Unternehmen müssen darin enthalten sein?

Ein **Medium** im Sinne des Mediengesetzes ist jedes Mittel zur Verbreitung von Mitteilungen oder Darbietungen mit gedanklichem Inhalt in Wort, Schrift, Ton oder Bild.

Das Mediengesetz gilt auch für elektronische Medien.

<table>
<tr><th colspan="4">Angaben in elektronischen Medien</th></tr>
<tr><th>„kleine" Websites</th><th>„kleine" Newsletter</th><th>übrige Newsletter</th><th>übrige Websites</th></tr>
<tr><td></td><td colspan="2">Medium, das wenigstens viermal im Kalenderjahr in vergleichbarer Gestaltung verbreitet wird (wiederkehrendes elektronisches Medium; z. B. Newsletter, Werbe-SMS)</td><td></td></tr>
<tr><td colspan="2">• Nur der persönliche Lebensbereich oder der Medieninhaber wird dargestellt.
• Leistungen und Produkte eines Unternehmens werden präsentiert, ohne die öffentliche Meinung zu beeinflussen (z. B. Werbung für ein Produkt oder Unternehmen, Webshop, Website eines Sportvereins).</td><td colspan="2">z. B.
• Informationen einer Bürgerinitiative,
• Informationen einer Gärtnerei, wobei auch Umweltpolitik behandelt wird
• Nachrichten</td></tr>
<tr><td colspan="4">In jedem wiederkehrenden elektronischen Medium (Newsletter) sind anzugeben (Impressum):</td></tr>
<tr><td></td><td colspan="2">• Name oder Firma
• Anschrift des Medieninhabers und des Herausgebers</td><td></td></tr>
<tr><td colspan="4">Auf einer Website bzw. im Newsletter sind folgende Angaben ständig leicht und unmittelbar auffindbar zur Verfügung zu stellen (unmittelbar oder über einen Link oder einen Hinweis auf eine Homepage – Offenlegung).</td></tr>
<tr><td colspan="2" rowspan="2">• Name oder Firma
• gegebenenfalls der Unternehmensgegenstand
• Wohnort oder Sitz des Medieninhabers (Nicht notwendig ist die Adresse.)</td><td colspan="2">• Name oder Firma
• Unternehmensgegenstand
• Wohnort, Sitz oder Niederlassung
• Art und Höhe der Beteiligung der Medieninhaber (Hier sind sämtliche Beteiligungsverhältnisse anzugeben.)
• vertretungsbefugte Organe und Mitglieder des Aufsichtsrates
• Bei einem Verein sind Vorstand und Vereinszweck anzuführen.
• Erklärung über die grundlegende Richtung eines periodischen Druckwerks (Blattlinie) oder sonst eines periodischen Mediums</td></tr>
<tr><td colspan="2">Auf diesen Sites finden auch weitere Bestimmungen des Mediengesetzes Anwendung, z. B. Verpflichtung zur Veröffentlichung einer Gegendarstellung, Verpflichtung zur Kennzeichnung entgeltlicher Einschaltungen, Verpflichtung zur Urteilsveröffentlichung</td></tr>
</table>

Informationspflichten nach anderen gesetzlichen Bestimmungen, z. B. ECG, UGB, GewO, UStG müssen ebenfalls eingehalten werden.

Access- und Serviceprovider sowie Webdesigner sind grundsätzlich **keine Medieninhaber** im Sinne des Mediengesetzes.

Ist der Medieninhaber auch **Diensteanbieter** nach dem E-Commerce-Gesetz, dann können die Informationen auch gemeinsam mit den Angaben nach dem E-Commerce-Gesetz veröffentlicht werden.

Für den **Inhalt einer Website** haftet derjenige, der die Website inhaltlich gestaltet hat und deren Abrufbarkeit veranlasst. Der Domaininhaber haftet nicht.

Das Bewahrungsinteresse ist gegeben, wenn die Österreichische Nationalbibliothek eine entsprechende Aufforderung zur Ablieferung an den Medieninhaber des Onlineinhaltes richtet.

Antwort: Jeder Newsletter muss das im Mediengesetz vorgesehene Impressum enthalten. Weiters muss eine Offenlegung der im Mediengesetz vorgesehenen Daten entweder im Newsletter oder über einen Link erfolgen.

Auch wenn Katharina eine private Website gestaltet, ist sie durch das Mediengesetz zur Offenlegung bestimmter Daten verpflichtet. Diese Offenlegung ist allerdings weniger umfangreich.

Das Mediengesetz verpflichtet Medieninhaber bzw. -hersteller, bestimmten **Bibliotheken Exemplare** der von ihnen hergestellten Medienwerke (Druckwerke, Schallträger, Filmwerke, Onlineinhalte, die durch Passwort geschützt sind und an denen ein Bewahrungsinteresse besteht) **abzuliefern.** Diese Bibliotheken haben sie zu sammeln und zu archivieren, sodass alle in Österreich verlegten bzw. erschienenen Druckwerke in der Österreichischen Nationalbibliothek, in den Landes- und Universitätsbibliotheken auffindbar sind und dort erhalten bleiben. Frei zugängliche Onlineinhalte hat die Österreichische Nationalbibliothek mittels entsprechender Programme (Webcrawler, Webspider) automatisch zu sammeln und zu archivieren.

Sichern & Merken

SbX ID: 0722

E-Commerce-Gesetz (ECG)

Inhalte: Vorschriften für den elektronischen Geschäfts- und Rechtsverkehr, wie Zulassung von Diensteanbietern, Informationspflichten, Vertragsabschluss, Haftungsregelung, grenzüberschreitende Dienstleistungen

Informationspflichen nach ECG:

- **alle geschäftlichen Websites:** Name, Firma, Adresse, Berufsverband, Firmenbuchnummer, Aufsichtsbehörde, UID-Nummer des Unternehmens, bei Preisangabe klare Erkennbarkeit von Brutto- oder Nettopreis, Versandkosten und alle zusätzlichen Kosten
- **Websites mit Werbung:** Abgrenzung, Bekanntgabe von Auftraggeber, Kennzeichnung von Zugaben, Geschenken, Gewinnspielen …

zusätzliche Informationen für Vertragsabschlüsse

Erklärung der technischen Schritte zum Vertragsabschluss, Angaben über Speicherung, Korrekturmöglichkeit für Eingabefehler, mögliche Sprachen, Hinweis auf AGB und Möglichkeit zur dauerhaften Speicherung, Zugangsbestätigung der Bestellung mit E-Mail, evtl. Link zu Verhaltenskodex

Haftungsregelungen

- **Haftung von Providern, Suchmaschinen für rechtswidrigen Inhalt:** nur bei Beeinflussung der Kommunikation bzw. Kenntnis vom rechtswidrigen Inhalt
- **Haftung für Links:** Der „Linksetzer" haftet, außer der rechtswidrige Inhalt war nicht bekannt und auch nicht erkennbar oder der Link wurde sofort nach Kenntnis entfernt

grenzüberschreitende Verträge

anwendbares Recht:

- Herkunftslandprinzip
- Ausnahmen für Verbraucher

Signaturgesetz (SigG)

Regelungsbereich des Signaturgesetzes:

- Erstellung und Verwendung von elektronischen Signaturen
- Erbringung von Signatur- und Zertifizierungsdiensten

qualifizierte elektronische Signatur

streng geregeltes Verfahren zur elektronischen Identitätsfeststellung durch besonders qualifizierte Anbieter mit hoher Beweiskraft

Anwendungsbereiche für die qualifizierte elektronische Signatur

- Ersatz der eigenhändigen Unterschrift bei Formvorschriften für Rechtsgeschäfte
- sicherer Vertragsabschluss (E-Commerce)
- E-Business
- E-Government (elektronische Abwicklung von Behördenwegen) z. B. durch die **Handysignatur** oder die **Bürgerkarte** (Bankomatkarte, E-Card, Studentenausweis, Signaturkarte … nach Registrierung und Freischaltung; Kartenlesegeräte und Software erforderlich)

Domain-Namen Bekannte Namen und sonstige Bezeichnungen dürfen von anderen nicht als Domain-Namen verwendet werden.

Mediengesetz Das Mediengesetz sieht auch für elektronische Medien, wie Newsletter und E-Mails sowie Websites, gewisse Offenlegungspflichten vor.

SbX ID: 0722

Im SbX finden Sie eine Bildschirmpräsentation mit den Grafiken dieser Lerneinheit.

Wissen & Können

SbX ID: 0723

A B C D E

W 7.7: E-Commerce-Gesetz (ECG) A

Beschreiben Sie, welche Bereiche durch das ECG geregelt werden.

W 7.8: Haftungsregeln C

a) Begründen Sie, ob man für den Link zu einer fremden Seite verantwortlich gemacht werden kann.

b) Beschreiben Sie die Konsequenzen, die einem Unternehmen drohen, das gegen die Regeln des ECG verstößt.

W 7.9: Grenzüberschreitende Verträge A

Erklären Sie, welches Recht bei grenzüberschreitenden Cyber Contracts im EU-Binnenmarkt anzuwenden ist.

W 7.10: Elektronische Signatur C

a) Nennen Sie Beispiele für die Verwendung der elektronischen Signatur.

b) Nennen Sie einige Anwendungsbereiche der qualifizierten elektronischen Signatur, die für Sie persönlich jetzt oder in Zukunft infrage kommen könnten!

W 7.11: Elektronische Signatur B

Wie kann die qualifizierte elektronische Signatur praktisch verwendet werden? Was ist hiefür erforderlich?

W 7.12: Offenlegung von Daten bei Gestaltung einer Website A

Sie gestalten für sich selbst eine Website.

a) Welche Daten müssen Sie aufgrund des Mediengesetzes offenlegen?

b) Welche Gesetze enthalten noch Bestimmungen über offenzulegende Daten? Welche Daten müssen Sie nach diesen Gesetzen offenlegen?

W 7.13: Recht im Internet B

Kennzeichnen Sie, ob folgende Aussagen richtig oder falsch sind, und begründen Sie Ihre Antwort:

	Richtig/ Falsch	Begründung
Hat Karina Shell den Domain-Namen **www.shell.at** registrieren lassen, kann das Unternehmen Shell nichts dagegen unternehmen.		
Hat jemand **www.kinder.at** als Domain-Namen registrieren lassen, kann das Unternehmen Kinder (Schokolade) nichts dagegen unternehmen.		

	Richtig/ Falsch	Begründung
Domain-Namen werden vom Bundeskanzleramt vergeben.		
Streitigkeiten um Domain-Namen können nur vor Gericht ausgetragen werden.		
Bei privaten Website muss nicht erkennbar sein, wo der Medieninhaber wohnt.		
Entgeltliche Werbeeinschaltungen auf einer Unternehmenswebsite müssen nicht als solche erkennbar sein.		
Wird der Inhaber einer Unternehmenswebsite geklagt, kann er auch verpflichtet werden, das Urteil auf seiner Website zu veröffentlichen.		

W 7.14: Einhaltung der rechtlichen Bestimmungen in Webshops D

Überprüfen Sie verschiedene Webshops auf die Einhaltung der ECG- und KSchG-Bestimmungen! Dokumentieren Sie das Ergebnis und berichten Sie der Klasse!

W 7.15: Vertragsabschluss in Webshops C

Wenn Sie Waren über einen Webshop beziehen: Überprüfen Sie, ob alle Vorschriften des ECG für den Vertragsabschluss im Internet eingehalten werden, und dokumentieren Sie die einzelnen Schritte! Referieren Sie kurz vor der Klasse!

W 7.16: Handy-Signatur C

Besuchen Sie **www.buergerkarte.at** und informieren Sie sich über die Unterschiede der qualifizierten Signatur mit Bürgerkarte und der Handy-Signatur! Erstellen Sie eine Präsentation für Ihre Mitschülerinnen und Mitschüler, wie diese am einfachsten zu einer Handy-Signatur kommen und was sie damit machen können!

W 7.17: Domain-Name C

Sie haben ein Unternehmen gegründet und wollen eine Website zwecks Information der Kunden errichten. Damit viele User zugreifen, wählen Sie **„www.kurier.at"** als Domain-Name.

a) Wie kommen Sie zu einem Domain-Namen?

b) Werden Sie den Domain-Namen führen dürfen?

SbX
W 7.18
mit automatischer Aufgabenkontrolle ID: 0723

Weitere Aufgabe im SbX

W 7.18: Internetrecht B

Lösen Sie ein Kreuzworträtsel zum Recht im Internet.

Ein kurzer Kompetenz-Check, bevor's weitergeht!

Kompetenz-Check

	☺	😐	☹
Ich kann mindestens drei Regelungsbereiche des E-Commerce-Gesetzes nennen.			
Ich kann beschreiben, welche Informationen auf Websites mit Bestellfunktionen enthalten sein müssen.			
Ich kann mindestens drei Anwendungsmöglichkeiten der qualifizierten elektronischen Signatur erklären.			

8 ZIVILVERFAHREN

Worum geht's in diesem Kapitel?

Katharina ist sehr aufgeregt. Sie hat mit der Post eine Ladung vom Gericht erhalten und soll dort in zwei Monaten als Zeugin einvernommen werden. Der gerichtlichen Ladung kann sie entnehmen, dass sie zu einem Verkehrsunfall befragt werden soll.

Sie erinnert sich daran, dass sie im letzten Winter einen Autounfall mit Blechschaden beobachtet hatte und einem der beiden Autofahrer ihren Namen und ihre Adresse bekanntgegeben hat. Sie fragt ihren Freund Albrecht, ob sie bei Gericht wirklich erscheinen muss.

Wenn Sie dieses Kapitel bearbeitet haben, können Sie erklären,

- was bei einem Zivilgericht passiert,
- wer die Kosten eines Prozesses trägt,
- ob derjenige, der den Unfall nicht verschuldet hat, seinen Schaden ersetzt bekommt,
- was passiert, wenn der Verlierer des Prozesses nicht zahlt,
- was passiert, wenn der Verlierer des Prozesses mittellos ist.

In diesem Kapitel erwerben Sie Kompetenzen zu folgender Bildungs- und Lehraufgabe:

„Die Schülerinnen und Schüler können die Zuständigkeit der Zivil- und Strafgerichte und den entsprechenden Instanzenzug darstellen."

A B C D E

In diesem Kapitel finden Sie Übungsaufgaben, Fallbeispiele und Wiederholungsfragen zur Kompetenzüberprüfung auf den Handlungsebenen A Wiedergeben, B Verstehen, und C Anwenden und D Analysieren.

Dieses Kapitel umfasst folgende Lerneinheiten:

Lerneinheit 1
Zivilgerichtsverfahren

SbX
Alle SbX-Inhalte zu dieser Lerneinheit finden Sie unter der ID: 0810.

Während Strafgerichte darüber zu entscheiden haben, ob Beschuldigte eine mit gerichtlicher Strafe bedrohte Handlung begangen haben, entscheiden Zivilgerichte über privatrechtliche Streitigkeiten.

Vor die Zivilgerichte gelangen Streitigkeiten aus verschiedensten privaten Lebensbereichen, wie beispielsweise Auseinandersetzungen

- über Kaufverträge,
- wegen Besitzstörung,
- aus Miet- und Pachtverhältnissen,
- wegen Eheangelegenheiten (z. B. Scheidung, Unterhalt),
- über Begehren auf Schadenersatz und Schmerzengeld,
- über Streitigkeiten aus Arbeitsverhältnissen.

Lernen & Üben

SbX ID: 0811

1 Arten von Zivilgerichtsverfahren

Im Zivilverfahren kann man zwischen dem streitigen und dem außerstreitigen Verfahren unterscheiden.

Mein Vater muss bei Gericht eine Grundbuchseintragung beantragen. Wird dafür auch ein Prozess abgewickelt?

Die **wesentliche Aufgabe des Zivilprozesses** besteht in der **Wiederherstellung und Bewahrung des Rechtsfriedens.** Der Prozess ist das letzte Mittel, wenn zuvor eine außergerichtliche Einigung zwischen den Streitparteien gescheitert ist.

Die **Selbsthilfe** als ältestes und primitivstes Mittel der Rechtsverfolgung ist grundsätzlich untersagt.

Man kann folgende **Arten von Verfahren** unterscheiden:

Zivilgerichtsverfahren

SbX
Eine Linkliste zum Zivilgerichtsverfahren finden Sie unter der ID: 0811.

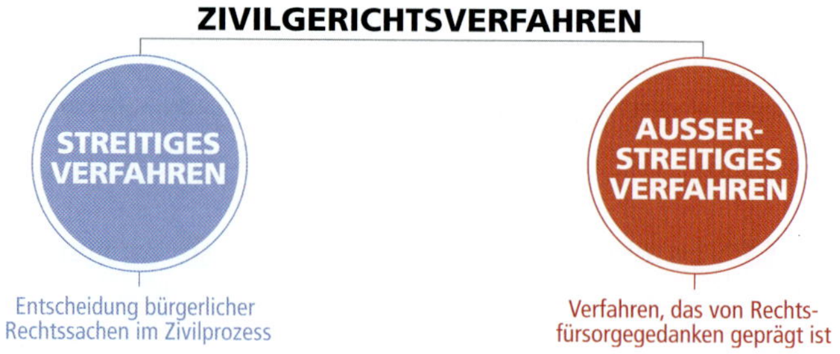

Außerstreitverfahren

In diesem Verfahren wird jener Teil der bürgerlichen Rechtssachen entschieden, der von **Rechtsfürsorgegedanken** geprägt ist. Dabei handelt es sich beispielsweise um

- Pflegschaftssachen (Kindschafts- und Sachwalterschaftsangelegenheiten),
- Scheidungen im Einvernehmen,
- Grund- und Firmenbuchsachen,
- Verlassenschaftsabhandlungen,
- Todes- und Kraftloserklärungen,
- Beglaubigungen etc.

Im **Außerstreitverfahren** gibt es nur **Antragsteller** und keinen Kläger und Beklagten.

Diese Verfahren wickeln Rechtspfleger unter Leitung eines Richters ab.

Antwort: Grundbuchsachen werden im Außerstreitverfahren von einem Rechtspfleger abgewickelt. Das Verfahren erfolgt in der Regel nur schriftlich.

2 Grundsätze des Zivilprozesses

Ein Gerichtsverfahren läuft nach bestimmten Grundsätzen ab.

Wenn ich bei Gericht als Zeugin aussagen muss, darf mein Freund Albrecht mitkommen und bei meiner Aussage zuhören?

Den **Zivilprozess** kennzeichnen **folgende Grundsätze:**

Prinzip der Parteiendisposition

Die **Parteien** sind „Herren des Verfahrens".

- Die Prozessparteien **leiten das Verfahren durch Klageerhebung ein.** Zu einem zivilgerichtlichen Verfahren kommt es grundsätzlich nur, wenn eine der Streitparteien das Gericht anruft.
- Die Prozessparteien **bestimmen** über **den Gegenstand der gerichtlichen Verhandlung und Entscheidung.** Das Gericht entscheidet nur über die von den Parteien vorgebrachten Sachverhalte und Beweismittel und ist nicht befugt, einer Partei etwas zuzusprechen, was nicht begehrt wird.
- Die Parteien trifft zur Beschleunigung des Verfahrens eine **Prozessförderungspflicht.** Sie sind zu einem zeitgerechten und vollständigen Vorbringen von Sachverhalt und Beweismitteln angehalten.
- Die Parteien haben die Fortführung und Beendigung des Verfahrens selbst in der Hand:
  - Bleiben sie untätig, ruht das Verfahren.
  - Eine Partei kann den gegnerischen Standpunkt anerkennen **(Anerkenntnis).**
  - Die Parteien können durch gegenseitiges Nachgeben eine Einigung erzielen **(Vergleich).**

Über Antrag des Prozessgegners fällt das Gericht ein **Anerkenntnisurteil.**

Die Einigung der Parteien wird als **Vergleich** bezeichnet.

Prinzip der Mündlichkeit

Entscheidungsgrundlage des Gerichts ist nur das, was in der Verhandlung mündlich vorgebracht wird.

Prinzip der Öffentlichkeit

- Jeder kann an den Verhandlungen samt Entscheidungsverkündungen des Gerichts teilnehmen. Der Ausschluss der Öffentlichkeit ist nur in Ausnahmefällen vorgesehen.
- Nur die Prozessparteien haben das Recht, **Akteneinsicht** zu nehmen.
- **Fernseh- und Hörfunkaufnahmen** und deren Übertragung sowie **Filmaufnahmen** öffentlicher Verhandlungen sind in allen Verfahren **ausnahmslos verboten.**

Einvernahme einer Zeugin in der Gerichtsverhandlung

Ein **Ausschluss der Öffentlichkeit** ist z. B. vorgesehen
- im Eheprozess,
- bei Gefährdung der Sittlichkeit oder öffentlichen Ordnung oder
- bei Erörterung von Geschäfts- oder Betriebsgeheimnissen.

Fernsehberichte oder Zeitungsartikel **über** Verhandlungen sind nicht untersagt.

Rechtliches Gehör

Im Zivilprozess muss beiden Parteien die Möglichkeit gegeben werden, in dem zur Entscheidung führenden Verfahren mündlich oder schriftlich gehört zu werden.

„Waffengleichheit" der Parteien

Kläger und Beklagte sind einander formell rechtlich gleichgestellt.

Antwort: Albrecht darf Katharina begleiten, während ihrer Zeugeneinvernahme und auch während des übrigen Verfahrens anwesend sein.

8 Zivilverfahren

3 Zivilgerichte

Zivilverfahren finden vor verschiedenen Gerichten statt.

Bezirksgerichte (BG)

Mahnverfahren sowie **Außerstreitverfahren** wickeln Rechtspfleger unter Leitung eines Richters ab.

Bezirksgerichte üben die Zivilgerichtsbarkeit **ausschließlich** durch **Einzelrichter** aus.

Die Bezirksgerichte sind zuständig:

- für Streitigkeiten **bis zu** einem Streitwert von € **15.000,–**
- ohne Rücksicht auf den Wert des Streitgegenstandes für Streitigkeiten über die Grenzen von Liegenschaften, wegen Besitzstörungen, aus Miet- oder Pachtverhältnissen und Eheangelegenheiten (**Eigenzuständigkeiten** der Bezirksgerichte)
- für außerstreitige Verfahren

Landesgerichte (LG)

Die Landesgerichte und Oberlandesgerichte werden auch als **Gerichtshöfe** bezeichnet.

Landesgerichte üben die Zivilgerichtsbarkeit überwiegend

- durch **Einzelrichter** aus,
- teilweise durch **Senate von drei Berufsrichtern** (z. B. in Rechtssachen über € 100.000,–, sofern es eine Partei beantragt, und in Rechtsmittelsachen) sowie
- unter **Beteiligung von Laienrichtern** in Handelssachen und Arbeits- und Sozialrechtssachen.

Die Landesgerichte sind zuständig:

In Wien ist ein spezielles Handelsgericht eingerichtet.

In Wien ist ein spezielles Arbeits- und Sozialgericht eingerichtet.

- für Streitigkeiten ab einem Streitwert von **mehr als € 15.000,–**
- als **Handelsgerichte** in Streitigkeiten aus unternehmensbezogenen Geschäften, aus gesellschaftsrechtlichen Streitigkeiten, zur Führung des Firmenbuchs etc.
- als **Arbeits- und Sozialgerichte** für Streitigkeiten im Zusammenhang mit Arbeitsverhältnissen und aus dem Sozialrecht (Versicherungsleistungen der Sozialversicherungsträger)
- als **Rechtsmittelgerichte** über die Entscheidungen der Bezirksgerichte

Oberlandesgerichte (OLG)

Das Oberlandesgericht Wien ist auch Kartellgericht erster Instanz für ganz Österreich.

Die Oberlandesgerichte werden als **Rechtsmittelgerichte** gegenüber den Gerichtshöfen erster Instanz tätig.

Oberlandesgerichte sind eingerichtet:

- in **Wien** für Wien, Niederösterreich und Burgenland
- in **Graz** für Steiermark und Kärnten
- in **Linz** für Oberösterreich und Salzburg
- in **Innsbruck** für Tirol und Vorarlberg

Oberster Gerichtshof (OGH)

Bei Rechtsfragen von grundsätzlicher Bedeutung kann der entscheidende OGH-Senat seine Verstärkung auf insgesamt 11 Mitglieder beschließen (sogenannter verstärkter Senat).

Der OGH ist in Wien im Justizpalast zu finden. Er entscheidet als oberste Instanz in Zivilsachen überwiegend in Senaten aus fünf Berufsrichtern.

Örtliche Zuständigkeit der Gerichte

Die wichtigsten Regelungen über die örtliche Zuständigkeit finden sich in der Jurisdiktionsnorm (JN), im Arbeits- und Sozialgerichtsgesetz (ASGG) und im Konsumentenschutzgesetz (KSchG).

Die Zuständigkeit für **Streitigkeiten mit Auslandsbezug** sind in internationalen Abkommen und EU-Verordnungen geregelt.

Eine Klage muss beim sachlich und **örtlich zuständigen** Gericht eingebracht werden. Jedes Gericht ist für ein genau festgelegtes Gebiet zuständig. Das komplexe System der Gerichtsstände unterscheidet zwischen dem **allgemeinen Gerichtsstand** und den **besonderen Gerichtsständen.**

- Jede Person hat einen **allgemeinen Gerichtsstand,** an dem sie geklagt werden kann. Bei natürlichen Personen richtet sich der allgemeine Gerichtsstand nach dem Wohnsitz oder dem gewöhnlichen Aufenthalt, bei juristischen Personen nach dem Sitz.
- Die **besonderen Gerichtsstände** sind entweder **ausschließliche, Zwangs-** oder **Wahlgerichtsstände.**

Die **ausschließlichen Gerichtsstände** schließen den allgemeinen Gerichtsstand aus (z. B. Gerichtsstand für Streitigkeiten in Ehesachen, in Vaterschaftssachen, um unbewegliches Gut, aus gewerblichem Rechtsschutz und Urheberrecht, für Verlassenschaftsangelegenheiten). Sie können aber durch Vereinbarung der Prozessparteien **(Gerichtsstandsvereinbarung)** abgeändert werden.

Manche Gerichtsstände können auch durch Vereinbarung der Prozessparteien nicht abgeändert werden. Sie werden auch als **Zwangsgerichtsstände** bezeichnet. In der Praxis ist bedeutsam, dass **Verbraucher** nach dem Konsumentenschutzgesetz nur an einem Gericht geklagt werden dürfen, in dessen Sprengel ihr Wohnsitz, gewöhnlicher Aufenthalt oder ihr Beschäftigungsort liegt. Für **arbeitsverfassungsrechtliche Streitigkeiten** (z. B. Anfechtung von Kündigung und Entlassung, Anfechtung einer Betriebsratswahl) ist nur das Gericht zuständig, in dessen Sprengel sich der Betrieb befindet. **Sozialrechtssachen** (Streitigkeiten über Leistungen der Sozialversicherungen) gehören an das Gericht des Wohnsitzes oder gewöhnlichen Aufenthalts des Versicherten.

Wahlgerichtsstände geben dem Kläger die Möglichkeit, zwischen dem allgemeinen Gerichtsstand oder dem Wahlgerichtsstand zu wählen (z. B. Gerichtsstand der Zweigniederlassung, für Warenforderungen zwischen Unternehmern, des Erfüllungsortes, des Wechselzahlungsortes, der Besitzstörung, der Schadenszufügung, der Widerklage, der Arbeitsleistung und der Lohnzahlung).

4 Ablauf eines Verfahrens

Der Ablauf eines Prozesses erfolgt in bestimmten Schritten.

Ein Zivilverfahren läuft nach folgendem Schema ab:

Ablauf eines Zivilverfahrens

Ohne Klage kein Zivilprozess!

Bei Klagen auf Zahlung bis € 75.000,– ist das **Mahnverfahren** anzuwenden. Dabei handelt es sich um ein vereinfachtes Verfahren für die Geltendmachung von Geldforderungen.

ABLAUF EINES ZIVILVERFAHRENS

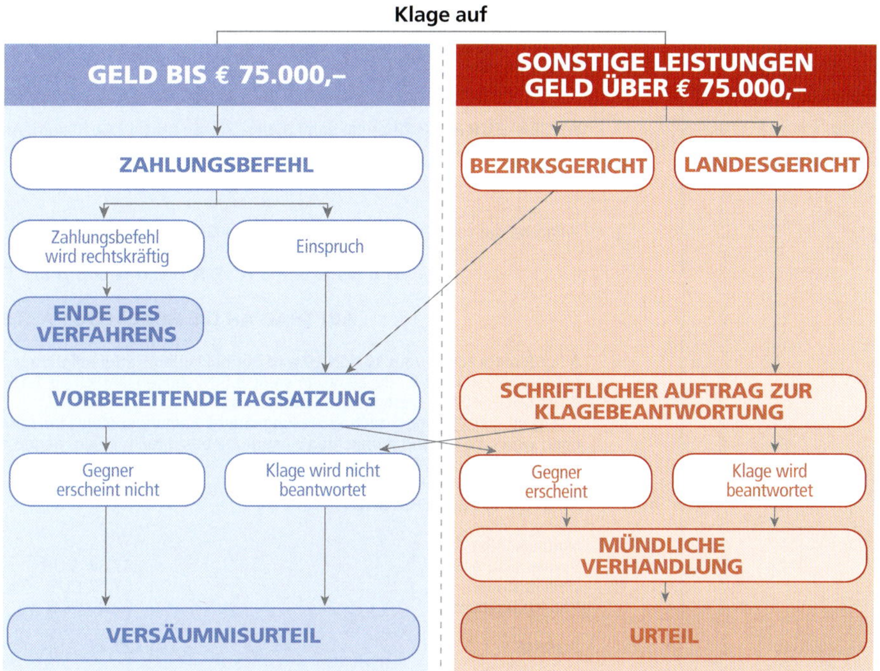

Die bei Gericht eingebrachte Klage leitet den Zivilprozess ein.

Sofern eine Geldforderung bis € 75.000,– geltend gemacht wird, erlässt das Gericht ohne Anhörung des Gegners einen **bedingten Zahlungsbefehl.** Erhebt der Beklagte binnen 4 Wochen ab Zustellung des Zahlungsbefehles keinen Einspruch, wird der Zahlungsbefehl rechtskräftig und das Verfahren ist beendet.

Muster eines Zahlungsbefehls

Arbeits- und Sozialgericht Wien
Althanstraße 39-45
1091 Wien
Tel.: 01/401 27 – 0

www.justiz.gv.at

16 Cga 18/16y

Bitte obige Geschäftszahl in allen Eingaben anführen

DVR: 0000000054321

A-Z Bau GmbH
Industriestraße 11
1120 Wien

Soweit in diesem Formular personenbezogene Ausdrücke verwendet werden, umfassen sie Frauen und Männer gleichermaßen.

ACHTUNG! Um ungewollte Rechtsfolgen zu vermeiden, beachten Sie bitte unbedingt die angeschlossenen Hinweise und die Rechtsmittelbelehrung!

RECHTSSACHE:

Kläger:
Hans Fleißig
Waldsiedlung 22
2244 Orth

vertreten durch:
Dr. Herbert Rechthaber, Rechtsanwalt
Walfischgasse 5A
1010 Wien
Tel.: 555 123 45
Vollmacht einschließlich der Vollmacht, den eingeklagten Betrag entgegenzunehmen, wurde erteilt. Gemäß § 19a RAO wird die Bezahlung der Kosten zu Handen des Klagevertreters begehrt.

Girokonto-Nr.: 7.65432.111
Bankleitzahl: 65.432

Beklagter:
A-Z Bau GmbH
Industriestraße 11
1120 Wien

WEGEN: EUR 2.138,29 brutto samt 8,58% Zinsen ab 1.12.2018 samt Anhang

16 Cga 18/19y-2
Datum 22. April 2019

Aufgrund der vom Gericht **nicht überprüften Behauptungen** der klagenden Partei/en ergeht folgender

BEDINGTER ZAHLUNGSBEFEHL:

AUFTRAG AN DIE BEKLAGTE PARTEI

Aufgrund der Klage vom 18.4.2019 wird der beklagten Partei aufgetragen, der klagenden Partei die Forderung von EUR 2.138,29 brutto samt 8,58% Zinsen jährlich ab 1.12.2018 und die mit EUR 437,41 bestimmten Kosten innerhalb von 14 Tagen nach Zustellung dieses Zahlungsbefehls bei sonstiger Exekution zu zahlen oder, wenn die geltend gemachten Ansprüche bestritten werden, gegen den Zahlungsbefehl binnen vier Wochen Einspruch zu erheben.

KOSTENAUFGLIEDERUNG:

Normalkosten TP 3:		
Verdienstsumme	287,84 EUR	159,50
Umsatzsteuer	57,57 EUR	31,90
Pauschalgebühr	92,00 EUR	171,00
SUMME:	437,41 EUR	362,40

021 016 CGA** 0000018 2019y BK* 001 001 000001 A 1111 ZB LD Seite 1

Neben den **Leistungsklagen** (z. B. auf Geldforderungen oder Herausgabe) gibt es noch **Feststellungsklagen** (z. B. Feststellung der Haftung des Schädigers für künftige Unfallfolgen) und **Rechtsgestaltungsklagen** (z. B. Ehescheidung).

Beeinsprucht der Beklagte fristgerecht den Zahlungsbefehl, tritt dieser außer Kraft und es kommt zur Einleitung des ordentlichen Verfahrens.

Bei Klagen

- auf Zahlung von mehr als € 75.000,–,
- die auf Feststellungen oder Gestaltung von Rechten oder Rechtsverhältnissen gerichtet sind,

wird vom Gericht eine Verhandlung angesetzt. In den Verfahren vor den Landesgerichten ist zuvor eine schriftliche Klagebeantwortung zu erstatten.

In der **vorbereitenden Tagsatzung** erörtert der Richter mit den Parteien das Sach- und Rechtsvorbringen und gibt das Prozessprogramm bekannt. Dabei werden die Beweisaufnahmen festgelegt.

Gegenstand des **Beweisverfahrens** sind nur jene Tatsachen, die von den Parteien vorgebracht wurden. Jede Partei hat die für ihren Rechtsstandpunkt günstigen Tatsachen vorzubringen **(Behauptungslast)** und zu beweisen **(Beweislast).**

Zum **Prozessprogramm** gehört u. a. die Reihenfolge der Zeugen, Bestellung von Sachverständigen, Verlesung und Erörterung von Beweisurkunden.

Dabei gilt der Grundsatz der **freien Beweiswürdigung.** Der Richter hat nach seiner persönlichen, freien Überzeugung die Beweisergebnisse zu prüfen und zu beurteilen, ob ein Beweis gelungen ist oder nicht.

Beweismittel sind:

- **Urkunden** (z. B. Verträge, schriftliche Mitteilungen, Fotos, Aufzeichnungen)
- **Zeugen,** das sind Personen, die im Prozess über ihre Wahrnehmungen von Tatsachen aussagen. Zeugen haben die **Pflicht zum Erscheinen** bei Gericht. Falsche Aussagen vor Gericht sind strafbar!
  Ein Recht zur Verweigerung der Aussage **(Entschlagungsrecht)** besteht bei Drohen persönlicher Nachteile (Schande oder Gefahr strafgerichtlicher Verfolgung) oder vermögensrechtlicher Nachteile für sich oder Angehörige oder aufgrund besonderer Verschwiegenheitspflichten.
- **Sachverständige,** das sind Personen, die dem Richter aufgrund besonderer Sachkunde bei der Klärung des Sachverhaltes helfen (z. B. Ärzte, Techniker, Buchhalter)
- **gerichtlicher Augenschein,** dabei macht sich der Richter selbst einen Eindruck von wesentlichen Umständen (z. B. vom Unfallort bei einem Lokalaugenschein)
- **Vernehmung der Parteien,** das ist die Anhörung der Parteien zu Beweiszwecken

Zeugen haben Anspruch auf Ersatz der durch ihre Vernehmung entstandenen Kosten (Zeitversäumnis, Fahrtkosten, Verdienstentgang).

Einer **besonderen Verschwiegenheitspflicht** unterliegen z. B. Rechtsanwälte, Geistliche hinsichtlich des Beichtgeheimnisses und Staatsbeamte hinsichtlich des Amtsgeheimnisses.

Weder das Erscheinen noch Aussagen von Parteien können erzwungen werden.

Lässt sich eine Partei nicht in den Rechtsstreit ein, indem sie beispielsweise im Gerichtshofverfahren keine Klagebeantwortung erstattet oder trotz ordnungsgemäßer Ladung unentschuldigt nicht erscheint, fällt das Gericht über Antrag des Gegners ein **Versäumungsurteil,** ohne ein Beweisverfahren durchzuführen.

Neben der Berufung bei Versäumungsurteilen stehen zur Beseitigung von Säumnisfolgen der **Widerspruch** und der Antrag auf **Wiedereinsetzung in den vorigen Stand** zur Verfügung.

Am Ende der Beweisaufnahme legen die Parteienvertreter ihre Kostenverzeichnisse, dann erklärt der Richter den **Schluss der Verhandlung.**

Anschließend verkündet der Richter das Urteil **„Im Namen der Republik"** oder er fällt die Entscheidung mit schriftlichem Urteil, das den Parteien mit der Post zugestellt wird.

Zu den **Verfahrenskosten** zählen Gerichtsgebühren, Sachverständigenkosten, Fahrtkosten und Anwaltskosten.

Neben der Entscheidung in der Rechtssache selbst enthält das Urteil auch die **Entscheidung über die Prozesskosten.** Grundsätzlich hat die obsiegende Partei Anspruch auf Ersatz ihrer Verfahrenskosten gegen die unterliegende Partei. Bei teilweisem Obsiegen besteht ein verhältnismäßiger Kostenersatz.

Beispiel

Der Kläger klagt € 10.000,– ein und siegt mit € 7.500,–. Er hat also mit ¾ gewonnen und mit ¼ verloren, weshalb er nur die Hälfte seiner Kosten zugesprochen bekommt. Wenn der Kläger nur mit € 5.000,– gewinnt, kommt es zur Kostenaufhebung. Das bedeutet, dass jede Partei ihre Kosten selbst trägt und keinen Ersatz erhält.

Die **Höhe des zu ersetzenden Rechtsanwaltshonorars** regelt das **Rechtsanwaltstarifgesetz (RATG)** nach dem Streitwert und den anwaltlichen Leistungen (Anzahl der Schriftsätze und Verhandlungen). Hat der Prozesssieger mit seinem Rechtsanwalt ein höheres Honorar vereinbart, muss er die Differenz selbst tragen.

In **Arbeits- und Sozialrechtssachen** gibt es einige Besonderheiten im Verfahren.

5 Anwaltspflicht und Verfahrenshilfe

Muss ich mich von einem Anwalt vertreten lassen?

Wenn sich jemand keinen Anwalt leisten kann, wer zahlt dann die Kosten, oder muss diese Person auf ihr Recht verzichten?

Keine Anwaltspflicht besteht in erster Instanz in Arbeits- und Sozialrechtssachen und vor den Bezirksgerichten bei einem Streitwert bis € 5.000,– oder bezirksgerichtlicher Eigenzuständigkeit.

Im Berufungsverfahren muss man anwaltlich vertreten sein.

Anwaltspflicht besteht

- vor dem Bezirksgericht, wenn der Streitwert mehr als € 5.000,– beträgt,
- vor dem Landesgericht und
- im Rechtsmittelverfahren.

Bei Anwaltspflicht kann eine Prozesspartei ohne Rechtsanwalt keine wirksamen Prozesshandlungen setzen.

DIE ÖSTERREICHISCHEN RECHTSANWÄLTE *Wir sprechen für Ihr Recht*

Auswahl und Bestellung des Anwaltes obliegt der Rechtsanwaltskammer.

Verfahrenshilfe

Mittellose Parteien haben Anspruch auf Verfahrenshilfe zur gerichtlichen Durchsetzung ihrer Ansprüche. Die Verfahrenshilfe umfasst Gerichtsgebühren, Barauslagen für Sachverständige und Dolmetscher und die eigenen Anwaltskosten.

Antwort: Kann jemand die Kosten eines Gerichtsverfahrens nicht tragen, da er sonst seinen Unterhalt nicht bestreiten kann, wird ihm Verfahrenshilfe gewährt. Diese umfasst nur die eigenen Kosten. Für den Ersatz der Kosten des Prozessgegners bei Prozessverlust kommt es dadurch zu keiner Befreiung.

6 Das Rechtsmittelverfahren

Urteile können von der nächsten Instanz überprüft werden.

Wenn mich das Gericht wegen einer offenen Reparaturrechnung zur Zahlung von € 1.000,– verurteilt, kann ich etwas gegen das Urteil unternehmen?

Gerichte entscheiden mit **Urteilen und Beschlüssen.** Gegen Beschlüsse kann man Rekurs an die nächsthöhere Instanz erheben.

Ist eine Prozesspartei mit dem Urteil oder einer sonstigen Entscheidung des Gerichtes nicht einverstanden, kann sie **Rechtsmittel** erheben.

Wird kein Rechtsmittel erhoben, wird das Urteil rechtskräftig und vollstreckbar.

Die Berufung ist das Rechtsmittel gegen Urteile der ersten Instanz.

Gegen Urteile der zweiten Instanz kann unter bestimmten Voraussetzungen **Revision** an den Obersten Gerichtshof eingebracht werden:

Berufung und Revision sind binnen einer Frist von **4 Wochen** ab Zustellung der bekämpften Entscheidung beim Gericht erster Instanz einzubringen.

Im Berufungs- und Revisionsverfahren herrscht **absolute Anwaltspflicht.** Die Parteien müssen sich durch Anwälte vertreten lassen.

ZIVILGERICHTLICHER INSTANZENZUG

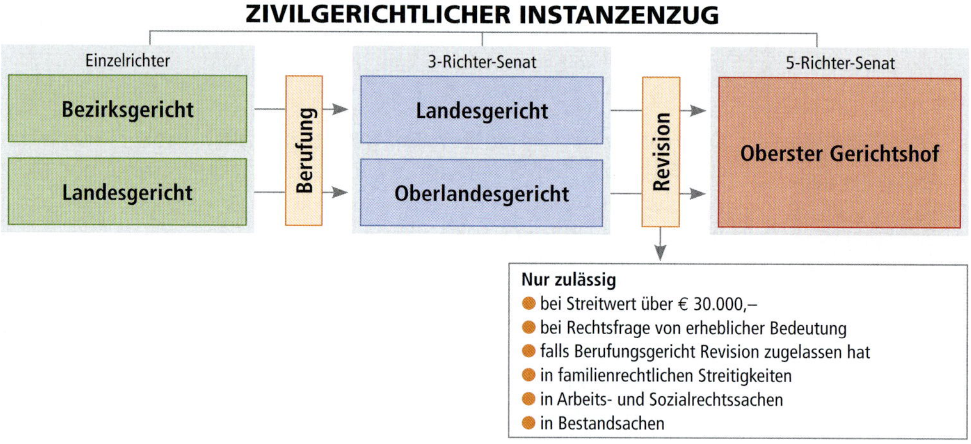

Zivilgerichtlicher Instanzenzug

Bestandsachen = Streitigkeiten über Miet- und Pachtverträge

Die nächste Instanz **überprüft das Urteil** und kann dieses

- bestätigen,
- abändern oder
- aufheben und zur neuerlichen Verhandlung und Entscheidung an die 1. Instanz zurückverweisen

Antwort: Wurde Katharina von einem Bezirksgericht zur Zahlung von € 1.000,– verurteilt, kann sie beim Landesgericht dagegen berufen. Hier besteht allerdings Anwaltspflicht.

Sichern & Merken

SbX ID: 0812

Zivilgerichtsverfahren

Die Zivilgerichte entscheiden über **privatrechtliche Ansprüche.** Die Parteien bestimmen,

- ob ein Verfahren eingeleitet wird und
- worüber verhandelt wird.

Urteil

Die Gerichte entscheiden den Rechtsstreit zwischen Kläger und Beklagtem mit Urteil **„Im Namen der Republik".**

Verfahrenskosten

Die unterlegene Partei muss grundsätzlich sämtliche Verfahrenskosten tragen. Ein Zivilverfahren ist daher immer mit einem **Kostenrisiko** verbunden.

Außerstreitverfahren

In **Außerstreitverfahren** erfüllen die Zivilgerichte Aufgaben mit Rechtsfürsorgecharakter.

SbX ID: 0812

Im SbX finden Sie eine Bildschirmpräsentation mit den Grafiken dieser Lerneinheit.

Wissen & Können

SbX ID: 0813

A B C D E

SbX W 8.1 mit automatischer Aufgabenkontrolle ID: 0813

W 8.1: Zivilverfahren B

Schreiben Sie zu jeder der folgenden Aussagen, ob sie richtig oder falsch ist. Ist die Aussage falsch, stellen Sie sie richtig:

	Richtig/ Falsch	Korrektur
Im Zivilverfahren muss man sich immer von einem Anwalt vertreten lassen.		
Die Kosten eines Zivilverfahrens trägt die Republik Österreich.		
Zu einem Zivilverfahren kommt es nur, wenn eine Partei Klage einbringt.		
Das Gericht kann dem Kläger auch einen Betrag zusprechen, der höher ist als der in der Klage begehrte.		
Setzen im Zivilverfahren die Parteien keine Schritte, bestimmt das Gericht den Fortgang des Verfahrens.		
Wer sich keinen Anwalt leisten kann, kann keinen Prozess führen.		
Wer als Zeuge geladen ist, muss vor Gericht erscheinen.		
Gegen einen gerichtlichen Zahlungsbefehl erhebt man das Rechtsmittel der Berufung.		

W 8.2: Schaden nach Verkehrsunfall C

Das Auto von Frau Sorgsam wurde bei einem Verkehrsunfall beschädigt. Der gegnerische Lenker, Herr Rasinger, will den Reparaturschaden von € 6.000,– nicht bezahlen. Er behauptet, am Unfall keine Schuld zu haben. Frau Sorgsam wendet sich an ein Gericht.

a) Ist dafür ein Straf- oder Zivilgericht zuständig?

b) Welches Gericht ist in 1. Instanz für diesen Rechtsstreit zuständig?

8 Zivilverfahren

c) Braucht Frau Sorgsam für die Einbringung der Mahnklage einen Rechtsanwalt?

d) Was kann sie tun, wenn sie sich mit ihrem Einkommen keinen Anwalt leisten kann?

e) Was kann der beklagte Herr Rasinger gegen den bedingten Zahlungsbefehl unternehmen?

f) Mit dem Urteil stellt das Gericht fest, dass das Verschulden am Verkehrsunfall zu gleichen Teilen besteht und Herr Rasinger nur den halben Schaden ersetzen muss. Wer trägt die Prozesskosten?

g) Frau Sorgsam ist mit dem Urteil nicht zufrieden. Was kann sie dagegen unternehmen?

W 8.3: Zahlungsbefehl C

Herr Pleitinger hat sein Konto bei der Bank überzogen und Schulden in der Höhe von € 28.000,–. Die Bank klagt diesen Betrag bei Gericht ein.

a) Vor welchem Gericht findet dieser Prozess statt?

b) Was passiert, wenn Herr Pleitinger gegen den gegen ihn erlassenen Zahlungsbefehl keinen Einspruch erhebt?

c) Für den Fall, dass Herr Pleitinger alles bestreitet: Mit welchem Beweismittel könnte die Bank im Verfahren das Bestehen des Anspruches beweisen?

d) Vor der ersten Verhandlung einigt sich Herr Pleitinger mit der Bank auf eine Ratenzahlung. Daher erscheint niemand zur Verhandlung. Was passiert im Verfahren weiter?

SbX
W 8.4, W 8.5
mit automatischer Aufgabenkontrolle
ID: 0813

Weitere Aufgaben im SbX

W 8.4: Zivilgerichte – Strafgerichte B

Ordnen Sie zu, für welche Angelegenheiten Zivilgerichte und für welche Strafgerichte zuständig sind.

W 8.5: Zivilgerichtsverfahren B

Bearbeiten Sie den Test zum Thema Zivilgerichtsverfahren.

Ein kurzer Kompetenz-Check, bevor's weitergeht!

Kompetenz-Check

	☺	😐	☹
Ich kann mindestens drei Beispiele für außerstreitige Verfahren nennen.			
Ich kann den Grundsatz der Parteiendisposition im Zivilprozess erklären.			
Ich kann den Ablauf eines Zivilverfahrens beschreiben.			
Ich kann mindestens drei Beweismittel nennen.			
Ich kann die Begriffe Anwaltspflicht und Verfahrenshilfe erläutern.			
Ich kann die einzelnen Gerichtsinstanzen nennen.			

Lerneinheit 2
Exekutionsrecht

SbX
Alle SbX-Inhalte zu dieser Lerneinheit finden Sie unter der ID: 0820.

Das zivilgerichtliche Verfahrensrecht unterscheidet zwei Stadien der Rechtsverwirklichung:

- das Erkenntnisverfahren (Zivilprozess) und
- das Exekutionsverfahren.

Während das Erkenntnisverfahren dazu dient, strittige Rechtslagen zu klären, erfolgt im Exekutionsverfahren die Durchsetzung der gerichtlichen Entscheidungen.

Lernen & Üben

SbX ID: 0821

1 Allgemeines

Die Exekution oder Zwangsvollstreckung dient der Durchsetzung von Ansprüchen.

Das Exekutionsverfahren ist gesetzlich in der **Exekutionsordnung** (EO) geregelt.

Die **Selbsthilfe** ist verboten.

Eine Forderung, deren Richtigkeit ein Gericht oder eine Verwaltungsbehörde bereits festgestellt hat, soll mithilfe einer Exekution einbringlich gemacht werden. Die Exekution ist nur erforderlich, wenn der Schuldner nicht freiwillig die geschuldete Leistung erbringt.

Gerichte und Parteien

Im Exekutionsverfahren werden die Parteien als

- **betreibende Partei** und
- **verpflichtete Partei**

bezeichnet.

Zur Durchführung des Exekutionsverfahrens sind ausschließlich die **Bezirksgerichte** zuständig.

Die **betreibende Partei** ist der **Gläubiger,** der aus einer Entscheidung eines Gerichts oder einer Verwaltungsbehörde berechtigt ist, etwas einzufordern.

Bei der **verpflichteten Partei** handelt es sich um den **Schuldner.** Er hat gegen eine Anordnung eines Gerichts oder einer Verwaltungsbehörde verstoßen.

Exekutionsarten

Zur Einbringung von **Geldforderungen** kann auf

- **Fahrnisse** (bewegliche Sachen),
- **Forderungen** (z. B. Lohnpfändung) oder
- **Liegenschaften**

Exekution geführt werden.

Eine geschuldete **Handlung** kann beispielsweise die Herausgabe eines Gegenstandes oder der öffentliche Widerruf einer Behauptung sein.

Bei einer geschuldeten **Unterlassung** kann es um die Einhaltung des Verbotes einer weiteren Besitzstörung gehen.

Schuldet der Verpflichtete nicht Geld, sondern eine bestimmte

- **Handlung** oder
- **Unterlassung,**

kann er durch **Geld- und** sogar **Haftstrafen** vom Gericht dazu gezwungen werden.

2 Grundsätze des Exekutionsverfahrens

Auch das Exekutionsverfahren läuft nach bestimmten Grundsätzen ab.

Rangprinzip:

Die Befriedigung mehrerer Gläubiger erfolgt nacheinander nach dem Prinzip **„Wer zuerst kommt, mahlt zuerst."**

Schuldnerschutz:

In 1. Instanz besteht keine Anwaltspflicht.

- Das **Existenzminimum** muss dem Schuldner erhalten bleiben.
- Bestimmte Gegenstände, die er zur Deckung seiner **notwendigen Lebensbedürfnisse** (Haushaltsgegenstände, Nahrungsmittel und Gegenstände des persönlichen Gebrauchs) oder zur **Berufsausübung** braucht, dürfen nicht gepfändet werden. Unpfändbar sind auch Gegenstände (bzw. Tiere), zu denen für gewöhnlich eine **besondere affektive Bindung** besteht (z. B. Haustiere, Familienbilder und Eheringe).

SbX

Eine Linkliste zum Exekutionsverfahren finden Sie unter der ID: 0821.

Untersuchungsgrundsatz:

Das Exekutionsgericht kann zur Aufklärung von Sachverhalten von Amts wegen Erhebungen durchführen.

Öffentlichkeit:

Das Exekutionsverfahren ist grundsätzlich **nicht** öffentlich. Nur **Versteigerungstermine** von gepfändeten Gegenständen und Liegenschaften finden öffentlich statt.

3 Ablauf des Exekutionsverfahrens

Die betreibende Partei kann nicht Sachen des Verpflichteten an sich nehmen.

Voriges Jahr wurde das Nachbargrundstück gerichtlich versteigert. Wie kommt es eigentlich zu einer Exekution?

Ein Exekutionsverfahren kann nur bei Vorliegen eines **Exekutionstitels** eingeleitet werden:

1. Der Gläubiger stellt einen **Exekutionsantrag** beim Bezirksgericht.
2. Das Gericht fasst einen **Exekutionsbewilligungsbeschluss**.

Das Exekutionsverfahren

DAS EXEKUTIONSVERFAHREN

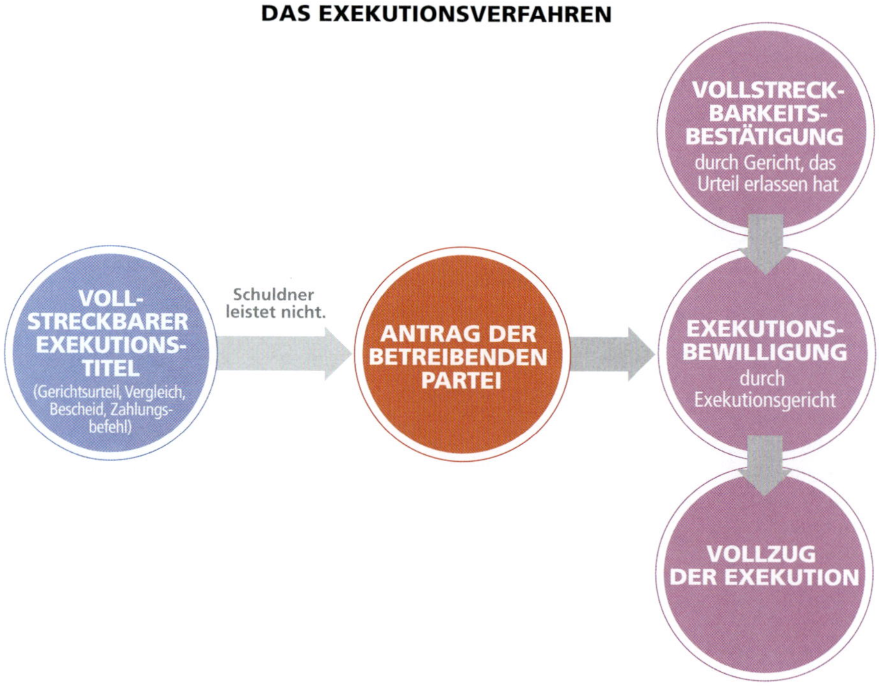

Es stehen verschiedene **Exekutionsmittel** zur Verfügung:

Exekution auf bewegliche Sachen – Fahrnisexekution

Gerichtsvollzieher sind besonders ausgebildete Beamte.

Im Volksmund wird die Pfändungsmarke auch **„Kuckuck"** genannt.

Bei der Exekution **beweglicher Sachen (Fahrnisexekution)** pfändet das Gericht **Gegenstände** der verpflichteten Partei.

- Der **Gerichtsvollzieher** erstellt ein **Pfändungsprotokoll.** Dies ist eine Liste, in der die gepfändeten Gegenstände genau bezeichnet werden.
- Gleichzeitig schätzt der Gerichtsvollzieher den voraussichtlich erzielbaren Erlös aus einer Verwertung der Gegenstände **(„Bleistiftwert").**
- Die Pfändung wird auf den Gegenständen mit **Pfändungsmarken** ersichtlich gemacht.

Die gepfändeten Gegenstände werden in der Folge verwertet. Sie werden im Rahmen einer

- öffentlichen **Versteigerung** oder
- einer Versteigerung im **Internet** oder
- im **Freihandverkauf**

zum Kauf angeboten. Den Erlös erhält der betreibende Gläubiger.

Exekution auf unbewegliche Sachen

Die Verwertung von Grundstücken und Häusern ist besonders geregelt.

Die **Exekution auf Liegenschaften** kann folgendermaßen erfolgen:

- **zwangsweise Pfandrechtsbegründung**
  Der betreibende Gläubiger kann die **zwangsweise Pfandrechtsbegründung** verlangen. Dadurch wird ein Pfandrecht an der Liegenschaft durch Eintragung in das **Grundbuch** begründet. Die Forderung des Gläubigers ist damit besonders gesichert.
- **Zwangsverwaltung**
  Vollzogen wird die Zwangsverwaltung einer Liegenschaft durch einen vom Gericht bestellten **Zwangsverwalter.** Er bewirtschaftet die Liegenschaft. Mieter oder Pächter leisten ihren Zins an ihn. Den Erlös aus der Zwangsverwaltung erhält der betreibende Gläubiger.
- **Zwangsversteigerung**
  Der Wert der Liegenschaft wird von einem vom Gericht bestellten Sachverständigen **geschätzt.**
  Bei einer **öffentlichen Versteigerungstagsatzung** erfolgt die Versteigerung der Liegenschaft. Der Meistbietende erhält den **Zuschlag.** Den Versteigerungserlös bekommt der betreibende Gläubiger.

JUSTIZ EDIKTSDATEI

Versteigerungstermine werden in der Justizediktsdatei veröffentlicht. **www.edikte.justiz.gv.at**

Exekution auf Forderungen – Lohnpfändung

Geldforderungen können auch durch die Pfändung von Forderungen befriedigt werden, die der Schuldner gegen andere hat. In der Praxis von größter Bedeutung ist die **Lohnpfändung.**

Den Arbeitgeber des Schuldners bezeichnet man als **Drittschuldner.**

Unter **www.justiz.gv.at/service** finden sich wichtige Informationen für Drittschuldner.

Der Arbeitgeber des Schuldners hat die Verpflichtung, jenen Teil des Lohnes, der das Existenzminimum übersteigt, direkt an den betreibenden Gläubiger zu zahlen.

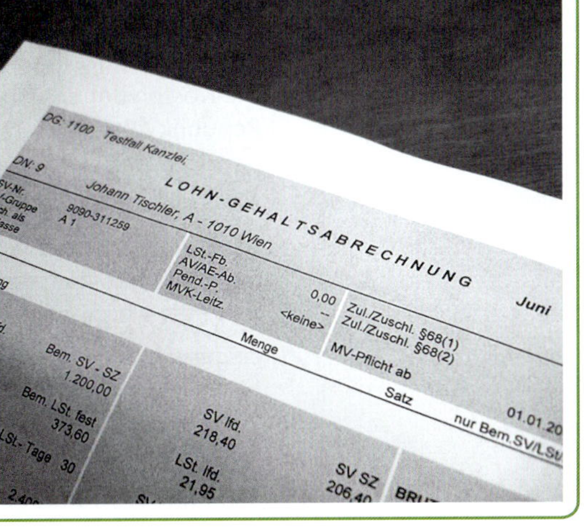

Der Drittschuldner muss dem Gericht und dem Gläubiger Auskunft über die Höhe des Lohnes des Schuldners geben. Er hat selbst den pfändbaren Betrag anhand von **Lohnpfändungstabellen** zu errechnen und diesen regelmäßig an den Gläubiger zu überweisen, bis dessen Forderung befriedigt ist. Verstößt der Drittschuldner gegen diese Pflichten, kann er vom Gläubiger in einem Zivilprozess vor **dem Arbeits- und Sozialgericht selbst geklagt werden („Drittschuldnerprozess").**

Das **Exekutionsverfahren** ist mit der **Befriedigung der Forderungen** des betreibenden Gläubigers **beendet.**

Wenn ein Schuldner nicht freiwillig zahlt, kann es für ihn noch sehr viel teurer werden.

Die **Kosten des Exekutionsverfahrens** sind vom Verpflichteten zu bezahlen. Dazu zählen Gerichtsgebühren, Gebühren des Gerichtsvollziehers, Kosten für Aufsperrdienste, Transportkosten, Aufwandsersatz des Drittschuldners, gegnerische Anwaltskosten etc.

Antwort: Damit ein Exekutionsverfahren eingeleitet wird, muss ein Exekutionstitel vorliegen. Im nächsten Schritt ist vom Gericht zu bestätigen, dass er vollstreckbar ist. Dann kann die betreibende Partei Exekution führen lassen.

Sichern & Merken

SbX ID: 0822

Ziel der Exekution

Unter Exekution versteht man die **Durchsetzung eines** in förmlicher Weise von Gerichten oder Verwaltungsbehörden festgestellten **Anspruchs** mithilfe staatlicher Gewalt.

Die Beschaffenheit des durchzusetzenden Anspruchs und das Vermögen des Schuldners bestimmen die Art der Exekution und die Exekutionsmittel.

Ziel der Exekution ist die Befriedigung oder Sicherung der Ansprüche des betreibenden Gläubigers.

Prinzip des Schuldnerschutzes

Die Lebensgrundlage des verpflichteten Schuldners ist vor dem Zugriff des betreibenden Gläubigers geschützt.

SbX ID: 0822

Im SbX finden Sie eine Bildschirmpräsentation mit den Grafiken dieser Lerneinheit.

Wissen & Können

SbX ID: 0823

A B C D E

SbX W 8.6 mit automatischer Aufgabenkontrolle ID: 0823

W 8.6: Exekutionsrecht B

Schreiben Sie zu jeder der folgenden Aussagen, ob sie richtig oder falsch ist. Falsche Aussagen stellen Sie bitte richtig:

	Richtig/ Falsch	Korrektur
Im Exekutionsverfahren muss man sich immer von einem Anwalt vertreten lassen.		
Die Kosten der Exekution trägt die Republik Österreich.		
Zur Exekutionsführung bedarf es eines Exekutionstitels.		
Das Gericht kann dem Verpflichteten auch sein Haustier, den Ehering oder sein Bett wegnehmen.		
Liegenschaften werden vor ihrer Versteigerung vom Gerichtsvollzieher auf ihren Wert geschätzt.		
Das Arbeitseinkommen des Schuldners kann unbeschränkt gepfändet werden.		
Gegen die Entscheidungen der Bezirksgerichte in Exekutionsverfahren gibt es keine Rechtsmittel.		

W 8.7: Vollstreckung eines Urteils C

Herr Pleitinger hat seinen Prozess gegen die Bank verloren und wurde vom Gericht schuldig erkannt, € 28.000,– samt Prozesskosten von € 5.000,– zu zahlen. Das Urteil des Gerichts ist bereits rechtskräftig und vollstreckbar.

a) Herr Pleitinger bezahlt die Forderungen fristgerecht. Wird ein Exekutionsverfahren eingeleitet?

b) Herr Pleitinger bezahlt seine Schuld aus dem Gerichtsurteil nicht.
Herr Pleitinger wohnt in einer Mietwohnung. Er besitzt unter anderem eine wertvolle Sammlung von Briefmarken und einen zwei Jahre alten Pkw, den er für die Ausübung seines Berufes als Versicherungsvertreter im Außendienst benötigt. Er verdient bei dem Versicherungsunternehmen, bei dem er als Angestellter beschäftigt ist, im Monat € 2.500,–.
Welche Möglichkeiten hat die Bank, um zu ihrem Geld zu kommen?

W 8.8: Versteigerung C

Herr Sommer hat ein wenig gespart und sucht ein Wochenendhaus im Grünen. Er hat gehört, dass man bei Versteigerungen das eine oder andere Schnäppchen ergattern kann. Er weiß aber nicht, wo etwas versteigert wird und wann Versteigerungstermine sind. Wie kann er sich darüber informieren?

SbX
W 8.9
mit automatischer Aufgabenkontrolle
ID: 0823

Weitere Aufgabe im SbX

W 8.9: Exekutionsrecht B

Lösen Sie das Kreuzworträtsel zum Thema Exekutionsrecht.

Ein kurzer Kompetenz-Check, bevor's weitergeht!

Kompetenz-Check

	☺	😐	☹
Ich kann die Parteien eines Exekutionsverfahrens nennen.			
Ich kann das Rangprinzip im Exekutionsverfahren erläutern.			
Ich kann beschreiben, was Schuldnerschutz bedeutet.			
Ich kann den Begriff „Bleistiftwert“ erklären.			
Ich kann den Ablauf einer Lohnpfändung darstellen.			

9 STRAFRECHT

Worum geht's in diesem Kapitel?

Katharina würde es zwar nie zugeben, aber manchmal sieht sie sich im Fernsehen heimlich Gerichtsshows an: Marco wiederum liest gern Kriminalromane; er schaut sich auch im Kino und im Fernsehen am liebsten Krimis an. Das Strafrecht ist nun einmal ein Thema, das kaum einen kalt lässt, auch wenn er sonst mit juristischen Themen nichts am Hut hat. Zum Glück betrifft es ja die meisten nicht persönlich, aber spannend ist es!

Jeder ist sich sicher, mitreden zu können, denn man weiß ja, wie es funktioniert: Zwölf Geschworene werden monatelang weggesperrt, damit sie mit niemandem über den Fall reden können. Der Staatsanwalt schaut stets böse drein und streitet unaufhörlich mit dem Verteidiger. Letzterer trägt bereits im (Sport-)Wagen einen schwarzen Talar, ruft ständig „Einspruch, Euer Ehren!", macht alle Zeugen psychisch fertig und beschäftigt einen Privatdetektiv, der schlauer ist als ein ganzer Polizeiapparat. Der Richter hat eine lächerliche weiße Langhaarperücke auf und schlägt unzählige Male mit einem Hammer auf den Tisch, verhält sich aber ansonsten unauffällig. Zeugen platzen unerwartet in Verhandlungen hinein, konstruieren (unter Eid) komplizierte Lügengebäude, um Unschuldige hineinzureiten, brechen in Weinkrämpfe aus und beschimpfen alle anderen. Der Verdächtige unternimmt knapp vor dem Urteilsspruch aus dem Gerichtssaal einen Fluchtversuch, der sich allerdings als unnötig erweist, da er ohnedies freigesprochen werden muss, weil ein Polizist ein Formular falsch ausgefüllt hat. Daraufhin erklärt der Angeklagte vor Millionen von Fernsehzuschauern, wie er die Tat begangen hat, und schreibt darüber ein Buch, aber freigesprochen ist eben freigesprochen ...

Glauben Sie, dass sich Strafrecht in der Praxis so abspielt? Hier erfahren Sie, wie es wirklich ist.

Wenn Sie dieses Kapitel bearbeitet haben, können Sie

- die Grundregeln für die Bestrafung von Kriminellen erklären,
- beschreiben, was verboten ist und was einem passiert, wenn man es trotzdem tut,
- erläutern, welche Rechte und Pflichten man als Beschuldigter hat, und
- darstellen, wie ein Strafprozess vor Gericht abläuft.

In diesem Kapitel erwerben Sie Kompetenzen zu folgenden Bildungs- und Lehraufgaben:

„Die Schülerinnen und Schüler können die Strafbarkeit anhand einfacher strafrechtlicher Fallbeispiele beurteilen."

A B C D E

In diesem Kapitel finden Sie Übungsaufgaben, Fallbeispiele und Wiederholungsfragen zur Kompetenzüberprüfung auf den Handlungsebenen A Wiedergeben, B Verstehen, C Anwenden, D Analysieren & Interpretieren und E Entwickeln.

Dieses Kapitel umfasst folgende Lerneinheiten:

SbX
Alle SbX-Inhalte zu dieser Lerneinheit finden Sie unter der ID: 0910.

Lerneinheit 1

Materielles Strafrecht

Wir wissen bereits aus dem ersten Kapitel dieses Buches, dass im materiellen Recht die rechtlichen Folgen bestimmter Lebenssituationen festgelegt werden.

Im Strafrecht beantwortet das materielle Recht daher die Fragen, welche Taten der Gesetzgeber unter welchen Umständen als kriminell einstuft und welche Konsequenzen strafbares Verhalten hat.

Lernen & Üben

SbX ID: 0911

A B C D E

1 Arten des Strafrechts
Wir sehen uns vor Gericht – oder?

> Eine Klassenkollegin von mir musste sich vor Gericht verantworten, weil sie im Kaufhaus eine DVD gestohlen hatte. Ich war überrascht, dass man wegen eines solchen – doch eher geringfügigen – Deliktes vor Gericht gestellt wird. Muss man eigentlich bei jeder Missachtung eines Gesetzes mit einer Vorstrafe rechnen?

Fahrerflucht (ohne Personenschaden) ist z. B. in Österreich nur eine Verwaltungsübertretung, in Deutschland hingegen gerichtlich strafbar.

Der **Gesetzgeber entscheidet,** ob er eine bestimmte strafbare Handlung als kriminell oder lediglich als ordnungswidrig einstuft. Maßgeblich ist dabei, wie schwer er die Störung des Zusammenlebens und der öffentlichen Ordnung durch dieses Delikt einschätzt. Mitunter führt das zu überraschenden Ergebnissen – wie im geschilderten Fall des Kaufhausdiebstahls. Die Abgrenzung kann in verschiedenen Staaten auch unterschiedlich getroffen werden.

Für den Staat gibt es daher zwei Möglichkeiten, Verstöße gegen Vorschriften zu bestrafen: durch die **Gerichte** oder mithilfe der **Verwaltungsbehörden.** Ob ein Delikt dem gerichtlichen Strafrecht oder dem Verwaltungsstrafrecht zuzuordnen ist, wird durch die **Gesetze** genau abgegrenzt. In diesem Kapitel wird nur das **gerichtliche Strafrecht** behandelt.

Abgrenzung des Strafrechts

ABGRENZUNG DES STRAFRECHTS

STRAFRECHT

	GERICHTLICHES STRAFRECHT	VERWALTUNGSSTRAFRECHT
ZUSTÄNDIGKEIT	Justiz (Bezirksgericht, Landesgericht)	Verwaltungsbehörden (Polizei, Bezirkshauptmannschaft)
BERÜCKSICHTIGUNG IM STRAFREGISTER	Vorstrafe	keine Vorstrafe
ART DER STRAFE	Freiheits- oder Geldstrafe	Geldstrafe; Freiheitsstrafe nur in Ausnahmefällen
EINORDNUNG DER TATEN DURCH DEN GESETZGEBER	kriminelle Handlungen	Verwaltungsübertretungen (Ordnungswidrigkeiten)
FORM DES VERFAHRENS	zum Großteil mündlich	zum Großteil schriftlich

Gesamtwerte 2015:
angezeigte Fälle: 517870
geklärte Fälle: 221627
Aufklärungsquote: 41,4 %

Einen Überblick der **gerichtlich strafbaren Handlungen** in Österreich und deren **Verteilung auf Frauen und Männer** gibt die folgende Tabelle:

Straftaten in Österreich 2015

Gerichtlich strafbare Handlungen	Sämtliche Delikte		
	zusammen	Männer	Frauen
Insgesamt	49.210	42.695	6.515
gegen Leib und Leben, z. B. Mord, Körperverletzung	8.613	7.797	816
gegen die Freiheit, z. B. gefährliche Drohung, Nötigung	3.556	3.309	247
gegen fremdes Vermögen, z. B. Diebstahl, Sachbeschädigung, Betrug	16.986	13.942	3.044
gegen Ehe und Familie, z. B. Verletzung der Unterhaltspflicht	1.026	965	61
gegen die sexuelle Integrität und Selbstbestimmung, z. B. Vergewaltigung, sexueller Missbrauch	986	963	23
gegen die Zuverlässigkeit von Urkunden und Beweiszeichen, z. B. Urkundenfälschung, Urkundenunterdrückung	2.728	2.365	363
gegen die Staatsgewalt, z. B. Widerstand gegen die Staatsgewalt	1.030	921	109
gegen die Rechtspflege, z. B. falsche Beweisaussage, Verleumdung	2.331	1.572	759
nach dem Fremdenpolizeigesetz, z. B. Schlepperei	786	750	36
nach dem Suchtmittelgesetz, z. B. unerlaubter Umgang mit Suchtmitteln, Suchtgifthandel	7.922	7.291	631
Sonstige	3.246	2.820	426

Quelle: Statistik Austria

SbX

Eine Linkliste zur Kriminalstatistik finden Sie unter der ID: 0911.

Das **Strafregister** wird für ganz Österreich von der Wiener Polizei geführt.

Nur die gerichtlichen Verurteilungen werden in einem **Strafregister** festgehalten. Nach Ablauf einer längeren Frist werden sie getilgt. **Tilgung** bedeutet, dass die Taten im Strafregister gelöscht werden und daher nicht mehr aufscheinen. Die Dauer der Tilgungsfrist richtet sich nach der Höhe der Strafe.

Bewaffneter Raub verjährt z. B. nach 20 Jahren, Mord verjährt nie (damit hat das Fernsehen immerhin recht!).

Beispiele für Tilgungsfristen:
- 5 Jahre bei einer Freiheitsstrafe bis zu einem Jahr
- 15 Jahre bei einer Freiheitsstrafe von mehr als 3 Jahren
- keine Tilgung bei lebenslanger Freiheitsstrafe

Von der Tilgung ist die **Verjährung** zu unterscheiden: Wenn seit der Tat eine sehr lange Zeit vergangen ist, ohne dass der Täter vor Gericht gestellt wurde, erlischt die Strafbarkeit.

Antwort: Nur Straftaten, für die man sich **vor Gericht** verantworten muss, führen zu Vorstrafen.

2 Strafbarkeit

Erlaubt ist, was nicht verboten ist.

Albrecht hat sich im ersten Abschnitt seines Jusstudiums viel mit dem Strafrecht beschäftigt. Dieses Rechtsgebiet eignet sich sehr gut für die Studienanfänger: Die Vorschriften sind klar und einfach aufgebaut und man kann sein Grundwissen über Sachverhalt, Tatbestand und Rechtsfolge (siehe Kapitel 1) gleich einmal anwenden.

Tatbestandsmäßigkeit

Auch durch **Unterlassungen** kann man sich strafbar machen! Beispiel: wenn ein Elternteil nichts unternimmt, obwohl er sieht, dass sein minderjähriges Kind ein anderes Kind schlägt.

Ein Täter kann nur dann bestraft werden, wenn seine Tat gesetzlich verboten ist. Mit den Worten der Juristen: Die Handlung muss **tatbestandsmäßig** sein. Eine Strafe ist also nur möglich, wenn der konkrete Fall (Sachverhalt) unter einen gesetzlichen Tatbestand subsumiert werden kann.

Die innere Tatseite

Die **innere Tatseite** muss dem Täter im Strafverfahren genauso nachgewiesen werden wie alle anderen Merkmale der Tat.

Eine besondere Rolle spielt dabei die innere Beziehung des Täters zur Tat (der **sogenannte subjektive Tatbestand**). →

- **Absicht:** Der Täter will die schädlichen Folgen der Tat herbeiführen.
- **Wissentlichkeit:** Der Täter weiß, dass er schädliche Folgen herbeiführt.
- **bedingter Vorsatz:** Der Täter hält es ernstlich für möglich, schädliche Folgen herbeizuführen, und findet sich damit ab.
- **bewusste Fahrlässigkeit:** Der Täter hält es für möglich, schädliche Folgen herbeizuführen, will dies aber nicht.
- **unbewusste Fahrlässigkeit:** Der Täter lässt die gebotene Sorgfalt außer Acht, rechnet aber nicht mit einem Schaden.

Zur Bewertung der Tat ist die **Abgrenzung zwischen Vorsatz und Fahrlässigkeit** sehr wichtig. Besonders schwierig ist es dabei natürlich, zwischen bedingtem Vorsatz und bewusster Fahrlässigkeit zu unterscheiden.

Beispiel

Beispiel: Spülmittel in Limonadenflaschen

Beispiel für die verschiedenen Arten des Vorsatzes und der Fahrlässigkeit:

Gerald Huber, Bewohner einer WG, bewahrt ein Spülmittel in einer Limonadenflasche auf und stellt diese in einen allgemein zugänglichen Kasten. Ein Mitbewohner trinkt die Flüssigkeit, seine Speiseröhre wird verätzt.

Ob sich Huber einer vorsätzlichen oder einer fahrlässigen Körperverletzung schuldig gemacht hat, hängt von seiner inneren Einstellung ab:

- **Absicht:** „Genau das wollte ich erreichen, dass er sich verletzt."
- **Wissentlichkeit:** „Ich wusste, dass er sich verletzen wird, aber das hat mich nicht gestört."
- **bedingter Vorsatz:** „Es schien mir wahrscheinlich, dass er sich verletzt, aber es war mir egal."
- **bewusste Fahrlässigkeit:** „Es war mir klar, dass eine gewisse Gefahr besteht. Aber ich habe gedacht, es wird schon nichts passieren."
- **unbewusste Fahrlässigkeit:** „Ich habe nicht gewusst, dass ich eine Gefahr hervorgerufen habe. Die Verletzung kam für mich völlig unerwartet."

In den ersten drei Fällen liegt eine **vorsätzliche** Körperverletzung vor, in den beiden letzten hingegen eine **fahrlässige**.

Ausnahmen von der Strafbarkeit

Eine tatbestandsmäßige Handlung kann in einigen Fällen ausnahmsweise nicht bestraft werden:

- **Zurechnungsunfähigkeit:** Man leidet unter einer Geisteskrankheit oder einer Bewusstseinsstörung.
  Ist der Grund der Zurechnungsunfähigkeit allerdings eine selbst verschuldete **volle Berauschung** (der Täter weiß nicht mehr, was er tut), kann er bestraft werden. In diesem Fall darf maximal eine dreijährige Freiheitsstrafe verhängt werden. Dies gilt sogar für einen Mord in diesem Zustand.

  Der Täter kann aber voll bestraft werden, wenn er sich **extra berauscht** hat, um die Straftat zu begehen.
- **Unmündigkeit:** Man hat zum Zeitpunkt der Tat das 14. Lebensjahr noch nicht vollendet.
- **Notwehr oder Nothilfe:** Man verteidigt durch die Tat sich oder jemand anderen gegen einen rechtswidrigen Angriff.
  Beispiel Notwehr: Eine Frau schlägt einem Mann, der versucht, sie zu vergewaltigen, eine Vase auf den Kopf und kann dadurch flüchten.
  Beispiel Nothilfe: Ein Mann wird Zeuge eines versuchten Raubes und schlägt den Täter in die Flucht, indem er ihm ein Messer in den Arm sticht.
- **Notstand:** Man begeht eine Straftat, um einen bedeutenden Schaden abzuwenden.
  Beispiel: Ein Mann bricht in eine Apotheke ein, um ein lebensnotwendiges und nicht anders erreichbares Medikament für seine Frau zu beschaffen.

Beteiligung und Versuch

Als Täter werden auch Personen betrachtet, die andere zur Tat **anstiften** oder sonst einen **Beitrag** dazu leisten. Es gelten daher für alle Beteiligten dieselbe Mindest- und Höchststrafe.

Auch der **Versuch** einer Tat ist mit derselben Strafe bedroht wie die vollendete Tat. Der Täter bleibt allerdings dann straffrei, wenn er die Ausführung der Tat **freiwillig** aufgibt (Rücktritt vom Versuch).

3 Konsequenzen strafbarer Handlungen

Auge um Auge, Zahn um Zahn?

Ich habe immer geglaubt, dass man Kriminelle bestraft, um ihnen die Tat heimzuzahlen.

Zwecke der Strafe

Zwecke der Strafe	Grund der Bestrafung	Idee
Generalprävention	Abschreckung der Allgemeinheit vor Straftaten	• Verringerung der Kriminalität durch Drohung mit Strafe • Bewusstmachung der Rechtsvorschriften • Bewusstmachung der Konsequenzen ihrer Übertretung in der Öffentlichkeit
Spezialprävention	Abschreckung des konkreten Täters vor weiteren Straftaten	• Besserung und Resozialisierung des Täters • Schutz der Allgemeinheit vor Verbrechern, indem diese „aus dem Verkehr gezogen" werden

Antwort: Marco liegt mit seiner Annahme falsch: Vergeltung ist im modernen Strafrecht kein Zweck der Bestrafung mehr.

500 Jahre Gefängnis oder dreimal lebenslänglich gibt es vielleicht in Amerika, nicht aber in Österreich.

Arten der Strafe

- **Freiheitsstrafen** können auf Lebensdauer oder für die Dauer von höchstens 20 Jahren verhängt werden.
- **Geldstrafen** werden nach Tagessätzen bemessen:
  - Die **Anzahl** der Tagessätze (höchstens 720) hängt von der **Schuld** des Täters ab.
  - Die **Höhe** eines Tagessatzes (von € 4,– bis € 5.000,–) richtet sich nach den **wirtschaftlichen Verhältnissen** des Täters. Er soll sich pro Tagessatz jeweils einen halben Tag auf das Notwendigste einschränken müssen.
  - Die Strafe errechnet sich aus der Höhe, **multipliziert** mit der Anzahl. Sie ist im Normalfall auf einmal zu bezahlen, das Gericht kann aber auch eine Ratenzahlung bewilligen.

Tagessatzsystem bei Geldstrafen

TAGESSATZSYSTEM BEI GELDSTRAFEN

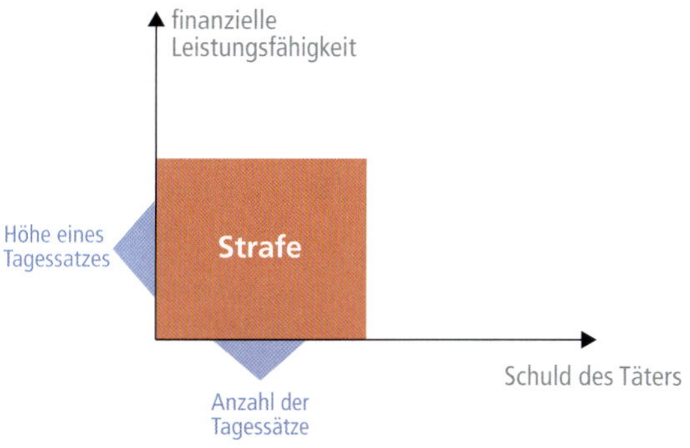

Beispiel

Zwei Männer – ein Industrieboss und ein Arbeitsloser – werden wegen falscher Zeugenaussage zu einer Geldstrafe verurteilt. Das Gericht schätzt das Verschulden der beiden Täter gleich groß ein. Daher erhält jeder von ihnen 50 Tagessätze Strafe.

Für den Industrieboss setzt das Gericht die Höhe des Tagessatzes mit € 2.000,– fest, für den Arbeitslosen mit € 4,–.

Strafe für den Industrieboss:	50 × € 2.000,– = € 100.000,–
Strafe für den Arbeitslosen:	50 × € 4,– = € 200,–

Ist der Täter nach einer bedingten Verurteilung rückfällig, kann in geringfügigen Fällen auch lediglich die Probezeit verlängert werden.

Sowohl kürzere Freiheitsstrafen als auch Geldstrafen (diese allerdings maximal bis zur Hälfte) können unter Bestimmung einer **Bewährungsfrist** bedingt nachgesehen werden. Man spricht dann von einer **bedingten Strafe.** Die Probezeit wird meistens mit drei Jahren festgesetzt. Wenn der Täter innerhalb dieser Frist rückfällig wird, so muss er die Strafe verbüßen. Auch Kombinationen der Strafarten – v.a. teilbedingte Freiheitsstrafe oder bedingte Freiheitsstrafe zusammen mit unbedingter Geldstrafe – sind möglich.

Arten der Strafe

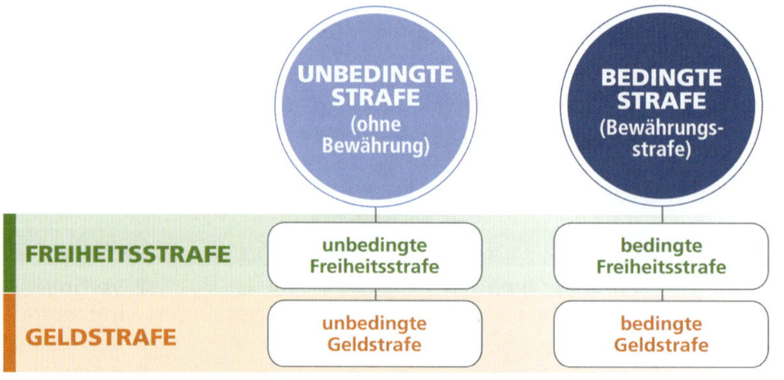

Anstatt eine **Freiheitsstrafe** bis zu einem Jahr zu verhängen, kann das Gericht den Beschuldigten auch zu einer **Geldstrafe** verurteilen.

Übungsbeispiel

Ü 9.1: Geldstrafe D

Jemand muss eine Geldstrafe von € 10.000,– bezahlen. Kann man daraus schließen, dass er eine relativ schwere Straftat begangen hat? Begründen Sie Ihre Antwort.

Bemessung der Strafe

Für jede strafbare Handlung sieht das Gesetz einen **Strafrahmen** vor. Dieser reicht von der **Mindeststrafe** (falls eine solche vorgesehen ist) bis zur **Höchststrafe.** Durch besondere Umstände des Sachverhalts kann dieser Strafrahmen sich verschieben, und zwar entweder erhöhen **(qualifiziertes Delikt)** oder verringern **(privilegiertes Delikt).**

Qualifizierter Diebstahl z.B. durch Einbruch (Einbruchsdiebstahl)

Privilegierter Diebstahl z.B. in einer Notlage (Entwendung)

Welche konkrete Strafe innerhalb dieses Strafrahmens verhängt wird, entscheidet das Gericht. Maßgeblich sind dafür **Milderungs- und Erschwerungsgründe:**

- **Milderungsgründe:** z.B. reumütiges Geständnis, Unbescholtenheit (also keine Vorstrafen), untergeordnete Tatbeteiligung, nur Versuch einer Straftat
- **Erschwerungsgründe:** z.B. einschlägige (also in dieselbe kriminelle Richtung weisende) Vorstrafen, Begehung mehrerer Straftaten, führende Beteiligung an der Tat

In Ausnahmefällen kann die Untergrenze unterschritten werden, dies wird als **außerordentliche Strafmilderung** bezeichnet. Bei Bagatelldelikten kann wegen **„mangelnder Strafwürdigkeit"** auf eine Strafe überhaupt verzichtet werden.

Als **Jugendliche/r** gilt man, wenn man zum Tatzeitpunkt höchstens 18 Jahre alt war.

Für **Jugendliche** gelten folgende Sonderregelungen:

- Es gibt keine Untergrenze (außer bei ganz schweren Delikten).
- Die Obergrenze wird halbiert, bei „lebenslang" wird sie auf 15 Jahre herabgesetzt.

Strafbemessung

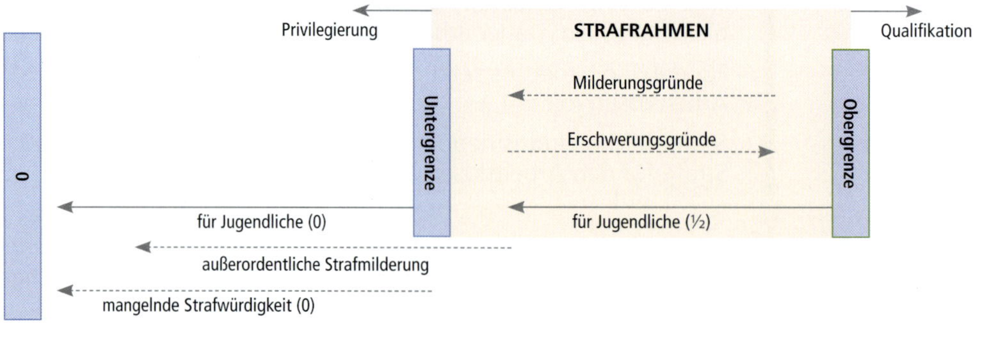

Beispiel: Begangen werden ein Raub (1 bis 10 Jahre) und eine Erpressung (6 Monate bis 5 Jahre).

Bemessung der Strafe nach der Strafandrohung für Raub: Mindeststrafe: 1 Jahr Höchststrafe: 10 Jahre

Wird eine Person nach der Begehung **mehrerer Straftaten** erwischt, so kommt es zu einer einzigen Strafverhandlung, in der über alle Taten gemeinsam geurteilt wird. Es gelten dann die Mindest- und die Höchststrafe für das schwerste Delikt, das begangen wurde. Dass nicht nur eine, sondern mehrere Straftaten begangen wurden, wirkt sich dabei erschwerend aus, es wird also wohl nicht gerade die Mindeststrafe verhängt werden.

Diversion

Bei Delikten mit geringem Verschulden kann auf eine Strafe verzichtet werden, wenn der Täter z. B. gemeinnützige Arbeit, Spenden, Geldbußen oder Hilfsdienste für das Opfer leistet. Diese Vorgangsweise wird **Diversion** genannt. In Österreich ermöglichen ca. 1500 Einrichtungen die Erbringung sozialer Arbeit als Alternative zur Bestrafung. Darunter befinden sich das Rote Kreuz, die Caritas sowie freiwillige Feuerwehren.

Vorbeugende Maßnahmen

Schutz vor Tätern, die für ihre Taten (z. B. wegen Zurechnungsunfähigkeit) nicht oder nicht lang genug eingesperrt werden können

Diese Maßnahmen dienen dazu, **gefährliche Straftäter aus dem Verkehr zu ziehen,** um die Bevölkerung vor ihnen zu schützen. Es sind Einweisungen in folgende Anstalten möglich:

- Anstalt für geistig abnorme Rechtsbrecher
- Anstalt für entwöhnungsbedürftige Rechtsbrecher
- Anstalt für gefährliche Rückfallstäter

Übungsbeispiel

Ü 9.2: Bemessung der Strafe C

a) Ein Krimineller erhält 18 Monate Freiheitsstrafe, davon 14 Monate bedingt auf 3 Jahre, den Rest unbedingt. Für wie lange Zeit muss er ins Gefängnis? Wie lang ist die Bewährungsfrist?

b) Welche Milderungs- und Erschwerungsgründe werden Ihrer Einschätzung nach in der Praxis am häufigsten angewendet?

4 Delikte gegen Leib und Leben

Von Mördern und Gewaltverbrechern

Ich bin immer bestürzt, wenn ich in der Zeitung über Gewalttäter lese, die mit viel zu milden Strafen oder sogar straflos davonkommen. Ein kleiner Einbrecher fasst womöglich eine höhere Strafe aus als ein brutaler Schläger! Welche Strafen sind eigentlich für Gewaltdelikte vorgesehen?

Verletzungs- und Tötungsdelikte

Diese Delikte werden im Normalfall auch bei Fahrlässigkeit gerichtlich bestraft, die Strafen sind allerdings bei Vorsatz beträchtlich höher. Die folgende Tabelle zeigt die **Strafrahmen der wichtigsten Delikte** dieser Gruppe im Vergleich:

Mit **„Erfolg"** meinen die Strafrechtler die schädlichen Folgen einer Straftat.

Delikte **„unter besonders gefährlichen Verhältnissen"** zielen vor allem auf von betrunkenen Lenkern verschuldete Verkehrsunfälle.

Wenn das Opfer die Anzeige zurückziehen will, schützt das den Täter nicht vor Strafverfolgung. Es ist ein Recht des Staates (und nicht des Opfers), dass ein Krimineller bestraft wird.

Mit **Misshandeln** ist z. B. Anrempeln oder Schlagen ohne Verletzungsvorsatz gemeint.

Delikt	§ StGB	Vorsatz	„Erfolg"	Strafrahmen										
				0	3 Monate	6 Monate	1 Jahr	2 Jahre	3 Jahre	5 Jahre	10 Jahre	15 Jahre	20 Jahre	lebensl.
Gefährdung der körperlichen Sicherheit	89	keiner oder Gefährdung	Gefährdung		■									
fahrlässige Körperverletzung	88/1	keiner	Verletzung		■									
	88/4		schwere Verletzung		■	■								
grob fahrlässige Körperverletzung	88/3	keiner	Verletzung		■	■								
	88/4		schwere Verletzung		■	■	■	■						
fahrlässige Tötung	80	keiner	Tod		■	■	■							
grob fahrlässige Tötung	81	keiner	Tod		■	■	■	■	■					
Körperverletzung	83	Misshandlung oder Verletzung	Verletzung		■	■	■							
schwere Körperverletzung	84	Misshandlung oder Verletzung	schwere Verletzung		■	■	■	■	■	■				
Körperverletzung mit schweren Dauerfolgen	85	Verletzung	schwere Dauerfolgen				■	■	■	■				
Körperverletzung mit tödlichem Ausgang	86	Verletzung	Tod					■	■	■	■			
absichtliche schwere Körperverletzung	87/1	schwere Verletzung	schwere Verletzung					■	■	■				
	87/2		schwere Dauerfolgen					■	■	■	■			
			Tod								■			
Totschlag (= Tötung im Affekt)	76	Tod	Tod								■			
Mord	75	Tod	Tod									■	■	■

9 Strafrecht

Schwangerschaftsabbruch

Der **Abbruch einer Schwangerschaft** ist sowohl für die Schwangere als auch für die Person, die eine Abtreibung vornimmt, **strafbar.**

Davon ausgenommen (also nicht strafbar) sind:

- Abtreibungen in den ersten drei Monaten der Schwangerschaft nach ärztlicher Beratung
- Abtreibungen, die zur Abwendung eines schweren Schadens für die Mutter erforderlich sind
- Fälle, in denen die ernste Gefahr einer schweren körperlichen oder geistigen Schädigung des Ungeborenen besteht

Schwangerschaftsabbrüche dürfen (außer bei Lebensgefahr) **nur von Ärzten** vorgenommen werden.

Sonstige Delikte gegen Leib und Leben

- Eine Mutter, die ihr Kind bei der Geburt tötet, wird nicht wegen Mordes oder Totschlags, sondern wegen eines speziellen, weniger schweren Delikts (maximal mit 5 Jahren Freiheitsstrafe) bestraft.

Aktive Sterbehilfe ist in Österreich strafbar!

- Die Tötung einer Person auf deren ernstliches und eindringliches Verlangen ist ebenso strafbar wie die Mithilfe an einem Selbstmord (maximal 5 Jahre).
- Auch wer bei einem Unfall – als Beteiligter oder als Zeuge – keine Hilfe leistet, wird bestraft (es kann aber unter Umständen genügen, die Rettung zu rufen).
- Das Vernachlässigen von Fürsorgepflichten gegenüber Jugendlichen steht ebenfalls unter Strafe.

Antwort: Die möglichen Strafen für Gewaltdelikte sind weit gestreut. Sie hängen in erster Linie vom Vorsatz des Täters ab: Wollte er das Opfer nur leicht oder immerhin schwer verletzen? Wollte er es sogar töten? Außerdem spielt es eine Rolle, welche Schädigungen das Opfer tatsächlich davonträgt. Die Höchststrafen bei Vorsatztaten reichen von 6 Monaten (leichte Verletzung) bis zu lebenslanger Freiheitsstrafe (Mord). Einen Überblick gibt die Tabelle auf Seite 370.

Eigentumsdelikte können dagegen vor allem dann streng (bis zu 10 Jahren Freiheitsstrafe) bestraft werden, wenn die Schadenssumme sehr hoch (mindestens € 300.000,–) ist. Dies scheint dadurch gerechtfertigt, dass durch solche Delikte häufig ganze wirtschaftliche Existenzen der Opfer vernichtet werden. Besonders drastisch (bis zu 15 Jahren) können die Strafen auch ausfallen, wenn sich jemand fremdes Vermögen gewaltsam aneignet (Raub mit Waffengewalt).

Übungsbeispiel

Ü 9.3: Strafhöhe D

Überlegen Sie, ob es Delikte gegen Leib und Leben gibt, die Ihrer Meinung nach unter zu geringer Strafdrohung stehen. Warum wird Raub wesentlich strenger bestraft als Körperverletzung?

5 Vermögensdelikte

Das Böse ist immer und überall.

Voriges Jahr wurde mein Fahrrad gestohlen, heuer hat jemand mutwillig das Auto meiner Eltern zerkratzt. In beiden Fällen haben meine Eltern bei der Polizei Anzeige erstattet. Die Beamten waren zwar sehr freundlich, ließen aber kaum Hoffnung auf eine Aufklärung dieser Taten aufkommen.

Fast alle Delikte gegen fremdes Vermögen sind nur **bei vorsätzlicher Begehung** strafbar. Häufig ist zusätzlich zum Tatvorsatz auch noch der Vorsatz unrechtmäßiger Bereicherung erforderlich.

Siehe die Statistik zu Beginn dieser Lerneinheit.

Antwort: Tatsächlich sind die **Vermögensdelikte** die mit Abstand **häufigste Kriminalitätsform in Österreich,** aufgeklärt wird allerdings nicht einmal ein Viertel dieser Taten.

Manche Eigentumsdelikte werden vom Gesetz milder behandelt, wenn sie an **Familienmitgliedern** begangen werden. Der Täter wird in diesem Fall nur auf Wunsch des Opfers vor Gericht gestellt.

Einige **wichtige Vermögensdelikte** finden Sie in der folgenden Aufstellung:

Delikt	Beschreibung
Sachbeschädigung	Sie besteht im Zerstören oder Beschädigen fremder Sachen. Die Strafdrohung erhöht sich z. B. bei Beschädigung von Gräbern, Kirchen oder Gegenständen von hohem Wert.
Diebstahl	Dieses Delikt begeht, wer eine fremde Sache einem anderen mit Bereicherungsvorsatz wegnimmt. Der bloße „Gebrauchsdiebstahl" – man hat ohnedies vor, die Sache wieder zurückzugeben – ist nicht strafbar. Qualifizierte Formen des Diebstahls mit höheren Strafen sind: ● Diebstahl durch Einbruch oder mit einer Waffe ● Bedrängnisdiebstahl (z. B. während eines Brandes oder einer Überschwemmung) ● gewerbsmäßiger Diebstahl und Diebstahl im Rahmen einer kriminellen Vereinigung ● Diebstähle an Sachen von hohem Wert
unbefugter Gebrauch von Fahrzeugen	Bei fremden Kraftfahrzeugen ist (anders als bei sonstigen Gegenständen) bereits die Inbetriebnahme ohne Erlaubnis strafbar (auch wenn man vorhat, das Fahrzeug nach Gebrauch wieder zurückzugeben).
Veruntreuung	Eine Veruntreuung begeht, wer sich mit Bereicherungsvorsatz eine Sache, die ihm anvertraut wurde, zueignet.
Unterschlagung	Einer Unterschlagung macht man sich schuldig, wenn man sich mit Bereicherungsvorsatz Sachen zueignet, die man gefunden oder durch einen Irrtum erhalten hat.
Raub	Einen Raub begeht jemand, der einem anderen eine Sache durch Drohung oder mit Gewalt abnimmt. Die Maximalstrafe von 10 Jahren wird z. B. durch folgende Umstände weiter erhöht: ● Verwendung einer Waffe ● schwere Verletzung eines Opfers ● Todesfolge (lebenslängliche Strafe möglich)
Erpressung	Als Erpresser gilt man, wenn man sich mithilfe einer Drohung oder Gewaltanwendung am Vermögen eines anderen bereichert.
Betrug	Dieses Delikt hat man zu verantworten, wenn man sein Opfer täuscht, um sich an dessen Vermögen zu bereichern. Die Strafdrohung erhöht sich, wenn zum Betrügen z. B. gefälschte Dokumente verwendet werden.
Untreue	Wenn man fremdes Vermögen, über das man verfügen kann, wissentlich schädigt, macht man sich der Untreue schuldig.
betrügerische Krida	Diese Straftat hat man zu verantworten, wenn man angesichts der drohenden Zahlungsunfähigkeit noch schnell sein Vermögen beiseite schafft, um seine Schulden nicht bezahlen zu müssen.
Hehlerei	Sie besteht im Erwerben oder Verstecken von Sachen, die durch ein Eigentumsdelikt ihren Besitzer gewechselt haben.
Computerkriminalität	Strafbar sind z. B. ● Datenbeschädigung ● Störung der Funktionsfähigkeit eines Computersystems ● Missbrauch von Computerprogrammen oder Zugangsdaten ● betrügerischer Datenverarbeitungsmissbrauch

Eine Spielzeugpistole gilt laut Judikatur nicht als Waffe, wohl aber eine ungeladene Pistole.

Diese Delikte sind nur bei **Vorsatz** strafbar. Für das Grunddelikt ist (außer bei den schwersten Verbrechen, wie z. B. dem Raub) oft eine Höchststrafe von 6 Monaten vorgesehen. Bei einem sehr hohen Wert des betroffenen Vermögensgegenstandes (ab € 300.000) können hingegen sogar Freiheitsstrafen bis zu 10 Jahren verhängt werden.

Übungsbeispiel

Ü 9.4: Veruntreuung – Unterschlagung D

Finden Sie je ein Beispiel für eine Veruntreuung und eine Unterschlagung. Worin besteht der Unterschied zwischen diesen beiden Delikten?

Die **wichtigsten Strafrahmen** entnehmen Sie der nachstehenden Tabelle:

strafbare Handlung	Strafe für das Grunddelikt TS = Tagessätze	bei mehr als € 5.000,– Schaden	bei mehr als € 300.000,– Schaden
Sachbeschädigung/Datenbeschädigung	bis 6 Monate/360 TS	bis 2 Jahre	6 Monate bis 5 Jahre
Diebstahl	bis 6 Monate/360 TS	bis 3 Jahre	1 bis 10 Jahre
Diebstahl durch Wohnungseinbruch oder mit Waffen	6 Monate bis 5 Jahre		
unbefugter Gebrauch von Fahrzeugen	bis 6 Monate/360 TS	bis 2 Jahre	bis 3 Jahre
Veruntreuung	bis 6 Monate/360 TS	bis 3 Jahre	1 bis 10 Jahre
Unterschlagung	bis 6 Monate/360 TS	bis 2 Jahre	6 Monate bis 5 Jahre
Raub	1 bis 10 Jahre		
schwerer Raub: z. B. mit Waffe oder mit schwerer Verletzungsfolge	1 bis 15 Jahre		
Raub mit Todesfolge	10 bis 20 Jahre oder lebenslang		
Erpressung	6 Monate bis 5 Jahre		
schwere Erpressung: z. B. mit besonders schlimmen Drohungen	1 bis 10 Jahre		
Betrug/betrügerischer Datenverarbeitungsmissbrauch	bis 6 Monate/360 TS	bis 3 Jahre	1 bis 10 Jahre
Untreue	bis 6 Monate/360 TS	bis 3 Jahre	1 bis 10 Jahre
betrügerische Krida	6 Monate bis 5 Jahre		1 bis 10 Jahre
Hehlerei	bis 6 Monate/360 TS	bis 2 Jahre	6 Monate bis 5 Jahre
Störung der Funktionsfähigkeit eines Computersystems	bis 6 Monate/360 TS in schweren Fällen bis 5 Jahre		
Missbrauch von Computerprogrammen oder Zugangsdaten	bis 6 Monate/360 TS		

6 Drogendelikte
Hände weg von Drogen!

Ich würde niemals Drogen anrühren, so viel ist klar! Aber angeblich soll es Mitschüler geben, die schon den einen oder anderen Joint geraucht haben. Kann ihnen eigentlich etwas passieren?

Erzeugung, Erwerb, Besitz, Abgabe sowie Ein- und Ausfuhr von Suchtmitteln sind verboten und strafbar. Ausgenommen sind davon nur medizinische, veterinärmedizinische und wissenschaftliche Zwecke. Verbotene Suchtmittel sind z. B. Ecstasy, Speed, Haschisch, Marihuana, Opium, Kokain, LSD u. v. m.

Antwort: Falls Marcos Mitschüler tatsächlich Joints geraucht haben, dann sind sie straffällig geworden.

Auch **Alkohol und Nikotin** sind Drogen. Sie gelten zwar nicht als Suchtmittel, aber unter ungünstigen Umständen können sie (neben sonstigem Leid) indirekt eine Straffälligkeit zur Folge haben, z. B. wegen der Begehung von Delikten im Rauschzustand.

Wenn jemand **mit Suchtgift** erwischt wird und nur eine kleine Menge für den Eigenbedarf mit sich führt, kann die **Strafverfolgung** für eine Probezeit von einem Jahr bis zu zwei Jahren vorläufig **ausgesetzt werden.** Häufig ist daran die Bedingung geknüpft, sich einer „gesundheitsbezogenen Maßnahme" (z. B. Gesprächstherapie oder regelmäßige Harnkontrollen) zu unterziehen. Entzieht man sich diesen Maßnahmen, missbraucht man weiter Suchtgift oder begeht man aufgrund seiner Suchtgiftabhängigkeit weitere Straftaten, so wird das **Strafverfahren fortgesetzt.**

Der Besitz von Suchtgift für den Eigenbedarf ist nicht erlaubt!

Hohe Strafen sind für **Dealer** vorgesehen; gewerbsmäßige Drogenhändler und Mitglieder von Banden haben mit langjährigen Freiheitsstrafen zu rechnen.

7 Sonstige strafbare Handlungen

Verbrechen lohnt sich nicht!

Strafbare Handlungen werden in mehr als 250 Paragrafen des Strafgesetzbuches umschrieben. Die Liste weiterer Delikte ist daher nur als eine Sammlung von Beispielen gedacht und erhebt keinerlei Anspruch auf Vollständigkeit.

Wegen **Delikten gegen die Ehre** wird nur auf Wunsch des Opfers ein Strafprozess durchgeführt.

Deliktsgruppe	strafbare Handlungen (z. B.)
Delikte gegen die Freiheit	● Nötigung: Zwingen einer Person zu ungewollten Handlungen oder Unterlassungen ● gefährliche Drohung ● Freiheitsentziehung: widerrechtliches Gefangenhalten ● erpresserische Entführung (Kidnapping)
Delikte gegen die Ehre	● üble Nachrede: unwahre Behauptungen über unehrenhaftes Verhalten anderer ● Beleidigung: strafbar nur bei Beleidigungen in der Öffentlichkeit oder vor mindestens drei weiteren Personen!
gemeingefährliche Delikte	strafbar auch bei Fahrlässigkeit: ● Brandstiftung ● Gefährdung durch Sprengmittel
Sittlichkeitsdelikte	● Vergewaltigung: Erzwingen geschlechtlicher Handlungen mittels Gewalt, Freiheitsentziehung oder Drohung ● sexueller Missbrauch von Unmündigen: geschlechtliche Handlungen mit unter 14-Jährigen ● sexuelle Belästigung und öffentliche geschlechtliche Handlungen – z. B. Exhibitionismus
Delikte gegen die Sicherheit des Zahlungsverkehrs	● Geldfälschung ● Fälschung unbarer Zahlungsmittel (z. B. Schecks, Kreditkarten, Bankomatkarten)
Delikte gegen die Rechtspflege	● falsche Beweisaussage vor Gericht: strafbar für Zeugen, aber nicht für Beschuldigte! ● Verleumdung: wissentliche falsche Verdächtigung eines anderen, eine Straftat begangen zu haben
strafbare Verletzung der Amtspflicht	● Missbrauch der Amtsgewalt ● Geschenkannahme durch Beamte ● Bestechung ● Verletzung des Amtsgeheimnisses

Sichern & Merken

SbX ID: 0912

Abgrenzung
Die Gesetze grenzen genau zwischen dem **gerichtlichen Strafrecht** (Kriminalität) und dem **Verwaltungsstrafrecht** (Ordnungswidrigkeiten) ab.

Tilgung und Verjährung
Tilgung bedeutet Löschung einer Verurteilung im Strafregister, mit **Verjährung** ist Erlöschen der Strafbarkeit durch Vergehen einer langen Zeitspanne nach der Tat gemeint.

Tatbestandsmäßigkeit
Eine Tat ist nur dann strafbar, wenn sie einem gesetzlichen **Tatbestand** entspricht.

Vorsatz und Fahrlässigkeit
Dazu gehört auch die innere Tatseite, hier unterscheidet man zwischen **Vorsatz** und **Fahrlässigkeit.**

Ausnahmen von der Strafbarkeit
Nicht strafbar sind Taten, die in Situationen der **Notwehr,** der **Nothilfe,** des **Notstandes** oder der **Zurechnungsunfähigkeit** (ausgenommen selbst verschuldete Berauschung) verübt werden. Auch Taten von **Unmündigen** (unter 14-Jährigen) können nicht bestraft werden.

Tatbeteiligung und Versuch
Alle **Beteiligten** an einer Straftat unterliegen derselben Strafdrohung, für eine **versuchte** Tat gilt derselbe Strafrahmen wie für eine vollendete Tat.

Zwecke und Arten der Strafe
Zwecke der Strafe sind die **Generalprävention** und die **Spezialprävention.** Es können **Freiheitsstrafen** und **Geldstrafen** verhängt werden. Geldstrafen sind nach dem Tagessatzsystem konstruiert. Kürzere Freiheitsstrafen und Geldstrafen können **bedingt** (auf Bewährung) ausgesprochen werden.

Strafzumessung

Diversion
Innerhalb des gesetzlich bestimmten **Strafrahmens** richtet sich die Strafe nach **Milderungs- und Erschwerungsgründen.** Für Jugendliche wird die Höchststrafe halbiert. Bei Delikten mit mäßigem Unrecht kann eine **Diversion** angewendet werden, um eine gerichtliche Strafe zu vermeiden.

Delikte gegen Leib und Leben
Unter den strafbaren Handlungen gegen **Leib und Leben** findet man vor allem die **Verletzungs- und Tötungsdelikte,** die meisten von ihnen sind auch strafbar, wenn sie nur fahrlässig begangen werden.

Vermögensdelikte
Strafbare Handlungen gegen fremdes **Vermögen** zeichnen sich durch häufiges Auftreten und geringe Aufklärungsquote aus. Sie sind großteils nur bei Vorsatz strafbar. Das schwerste dieser Delikte ist der Raub, der sich aus einem Diebstahl und einer Drohung oder Gewaltanwendung zusammensetzt.

Drogenkriminalität
Besitz und Konsum von **Suchtmitteln** sind strafbar, mit besonders strengen Strafen haben gewerbsmäßige Drogendealer und Bandenmitglieder zu rechnen.

SbX ID: 0912

Im SbX finden Sie eine Bildschirmpräsentation mit den Grafiken dieser Lerneinheit.

Wissen & Können

SbX ID: 0913

A B C D E

W 9.1: Tilgung – Verjährung B

Erklären Sie den Unterschied zwischen Tilgung und Verjährung.

W 9.2: Generalprävention E

a) Erörtern Sie die Überlegungen, die bei der Generalprävention im Vordergrund stehen.

b) Konstruieren Sie ein Beispiel für eine im Notstand begangene Tat. Wie ist sie zu bestrafen?

W 9.3: Verzicht auf Strafe A

Wie nennt man den Verzicht auf Strafe, wenn der Täter gemeinnützige Arbeit, Spenden, Geldbußen oder Hilfsdienste leistet (bitte ankreuzen)?

☐ Diversifikation ☐ Division ☐ Diversion ☐ Perversion

W 9.4: „Eigenbedarf" D

Hat es rechtliche Konsequenzen, wenn man in der Disco mit einer geringen Menge einer „leichten" Droge für den Eigenbedarf erwischt wird? (Begründen Sie Ihre Antwort.)

W 9.5: Stalking C

In welchem Paragrafen des österreichischen Strafgesetzbuches wird „Stalking" unter Strafe gestellt?

W 9.6: Vorsatz D

Ergründen Sie, auf welche Arten man einem leugnenden Täter nachweisen kann, dass er vorsätzlich gehandelt hat.

W 9.7: Fallbeispiel Strafrecht E

A hat einen Banküberfall geplant. B führt den Überfall aus, er fuchtelt mit einer ungeladenen Pistole in der Bankfiliale umher. C steht Schmiere. D spielt den Chauffeur. E hat für B die Strumpfmaske gestrickt (wissend, was er damit vorhat).

Bestimmen Sie, welchem Strafrahmen die erwähnten Personen ausgesetzt sind. Versuchen Sie anhand der gegebenen Fakten, für jede dieser Personen eine konkrete Strafhöhe grob abzuschätzen (A hat einschlägige Vorstrafen, der Rest ist unbescholten; alle sind geständig; C ist erst 17 Jahre alt). Begründen Sie Ihre Strafzumessungen.

Auszug aus dem Strafgesetzbuch

§ 142. (1) Wer mit Gewalt gegen eine Person oder durch Drohung mit gegenwärtiger Gefahr für Leib oder Leben (§ 89) einem anderen eine fremde bewegliche Sache mit dem Vorsatz wegnimmt oder abnötigt, durch deren Zueignung sich oder einen Dritten unrechtmäßig zu bereichern, ist mit Freiheitsstrafe von einem bis zu zehn Jahren zu bestrafen.

§ 143. Wer einen Raub als Mitglied einer kriminellen Vereinigung unter Mitwirkung (§ 12) eines anderen Mitglieds dieser Vereinigung begeht oder wer einen Raub unter Verwendung einer Waffe verübt, ist mit Freiheitsstrafe von einem bis zu fünfzehn Jahren zu bestrafen ...

W 9.8: Abgrenzung von Delikten D

Verdeutlichen Sie die Unterschiede zwischen

a) Mord, Totschlag, Körperverletzung mit tödlichem Augang und fahrlässiger Tötung

b) Diebstahl und Raub

c) Raubmord und Raub mit Todesfolge

W 9.9: Erdachte Kriminalfälle E

Konstruieren Sie jeweils einen Sachverhalt für folgende Delikte: Untreue, betrügerischer Datenverarbeitungsmissbrauch, Missbrauch der Amtsgewalt.

W 9.10: Todesstrafe E

Bringen Sie die wichtigsten Argumente gegen die Todesstrafe vor. Zeigen Sie außerdem auf, wie die Befürworter der Todesstrafe ihre Ansicht begründen.

Verwenden Sie den Textteil des Buches zur Lösung dieser Fälle!

W 9.11: Strafrechtliche Fälle D

Welche strafbare Handlung begeht A in den beschriebenen Fällen jeweils (Hinweis: nicht alle angegebenen Taten sind strafbar)?

Sachverhalt	Delikt
A versetzt in einem Wirtshaus dem X in der Absicht, ihn zu verletzen, einen Faustschlag. X stürzt dadurch so unglücklich, dass er noch am Tatort stirbt.	
A verschuldet in alkoholisiertem Zustand durch Unachtsamkeit einen Autounfall, bei dem ein Insasse seines Wagens schwer verletzt wird.	
A schießt mehrmals auf seine Frau, um sie zu töten. Die Frau überlebt diese Tat jedoch schwer verletzt.	
A erschießt in einer allgemein begreiflichen, heftigen Gemütsbewegung den Liebhaber seiner Gattin.	
A geht betrunken vom Heurigen nach Hause und beschädigt dabei aus Unachtsamkeit ein fremdes Auto.	
A beobachtet, dass jemand sein Auto mit angestecktem Zündschlüssel abgestellt hat. A steigt ein, fährt den Tank leer und lässt den Wagen dann stehen.	
A lässt sein Fahrrad gegen Diebstahl versichern. Einige Zeit später behauptet er gegenüber der Versicherung fälschlich, sein Rad sei gestohlen worden, und kassiert die Versicherungssumme.	
A droht seiner Nachbarin an, sie zu verprügeln, wenn sie nicht aufhöre, Trompete zu lernen.	

SbX
W 9.12–W 9.15
mit automatischer Aufgabenkontrolle
ID: 0913

Weitere Aufgaben im SbX

W 9.12: Fallbeispiel Wohnungseinbruch C

Bearbeiten Sie das Fallbeispiel und beantworten Sie die Fragen.

W 9.13: Fallbeispiel Wirtshausrauferei C

Bearbeiten Sie das Fallbeispiel und beantworten Sie die Fragen.

W 9.14: Strafbare Handlungen B

Vervollständigen Sie die Übersicht zu Sachverhalt und Delikt.

W 9.15: Materielles Strafrecht B

Lösen Sie ein Kreuzworträtsel zum Thema „materielles Strafrecht".

Ein kurzer Kompetenz-Check, bevor's weitergeht!

Kompetenz-Check

	☺	😐	☹
Ich kann erläutern, aus welchen Gründen der Staat Strafen verhängt.			
Ich kann das gerichtliche Strafrecht sowohl vom Verwaltungsstrafrecht als auch vom Zivilrecht abgrenzen.			
Ich kann in einfachen Fällen beurteilen, ob eine Tat strafbar ist.			
Ich kann in einfachen strafrechtlichen Fällen erkennen, welcher gesetzliche Tatbestand anzuwenden ist.			

Lerneinheit 2
Strafprozessrecht

SbX
Alle SbX-Inhalte zu dieser Lerneinheit finden Sie unter der ID: 0920.

Jeden Tag passieren kleinere und größere Verbrechen in Österreich. Nicht nur aufsehenerregende Prozesse bewirken, dass die Bevölkerung die Arbeit der Ermittlungs- und Entscheidungsorgane in den Medien genau verfolgt. Umso wichtiger sind die Regelungen zur Durchsetzung des materiellen Strafrechts, die wir einerseits im Strafverfahrensrecht, andererseits im Strafvollstreckungsrecht finden.

Lernen & Üben

1 Die leitenden Grundsätze des Strafprozesses
Wo kein Kläger, da kein Richter!

Da wir in einem Rechtsstaat leben, darf das Strafverfahren nicht willkürlich abgewickelt werden, sondern muss nach bestimmten Regeln (Grundsätzen) ablaufen.

Kernstück des österreichischen Strafprozessrechts ist die **Strafprozessordnung (StPO** 1975 i. d. g. F.).

Ausnahmen vom Offizialgrundsatz: Privatanklagedelikte, z. B. üble Nachrede **Antragsdelikte,** z. B. Kindesentziehung **Ermächtigungsdelikte,** z. B. Entwendung

Verfahrensgrundsätze	Beschreibung
Anklagegrundsatz	Es muss einen berechtigten Ankläger geben, der nicht gleichzeitig der Richter ist.
Offizialgrundsatz	Strafverfahren werden grundsätzlich **von Amts wegen** eingeleitet. Dabei wird der Staat durch die Staatsanwaltschaft vertreten.
Legalitätsgrundsatz	Der Staatsanwalt ist verpflichtet, jedes Delikt zu verfolgen. (Diversion und Einstellung des Verfahrens sind möglich.)
Mündlichkeit und Unmittelbarkeit	In mündlicher Verhandlung wird der Sachverhalt erörtert und die Beweise werden direkt aufgenommen.
Öffentlichkeit	Grundsätzlich sind Verhandlungen in Strafsachen öffentlich. Ist die **Sittlichkeit** oder die **öffentliche Ordnung** gefährdet, kann die Öffentlichkeit ausgeschlossen werden.
freie Beweiswürdigung	Die Richter entscheiden aufgrund ihrer freien Überzeugung. Vorher werden alle Beweismittel, die für oder gegen den Beschuldigten sprechen, gewissenhaft geprüft.
Grundsatz der materiellen Wahrheit (Objektivität)	Alle im Strafverfahren tätigen Behörden sind verpflichtet, die zur Belastung und die zur Verteidigung des Beschuldigten dienenden Umstände mit gleicher Sorgfalt zu berücksichtigen.
Grundsatz der Laienbeteiligung	Gemäß Art. 91 B-VG findet die Hauptverhandlung in allen schweren Strafsachen vor einem Schöffen- oder Geschworenengericht statt.
Grundsatz der festen Geschäftsverteilung (Recht auf den gesetzlichen Richter)	Zuständigkeitsvorschriften der StPO sowie die Geschäftsverteilung der Gerichte legen im Vorhinein fest, welches Gericht und welcher Richter im Einzelfall zuständig ist.

Fernseh- und Hörfunkübertragungen sowie Film- und Fotoaufnahmen von Verhandlungen der Gerichte sind unzulässig.

Im Zweifel ist der Angeklagte freizusprechen (in dubio pro reo)!

2 Gerichtsorganisation und Instanzenzug
Bin ich hier richtig?

In der Regel steht das Strafverfahren örtlich dem Gericht zu, in dessen Sprengel die strafbare Tat begangen wurde (**= Gerichtsstand des Tatorts).**

Zuständigkeit

Gerichtlich strafbare Handlungen können entweder vor dem **Bezirksgericht** oder vor dem **Landesgericht** verhandelt werden. Welches von den beiden Gerichten in 1. Instanz zuständig ist, richtet sich grundsätzlich nach dem **Strafrahmen** der vom Staatsanwalt angeklagten Straftat.

Bezirksgerichte sind für Straftaten zuständig, für die nur eine **Geldstrafe** oder eine **maximale Freiheitsstrafe von 1 Jahr** angedroht ist. Das Verfahren findet vor einem **Einzelrichter** statt.

Landesgerichte führen alle übrigen Verhandlungen durch. Sie werden in folgenden Besetzungen tätig:

- **Einzelrichter:** wenn die Strafdrohung maximal 5 Jahre beträgt
- **Schöffengericht:** wenn die Strafdrohung über 5 Jahre beträgt, aber noch keine Geschworenenzuständigkeit besteht. 1 Berufsrichter und 2 Schöffen entscheiden gemeinsam über Schuld und Strafe. Bei einigen schweren Straftaten (z. B. Vergewaltigung, Totschlag) besteht das Schöffengericht aus 2 Berufsrichtern und 2 Schöffen.

Schöffengericht

Schöffen und **Geschworene** sind Laienrichter, d. h. Mitwirkende aus dem Volk.

- **Geschworenengericht:** wenn ein Verbrechen angeklagt ist, das mit mindestens 5 und mehr als 10 Jahren Freiheitsstrafe bedroht ist, oder ein politisches Delikt angeklagt wurde. Das Gericht setzt sich zusammen aus 3 Berufsrichtern (Schwurgerichtshof) und 8 Geschworenen (Laienrichter). Über die Schuldfrage entscheiden nur die Geschworenen, die Höhe der Strafe legen die 3 Berufsrichter und die 8 Laienrichter gemeinsam fest!

Politische Delikte sind z. B.:
- Wiederbetätigung
- Hochverrat

Landesgerichte sind daneben auch für Berufungen gegen Urteile der Bezirksgerichte zuständig.

Instanzenzug

Der **Instanzenzug** regelt den Rechtsweg, der zu beschreiten ist, wenn man eine (gerichtliche) Entscheidung bekämpfen möchte.

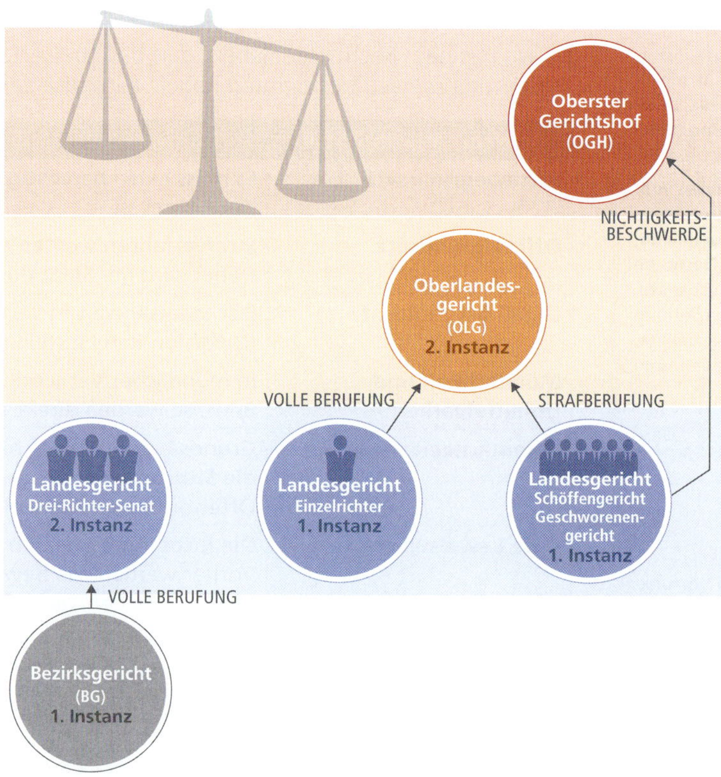

Der OGH ist oberste Instanz in Zivil- und Strafsachen. Er arbeitet in Fünfer- bzw. Dreiersenaten.

Im Strafprozess gibt es immer nur **zwei Instanzen.**

Gerichtspersonen

Berufsrichter: werden vom Bundespräsidenten auf Lebenszeit ernannt. Sie sind in Ausübung ihres Amtes **unabhängig, unversetzbar und unabsetzbar.**

Laienrichter: Im schöffen- und geschworenengerichtlichen Verfahren wirken Laien mit. Sie müssen u. a.

- österreichische Staatsbürger sein,
- das 25. Lebensjahr vollendet haben und
- dürfen keine 6 Monate übersteigende Vorstrafe haben.

Die Anwesenheit von Schriftführern zur Protokollführung ist nicht mehr unbedingt erforderlich.

Berufsrichter und Berufsrichterin

Die Liste der Laienrichter wird durch ein Zufallsverfahren aus der Wählerevidenz der Gemeinden gebildet.

Schriftführer: Die Protokolle können auch auf Tonband aufgenommen werden.

Übungsbeispiel

Ü 9.5: Besetzung beim Bezirksgericht B

Otto M. wurde vom Bezirksgericht zu einer Freiheitsstrafe von 6 Monaten verurteilt. Er nimmt diese Strafe nicht an, da sie ihm zu hoch erscheint, und er möchte ein Rechtsmittel ergreifen.

a) Erläutern Sie, in welcher Besetzung das Bezirksgericht das Urteil verkündet hat.

b) Erklären Sie, welches Rechtsmittel Otto M. ergreifen kann.

c) Skizzieren Sie den Instanzenzug.

3 Die Verfahrensbeteiligten

Hauptakteure des Strafverfahrens sind Ankläger und Beschuldigter. Daneben gibt es auch noch Privatbeteiligte und Verteidiger.

> Ein Bekannter von mir ist auf die schiefe Bahn gekommen und straffällig geworden. Kann er sich vor Gericht selbst vertreten oder muss er sich einen Verteidiger nehmen? Was passiert, wenn er sich keinen Anwalt leisten kann?

Der Ankläger

Der öffentliche Ankläger

Je nach Gericht wird der öffentliche Ankläger anders bezeichnet.

Anklagebehörden

Die staatsanwaltschaftlichen Behörden sind bei der Erfüllung ihrer Aufgaben von den Gerichten **unabhängig.** Sie sind zuständig für das **Vorverfahren, die Anklageerhebung und die Vertretung der Anklage** in der Hauptverhandlung. Sie wirken auch bei der **Diversion** mit und sind einander über- und untergeordnet:

ANKLAGEBEHÖRDEN

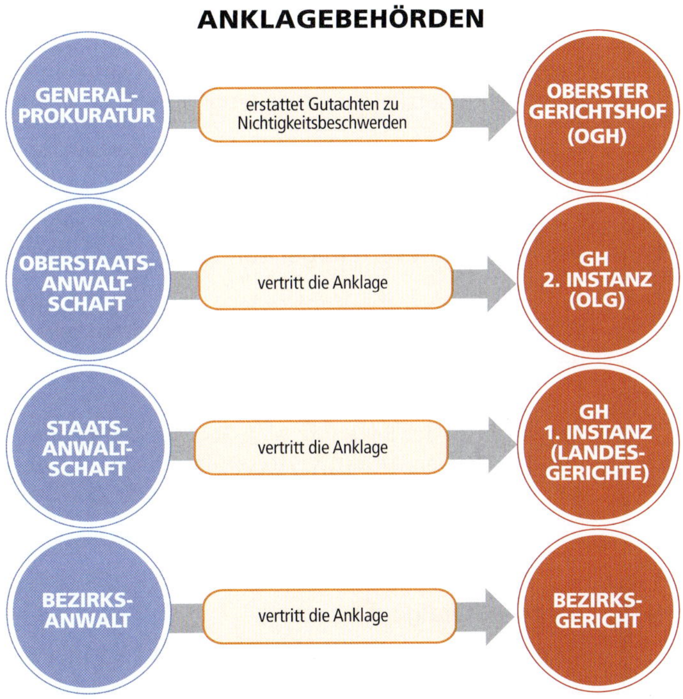

Zur Bekämpfung der schweren Wirtschaftskriminalität (z. B. Korruption, Bilanzfälschung im großen Stil usw.) im Zusammenhang mit Großunternehmen wurde 2011 die Wirtschafts- und **Korruptionsstaatsanwaltschaft** (WKStA) geschaffen.

Wie im Kartellrecht gibt es nun auch im Strafrecht eine **Kronzeugenregelung.** Unter gewissen Voraussetzungen kann eine Person, die selbst eine strafbare Handlung begangen hat, aber gegen die noch kein Ermittlungsverfahren geführt wird, der Staatsanwaltschaft wertvolle Hinweise über die Haupttäter geben. Der Vorteil für den Kronzeugen besteht in der Aussicht auf Straffreiheit.

Daneben besteht auch ein **anonymes Hinweisgebersystem** zur Korruptionsbekämpfung (Whistleblowersystem): Über eine anonyme Website können Meldungen zu Korruptionsfällen und Wirtschaftskriminalität einfach übermittelt werden .

Der Privatankläger

Ein **Privatanklagedelikt** ist z. B. Ehrenbeleidigung.

Wenn eine strafbare Handlung nur auf Verlangen des bzw. der Verletzten oder eines anderen Beteiligten zu verfolgen ist, so steht dieser Person das Recht zu, eine Privatanklage zu erheben.

Der Privatbeteiligte

Beispiel: Der bei einem Verkehrsunfall verletzte A. schließt sich dem Strafverfahren an, weil er Anspruch auf Ersatz der Heilungskosten sowie auf Schmerzengeld hat.

Das Opfer kann sich wegen seiner **Schmerzengeldansprüche** dem Strafverfahren anschließen. Bei einem Freispruch des Beschuldigten muss das Opfer seine Ansprüche in einem eigenen Zivilprozess durchsetzen.

Der Beschuldigte und seine Vertretung

Unterscheiden Sie: **Verdächtiger** ist eine Person, die der Verdacht einer strafbaren Handlung trifft.

Angeklagter ist eine Person, gegen die eine Hauptverhandlung angeordnet wurde.

Personen, gegen die ein Strafverfahren geführt wird, bezeichnet man als **Beschuldigte.** Diese haben besondere **Rechte,** wie z. B. das Recht auf

- Information und Äußerung,
- Akteneinsicht,
- Verteidigung und
- das Recht, die Aussage zu verweigern.

Bei **jugendlichen Beschuldigten** stehen dem **gesetzlichen Vertreter** ebenfalls diese Rechte zu.

Die Verteidigerin muss dem Klienten zur Seite stehen.

Beschuldigte haben das Recht auf eine reibungslose Verständigung sowohl bei Gericht als auch beim Staatsanwalt und bei der Kriminalpolizei. Durch das Zurverfügungstellen eines Dolmetschers soll ein faires Verfahren gewährleistet werden.

Der Verteidiger

Anwaltspflicht besteht z. B. beim Gerichtshof 1. Instanz ab einer drei Jahre übersteigenden Freiheitsstrafe. Der Verteidiger ist zur Parteilichkeit verpflichtet. Er darf jedoch keine strafbaren Handlungen setzen und etwa Zeugen zur Falschaussage verleiten.

Verfahrenshilfe: Die Republik Österreich zahlt den Rechtsanwaltskammern dafür jährlich einen Pauschalbetrag, den diese für Pensionszahlungen verwenden.

Grundsätzlich kann sich der Beschuldigte seinen Verteidiger frei wählen **(Wahlverteidiger)** und muss daher dessen Honorar bezahlen.

Kann sich der Beschuldigte keinen Wahlverteidiger leisten, so stellt ihm das Gericht einen **Verfahrenshilfeverteidiger** zur Verfügung. Dessen Honorar hat der Beschuldigte nicht zu bezahlen.

Wählt der an sich zahlungsfähige Beschuldigte keinen Anwalt, so wird ihm ein **Amtsverteidiger** beigestellt, dessen Honorar zu bezahlen ist.

Barauslagen hat der Beschuldigte selbst zu tragen.

Antwort: Hat der Bekannte eine Straftat begangen, für die Anwaltspflicht besteht, so muss er sich durch einen Anwalt vertreten lassen. Ansonsten kann er sich selbst vor Gericht vertreten. Kann er sich die Prozessführung nicht leisten, so kann er einen Antrag auf Verfahrenshilfe stellen.

Übungsbeispiel

Ü 9.6: Verteidiger B

Stellen Sie fest, welche Aussagen auf die verschiedenen Verteidiger zutreffen:

Art der Verteidigung	Selbst gewählt	Nicht selbst gewählt	Kosten trägt der Beschuldigte.	Kosten trägt der Staat.
Verfahrenshilfeverteidiger				
Wahlverteidiger				
Amts-(Pflicht-)verteidiger				

4 Beweisrecht, prozessuale Zwangs- und Sicherungsmittel

Das Gericht soll durch einen Beweis vom Vorliegen bestimmter Tatsachen überzeugt werden.

Als **Beweis** darf grundsätzlich alles benützt werden, was dazu beiträgt, den **wahren Sachverhalt** aufzuklären.

Ich habe eine Zeugenladung vom Landesgericht Linz bekommen. Da der Gerichtstermin in den Semesterferien liegt, bin ich auf Schiurlaub und es freut mich nicht besonders, diesen zu unterbrechen. Muss ich erscheinen?

Die einzelnen Beweise

- **Augenschein, Sachverständige, Urkunden** – Näheres dazu erfahren Sie beim zivilgerichtlichen Verfahren.
- **Zeugen:** Sie haben die Pflicht, bei Gericht zu erscheinen und die Wahrheit zu sagen.
- **Beschuldigte:** Diese sind nicht verpflichtet, aktiv an der Wahrheitsfindung mitzuwirken, d. h., sie dürfen auch lügen. Ein Geständnis ist jedoch ein wichtiger Milderungsgrund. Sie sind fair zu behandeln.

§ 288 StGB: Falsche Beweisaussage vor Gericht ist mit einer Freiheitsstrafe von bis zu 3 Jahren bedroht; wurde die Aussage unter Eid abgelegt, sogar von bis zu 5 Jahren.

Antwort: Marco ist verpflichtet, bei Gericht zu erscheinen, daher wird er seinen Schiurlaub unterbrechen müssen. Andernfalls droht ihm eine Ordnungsstrafe oder sogar die Vorführung durch die Polizei.

Zwangs- und Sicherungsmittel

Haftgründe sind:
- Fluchtgefahr
- Tatbegehungsgefahr
- Verabredungsgefahr

Der richterliche Befehl muss entweder sogleich oder binnen 24 Stunden zugestellt werden.

- **Untersuchungshaft:** Sie darf nur bei **dringendem Tatverdacht** verhängt werden. Es muss ein **Haftgrund** vorliegen und es dürfen **keine gelinderen Mittel,** z. B. Kaution oder Abnahme des Reisepasses, anwendbar sein.
- **Hausdurchsuchung und Personendurchsuchung:** dürfen nur aufgrund eines begründeten **richterlichen Befehls** durchgeführt werden
- **Lauschangriff:** Darunter versteht man die optische und akustische Überwachung von Personen unter Verwendung von technischen Mitteln, z. B. durch Anbringen von „Wanzen".
- **Rasterfahndung:** Dies ist der automationsunterstützte Abgleich von Daten mehrerer Datenverarbeitungen, um Personen festzustellen, die als Verdächtige in Betracht kommen.

Sowohl Lauschangriff als auch Rasterfahndung dürfen nur durchgeführt werden, wenn die Aufklärung eines Verbrechens ansonsten aussichtslos oder wesentlich erschwert wäre.

5 Der Ablauf eines Strafverfahrens

Der Angeklagte hat das letzte Wort!

Aufgabe des Strafverfahrens ist es, einerseits den Täter einer gerechten Bestrafung zuzuführen, andererseits jedoch zu vermeiden, dass Unschuldige verurteilt werden. Da Entscheidungen außerdem der Kontrolle durch übergeordnete Instanzen unterliegen, kann es passieren, dass Verfahren mitunter sehr lange dauern.

In der Regel kommt es aufgrund einer **Anzeige** zur Strafverfolgung. Das Strafverfahren lässt sich in **verschiedene Verfahrensabschnitte** gliedern.

Ablauf des Strafverfahrens

Im Verfahren vor den Bezirksgerichten bzw. Geschworenengerichten gibt es Abweichungen.

Einstellung des Verfahrens: Wenn die Staatsanwaltschaft keine ausreichenden Gründe findet, um Anklage zu erheben

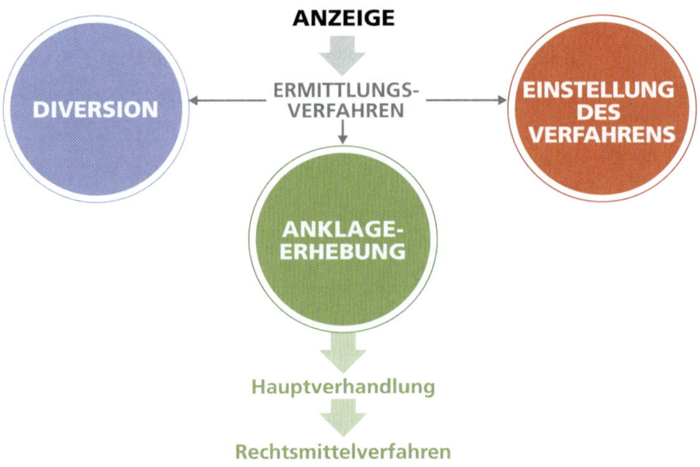

Das Ermittlungsverfahren

Das Ermittlungsverfahren wird von der Staatsanwaltschaft geleitet, die dabei mit der Kriminalpolizei eng zusammenarbeitet. Grundsätzlich dient es dazu, Materialien zu sammeln und Befragungen durchzuführen, um den **Sachverhalt zu klären.** Danach prüft die **Staatsanwaltschaft,** ob sie

- das **Verfahren einstellt,**
- ein **Diversionsverfahren** einleitet oder
- bei Gericht die **Anklageschrift** einbringt.

Im letzteren Fall wird von dem Gericht, bei dem die Hauptverhandlung stattfindet, der **Termin festgesetzt** und **Beschuldigte, Zeugen und Sachverständige** geladen.

Die Hauptverhandlung

Urteile werden **„Im Namen der Republik"** verkündet.

Nichtigkeitsbeschwerde oder Berufung wegen Nichtigkeit: wegen Verfahrensfehlern oder unrichtiger Auslegung eines Gesetzes, z. B.: Es waren nicht alle Richter während der ganzen Verhandlung anwesend.

Nachdem der Angeklagte nach seinen **Personalien** befragt wurde, **trägt** der **Staatsanwalt die Anklage vor.** Danach wird der **Angeklagte zur Sache befragt** und die übrigen **Beweise aufgenommen.** Nun halten der Staatsanwalt, die Privatbeteiligten sowie der Angeklagte bzw. sein Verteidiger die **Schlussvorträge** (Plädoyers). Das Gericht zieht sich zur **Beratung und Abstimmung** zurück (Ausnahme: Bezirksgericht). Der Richter verkündet das **Urteil** (Schuldspruch oder Freispruch) und belehrt den Angeklagten über die Möglichkeit,

- das Urteil anzufechten,
- es anzunehmen oder
- drei Tage Bedenkzeit zu nehmen.

REPUBLIK ÖSTERREICH
Landesgericht für Strafsachen Wien

12 Hv 124/08h

IM NAMEN DER REPUBLIK

Das Landesgericht für Strafsachen Wien hat durch den Richter Dr. Heinz Streng über den von der Staatsanwaltschaft Wien gegen

Das Mandatsverfahren:

Auf Antrag der Staatsanwaltschaft kann der Einzelrichter am Bezirksgericht bzw. Landesgericht die Strafe durch eine schriftliche Strafverfügung festsetzen, ohne dass vorher eine Hauptverhandlung stattgefunden hat. Wird dagegen berechtigt Einspruch erhoben, findet eine Hauptverhandlung statt.

Das Rechtsmittelverfahren

Mit einem **Rechtsmittel** (Berufung, Nichtigkeitsbeschwerde) bezwecken die Parteien (sowohl der Beschuldigte als auch der Staatsanwalt) eine **Aufhebung** oder **Abänderung der gerichtlichen Entscheidung.**

Schuldberufung: Hiermit wird die richterliche Beweiswürdigung angefochten, z. B. der Berufungswerber behauptet, nicht schuldig zu sein.

- Gegen Urteile des Einzelrichters kann das Rechtsmittel der **vollen Berufung** (wegen Nichtigkeit, Schuld und Strafe) ergriffen werden.
- Urteile der Schöffen und Geschworenengerichte können nur mit **Nichtigkeitsbeschwerde und Strafberufung** bekämpft werden (siehe Instanzenzug).

Strafberufung: Die Strafart oder Strafhöhe wird bekämpft, z. B. Geldstrafe statt Freiheitsstrafe.

- Ist die Entscheidung nicht mehr anfechtbar, so wird diese **rechtskräftig** und kann vollstreckt werden.

Steht innerstaatlich kein Rechtsmittel mehr zur Verfügung, bleibt nur mehr die **Beschwerdemöglichkeit an den Europäischen Gerichtshof für Menschenrechte** wegen Verletzung der EMRK (Europäische Menschenrechtskonvention, siehe S. 53).

Eine Haftstrafe kann auch in Form des elektronisch überwachten Hausarrests verbüßt werden.

Das Vollstreckungsverfahren

- Vollstreckung von **Geldstrafen**
- Vollstreckung von **Freiheitsstrafen:** Dies geschieht in Strafvollzugsanstalten. In Österreich stehen 27 Justizanstalten zur Verfügung (z. B. Garsten, Suben, Stein). Befindet sich ein Verurteilter auf freiem Fuß, so wird er schriftlich zum Haftantritt aufgefordert.

Strafgefangenen stehen verschiedene Rechte zu, u. a. das Recht, Ansuchen zu stellen und Beschwerden einzubringen.

Entwicklung der Haftzahlen

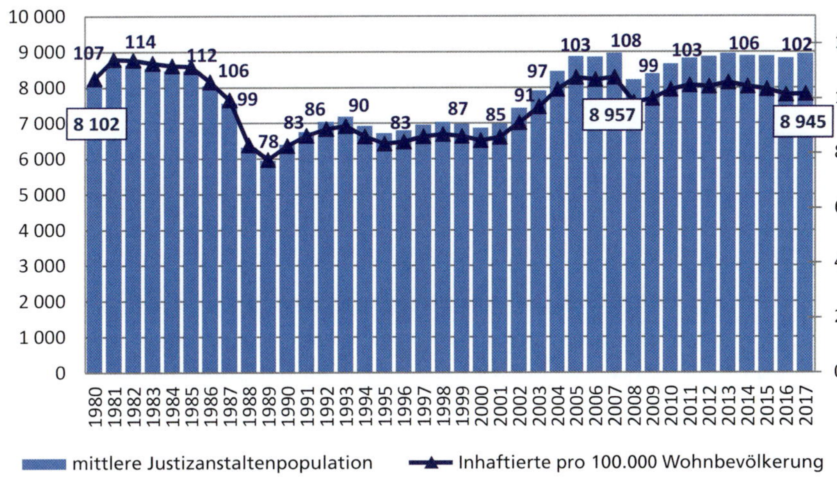

Quellen: Polizeiliche Kriminalstatistik, Statistik Austria

Sichern & Merken

SbX ID: 0922

9 Strafrecht

leitende Grundsätze des Strafprozesses

Das **Strafverfahren** läuft nach gewissen **Prinzipien** ab, die befolgt werden müssen, um die Grundrechte des Menschen nicht zu verletzten und ein faires Urteil zu gewährleisten (Anklage-, Offizial-, Legalitäts- und Öffentlichkeitsgrundsatz, Grundsatz der Laienbeteiligung, der Mündlichkeit, der festen Geschäftsverteilung und der freien Beweiswürdigung).

Gerichtspersonen und Verfahrensbeteiligte

Berufsrichter und **Laienrichter** sind zur **Entscheidung in Strafsachen** berufen. Die **Anklage** erfolgt durch den Staat, vertreten durch die **Staatsanwaltschaft** (in Ausnahmefällen durch Private). Der Beschuldigte kann sich einen Verteidiger frei wählen oder seine Interessen selbst wahrnehmen. Bei Anwaltszwang muss er durch einen Verteidiger vertreten werden.

Beweise

Augenschein, Sachverständige, Zeugen, der Beschuldigte sowie **Urkunden** dienen dem Gericht zur Entscheidungsfindung.

Zwangs- und Sicherungsmittel

Untersuchungshaft oder **Abnahme des Reisepasses** sollen gewährleisten, dass sich der Beschuldigte dem Verfahren nicht entziehen kann bzw. keine Gefahr für die Allgemeinheit von ihm ausgeht. **Lauschangriff** und **Rasterfahndung** werden durchgeführt, wenn es keine andere Möglichkeit gibt, ein Verbrechen aufzuklären.

Ablauf des Strafverfahrens

Im **Ermittlungsverfahren** wird durch die Staatsanwaltschaft in Zusammenarbeit mit der Kriminalpolizei der Sachverhalt geklärt. In der nachfolgenden **Hauptverhandlung** wird das Beweisverfahren durchgeführt und das Urteil durch den zuständigen Richter verkündet. Daran anschließend wird in einem eigenen Verfahren über eingebrachte Rechtsmittel (Berufung, Nichtigkeitsbeschwerde) entschieden.

Instanzenzug

Das **nächsthöhere Gericht** wird angerufen, um eine gerichtliche Entscheidung, mit der man nicht einverstanden ist, aufheben oder abändern zu lassen (sowohl durch den Staatsanwalt als auch durch den Verurteilten).

Vollstreckung

Sobald das **Urteil rechtskräftig** ist, ist der Verurteilte verpflichtet, die Geldstrafe zu bezahlen bzw. die Freiheitsstrafe anzutreten. Freiheitsstrafen werden in Justizanstalten vollstreckt.

SbX ID: 0922

Im SbX finden Sie eine Bildschirmpräsentation mit den Grafiken dieser Lerneinheit.

Wissen & Können

SbX ID: 0923

A B C D E

W 9.16: Rechtsmittel B

Kurt F. wurde vom Bezirksgericht zu einer 6-monatigen Freiheitsstrafe verurteilt. Er hat bis zuletzt seine Unschuld beteuert. Erläutern Sie, welches Rechtsmittel Sie als Anwalt/Anwältin des Kurt F. ergreifen würden.

SbX **Hilfreiche Links zur Bearbeitung der Kontrollfragen finden Sie unter der ID: 0923.**

W 9.17: Dauer von Strafprozessen C

Diskutieren Sie (in Partner- oder Gruppenarbeit), warum sich Strafprozesse oft endlos hinziehen und welche Konsequenzen dies für die Opfer hat.

SbX **W 9.18–W 9.23 mit automatischer Aufgabenkontrolle ID: 0923**

Weitere Aufgaben im SbX

W 9.18: Verfahrensgrundsätze A

Vervollständigen Sie die Übersicht zu den Verfahrensgrundsätzen.

W 9.19: Aufgaben und Funktionen bei Gericht B

Ordnen Sie den verschiedenen Beteiligten bei Gericht deren Aufgaben bzw. Funktionen zu.

W 9.20: Ablauf des Strafverfahrens B

Reihen Sie die Bestandteile des Strafverfahrens in der richtigen Abfolge.

W 9.21: Strafprozessrecht C

Lösen Sie ein Kreuzworträtsel zum Thema Strafprozessrecht.

W 9.22: Verfahrensbeteiligte B

Bearbeiten Sie den Test zu den verschiedenen Beteiligten eines Gerichtsverfahrens.

SbX ID: 0923

W 9.23: Strafverfahren D

Vergleichen Sie die Verurteilungen nach Deliktsgruppen.

Zum Schluss ein kurzer Kompetenz-Check!

Kompetenz-Check

	☺	😐	☹
Ich kann die Zuständigkeiten der Strafgerichte erklären und den entsprechenden Instanzenzug darstellen.			
Ich kann die Hauptakteure des Strafverfahrens benennen und deren Funktionen erläutern.			
Ich kann den Ablauf eines Strafverfahrens von der Anzeige bis zur Ergreifung eines Rechtsmittels beschreiben.			

Stichwortverzeichnis